Hilpold • Italienisches Steuerrecht – Allgemeiner Teil

Italienisches Steuerrecht – Allgemeiner Teil

von

Prof. Dr. Peter Hilpold
(Universität Innsbruck)

Wien 2025

BOORBERG DIKE facultas

Herausgegeben mit Unterstützung

Autonome Provinz Bozen
Provincia autonoma di Bolzano
Provinzia autonoma de Bulsan
SÜDTIROL · ALTO ADIGE

§ Forum für Rechtsvergleichung

Südtiroler BZ BildungsZentrum

Raiffeisenverband Südtirol
Genossenschaft

Bibliografische Information Der Deutschen Nationalbibliothek

Die Deutsche Nationalbibliothek verzeichnet diese Publikation in der Deutschen Nationalbibliografie; detaillierte bibliografische Daten sind im Internet über http://dnb.d-nb.de abrufbar.

4., überarbeitete Auflage 2025

facultas, Stolberggasse 26, 1050 Wien, Österreich
www.facultas.at, office@facultas.at

Satz: Wandl Multimedia-Agentur
Druck: Facultas Verlags- und Buchhandels AG
Printed in Austria
ISBN (facultas) 978-3-7089-2655-1
ISBN (BOORBERG) 978-3-415-07616-7
ISBN (DIKE) 978-3-03891-858-5

Vorwort

Der „Allgemeine Teil" gilt als Königsdisziplin im italienischen Steuerrecht, der in der Lehre des Steuerrechts an den italienischen Universitäten zentrale Aufmerksamkeit gewidmet wird.

An den österreichischen und deutschen Universitäten ist die Schwerpunktsetzung eine andere: Dort gilt das primäre Interesse der Praxis und damit den einzelnen Steuern, ein Bereich, der in Italien unter den „Besonderen Teil" fällt.

Dem entsprechend wurde im fernen Jahr 1992, als das Projekt gestartet wurde, eine umfassende Abhandlung zum italienischen Steuerrecht in deutscher Sprache zu schreiben, schwerpunktmäßig mit dem „Besonderen Teil" begonnen. Das Gesamtprojekt wurde im Jahr 2015, als die erste Auflage des „Allgemeinen Teils" veröffentlicht worden ist, abgeschlossen.

Die Vorauflagen des „Allgemeine Teils" sind – gleich wie der Grundriss – auf großes Interesse gestoßen. Dieser Umstand sowie die zahlreichen legislativen Neuerungen in diesem Bereich, die auf der Grundlage des EG 111/2023 eingeführt worden sind, waren Anlass nunmehr eine vierte Auflage vorzubereiten. Die große Steuerreform, die mit EG 111/2023 eingeleitet worden ist, bedarf noch zahlreicher weiterer Umsetzungsschritte, doch sind die wesentlichen Konturen der neuen Steuerrechtsordnung bereits klar erkennbar, so dass den Interessierten jetzt schon eine aktuelle Gesamtdarstellung zur Verfügung gestellt werden kann.

In Kürze wird auch die siebte Auflage des „Grundrisses", wiederum gemeinsam mit Walter Steinmair verfasst, fertiggestellt werden.

Der Umbau der italienischen Steuerrechtsordnung ist nach wie vor im Gange. Trotz all der nach wie vor bestehenden Komplexität dieses System ist aber Folgendes zu erkennen: Die Bemühungen, ein System zu schaffen, das für den Steuerpflichtigen verständlicher und zugänglicher wird, tragen erste Früchte. Zudem ist auch zu vermerken, dass der italienischen Steuerrechtsordnung zwar – in völlig zutreffender Weise – eine außergewöhnliche Dynamik nachgesagt wird. Gleichzeitig erweist sich die Grundstruktur aber als erstaunlich stabil, und zwar über lange Zeiträume hinweg.

Aufgabe dieses Buches ist es, die Grundprinzipien der italienischen Steuerrechtsordnung herauszuarbeiten und in anschaulicher Form darzustellen. Ausgehend von diesen zentralen Elementen sollten sich auch die übrigen Elemente zu einem verständlichen Ganzen fügen.

Innsbruck, im September 2025 — Prof. Dr. Peter Hilpold

Inhaltsverzeichnis

Abkürzungsverzeichnis

abg.	= abgeändert
ABl.	= Amtsblatt
Abs.	= Absatz
AdE	= Agenzia delle Entrate
Ader	= Agenzia delle Entrate – Riscossione
AEUV	= Vertrag über die Arbeitsweise der Europäischen Union
AG	= Aktiengesellschaft
AO	= Abgabenordnung
Art.	= Artikel
AöR	= Archiv des öffentlichen Rechts
Aufl.	= Auflage
BAO	= Bundesabgabenordnung
Bd.	= Band
BollTrib	= *Bollettino Tributario*
bspw.	= beispielsweise
bzw.	= beziehungsweise
CAF	= Centro di Assistenza Fiscale
CC	= Zivilgesetzbuch *(Codice Civile)*
CDT	= Corso di Diritto Tributario
CFC	= controlled foreign companies
CIDT	= Corso Istituzionale di DirittoTributario
CNEL	= Consiglio Nazionale per l'Economia e il Lavoro
ComDT	= Compendio di Diritto Tributario
CorrTrib	= *Corriere Tributario*
CorsPratProf	= *I Corsi di pratica professionale*
Cort.Cost.	= Corte Costituzionale (italienischer Verfassungsgerichtshof)
c.p.	= codice penale
c.p.c.	= *codice di procedura civile*
D	= Dekret *(Decreto)*
DBA	= Doppelbesteuerungsabkommen
d.h.	= das heißt
Dig.Sez.Comm.	= Digesto UTET, Discipline Privatistiche, Sezione Commerciale
DIT	= duale Einkommensteuer *(Dual income tax)*
DPEF	= *Documento di programmazione economica e finanziaria*
DPR	= Dekret des Präsidenten der Republik *(Decreto del Presidente della Repubblica)*
DirPratTrib (DPT)	= *Diritto e Pratica Tributaria*
DT	= Diritto Tributario
EBITDA	= *Earnings Before Interests, Taxes, Depreciation and Amortisation*
einschl.	= einschließlich
EGV	= Vertrag der Europäischen Gemeinschaften
EncGiur	= *Enciclopedia Giuridica*
ERG/EG	= Ermächtigungsgesetz *(Legge delega)*
ESt	= Einkommensteuer

ET	=	Einheitstext *(Testo unico)*
etc	=	et cetera
EU	=	Europäische Union
EV	=	Ermächtigungsverordnung *(Decreto legislativo)*
EWG	=	Europäische Wirtschaftsgemeinschaft
EWWU	=	Europäische Wirtschafts- und Währungsunion
f	=	folgende
Fb	=	Feststellungsbescheid
ff	=	fortfolgende
FiscInt	=	*Fiscalità Internazionale*
forumfisc	=	*Forum Fiscale*
G	=	Gesetz *(Legge)*
GAL	=	*Global Administrative Law*
gem	=	gemäß
GiurCost	=	*Giurisprudenza Costituzionale*
GmbH	=	Gesellschaft mit beschränkter Haftung
GuV	=	Gewinn- und Verlustrechnung
hA	=	herrschende Auffassung
HDF	=	Handbuch der Finanzwissenschaft
HG	=	Haushaltsgesetz
hL	=	herrschende Lehre
HRG	=	Haushaltsrahmengesetz
Hrsg	=	Herausgeber
Ibid	=	Ibidem (ebenda)
ICI	=	Gemeindeimmobiliensteuer *(Imposta comunale sugli immobili)*
IGE	=	Allgemeine Umsatzsteuer *(Imposta generale sull'entrata)*
IFRS	=	*International Financial Reporting Standards*
igF	=	in geltender Fassung
ILOR	=	Lokale Einkommensteuer *(Imposta locale sui redditi)*
IMU	=	Gemeindeimmobiliensteuer *(Imposta municipale sugli immobili)*
INAIL	=	Nationales Versicherungsinstitut gegen Arbeitsunfälle *(Istituto nazionale per l'assicurazione contro gli infortuni sul lavoro)*
InfPir	=	Informatore Pirola
IDT	=	Istituzioni di Diritto Tributario
INPS	=	Nationales Institut für soziale Fürsorge *(Istituto nazionale per la previdenza sociale)*
insbes.	=	insbesonders
IRAP	=	Regionale Wertschöpfungssteuer *(Imposta regionale sulle attività produttive)*
IRE	=	Einkommensteuer *(Imposta sul reddito)*
IRES	=	Gesellschaftsteuer *(Imposta sul reddito delle società)*
IRPEF	=	Einkommensteuer der natürlichen Personen *(Imposta sul reddito delle persone fisiche)*
IRPEG	=	Einkommensteuer der juristischen Personen *(Imposta sul reddito delle persone giurdiche)*
ieS	=	im eigentlichen Sinne

iS	=	im Sinne
ISA	=	Indici sintetici di affidabilità
Isee	=	Indice della situazione economica equivalente del nucleo familiare
ital.	=	italienisch
IVA	=	MwSt *(Imposta sul valore aggiunto)*
IVAFE	=	Steuer auf das ausländische Finanzvermögen *(Imposta sulle attivitá finanziarie detenute all'estero)*
IVIE	=	Steuer auf die Auslandsimmobilien *(Imposta sugli immobili detenuti all'estero)*
Kass.	=	Kassationsgerichtshof *(Corte di Cassazione)*
KD	=	königliches Dekret *(Regio decreto)*
KG	=	Kommanditgesellschaft
KNV	=	Königliche Notverordnung
KOM	=	Europäische Kommission
LDT	=	Lezioni di diritto tributario
LG	=	Landesgesetz
lit	=	Buchstabe
lt	=	laut
max	=	maximal
mÄ	=	mit Änderungen
MDT	=	Manuale di Diritto Tributario
MinD	=	Ministerialdekret *(DM = decreto ministeriale)*
MinR/MR	=	Ministerialrundschreiben *(CM = circolare ministeriale)*
Mio	=	Million
Mrd	=	Milliarde
MS	=	Mitgliedstaat
MV	=	Ministerialverordnung
m.w.N.	=	mit weiteren Nachweisen
MwSt	=	Mehrwertsteuer
Nr.	=	Nummer
NV	=	Notverordnung *(decreto legge)*
OECD	=	Organisation für wirtschaftliche Zusammenarbeit und Entwicklung *(Organisation for Economic Cooperation and Development)*
OECD-MA	=	OECD-Musterabkommen
OHG	=	Offene Handelsgesellschaft
ONLUS	=	Ehrenamtliche Organisation mit sozialem Zweck *(Organizzazione non lucrativa di utilità sociale)*
PG	=	Parte Generale
Pkt.	=	Punkt
PratProf	=	*Pratica Professionale*
Pvc (PVC)	=	processo verbale di contestazione
RAO	=	Reichsabgabenordnung
RassTrib	=	*Rassegna Tributaria*
RD	=	regio decreto
RDL	=	regio decreto legge
RDT	=	*Rivista di Diritto Tributario*
RivDirFinScFin	=	*Rivista di Diritto finanziario e Scienze delle Finanze*

RivDirTrib	= *Rivista di Diritto Tributario*
RIW	= Recht der Internationalen Wirtschaft
RL	= (europäische) Richtlinie
ROL	= Bruttogeschäftsergebnis *(Risultato operativo lordo)*
Rs.	= Rundschreiben
Rz	= Randzahl
S.	= Seite
SettFisc	= *La Settimana Fiscale*
Sez.Comm.	= Sezione Commerciale
SICAV	= Investmentgesesellschaft mit veränderlichem Kapital *(Società di investimento a capitale variabile)*
sog.	= so genannt(en)
StK	= Steuerkommission
SuW	= Steuer und Wirtschaft
SWI	= Steuer und Wirtschaft International
Tbd	= Teilband
u.a.	= unter anderem
u.ä.	= und ähnliche
ug G	= umgewandelt durch Gesetz
ug mÄ G	= umgewandelt mit Änderungen durch Gesetz
UNICO	= Vereinheitlichter Steuererklärungs- und Ausgleichsvordruck *(Modello di dichiarazione unificato compensativo)*
usw.	= und so weiter
u.U.	= unter Umständen
v.	= von (vom)
VfGH	= Verfassungsgerichtshof
vgl.	= vergleiche
VIES	= VAT Information Exchange System
VO	= (europäische) Verordnung(en)
VwGH	= Verwaltungsgerichtshof
z.B.	= zum Beispiel
Ziff	= Ziffer(n)
ZStK	= Zentrale Steuerkommission
z.T.	= zum Teil

I. Die Geschichte des italienischen Steuerrechts

Literatur: Marongiu, Alle radici dell'ordinamento tributario italiano, 1988; Marongiu, Storia del fisco in Italia, 1995; Boria, Sistema tributario, in: Digesto, Sez. Comm., Bd. XIV, 1999, 29; Marongiu, L'imposta personale progressiva nel pensiero e nell'opera di Ezio Vanoni, in: DPT I/2000, 511; Uckmar (Hrsg.), L'evoluzione dell'ordinamento tributario italiano, 2000; Hilpold/Steinmair, Italien im internationalen Wettbewerb der Steuerstandorte, 2009; Ferretti, L'evoluzione del sistema tributario italiano, 2001; Procopio, Il sistema tributario italiano, 2013; Marongiu, Dall'imposta al contribuente, in 86 DirPratTrib 5/2015, 651; Mangiameli, Il diritto alla "giusta imposizione". La prospettiva del "costituzionalista", in 87 DirPratTrib 4/2016, 1373; Uricchio, MDT, 2020, 151; Procopio, Il sistema tributario italiano – PG, 2018; Francesco, Dal diritto tributario alla diplomazia fiscale. Prospettive di regolazione giuridica delle relazioni fiscali internazionali, 2020

1. Einführung

Die **relativ späte Einigung Italiens** sowie die über die Jahrhunderte ständig wechselnde politische Zugehörigkeit der verschiedenen Regionen Italiens hat das Königreich Italien im Jahr **1861** mit einer äußerst schwierigen Gestaltungsaufgabe konfrontiert: Es galt nun mit forciertem Tempo einen Nationalstaat zu schaffen, wobei aber – aufgrund der extremen sozialen und kulturellen Heterogenität des Landes – die Vorzeichen äußerst ungünstig standen. Dringender Harmonisierungsbedarf bestand auch und gerade im Steuerrecht. Bekannt ist die **integrative Kraft eines einheitlichen Steuersystems**, das – aufbauend auf dem Gleichheitsgrundsatz – Kohäsionstendenzen fördern und abstützen kann. Der Steuerrechtsordnung kam aber noch unter einer zweiten Perspektive eine instrumentale Rolle bei der Unterstützung des Einigungsprozesses zu: Sie sollte die Basis für die Beschaffung der Mittel zur **Finanzierung dieser Aufgabe** darstellen. Die überwiegende agrarische Wirtschaftsstruktur des Landes, die sehr uneinheitliche, insgesamt aber äußerst dürftige Ausprägung der Verwaltungsstrukturen sowie die von Anbeginn an hohe Tendenz zur Steuerhinterziehung (die wiederum als Widerstand gegen einen häufig als fremd empfundenen Staat gewertet werden kann) bildeten sehr schlechte Vorbedingungen, um den erwähnten Mittelbedarf in einer Art und Weise zu decken, die die beschriebenen integrativen Wirkungen der Steuerrechtsordnung in Gang setzen hätten können. Damit waren aber Ansätze für einen *circulus vitiosus* gegeben, die weit in das nachfolgende Jahrhundert fortwirkten.

Der Entwicklung eines nach modernen Vorstellungen gerechten Steuersystems stand schließlich auch der Umstand entgegen, dass die Regierungsform Italiens weit davon entfernt war, eine Demokratie darzustellen. Im Jahr 1865 waren nur 2% der 23 Millionen Einwohner Italiens wahlberechtigt. Die Wahlberechtigung wurde nur langsam erweitert. Mit der Machtergreifung der Faschisten im Jahr 1922 koppelte sich Italien wiederum bis zum Jahr 1945 von den europäischen Demokratisierungsprozessen ab. Dementsprechend konnte das italienische Steuersystem bis zum Jahr 1945 kaum als Ausdruck eines gesamtnationalen Willensbildungsprozesses gesehen werden.

Was den Finanzmittelbedarf anbelangt, so wurde dieser über die ohnehin schon enormen Aufwendungen zum Ausbau eines neuen Staatswesens hinaus in relativ kurzen Abständen durch kriegerische Auseinandersetzungen nochmals erhöht, was die Einführung von Sondersteuern zur Folge hatte. Zu nennen sind die Nachwirkungen des Einigungsprozesses 1861 (insbesondere die Pensionsansprüche der Veteranen), der kostspielige Krieg gegen Österreich im Verbunde mit Preußen im Jahr 1866, der Kolonialkrieg in Abessinien im Jahr 1896, die Eroberung Libyens im Jahr 1912, der Erste Weltkrieg, die Eroberung Abessiniens im Jahr 1936 und der Zweite Weltkrieg.

2. Grundlegende Modelle

Zwei Rechtsordnungen übten in der ersten Hälfte des 19. Jahrhunderts in Europa eine starke Vorbildwirkung für die Gestaltung des Staats- und Verwaltungsrechts und damit letztlich auch des Steuerrechts aus: die **englische** und die **französische.** Hinsichtlich der englischen Steuerrechtsordnung bezog sich die Vorbildwirkung in erster Linie auf die auf **William Pitt** zurückzuführende, im Jahr **1799** in Kraft getretene **Steuer auf das Gesamteinkommen**[1]. Kennzeichnend für die **französische Steuerrechtsordnung** war der von der Aufklärung geprägte Gleichheitsgrundsatz, wobei aber Ansatzpunkt für die Realisierung dieser Gleichheit nicht eine subjektiv konzipierte, umfassende Einkommensteuer war, sondern vorwiegend ein System von **Objektsteuern**, wodurch das Steuersystem zum **Schedulensystem** ***(sistema cedolare)***[2] wurde. Die Gesamtbelastung ergab sich also nicht über die Anwendung eines Steuersatzes oder Steuertarifs auf ein umfassend definiertes Gesamteinkommen, sondern als Summe der Belastungen der einzelnen Einkunftsarten, die dann der individuellen Situation des Steuerpflichtigen nur mehr schwer Rechnung tragen konnte.

Bereits vor der Einigung war der **Einfluss der französischen Steuerrechtsordnung** in Italien maßgeblich. Die Gründe dafür mögen in der französischen

[1] Tipke/Lang (Steuerrecht, 1998, 224) weisen darauf hin, dass die Einführung dieser Steuer nicht in erster Linie auf Gerechtigkeitsüberlegungen zurückzuführen war, sondern die erwartete (und auch tatsächlich eingetretene) Ergiebigkeit, auf deren Grundlage die Finanzierung der Kriege gegen Napoleon möglich war.

[2] Von spätlat. „schedula", Zettel. Die verschiedenen Einkünfte wurden gesondert erfasst und besteuert, oft mit einem proportionalen Steuersatz. Die daraus resultierende Steuer wurde z.T. noch einer zusätzlichen Steuer unterworfen (Einkommensteuer vom romanischen Typ; so wie sie in Italien lange bestanden hat). Das Schedulensystem wird oft auch als analytische Einkommensbesteuerung und damit als Gegenbegriff zur synthetischen Einkommensbesteuerung gesehen. Während im Rahmen der analytischen Einkommensbesteuerung verschiedene Einkünfte nach unterschiedlichen Vorschriften und Tarifen besteuert werden, werden im Rahmen der synthetischen Einkommensbesteuerung sämtliche Einkünfte eines Steuerpflichtigen zusammengefasst und in ihrer Gesamtheit einheitlich besteuert. Vgl. Achatz (Hrsg.), Fachwörterbuch zum Steuerrecht, 2007, 425.

Besatzung des Landes zu suchen sein, die das Geistesleben und die politische Entwicklung nachhaltig beeinflussten. Von ebensolcher Bedeutung waren aber auch die sprachliche und geographische Nähe sowie die besondere kulturelle Affinität breiter Bereiche des italienischen Bürgertums gegenüber Frankreich. Zum Zeitpunkt der Einigung Italiens waren diese Bedingungen vorgegeben und lenkten die nachfolgende Entwicklung unweigerlich in eine bestimmte Richtung.

Erst sehr spät, **nach dem Zweiten Weltkrieg**, sollte eine **Trendwende hin zu einer allgemeinen Einkommensteuer** erfolgen. Zu diesem Zeitpunkt hatte das Konzept der allgemeinen Einkommensteuer schon einen weltweiten Siegeszug angetreten. Die Nachwirkungen des Schedulensystems sind – angesichts der weitreichenden Sonderregeln für die einzelnen Einkunftsarten – bis zum heutigen Tage in der Bestimmung des Gesamteinkommens feststellbar. Dies zeigte sich bspw. im Jahr 2011, als ein Schedulensystem für die Besteuerung von Mieterträgen eingeführt worden ist.

Was den Einfluss der französischen Steuerrechtsordnung auf die italienische anbelangt, so ist dieser nach wie vor generell sehr stark ausgeprägt. Als rezente Beispiele seien die Bezugnahme auf die *taxe professionelle* bei der Einführung der regionalen Wertschöpfungsteuer **IRAP** sowie auf entsprechende Vorbilder bei der Entwicklung der Branchenstudien *(studi di settore)* erwähnt. In der zweiten Hälfte des 19. Jahrhunderts trat neben den Einfluss der französischen und der englischen Steuerrechtsordnung jener des deutschen Steuerrechts.

In letzter Zeit gehen hingegen vom italienischen Steuersystem **Impulse für die Gestaltung anderer europäischer Steuerrechtsordnungen** aus (so bspw. in Bezug auf die Rückführung von Fluchtkapital – „scudo fiscale", *„steuerlicher Schutzschild"* oder auch im Bereich der äußerst großzügigen Fördermaßnahmen für die **„energetische Sanierung"**[3]).

3. Die einzelnen Steuern

a) Die Grundsteuer und die Gebäudesteuer

Angesichts der schon erwähnten überwiegenden agrarischen Wirtschaftsstruktur Italiens im vorigen Jahrhundert darf es nicht verwundern, dass der **Grundsteuer** in der italienischen Steuerrechtsordnung **lange Zeit eine ganz zentrale Rolle** zukam. Da Grunderträge insbesondere in der Vergangenheit **schwer zu messen** waren (Problem des Eigenverbrauchs, der Tauschwirtschaft, häufiges Fehlen von verlässlichen Aufzeichnungen, von offiziellen Märkten) bediente man sich schon seit alters eines **Katastersystems**[4]. Zum Zeitpunkt der Einigung Italiens waren in

[3] Siehe dazu Hilpold/Steinmair, Grundriss des italienischen Steuerrechts, 2022.

[4] In Italien werden die Grunderträge seit der Römerzeit auf der Grundlage von Katastereinrichtungen ermittelt. Vgl. Petrucci, Catasto, in: Dig.Sez.Comm., Bd. III, 31-40 (30). 2007.

den verschiedenen Regionen dieses Landes unterschiedlichste Katastersysteme in Kraft, wobei die zugrundeliegenden Ermittlungskriterien und die Wirklichkeitsnähe der einzelnen Systeme stark divergierten. Die Anwendung einer einheitlichen Steuer auf diese Erträge musste deshalb zu einer höchst unausgeglichenen Steuerbelastung der Grunderträge in Italien führen[5]. Abhilfe konnte hier nur ein neues, italienweit vereinheitlichtes Katastersystem schaffen, dessen Einführung mit G 3682/1886 verfügt wurde. Landvermessung und Schätzung stellten die Verwaltung vor eine enorme Herausforderung, weshalb der neue Kataster erst mit großer zeitlicher Verzögerung seine Funktion erfüllen konnte. Der neue Kataster war auf die Schaffung einer stabilen Aufkommenssituation ausgelegt. Demzufolge waren die Schätztarife nur in eng begrenzten Ausnahmefällen abänderbar. Dies hatte aber zur Folge, dass der Kataster schon bald nicht mehr den rasch wandelnden Produktionsverhältnissen in Italien Rechnung tragen konnte. Eine größere Flexibilität der Schätztarife wurde insbesondere durch Art. 45 KD 1572/1931 geschaffen und schließlich durch Art. 4 DPR 604/1973 bestätigt.

Ursprünglich wurde **allein der Grund als autonom ertragsfähig** erachtet, während Baulichkeiten – getreu dem zivilrechtlichen Grundsatz der Akzessorität – nicht autonom berücksichtigt wurden. Die Unhaltbarkeit dieser Situation, die oft gerade den wesentlichen Teil der Leistungsfähigkeit unberücksichtigt ließ, wurde aber bald erkannt und mit **G 2136/1865 wurde eine eigene Gebäudesteuer** geschaffen. Allein die **landwirtschaftlichen Gebäude** behielten akzessorischen Charakter und wurden nicht gesondert erfasst. Diese Situation gilt nach wie vor fort[6].

Die Gebäudeerträge wurden ursprünglich auf der Grundlage einer autonomen Erklärung bestimmt und orientierten sich am (tatsächlichen oder potentiellen) Mietertrag. Im Jahr 1870 wurde schließlich die Einrichtung eines **eigenen Gebäudekatasters** verfügt. Zu beachten ist, dass sich die bereits angesprochene Zentralität der Grund- und Gebäudesteuer in der italienischen Steuerrechtsordnung auch in der Form bemerkbar machte, dass den zugrundeliegenden Erträgen eine Attraktionskraft zu eigen war, die heute mit derjenigen der Unternehmenseinkünfte vergleichbar ist.

b) Die Steuer auf den Mobiliarertrag *(imposta sulla ricchezza mobile)*

Trotz des absoluten Vorrangs der Grund- und Gebäudesteuer und der Tatsache, dass die Landwirtschaft als absolut vorrangiger Wirtschaftssektor anzusehen war, war schon zum Zeitpunkt der Einigung Italiens klar, dass die Volkswirtschaft in einem Umbruch begriffen war, der die Steuerkraft deutlich verlagern sollte und dem auch das Steuerrecht Rechnung tragen sollte. Diese „neuen“ Ertragsquellen sollte die mit G v. 14.7.1864 eingeführte und mit dem KD Nr. 4021 v. 24.8.1877

[5] Zur Abmilderung dieser Situation erging deshalb ein „Provisorisches Steuerlastenausgleichsgesetz“ *(legge sul conguaglio provvisorio)*.

[6] Mittlerweile müssen allerdings auch landwirtschaftliche Wohn- und Betriebsgebäude in den Gebäudekataster eingetragen werden.

(Einheitstext der Steuern auf den Mobiliarertrag) neugeregelte Steuer auf den Mobiliarertrag erfassen.

Kennzeichen dieser Steuer waren:

– ihr Residualcharakter gegenüber der Grundsteuer[7];

– der stark ausgeprägte Schedulencharakter;

– ihre Eigenschaft als Objektsteuer;

– die Territorialität der Steuer: nur die im Inland erzeugten und genutzten Einkünfte wurden von dieser Steuer erfasst;

– die starke Pauschalierung der Steuer bzw. die Besteuerung nach Durchschnittswerten.

Drei Einkunftsarten unterlagen dieser Steuer:
Kat. A: Zinsen auf Staatspapiere, andere Kapitalerträge
Kat. B: Einkünfte aus Industrie und Handel
Kat. C: Einkünfte aus selbständiger und nichtselbständiger Tätigkeit[8].

Die Erhebungs- und Bemessungskriterien für diese einzelnen Einkünfte waren dabei aber derart unterschiedlich, dass das einigende Band in den Hintergrund trat. Dies galt umso mehr, als nicht einmal eine einheitliche Steuererklärung vorgesehen war.

Zwar gab es zu diesem Zeitpunkt bereits internationale Vorbilder für progressive Personensteuern (insbesondere in Großbritannien), und auch auf wissenschaftlicher Ebene wurden die Vorzüge dieser Steuer im Laufe des 19. Jahrhunderts deutlich herausgearbeitet[9]. Dennoch wurde in Italien während des gesamten 19. Jahrhunderts und auch in den **ersten Jahrzehnten des 20. Jahrhunderts grundsätzlich an der proportionalen Objektbesteuerung festgehalten**, und zwar aus folgenden Gründen:

– Die proportionale Steuer schien den von der französischen Revolution vorgegebenen **Gleichheitsgedanken** besser zu verwirklichen als eine progressive Steuer.

– Für die Bestimmung der **Progression fehlten klare Vorgaben**. Theoretisch kann damit jede (auch völlig willkürliche) Form der Umverteilung realisiert werden.

– Für eine **wirksame Form der Umverteilung war dagegen keine Basis** gegeben. Italien war ein armes, agrarisch strukturiertes Land mit geringem Außenhandel. Den wenigen Vermögenden gelang es zudem, sich einem Zugriff der Steuerbehörde weitgehend zu entziehen.

– Schließlich war der Gedanke der Umverteilung mit der vorherrschenden **liberalen gesellschaftspolitischen Gesinnung** unvereinbar. Erst als das Bewusstsein für die Notwendigkeit einer Sozialpolitik heranreifte, fand sich auch eine breitere politische Unterstützung für progressive Elemente in der Steuerrechtsordnung[10].

---

[7] Diese Steuer sollte alle aus der Zeit vor der italienischen Einigung überlieferten direkten Steuern außerhalb des Immobiliarbereichs erfassen.

[8] Interessi del debito pubblico e premi, altri proventi dell'impiego di capitale (cat. A); redditi industriali e commerciali (cat. B); redditi derivanti da arte e professioni o da occupazioni personali (cat. C).

[9] Vgl. bspw. Seligman, The theory of Progressive taxation, 1894.

[10] Zu diesen einzelnen Aspekten siehe im Detail Marongiu, L'imposta personale e progressiva nel pensiero e nell'opera di Enzo Vanoni, DPT I/2001, 511.

Was die **Pauschalierung bzw. die Besteuerung nach Durchschnittswerten** anbelangt, so ist dies ein Charakterzug der italienischen Steuerordnung, der nach wie vor für diese prägend und sogar wieder im Ausbau begriffen ist. Seine deutlichste Ausprägung erfährt dieses Kriterium im Bereich der Grund- und Gebäudesteuer; typisches Hilfsmittel dazu ist der **Kataster**[11]. Die **Vorzüge** dieser Besteuerungsform werden gesehen in:

– der **Vereinfachung der Ertragsermittlung** für die Finanzverwaltung bei gleichzeitiger Reduzierung des bürokratischen Aufwandes für den Steuerpflichtigen;

– der **Stabilisierung des Steueraufkommens** und damit der Erleichterung der Budgetplanung;

– der **Verringerung der Konfliktualität** zwischen Finanzverwaltung und Steuerpflichtigen.

Nicht zu übersehen sind aber auch die **Nachteile:**

– das Ermittlungssystem ist äußerst **rigide**, Anpassungen sind nur über größere Zeiträume möglich;

– Durchschnittswerte können zu **Härten** führen, andererseits aber Steuerkraft unberücksichtigt lassen;

– völlig unbeachtet bleibt regelmäßig die **Situation des Einkommensbeziehers**. Wird dieser nicht in einem späteren Abschnitt des Besteuerungsverfahrens Rechnung getragen, so wird der Realcharakter für das Steuersystem prägend[12].

c) Die Gebühren *(tasse sugli affari)*

Die bedeutendsten Gebühren waren die **Registergebühr** und die **Stempelgebühr.** In engem Zusammenhang mit der Registergebühr stand die Erbschaftsgebühr. Die große Bedeutung, die den Register- und Stempelgebühren zukam, wird u.a. dadurch verdeutlicht, dass eine Ersatzgebühr *(imposta di manomorta)* für den Fall angewendet wurde, dass Güter Körperschaften und juristischen Personen gehörten und somit mit einer geringeren Anzahl von Übertragungsakten zu rechnen war.

Die hier behandelten Gebühren haben im Jahr 1900 12,61% des Gesamtsteueraufkommens ausgemacht[13] und zählten damit zu einer wichtigen Finanzierungsquelle des italienischen Staates. Die hohen Verwaltungskosten, die heute als Argument für ihre Abschaffung ins Feld geführt werden, fielen zum damaligen Zeitpunkt aufgrund der relativen Aufkommenssicherheit weniger ins Gewicht.

Obwohl die Gebühren im Laufe des 20. Jahrhunderts laufend an Bedeutung verloren haben, hat der Staat in diesem Bereich bis zur Verabschiedung der gro-

---

[11] Es sei hier vorweggenommen, dass die auch in der Gegenwart festzustellenden Bemühungen zur Pauschalierung von Erträgen in der Fachpresse häufig mit dem Schlagwort „catastalizzazione“ versehen werden.

[12] Dass all diese Probleme schon sehr früh erkannt wurden, zeigt der sog. Scialoja-Vorschlag, der die Einführung einer allgemeinen Einkommensteuer nach englischem Vorbild zum Gegenstand hatte. Vgl. dazu Boria, Sistema tributario, 1999, 51.

[13] Vgl. Boria, Sistema tributario, 1999, 59.

ßen Steuerreform des Jahres 1971 großen Erfindungsreichtum gezeigt: So wurden Aufenthalts- und Kurgebühren geschaffen (diese sollten den von den Touristen in den Fremdenverkehrsorten erzielten „Nutzen“ treffen und der Abdeckung der Umweltkosten dienen, die von den lokalen Körperschaften getragen wurden[14]), Straßenverkehrsabgaben, Konzessionsgebühren und Meliorierungsgebühren. Im Zuge der Bemühungen zur Föderalisierung der italienischen Steuerrechtsordnung erleben die Gebühren eine Renaissance; so wurden bspw. italienweit Gemeindeaufenthaltsabgaben und Landestourismusabgaben eingeführt.[15]

d) Die Verbrauchsteuern *(tassa sulli consumi)*

Noch aus der Zeit vor der Einigung wurden zahlreiche Verbrauchsteuern übernommen: Biersteuer, Wassersteuer, Mehlsteuer *(tassa sul macinato)*, Steuer auf Sprengstoffe, Alkoholsteuer, auf verarbeitete Zichorie als Kaffeersatz, auf Zucker, auf Samenöl, auf Streichhölzer und auf raffiniertes Mineralöl.

Größere Bedeutung nahmen auch die **Binnenzölle** ein, die noch lange Zeit nach der Einigung Italiens beibehalten wurden und wodurch zur Verwirklichung des Ziels der Steueraufkommensmehrung auch eine erhebliche Beeinträchtigung der wirtschaftlichen Entwicklung des Landes in Kauf genommen wurde.

4. Grundlegende Umgestaltungen: die Zeit bis 1945

a) Die Änderung der Rahmenbedingungen

Kriegerische Auseinandersetzungen und der damit verbundene abrupte Anstieg des Finanzmittelbedarfs stellen regelmäßig Steuerordnungen auf eine harte Belastungsprobe, zeigen Mängel im Steuersystem und bilden somit oft den unmittelbaren Anlass für eine längst überfällige Steuerreform. Dies galt für die Überlegungen zur Neukonzeption der italienischen Steuerrechtsordnung im Gefolge der beiden Weltkriege gleichermaßen wie für die Einführung der englischen Einkommensteuer anlässlich der Napoleonischen Kriege.

In Italien richtungsweisend werden sollte der Meda-Bericht des Jahres 1919, der eine progressive Einkommensteuer vorschlug[16].

---

[14] Vgl. Ferretti, L'evoluzione del sistema tributario italiano, 2001. 65.

[15] Vgl. bspw. für Südtirol LG v. 16.5.2012, Nr. 9.

[16] Der ungeheure finanzielle Aufwand, den der Erste Weltkrieg verursacht hatte, ist damit ohne eine persönliche Einkommensteuer, vorwiegend mit Objektsteuern, sowie durch Kreditaufnahme erbracht worden.

b) Die Komplementäre Einkommensteuer *(imposta complementare sul reddito)*

Ein **erster „Urtyp" einer progressiven, persönlichen Einkommensteuer** wurde mit der Komplementären Einkommensteuer des Jahres **1923** geschaffen[17]. Diese Steuer war als Aufschlagsteuer auf die realen Einkommensteuern konzipiert. Da aber die Bemessungsgrundlage z.T. autonom definiert wurde und zahlreiche Abzüge vorgesehen waren, um der persönlichen oder familiären Situation des Steuerpflichtigen Rechnung zu tragen, wurde mit der Komplementären Einkommensteuer insgesamt eine neue Steuer geschaffen.

Problematisch blieb das hohe Ausmaß der Steuerhinterziehung. Die Steuerbehörde konnte zwar von der Lebensführung des Steuerpflichtigen Rückschlüsse auf das tatsächliche Einkommen ziehen und in der Folge eine Steuerschätzung vornehmen: Insgesamt war dieser Behelf aber unzureichend[18].

c) Die Ledigensteuer *(imposta sui celibi)*

Nicht allein fiskalpolitische Zielsetzungen, sondern ideologisch gefärbte bevölkerungspolitische Absichten wurden mit der Ledigensteuer[19] verfolgt. Dieser Steuer unterlagen alle Ledigen im Alter zwischen 25 und 65 Jahren mit Ausnahme der Priester, Invaliden und Vollentmündigten. Die Steuer bestand aus einer Kopfquote sowie aus einem einkommensabhängigen Teil.

d) Die Vermögensteuer *(imposta ordinaria sul patrimonio)*

Versuche zur Einführung einer Vermögensteuer wurden schon am Ende des Ersten Weltkrieges unternommen, und zwar sollten diese Steuern die kriegsbedingten Wertsteigerungen erfassen.

Erst im Jahr 1939 gelang die Einführung einer allgemeinen Vermögensteuer[20], der im Übrigen nur eine kurze Lebensdauer beschieden war. Mit dieser Steuer sollte das Vermögen im Wert von über 10.000 Lire belastet werden, und zwar auf der Grundlage eines Steuersatzes von 0,5%.

Die Diskussion rund um die Einführung einer Vermögensteuer wird bis zum heutigen Tag äußerst kontrovers geführt. Der große Finanzmittelbedarf und das Anliegen, eine größere Steuergerechtigkeit zu verwirklichen, würden dafür sprechen. Es besteht aber nicht einmal Einigkeit darüber, was unter einer Vermögensteuer zu verstehen ist.

---

[17] Vgl. KD 3062 v. 30.12.1923. Angewandt wurde diese Steuer ab 1925.

[18] Selbst 20 Jahre nach Einführung der Komplementärsteuer machte das Aufkommen aus dieser Steuer noch immer weniger als 10% des Gesamtsteueraufkommens aus. Vgl. Marongiu, L'imposta personale e progressiva, 525.

[19] KNV Nr. 2132 v. 19.12.1926.

[20] KNV Nr. 1529 v. 12.10.1939.

Der gegenwärtige sehr große Finanzmittelbedarf im Zuge der Bemühungen zur Sanierung des italienischen Staatshaushalts hat in Italien die Bereitschaft erhöht, über Vermögensteuern nachzudenken. Die Gemeindeimmobiliensteuer **IMU** bzw. **GIS**, die Steuer auf die im Ausland gehaltenen Immobilien *(imposta sugli immobili detenuti all'estero* – **IVIE**)[21], die Stempelsteuer auf Depotauszüge für Wertpapierkonten *(imposta di bollo sulle comunicazioni relative ai depositi di titoli)* in der Höhe von 0,15%[22] sowie die Steuer auf die im Ausland gehaltenen Finanzvermögen (*imposta sulle attività finanziarie detenute all'estero* – **IVAFE**), in der Höhe von 0,2% (0,4% bei Steueroasen) tragen ausgeprägte Züge einer Vermögensteuer.[23]

e) Die allgemeine Umsatzsteuer *(imposta generale sulle entrate IGE)*

Die allgemeine Umsatzsteuer IGE *(Imposta generale sull'entrata)* wurde mit KNV Nr. 2 v. 9.1.1940 eingeführt[24] und leistete einen maßgeblichen Beitrag zur Finanzierung der Kriegskosten. Sie trat an die Stelle einer allgemeinen Stempelsteuer auf Handelsumsätze, deren Einhebung sich als zu aufwendig erwiesen hatte. Die IGE war die **Vorläuferin der heutigen MwSt IVA**, die zum 1.1.1973 eingeführt wurde. Bei der IGE mit einem Satz von zuletzt 4% handelte es sich grundsätzlich um eine **Bruttoallphasenumsatzsteuer**, wobei aber diese Regel zahlreiche Ausnahmen erfuhr. So war für einzelne Kategorien eine pauschale Entrichtung der Steuer vorgesehen bzw. eine jährliche Abrechnung auf der Grundlage des Jahresumsatzes. Diese Steuer begünstigte Unternehmen mit einer höheren Fertigungstiefe und ermöglichte indirekte Exportsubventionen durch eine pauschale, hoch angesetzte, Rückvergütung im Falle der Ausfuhr.

f) Abschließende Bemerkungen

Insgesamt war das italienische Steuersystem bis zum Ende des Zweiten Weltkrieges von einer **Vielzahl an Steuern** geprägt, die wechselseitig kaum koordiniert waren. Dabei überwog eindeutig der **Objektsteuercharakter**. Die vereinzelte Bezugnahme auf persönliche Elemente hatte nur bescheidene Auswirkungen.

---

[21] Der Steuersatz beträgt 1,06% bezogen auf den Anschaffungswert/Marktwert bzw. auf den Katasterwert (bzw. vergleichbaren Wert bei Immobilien im EWR-Raum), 0,40% bei Hauptwohnungen mit Abzug von max. € 200. Die Steuer ist nicht geschuldet, wenn sie nicht über € 200 liegt. Die im Ausland bezahlte Steuer kann angerechnet werden.

[22] Für natürliche Personen gilt ein Mindeststeuerbetrag von € 34,2 und ein Maximalbetrag von € 1.200 (Steuerbefreiung bei durchschnittlichem Kontostand bis € 5.000). Für gesonderte, anonyme Depots, die im Rahmen der Inanspruchnahme des steuerlichen Schutzschildes *(scudo fiscale)* eingerichtet worden sind (die sog. *„conti segregati")* kommt ein jährlicher Steuersatz von 0,4% zur Anwendung.

[23] Auf Sparkonten und Sparbücher kommt eine pauschale Steuer von € 34,20 zur Anwendung.

[24] Der Normalsatz der IGE lag zu Beginn bei 3,3%, wobei aber höhere Sätze für Luxusgüter sowie niedrigere Sätze vorgesehen waren. Ab 1964 betrug der Normalsatz der IGE 4%.

Exorbitant war der Umfang der Steuerhinterziehung, erheblich auch das Ausmaß der Steuerbefreiung: Von einem geschätzten Volkseinkommen von 116 Milliarden Lire im Jahr 1938 unterlagen nur 52 Milliarden Lire der Besteuerung: weitere 25 Milliarden Lire waren steuerbefreit, geschätzte 39 Milliarden Lire wurden hinterzogen.

5. Die ersten beiden Jahrzehnte nach dem Zweiten Weltkrieg

a) Allgemeines

Das italienische Steuersystem stammte nach dem Zweiten Weltkrieg in seiner **Struktur** noch immer aus der **Mitte des 19. Jahrhunderts**. Die Aufgaben hatten sich aber – insbesondere aufgrund der Kriegsereignisse – grundlegend gewandelt. Der Finanzmittelbedarf war enorm angestiegen. Die keynesianisch geprägte Wirtschaftspolitik maß dem Staat eine zentrale Rolle bei der Gestaltung des Wirtschaftslebens bei. Umverteilung war nun nicht mehr allein ein Schlagwort, sondern wurde gezielt als politisches Programm in Angriff genommen. Das Prinzip der **sozialen Solidarität, der Gleichheitsgrundsatz sowie das Leistungsfähigkeitsprinzip** sollten mit dem Inkrafttreten der italienischen Verfassung am 1.1.1948 zu den maßgeblichen Orientierungspunkten für die italienische Steuerpolitik werden. Die Auswirkungen all dessen äußerten sich in ihrer vollen Tragweite aber allein auf mittlere Frist. Vorerst galt es, die Voraussetzungen für eine **Umstrukturierung der Steuerrechtsordnung** zu schaffen. Diese bestanden in der behutsamen Überleitung der tradierten Steuerrechtsordnung, in ihrer Sichtung und Wertung und schließlich in ihrer allmählichen grundlegenden Umgestaltung.

b) Die wesentlichen Steuerbestimmungen

Die in den 50er Jahren eingeleiteten Reformen tragen den Namen des Steuerwissenschaftlers und Finanzministers **Ezio Vanoni**. Sie sind geprägt vom Bemühen, ein rationaleres, gerechteres und zeitgemäßeres Steuersystem zu schaffen, ohne jedoch das Steueraufkommen, das zur Finanzierung der oben genannten Reformen dringend benötigt wurde, zu gefährden. Die Folgen dieser Reformbemühungen konnten sich damit erst langfristig, z.T. überhaupt erst mit der Steuerreform des Jahres 1971, äußern.

Als erster Schritt musste versucht werden, die **Steuerfeststellung auf eine neue Grundlage** zu stellen. Laut Vanoni musste man um die Mitte des 20. Jahrhunderts den Eindruck gewinnen, dass in Italien nicht eine allgemeine, analytische Erfassung der individuellen Leistungsfähigkeit angestrebt wurde, sondern dass das tatsächliche Ausmaß der Steuerlast konsensual zwischen Finanzverwaltung und Steuerpflichtigem nach pragmatischen Gesichtspunkten festgelegt wurde[25]. Über die allgemeine Verpflichtung zur (jährlichen) Abgabe einer Steuererklärung sollte die Ausgangsbasis für mehr Steuergerechtigkeit geschaffen werden. Dabei war das Institut der Steuererklärung der italienischen Steuerrechtsordnung keineswegs fremd. Das Hauptproblem lag aber darin, dass für jede Steuer gesonderte Erklärungen zu unterschiedlichen Terminen abzugeben waren und diese Verpflichtung nur insoweit galt, als tatsächlich eine Steuerbemessungsgrundlage gegeben war (bzw. insoweit der Steuerpflichtige bereit war, die Existenz einer solchen zuzugeben). Der Finanzverwaltung war es damit praktisch unmöglich, ein Gesamtbild über die Leistungsfähigkeit des Steuerpflichtigen zu gewinnen[26].

Die **1951 eingeführte allgemeine Verpflichtung zur periodischen (jährlichen) Abgabe von Steuererklärungen**[27] traf die Finanzverwaltung in Hinblick auf die damit einsetzende Dokumentenflut allerdings strukturell unerwartet. Die durch diese Verpflichtung bedingte Reform der Steuerfeststellungsbestimmungen wurde überhaupt erst im Jahr 1956 verabschiedet[28]. Gänzlich unberücksichtigt blieb der Umstand, dass eine allgemeine Steuererklärungspflicht eine Abkehr von der Praxis einer systematischen Kontrolle aller Erklärungen bedingen musste, da dies mit den gegebenen Mitteln nicht realisierbar war und dass stattdessen Kriterien für stichprobenartige Kontrollen hätten entwickelt werden sollen[29]. Wie in Kapitel V. über die Steuerfeststellung zu zeigen sein wird, wurde es in diesem Zusammenhang auch verabsäumt, die Erklärungspflichten und -termine zu vereinheitlichen. Dies ist erst mit der Einführung des Erklärungsformulars UNICO im Jahr 1998 geschehen, wobei allerdings im Jahr 2017 (mit Wirkung für 2016) die MwSt-Erklärung vom Standardformular wiederum herausgelöst worden ist.

Zumindest sind aber in der genannten Periode gewisse Vereinheitlichungstendenzen in die Wege geleitet worden, was die Erklärungspflichten und -fristen anbelangt hat. Damit ist auch ein Beitrag geleistet worden, das Steuersystem als einheitliches Ganzes zu verstehen und somit auch Verständnis für die Strukturprobleme des Steuersystems zu schaffen.

Herausragendes Ergebnis der Reformdiskussion der 50er Jahre war der **Einheitstext der direkten Steuern des Jahres 1958**[30]. Dieser hat allerdings weitgehend die Steuerrechtsordnung der Vergangenheit übernommen[31] und bot damit auch die Garantie für einen konstanten Mittelfluss. An Neuerungen sind vor allem die Erweiterung der Steuerbemessungsgrundlage und die Reduzierung der Ausnahmen zu erwähnen. Im Mittelpunkt dieses Systems standen aber weiter die Realsteuern, die Steuerbelastung war je nach Einkunftsquelle sehr unterschiedlich und die Einkommensteuer blieb eine Komplementärsteuer. Die Steuerrechtsordnung war

[25] Vgl. Vanoni, I principi informatori della legge di perequazione tributaria, in: RassTrib 1951, 2 ff.

[26] Vgl. Marongiu, L'imposta personale e progressiva, 535 f.

[27] G 11.1.1951 („*legge sulla perequazione tributaria*", auch „*riforma Vanoni*" genannt). Mit diesem Gesetz wurden zudem zahlreiche Sondersteuern abgeschafft sowie die Steuersätze reduziert.

[28] Im selben Jahr verstarb auch Ezio Vanoni, was zu einer Erlahmung des Reformrhythmus führte.

[29] Vgl. Cosciani (Hrsg.), Stato dei lavori della Commissione per lo Studio della Riforma Tributaria, 1964, 30 ff. unter Bezugnahme auf ein von Visentini in der Kommission vorgelegtes Dokument.

[30] DPR 645/1958.

[31] Vgl. dazu A. Berliri, Il testo unico delle imposte dirette, 1960.

äußerst kompliziert und die Finanzverwaltung war – wie gezeigt – nicht imstande, die Einhaltung dieser Ordnung auch nur annähernd sicherzustellen.

Eine Gesellschaftsteuer *(imposta sulle società)*[32] traf zu 0,75 das Gesellschaftsvermögen und zu 15% den Teil der Einkünfte, die 6% des Vermögens überstiegen.

Im Jahr 1963 wurde eine Wertzuwachssteuer auf Baugründe eingeführt[33].

Nachdem die überlange Umsetzungsdauer dieser Maßnahmen, aber auch der Widerstand auf der Verwaltungsebene vom ursprünglichen Reformgeist wenig übrig gelassen hatten, wurde bald deutlich, dass erneut an eine Umgestaltung der Steuerrechtsordnung gedacht werden musste, und dieses Thema beherrschte die gesamten 1960er Jahre.

6. Die Tätigkeit der Cosciani-Reformkommission

Literatur: Cosciani (Hrsg.), Stato dei lavori della Commissione per lo studio della Riforma Tributaria, 1964; Bises (Hrsg.), Il progetto di riforma tributaria della commissione Cosciani cinquant'anni dopo, 2015

Im September **1962** setzte der Finanzminister eine Kommission aus Finanzwissenschaftlern und Steuerrechtlern unter der Leitung von **Cesare Cosciani** ein, die ein Konzept für eine umfassende Steuerreform erarbeiten sollte. Nach acht Monaten musste die Kommission ihre Tätigkeit aufgrund einer Regierungskrise sowie aufgrund des völligen Fehlens von Mitteln abbrechen. Dennoch konnten Dokumente erarbeitet werden, die wesentliche Elemente der späteren Steuerreformen vorwegnahmen und wodurch wichtige Grundlagen für das geltende Steuerrecht geschaffen wurden.

Folgende Reformprinzipien hat die Cosciani-Kommission als zentral hervorgehoben:

a) Einfachheit und Klarheit des Steuersystems

Das Steuersystem sollte nicht in kasuistischer Form Einzelsachverhalte regeln – und damit die Gefahr von Lücken und Widersprüchen erhöhen – sondern die generellen Prinzipien. Dieses Ziel ist bis heute in vielem unerreicht geblieben.

Die Vereinfachung des Steuersystems stellt eine Daueraufgabe dar. Die Festlegung allgemeiner Prinzipien könnte im Wege der geplanten Verabschiedung eines „Allgemeinen Teils" des Steuerrechts bzw. einer Gesamtkodifizierung des Steuerrechts erfolgen. Diesbezügliche Vorarbeiten sind seit längerem im Gange[34]. Sie haben unter Wirtschafts- und Finanzminister **Tremonti** im Jahr 2001 neuen Auftrieb erhalten, doch konnte Tremonti dieses Vorhaben in

[32] G. Nr. 603 v. 6.8.1954.

[33] Vgl. G 246 v. 5.3.1963.

[34] Vgl. De Mita, La legalità tributaria, 1993, 34; Glendi, Il „codice tributario" in Italia e le „disposizioni sulla legge tributaria in generale", in: DPT, 1994, I, 1337.

den vielen Jahren seiner Funktion als Minister nicht verwirklichen. Mit dem „**Statut des Steuerpflichtigen**“ ***(Statuto del contribuente)*** wurde im Jahr 2000 – auf Veranlassung von Minister Visco – ein wichtiger Schritt zur Festigung von Rationalitäts- und Kohärenzprinzipien im italienischen Steuerrecht gesetzt[35]. Mit der 2023 eingeleiteten Steuerreform (EV 111/2023) wurden die Rechte der Steuerpflichtige in der ChdS weiter ausgbaut.

b) Progressivität der Steuerordnung

Die Cosciani-Kommission war hier mit dem Problem fehlender Daten konfrontiert. Auch das gegenwärtige Steuersystem ist – trotz der entsprechenden Verpflichtung in Art. 53 Abs. 2 der Verfassung – in seiner **Gesamtheit nicht progressiv** ausgestaltet. Bei beiden Steuern mit progressivem Steuertarif, der Erbschaftsteuer und der Einkommensteuer, wurde die Progressivität in der Besteuerung im letzten Jahrzehnt erheblich abgeschwächt. Die Erbschaftsteuer wurde überhaupt 2001 abgeschafft und 2006 in stark eingeschränkter Form wieder eingeführt. Die auf der Grundlage der Steuerreform 2001 anvisierte Einführung einer Flat Tax mit zwei Steuersätzen (23% bis zu einem Einkommen von 100.000 € und 33% bei darüber liegenden Einkommen) ist allerdings nicht erfolgt.
Gegenwärtig wird versucht, einerseits die Zahl der Steuersätze und ihre Höhe zu reduzieren und andererseits die Höhe der Steuerprogression zu wahren bzw. sogar zu erhöhen, indem Absetzbeträge und Befreiungen nur mehr bei niedrigen Einkommen vollumfänglich geltend gemacht werden können.

Art. 53 Abs. 2 der Verfassung wird überwiegend kein unmittelbar verbindlicher Charakter zuerkannt, sondern **programmatische Natur** in dem Sinne, dass damit das Solidaritätsprinzip der Verfassung weiter bestärkt wird. Nach dieser wohl etwas weiten Dehnung der Wortlautschranke dient also der Verweis auf das Progressivitätsprinzip in erster Linie der Bekräftigung des Leistungsfähigkeitsprinzips[36]. Berücksichtigt man, dass der öffentlichen Finanzwirtschaft sowohl einnahmenseitige als auch ausgabenseitige Instrumente zur Verfügung stehen, könnte das Progressivitätskriterium in dieser weiten Deutung auch dazu herangezogen werden, Umverteilungsmaßnahmen zu rechtfertigen, die im Dienste des Solidaritätsgedankens vorgenommen werden.

c) Ausrichtung des Steuersystems an den Erfordernissen der Wirtschaftsprogrammierung

Diese Zielsetzung ist mittlerweile weitgehend obsolet geworden.

In den 1960er Jahren setzte man in Italien auf der Grundlage internationaler Vorbilder (insbesondere des französischen) große Hoffnungen in die Wirtschaftsprogrammierung. Diese Hoffnungen wurden aber schwerstens enttäuscht, da sich eine über Jahre vorausschauende, detaillierte Wirtschaftsprogrammierung nicht mit den Erfordernissen einer freien Marktwirtschaft vereinbaren lässt. Das Erfordernis einer konstanten, berechenbaren

---

[35] Vgl. G 212 v. 27.7.2000.
[36] Vgl. Santamaria, DT – PG, 2002, 80.

Aufkommensentwicklung besteht zwar nach wie vor. Diesem wird aber weniger durch fiskalpolitische Maßnahmen als durch strukturfördernde Maßnahmen sowie durch Initiativen gedient, die die Funktionsfähigkeit des freien Marktes an sich sichern sollen.

d) Schaffung von steuerlichen Maßnahmen, die die Stabilität des Volkseinkommens sichern sollen

Der wichtigste dieser **„automatischen Stabilisatoren"**, die progressive Einkommensteuer, wurde mit der im Jahr 1973 verabschiedeten (DPR 597/1973) und seit dem 1.1.1974 anwendbaren Steuer auf das Einkommen der natürlichen Personen geschaffen.

Weitere Instrumente, die in diesem Zusammenhang diskutiert – und in der Folge auch tatsächlich eingeführt wurden – waren die Wertzuwachssteuer und breit angelegte Steuerrückbehalte. Hinsichtlich der Wertzuwachssteuer[37] wurde die Auffassung vertreten, dass die in Zeiten der Hochkonjunktur ansteigende Inflation auch zu einer Wertsteigerung der Vermögenswerte führt; eine Abschöpfung dieser Zuwächse würde damit eine überhitzte Konjunktur wieder abkühlen. In den 70er Jahren sollte sich aber das Phänomen der Stagflation zeigen, durch welches sich der eben beschriebene Wirkungszusammenhang in sein Gegenteil verkehrte. Die Vornahme von Steuerrückbehalten an der Quelle sollte dagegen die Besteuerung unmittelbar wirksam machen und damit ebenfalls konjunkturstabilisierend wirken. Daneben weist diese Steuereinhebungsform den Vorteil auf, der Steuerhinterziehung entgegenzuwirken.

e) Anpassung des italienischen Steuersystems an den EWG-Vertrag

In diesem Zusammenhang ist die Aufgabe der Bruttoallphasenumsatzsteuer (IGE) in der Höhe von zuletzt 4% zugunsten der nach französischem Vorbild geschaffenen Mehrwertsteuer *(Imposta sul valore aggiunto – IVA)*, einer Nettoallphasenumsatzsteuer, zu erwähnen. Der Normalsatz dieser Steuer betrug zuerst 12% und wurde dann sukzessive auf 14% (1977), 15% (1980), 18% (1982), 20% (1997), 21% (2011) und zuletzt 22% (2013) erhöht. Diskutiert wird über eine Erhöhung des Normalsatzes, sollte der Haushaltsbedarf nicht auf anderem Wege gedeckt werden. Die ermäßigten Sätze betragen gegenwärtig 4% und 10%, wobei es auch einen Nullsatz gibt.

f) Elastizität des Steuersystems unter Beseitigung von Steuerhinterziehung und Steuerbefreiungen

Ausgehend von der Überlegung, dass eine enge Steuerbemessungsgrundlage mit zahlreichen Ausnahmetatbeständen und einer unkontrollierten Steuerhinterziehung der Steuerpolitik jeglichen Spielraum nimmt, zu einer Erhöhung der Steuersätze führt und die Akzeptanz der Steuerordnung bei den ehrlichen Steuerzahlern in Fra-

[37] Als Wertzuwachssteuer auf Immobilien wurde die INVIM mit DPR 643/1972 eingeführt.

ge stellt, sollte der Versuch unternommen werden, die Zahl der Steuerbefreiungstatbestände einzuschränken und die Steuerhinterziehung zu bekämpfen.

Als **Idealziel** wurde ein Steuersystem **mit wenigen Steuern, niedrigen Sätzen, ohne Steuerhinterziehung und ohne ungerechtfertigte Begünstigungen** hingestellt. Dieses Idealziel der Cosciani-Kommission ist nach wie vor unerreicht und als rechtspolitische Reformvorgabe damit immer noch aktuell.

7. Die Steuerreform des Jahres 1971

a) Der Inhalt der Steuerreform

Die Ergebnisse der Arbeiten der Cosciani-Kommission haben Anfang der 70er Jahre teilweise eine Umsetzung erfahren.

Das Steuersystem, das zum damaligen Zeitpunkt noch weitgehend jenem aus der Mitte des vorhergehenden Jahrhunderts entsprach, sollte grundsätzlich reformiert und modernisiert werden. In den Reformdokumenten wurde dabei offen zugegeben, dass das bis dahin geltende Steuersystem praktisch unanwendbar geworden sei und wäre es angewandt worden, so wäre das Überleben weiter Wirtschaftsbereiche gefährdet gewesen.[38] Im Steuerrechtsverhältnis sollte an die Stelle von „Beliebigkeit, Willkür, Nachgiebigkeit, Verfolgung und noch Schlimmerem" Rechtsstaatlichkeit treten.[39] Das Instrument dazu sollte die **Einführung umfassender Buchhaltungs- und Rechnungslegungsbestimmungen für alle Steuerpflichtigen** sein. Der steuerliche **Gewinn** sollte sich auf dieser Grundlage geradezu mit **mathematischer Präzision** ergeben; Steuerhinterziehung sollte auf dieser Basis weitgehend ausgeschlossen werden. Wie sich später zeigen sollte, wurden diese **Ziele allerdings nur näherungsweise erreicht**; die exzessive Formalisierung des Steuerrechtsverhältnisses erwies sich in verschiedenen Fällen (insbesondere in Bezug auf die Kleingewerbetreibenden) sogar als kontraproduktiv und musste später wieder zurückgenommen werden.

Die Ermächtigungsverordnungen zum G 825/1971 ergingen in den Jahren **1972**

– DPR 26.10.1972 Nr. 633: Einführung der MwSt

An diesem Gesetzeswerk sind mittlerweile zahlreiche grundlegende Abänderungen vorgenommen worden. Unter den strukturellen Änderungen sind insbesondere die Bestimmungen über die innergemeinschaftliche Besteuerung (NR 331/1993 ug G Nr. 427/1993) zu erwähnen.

– DPR 26.10.1972 Nr. 636: Neuregelung des Steuerstreitverfahrens

---

[38] Procopio, 2013, 172.

[39] Ibid., 171.

und **1973** (29.9.1973)

– DPR Nr. 597: Einführung der Steuer auf das Einkommen der natürlichen Personen IRPEF
– DPR Nr. 598: Einführung der Körperschaftsteuer IRPEG
– DPR Nr. 599: Einführung der lokalen Einkommensteuer ILOR
– DPR Nr. 600: Gemeinsame Bestimmungen zur Steuerfeststellung im Bereich der Einkommensteuern
– DPR Nr. 601: Steuererleichterungen
– DPR Nr. 602: Steuereinhebung *(riscossione)*, reformiert durch das DPR 43/1988 bzw. grundlegend neugeregelt durch die EV 46/1999.
– DPR Nr. 605: Steuerkartei *(anagrafe tribaria)* und Steuernummer (codice fiscale)

Die betreffenden Reformen traten jeweils im Folgejahr in Kraft.

Auf mittlere Frist war die Einführung von **Einheitstexten** in den Bereichen Einkommensteuern, Steuerfeststellung und Mehrwertsteuer geplant. Daneben wurde in der Lehre – wie bereits erwähnt – seit geraumer Zeit auch die Notwendigkeit eines **allgemeinen Steuergesetzbuches (Steuerkodex)** hervorgehoben, in welchem die allgemeinen steuerrechtlichen Prinzipien festgelegt werden sollten. Ein erster größerer Kodifizierungserfolg ist mit der Verabschiedung des **Einheitstextes für die direkten Steuern (DPR 917/1986)** gelungen, der bislang allerdings noch keine Garantie für die Beständigkeit dieser Rechtsmaterie geboten hat. Im Rahmen der Tremonti-Steuerreform des Jahres 2001 wurde dem Kodifikationsvorhaben wiederum erstrangige Bedeutung beigemessen, wobei diese Bemühungen letztlich aber erfolglos geblieben sind. Gegenwärtig wird daran gedacht, die Kodifikationsbestrebungen erneut aufzunehmen.

Ernsthafte Bemühungen zur Kodifikation des italienischen Steuerrechts lassen sich schon auf die Zeit unmittelbar nach dem Ersten Weltkrieg zurückverfolgen. Während in der Zwischenkriegszeit Kodifikationsvorhaben in verschiedenen Bereichen der italienischen Rechtsordnung gelangen (allen voran im Strafrecht 1930 und im Zivilrecht 1942) war dies für das Steuerrecht nicht der Fall. Zwar wurde dieses Thema nach 1945 immer wieder von Neuem aufgegriffen. Mit der großen Steuerreform des Jahres **1971** schien man aber **endgültig den Weg der analytischen Steuergesetzgebung gehen zu wollen**. Prinzipien eines allgemeinen Steuerrechts, die einer Kodifikation zugrunde liegen könnten, waren nur schwer zu erkennen. Die einzelnen Steuern wurden nach Maßgabe weitgehend autonomer Gesetze geregelt; zuständig für die Feststellung waren steuerspezifisch unabhängige Finanzämter. Naturgemäß mussten Transparenz und Rechtssicherheit im Steuerrecht darunter leiden, was wiederum zu einer weiteren Belastung der Steuerpflichtigen führte. Mit der **Charta der Steuerpflichtigen (G 212/2000)** wurde ein erster bedeutsamer Schritt in Richtung **Prinzipiengesetzgebung** gesetzt. Nunmehr sollte eine geordnete Fortentwicklung der Steuerrechtsordnung über eine an klaren Prinzipien orientierte Kodifikation angestrebt werden[40]. Beklagt wird allerdings, dass die Charta der Steuerpflichtigen in der weiteren steuerrechtlichen Normsetzung **häufig missachtet** worden ist.

Wie in der Folge auszuführen sein wird, ist erst mit dem **EG 111/2023** ein entscheidender Schritt in Richtung einer umfassenden Kodifizierung des italienischen Steuerrechts gelungen.

Unmittelbare Folge der Reformen in den 1970er Jahren war ein enormer Anstieg des Steueraufkommens. So wurden im Jahr 1973, dem letzten Jahr der Anwendung des alten Steuersystems, Einkommen in Höhe von 7.499 Milliarden Lire (für die Zwecke der Komplementärsteuer auf das Einkommen) erklärt. Im Folgejahr (1974) wurde für die IRPEF ca. das Fünffache erklärt, nämlich 34.334 Milliarden Lire.[41] Die Zahl der Steuererklärungen stieg von 4.500.000 auf 18.000.000 an.[42]

Z.T. wurde dieses zusätzliche Mittelaufkommen auch tatsächlich für die Modernisierung des Staates verwendet. Zu einem ganz erheblichen Maße kam es aber zu einer enormen Mittelverschwendung, zu einer Aufblähung des Staatsapparates und zur Generierung eines Dauerbedarfs, der in der Folge nicht mehr befriedigt werden konnte bzw. der aufgrund seiner ständigen Steigerungsdynamik nicht mehr zu decken war.

b) Die bisherigen Abänderungen zum TUIR 917/1986

Der Einheitstext des Jahres 1986 hat bereits zahlreiche Abänderungen erfahren[43], die z.T. vom Bemühen getragen waren, größere Kohärenz in das System zu bringen, z.T. der Steuerumgehung entgegenwirken sollten und zum wohl überwiegenden Teil primär der Aufkommensmehrung dienen sollten.

Die wesentlichen Neuerungen seit dem 1.1.1974, dem Zeitpunkt des Inkrafttretens, sind:

ba) Hinsichtlich der IRPEF[44]

1976: Der Verfassungsgerichtshof erklärt die Kumulierung der Ehegatteneinkünfte für verfassungswidrig (Urteil Nr. 179 v. 15.7.1976). Das Einkommen ist individuell zu besteuern.

[40] Vgl. Glendi, Il „codice tributario“ in Italia e „le disposizioni sulla legge in generale“, in: DPT 1994, I, 1339; Uricchio, Verso la codificazione tributaria, in: Longobardi (Hrsg.), Atti Covegno: I „Cento giorni“ e oltre, Bari 2002, 336.

[41] Vgl. Boria, Il Sistema Tributario, 2008, 93.

[42] Ibid.

[43] Schon zuvor, für den Zeitraum 1973 bis 1986, also vom Inkrafttreten der Reform bis zum Erlass des neuen Einheitstextes für die direkten Steuern, wurden über 10.000 Abänderungen zum Einkommensteuerrecht festgestellt. Vgl. Tremonti/Vitaletti, Le cento tasse degli italiani, 27.

[44] Die nachfolgende Übersicht wurde entnommen aus Frizzera, Guida pratica fiscale, Imposte dirette, 1999, 13 f.

1988: Der neue Einheitstext für die direkten Steuern (TUIR 917/1986) tritt in Kraft.

1989: Der kalten Progression, die inflationsbedingt zu einem Anwachsen der Steuerlast führt, wird durch eine automatische Anpassung des Steuertarifs und der Absetzbeträge begegnet[45]. Im selben Jahr werden Branchenkoeffizienten für die induktive Steuerfeststellung eingeführt.

1990: Die Ausübung landwirtschaftlicher Tätigkeiten durch Kapitalgesellschaften und gewerbliche Körperschaften führt zu Einkünften aus Unternehmen.

1992: Die Pauschalbesteuerung der Freiberufler und Kleinunternehmer wird aufgehoben. Zahlreiche Sonderausgaben werden zu Absetzbeträgen umgewandelt. Die Minimum Tax wird eingeführt.

1993: Einführung des Art. 13-bis (Steuerabsetzbeträge). Das Verhältnis Sonderausgaben – Steuerabsetzbeträge wird nochmals einer grundlegenden Änderung unterworfen.

1994: Einführung der sog. „Tremonti-Förderungen", einer Steuerbefreiung für reinvestierte Unternehmensgewinne.

1997: Neuregelung der Absetzbeträge für ärztliche Aufwendungen; Einführung eines pauschalen und eines vereinfachten Buchhaltungssystems

1998: Ein Großteil des „Visco-Maßnahmenpaktes" tritt in Kraft (siehe dazu weiter unten). Im Bereich der Steuern auf das Einkommen der natürlichen Personen ist in erster Linie die Neuregelung der Einkünfte aus nichtselbständiger Tätigkeit sowie der Einkünfte aus Kapital hervorzuheben.
Die Hauptreformbemühungen galten in der Folgezeit der Kapitalbesteuerung sowie der Unternehmensbesteuerung. Die Kapitalbesteuerung wurde weitgehend pauschaliert und äußerst attraktiv gestaltet, um der Kapitalflucht zu begegnen.

Was die Unternehmensbesteuerung anbelangt, so hatte man sich in den 70er Jahren von der Illusion leiten lassen, dass die Ausweitung der Buchhaltungs-, Erklärungs- und sonstigen Formalpflichten auf den Großteil der Unternehmen die grassierende Steuerhinterziehung beseitigen würde. Die tatsächlichen Folgen dieser Regelung waren aber völlig unerwartet und unerwünscht:

– Die zusätzlichen Formalverpflichtungen bedeuteten für die Steuerpflichtigen in erster Linie eine Zusatzbelastung, ohne dass das Steueraufkommen allein dadurch schon angestiegen wäre. Weitgehend trat damit ein toter Wohlfahrtsverlust ein. Allein das Beratungsgewerbe wurde damit gefördert.

---

[45] Seit 1992 gilt diese Anpassung nur mehr für die Absetzbeträge.

– Gleichzeitig schufen diese Formvorschriften aber einen Schutzmechanismus für die kleinen und mittleren Unternehmen sowie für Freiberufler. Diese konnten verschwindend geringe Beträge erklären und waren – unter der Bedingung der Einhaltung dieser Formvorschriften – vor weiteren Steuerforderungen geschützt. Induktive Kontrollen waren selten und sehr schwer durchführbar.[46]

Damit waren die kleinen und mittleren Unternehmen zu Lasten der Großunternehmen (in deren Rahmen Steuerhinterziehung technisch auf größere Hürden stößt) privilegiert.[47]

Im Jahr 2003 wurde, wie weiter unten auszuführen sein wird, eine grundlegende Umgestaltung des ET für die direkten Steuern in Angriff genommen (EG 80/2003 sowie EV 344/2003), doch blieb die Reform auf halbem Wege stehen.

*bb) Hinsichtlich der **IRPEG***

Die Körperschaftsteuer IRPEG (*Imposta sul reddito delle persone giuridiche* – Steuer auf das Einkommen juristischer Personen) hat seit ihrer Einführung mit DPR 598/1973 zahlreiche Änderungen erfahren. Diese betreffen einmal den anzuwendenden Steuersatz, der schrittweise von **25% auf** 37% erhöht und mit Wirkung ab 1.1.2001 wiederum auf **36%** herabgesetzt worden ist. Daneben sind zahlreiche strukturelle Änderungen erfolgt, wobei insbesondere die Behandlung des Problems der Doppelbesteuerung hervorzuheben ist. Bis 1977 führte die Anwendung der IRPEG zu einer (wirtschaftlichen) Doppelbesteuerung. Mit G Nr. 904/1977 wurde diese zur Gänze durch die Zuerkennung eines Steuerguthabens behoben. Im Jahr 1983 wurde wiederum eine Ausgleichsteuer hinsichtlich jener Teile des Steuerguthabens eingeführt, die sich auf zuvor unbesteuerte Einkommenselemente beziehen. Im Jahr 1996 wurde eine Mindestbesteuerung sog. „untätiger Gesellschaften" eingeführt. Dabei wurde denjenigen der IRPEG unterliegenden Körperschaften, deren Gewinn unter einer bestimmten Schwelle liegt, ein Mindesteinkommen unterstellt, da die Vermutung bestand, dass ein Rechtsformmissbrauch vorlag. Mit der Einführung der *Dual Income Tax (DIT)* schien es, dass die IRPEG-Steuerbelastung damit auf mittlere Frist erheblich abgeflacht werden könnte. Mit der im Jahr 2001 eingeleiteten Tremonti-Steuerreform wurde aber wiederum ein anderer Weg beschritten und die DIT wurde wieder außer Kraft gesetzt werden. Der Körperschaftsteuersatz wurde zuerst auf **34% reduziert** und schließlich wurde die IRPEG zum **31.12.2003 gänzlich abgeschafft**. An die Stelle der Körperschaftsteuer IRPEG trat die Gesellschaftsteuer **IRES**, die keine Anrechnung mehr kennt, sondern den Steuerzugriff definitiv von der natürlichen Person auf das Unternehmen verlegt. Der **IRES-Steuersatz** beträgt gegenwärtig **24%**. Die ausgeschütteten Dividenden unterliegen in Anlehnung an das deutsche Halbsatzverfahren im Regelfall einer erneuten – wenn auch eingeschränkten – Besteuerung (IRES-pflichtige Unternehmen müssen nur 5%

[46] Vgl. Boria, Il Sistema Tributario, 2008, 95 f.

[47] Ibid.

der bezogenen Dividenden besteuern, alle anderen Unternehmen, d.s. Einzelunternehmer und Personengesellschaften, können einen Abzug von 41,86% geltend machen, sie besteuern als 58,14%).

Die IRPEG wurde zum **1.1.2004 durch die IRES abgelöst** (EV 344/2003). Hauptmerkmale der IRES sind die stärkere Orientierung an europäischen Vorbildern und die Aufgabe der Neutralisierung der Steuer auf der Ebene des Dividendenbeziehers durch Steuerguthaben, wie dies zuvor im Rahmen der IREPG der Fall gewesen ist. Nunmehr wird eine – moderate – Doppelbesteuerung zum Zwecke der Vereinfachung der Steuer und der EU-rechtskonformen Besteuerung der Dividenden im Unionsbereich in Kauf genommen.

Für 2017 war vorgesehen, mit der Einführung der IRI *(imposta sul reddito delle imprese)* Rechtsformneutralität bei der Besteuerung zu schaffen: Auch Gewinne von Personengesellschaften sollten einer proportionalen Steuer unterworfen. Diese Bestimmung wurde aber noch vor ihrem Inkrafttreten wieder abgeschafft. Nunmehr wird aber wiederum die Einführung einer solchen Steuer ins Auge gefasst.

*bc) Hinsichtlich der **ILOR***

Statt einer echten Vermögensteuer wurde im Jahr 1973 eine Steuer auf Vermögenseinkünfte eingeführt. Diese Steuer sollte auch der Finanzierung der lokalen Körperschaften dienen, die variable Steuersätze anwenden sollten. Tatsächlich blieb diese Steuer aber eine zentral eingehobene Abgabe mit festen Sätzen von zuerst 14,7%, dann 15% und schließlich 16,2%. Die Geschichte dieser Steuer ist – bis zu ihrem Außerkrafttreten am 31.12.1997 – von einer kontinuierlichen Einschränkung ihrer Bemessungsgrundlage gekennzeichnet.

Waren anfänglich in erster Linie die Einkünfte aus nichtselbständiger Tätigkeit von dieser Steuer ausgenommen, so wurde diese Befreiung im Jahr 1980 durch den Verfassungsgerichtshof auch auf die Einkünfte aus selbständiger Tätigkeit ausgedehnt. In der Folge wurde die Kategorie derjenigen Wirtschaftstreibenden, die für die Zwecke der ILOR nicht als Unternehmer zu gelten hatten, weiter ausgedehnt: Mit Urteil Nr. 87/1986 hat der Verfassungsgerichtshof den Steuergerichten die Aufgabe zugewiesen festzustellen, ob angesichts einer bestimmten Tätigkeit die Vermögenskomponente oder die Arbeitskomponente überwog, wobei im letztgenannten Fall keine ILOR-Steuerpflicht gegeben war. Im Jahr 1993 wurden die von Einzelunternehmen oder Personengesellschaften erzielten Unternehmenseinkünfte zur Gänze von der ILOR ausgenommen, wenn:

– die Tätigkeit überwiegend mit der Arbeit des Unternehmers und seiner Familienangehörigen bzw. der übrigen Gesellschafter organisiert war und

– die Gesamtanzahl der Mitarbeiter nicht mehr als drei betrug.

Im Jahr **1993** wurden im Zuge der Einführung der **ICI**, der Gemeindesteuer auf Immobilien, die Einkünfte aus Grundvermögen von der ILOR ausgenommen.

Mit dem Inkrafttreten der IRAP am 1.1.1998 trat die ILOR schließlich zur Gänze außer Kraft.

c) Sonstige Neuerungen im italienischen Steuerrecht[48]

Mit Notverordnung wird im Jahr **1982** – nach Auffassung vieler in überhasteter Form – das Steuerstrafrecht neu geregelt (vgl. **NV 429 v. 10.7.1982** ug GmÄ) Nr. 516/1982. Durch dieses Gesetz, das auch die Bezeichnung **„Manette agli evasori“** trägt, wurden zahlreiche Verwaltungsvergehen im Steuerrecht – und insbesondere die Steuerhinterziehung – kriminalisiert, ohne dass das Ergebnis letztendlich befriedigend gewesen wäre. Mit der **Ermächtigungsverordnung Nr. 74 v. 10.3.2000**[49] (in Kraft getreten am 15.4.2000) ist eine **Globalreform des italienischen Steuerstrafrechts** vorgenommen worden, durch welche ein wirksameres, gleichzeitig aber auch ein moderneres Steuerstrafrecht geschaffen werden sollte. Auf diese Bestimmungen wird im Detail unter Kapitel V.10 eingegangen.

Das neue Steuerstrafrecht kennt nur mehr **Delikte *(delitti)*** und keine Übertretungen *(contravvenzioni)*. Damit ist auf jeden Fall **Vorsatz *(dolus)*** für das Vorliegen einer Straftat erforderlich. Die einzelnen Straftaten ahnden im Übrigen nur mehr Handlungen und Unterlassungen, die unmittelbar zu einer Schädigung des Fiskus führen, nicht mehr die sog. vorbereitenden Handlungen *(atti prodromici)*, denen im Steuerstrafrecht der Vergangenheit große Bedeutung zugekommen ist.

Neu geregelt wurden auch die **Verwaltungsstrafen *(sanzioni amministrative)***, deren Rechtsgrundlage zuvor im G 4/1929 bzw. im G 689/1981 zu finden war. Durch die DPR 471, 472 und 473 aus 1997 sollte ein modernes, zeitgemäßes Sanktionssystem geschaffen werden, dessen Reform schon allein aufgrund der mangelnden Kohärenz nach zahlreichen vereinzelten Eingriffen notwendig geworden war. Einerseits sollte die Verschärfung der Abschreckungswirkung zu einer effizienteren Bekämpfung der Steuerhinterziehung beitragen, andererseits sollte die stärkere Berücksichtigung subjektiver Elemente ein System schaffen, das als gerechter empfunden und dessen Akzeptanz damit erhöht würde.

Im Bereich der indirekten Steuern gelang die Verabschiedung zweier Einheitstexte:

– DPR 26.4.1986 Nr. 131: **Registersteuer**

– DPR 31.10.1990 Nr. 346: **Erbschaft- und Schenkungsteuer**. Diese Steuer wurde mit G 383 v. 18.10.2001 weitgehend abgeschafft. Mit Art. 2 Abs. 47–54 **G 286 v. 24.11.2006** wurde die Erbschaft- und Schenkungsteuer aber wieder eingeführt, wobei nunmehr jedoch sehr hohe Freibeträge vorgesehen sind.

---

[48] Vgl. dazu auch Santamaria, Lineamenti di diritto tributario, 1999, 35 ff.

[49] Die Ermächtigungsgrundlage für diese Reform ist in Art. 9 des Gesetzes Nr. 205/1999 zu finden.

Die Steuersätze betragen 4%–8%. Ehegatte und Verwandte in direkter Linie haben aber Anspruch auf jeweils einen Freibetrag von 1.000.000 Euro. Geschwister, hinsichtlich welcher ein Steuersatz von 6% zur Anwendung kommt, haben Anspruch auf einen Freibetrag von 100.000 Euro.

Aufgrund des hohen Finanzmittelbedarfs des italienischen Staates wird gegenwärtig an eine Erhöhung der Erbschaft- und Schenkungsteuer gedacht.

Sehr weitreichende Neuerungen enthielt das Gesetz Nr. 413 v. 30.12.1991.

Diese betrafen u.a. die Schaffung einer Ermächtigungsgrundlage für eine Reform des Steuerstreitverfahrens, eine parallel dazu eingeführte Steueramnestie[50], die Einführung eines steuerlichen Auskunftsverfahrens in Fragen der Steuerumgehung *(elusione fiscale)* sowie die Einführung der steuerlichen Assistenzzentren (CAF).

Was die **Reform des Steuerstreitverfahrens** im Speziellen anbelangt, wurde die Ermächtigungsgrundlage in G 413/1991 mit den Ermächtigungsverordnungen **Nr. 545/1992** und **Nr. 546/1992** umgesetzt. Die Reform ist am 1. April 1996 in Kraft getreten. Zahlreiche Abänderungen sind zwischenzeitlich an diesen Bestimmungen vorgenommen worden. Das Hauptbemühen galt dabei dem Versuch, die Zahl der Streitfälle zu reduzieren und verstärkt alternative Formen der Streitbeilegung anzubieten. Seit 1.7.2019 findet der „telematische" (elektronische) Steuerprozess Anwendung.

Auf eine neue Basis gestellt werden soll der Finanzausgleich, wobei diese Bemühungen in engem Zusammenhang stehen mit der – mittlerweile wieder abgeflauten – Diskussion um eine Föderalisierung der italienischen Verfassungsordnung. Der **Steuerföderalismus** bleibt aber nach wie vor ein wichtiges Thema.

Ein erster Schritt wurde mit dem G Nr. 241 v. 23.10.1992 gesetzt, welches eine Neuordnung der Finanzierung der lokalen Körperschaften vorsah. Umgesetzt wurde dieser Auftrag einmal durch die EV Nr. 504 v. 30.12.1992, mit welcher die Gemeindesteuern auf Immobilien (*Imposta comunale sugli immobili* – **ICI**), in Kraft getreten am 1.1.1993, eingeführt wurde.

Mit einer weiteren Ermächtigungsverordnung (Nr. 507 v. 15.11.1993) wurden die **Gemeinde-Werbesteuer** *(imposta comunale sulle pubblicità)*, die Steuer auf öffentliche Aushänge *(diritto sulle pubbliche affissioni)* und die Gebühren für die Besetzung öffentlichen Grundes *(tassa per l'occupazione di spazi ed aree pubbliche dei comuni e delle province)* neu geregelt.

Noch größere Relevanz für den Finanzausgleich hatte die Einführung der Wertschöpfungsteuer **IRAP** *(Imposta Regionale sulle Attività Produttive)* im Rahmen des Visco-Reformpaketes mit Wirkung ab 1.1.1998.

---

[50] Die Verbindung einer Steuerreform mit einer Steueramnestie ist im Übrigen häufig in der italienischen Steuerrechtsgeschichte anzutreffen. Oft war allerdings nicht die Steueramnestie Nebenaspekt der Steuerreform, sondern umgekehrt.

Dieses zuletzt genannte Reformwerk stellt insgesamt den weitreichendsten gestaltenden Einschnitt in das italienische Steuersystem seit der Reform des Jahres 1971 dar. Die Ermächtigungsgrundlage dafür wurde mit dem Begleitgesetz zum Haushaltsrahmengesetz Nr. 662 v. 23.12.1996 geschaffen. Im Einzelnen wurden dabei folgende Maßnahmen ins Auge gefasst[51]:

1. Neuregelung der Einkünfte aus nichtselbständiger Tätigkeit, insbesondere auch mit dem Ziel einer Angleichung der Bemessungsgrundlage für steuerrechtliche und sozialversicherungsrechtliche Zwecke[52].
2. Neubestimmung der MwSt-Subjektivität im Bereich der Nutzung von Gütern; Neuregelung des Vorsteuerabzuges[53].
3. Angleichung der einvernehmlichen Steuerfeststellung *(accertamento con adesione)* und der gerichtlichen Streitschlichtung *(conciliazione giudiziale),* wodurch die einvernehmliche Steuerfeststellung auf alle Steuerpflichtigen und auf alle Einkunftsarten ausgedehnt werden sollte[54].
4. Reform der Verwaltungsstrafen im Steuerrecht[55].
5. Vereinfachung der Steuererklärungen im Bereich MwSt und Einkommensteuer; Vereinfachung der Einhebung und der Steuerfeststellung[56].
6. Vereinheitlichung der Steuereinhebung durch die Abschaffung der nach Steuerarten getrennten Einhebung und Übertragung der betreffenden Befugnisse an die Steuereinhebungskonzessionäre[57].
7. Einführung der regionalen Wertschöpfungsteuer IRAP bei gleichzeitiger Abschaffung der Konzessionsgebühr auf die MwSt-Position, der lokalen Einkommensteuer ILOR, der Gewerbesteuer ICIAP, der Nettovermögensteuer auf Unternehmen und der Gesundheitsteuer[58].
8. Einführung der Dual Income Tax (DIT), auf deren Grundlage der Durchschnittsertrag des reinvestierten Kapitals einer niedrigeren Besteuerung unterworfen werden sollte[59].
9. Neuregelung der Besteuerung der nichtgewerblichen Körperschaften und der gemeinnützigen Einrichtungen ONLUS *(Organizzazioni non lucrative e di utilità sociale)*[60].

---

[51] Vgl. dazu auch Santamaria, Lineamenti di diritto tributario, 1999, 37 ff.

[52] Vgl. dazu Hilpold„ Neuerungen bei der Besteuerung der Einkünfte aus selbständiger und aus nichtselbständiger Tätigkeit in Italien“, in: SWI 1998, 233. Vgl. EV 314 v. 2.9.1997.

[53] Vgl. EV 313 v. 2.9.1997.

[54] Vgl. EV 218 v. 19.6.1997.

[55] Vgl. die EV 471, 472 und 473 v. 18.12.1997.

[56] Vgl. EV 463 v. 18.12.1997.

[57] Vgl. EV 462 v. 18.12.1997.

[58] Vgl. EV 446 v. 15.12.1997.

[59] Vgl. EV 466 v. 18.12.1997.

[60] Vgl. EV 460 v. 4.12.1997.

10. Reform der Besteuerung der Kapitaleinkünfte und der sonstigen Einkünfte[61].
11. Reform der Besteuerung im Falle von Unternehmenszusammenschlüssen[62].

Diese Reformen haben zweifelsohne das italienische Steuersystem modernisiert. Gleichzeitig ist damit aber der Schwerpunkt der Steuerbelastung etwas verschoben worden, und zwar weg von den Großunternehmen hin zu kleinen und mittleren Unternehmen und zu den Freiberuflern. Verstärkt wurde dieser Trend durch die Ausweitung der Formen induktiver Besteuerung und durch den kontinuierlichen Ausbau der Steuerfeststellung über die Branchenkennzahlen. Zwar wurde damit der Struktur der italienischen Volkswirtschaft besser Rechnung getragen, gleichzeitig mehrte sich damit aber auch der Widerstand gegen das italienische Steuersystem, das als zu belastend empfunden wurde.

Die im Jahr 2001 an die Macht gekommene Mitte-Rechts-Regierung unter Silvio Berlusconi versprach, das italienische Steuersystem grundlegend umzugestalten und insbesondere den Steuerdruck zu senken. Die Versprechen im steuerrechtlichen Bereich bildeten auch eine der maßgeblichen Faktoren für den Wahlerfolg Berlusconis. Der Architekt der steuerrechtlichen Reformen, Giulio Tremonti, hatte schon im Jahr 1994 ein Weißbuch vorgelegt, in dem er die Stoßrichtung der Reformen vorgab:

– Das italienische Steuersystem sollte vereinfacht werden.

– An die Stelle der (angeblich) über 100 Steuern sollten acht Steuern treten, die in einen Steuerkodex einfließen sollten.

– Wechsel von der Subjektbesteuerung zur Objektbesteuerung

– Die Subjektbesteuerung führt mit der zunehmenden Mobilität der natürlichen Personen zu einer Verflüchtigung der Steuerbasis; eine Objektbesteuerung kann dieser Problematik entgegen wirken. Insbesondere könnten auf diesem Wege auch die großen Vermögen erfasst werden.

– Wechsel von einem zentralistisch konzipierten Steuersystem zu einem echten Steuerföderalismus.

Ein solcher Paradigmenwechsel sollte eine Vielzahl an Vorteilen mit sich bringen: Die mit Steuer- und Ausgabenverantwortung ausgestatteten Gebietskörperschaften könnten einen Leistungsmix erbringen, der von der betreffenden Bevölkerung gewünscht wird, die zuständigen Verwalter würden unmittelbar die Verantwortung dafür übernehmen, die Steuereinhebung und -kontrolle könnte effizienter gestaltet werden, die Steuerpflichtigen könnten selbst über die Höhe der Steuern und die Natur der angebotenen Leistungen mitbestimmen oder eine andere Wohnsitzgemeinde wählen, in welcher ihnen das Angebot eher zusagt und der Steuerdruck könnte durch den Verzicht auf überflüssige Ausgaben insgesamt gesenkt werden. Tatsächlich blieben diese Reformvorhaben aber weitgehend toter Buchstabe.

[61] Vgl. EV 461 v. 21.11.1997.
[62] Vgl. EV 358 v. 8.10.1997.

8. Italienisches Steuerrecht im 21. Jahrhundert – Iststand und Ausblick

Literatur: Procopio, La progettata riforma governativa relativa all'IRPEF: Alcuni spunti di riflessione *de iure condendo*, in: DirPratTrib 3/2021, 1110; Glendi, Delega Fiscale Rallentata, in: DirPratTrib 6/2021, 2644; Hilpold, Die Europäische Wirtschafts- und Währungsunion, 2022; Steinmair, Italien im Wiederaufbau – Hoffnungen, Chancen, Gefahren, in: Hilpold/Steinmair/Raffeiner (Hrsg.), Nachlese zur FS Neisser, 2022

a) Die Entwicklungen von 2001–2020

Die italienische Wirtschafts- und Finanzpolitik im ersten Jahrzehnt des 21. Jahrhundert wurde noch überwiegend von Silvio Berlusconi bestimmt.

Silvio Berlusconi trat seine (zweite) Amtsperiode 2001–2005 (weitere folgten 2001–2005, 2005–2006 und 2008–2011) mit der Ankündigung weitreichender Steuerreformen und Steuererleichterungen an. Eine der ersten Maßnahmen bestand in der Abschaffung der Erbschaft- und Schenkungsteuer 2001. Danach erlahmte der Reformeifer rasch.

Mit dem Ermächtigungsgesetz Nr. 80 v. 7.4.2003 („Primi interventi per il rilancio dell'economia") sollte die Grundlage für eine umfassende Reform des italienischen Steuersystems geschaffen werden. Diese Ermächtigung wurde mit EV Nr. 344 v. 12.12.2003 wahrgenommen. Die betreffenden Bestimmungen sind am 1.1.2004 in Kraft getreten. Das Ergebnis war ein partiell umstrukturiertes Einkommensteuerrecht. Zwar ist die Gesellschaftsteuer IRES an die Stelle der früheren Körperschaftsteuer IRPEG getreten, doch hielten sich die inhaltlichen Reformen in diesem Bereich in Grenzen. Weitere bahnbrechende Reformschritte wurden angekündigt, doch sind diese unterblieben. Bspw. sollte eine Art „Flat Tax" eingeführt werden, die über Einsparungen bei den Staatsausgaben (insbes. im Sozialsektor) finanziert werden sollte. Dieses Vorhaben ist aber nicht umgesetzt worden. Schließlich ist der Reformprozess völlig zum Erliegen gekommen. Das Ermächtigungsgesetz Nr. 80/2003 ist als weitgehend gescheitert anzusehen.

Immer wieder wurde das Vorhaben propagiert, das Steuersystem in den Dienst der gesamtwirtschaftlichen Reformbemühungen zu stellen und dieses als Instrument zu nutzen, das den Wiederaufschwung ermöglichen sollte. Für eine nachhaltige Reform fehlten aber die Ressourcen.

So wurde die weitere Vereinfachung des Steuersystems angekündigt und auf mittlere Frist sollte die Steuerbelastung erheblich gesenkt werden. Zum steuerpolitischen Programm der Finanzminister der letzten Jahrzehnte gehörte immer wieder das Vorhaben, Italien auf europäischer Ebene in ein Niedrigsteuerland zu verwandeln. Diesem Ziel wurde schließlich durch die Regierung Berlusconi – zumindest in politischen Erklärungen – prioritäre Bedeutung zuerkannt. Bei der Umsetzung dieses Ziels musste die Regierung allerdings rasch zur Kenntnis nehmen, dass die

Gesundung der Staatsfinanzen – auch angesichts der Bindung an den Stabilitätspakt – vorrangig angegangen werden musste. Die angekündigte Senkung der Steuerbelastung auf 23% für Einkommen bis zu 100.000 Euro bzw. auf 33% für darüber liegende Einkommen war wohl von Anfang an unrealistisch und die Finanz- und Wirtschaftskrise machte dieses Ziel völlig unerreichbar.

Der Koalitionspartner von Berlusconis Forza Italia, die regionalistisch orientierte Lega, erwirkte die Umsetzung föderalistischer Elemente, einmal mit dem grundlegenden Verfassungsgesetz 1/2001 und nachfolgend mit dem Ermächtigungsgesetz 42/2009 *„Delega al Governo in materia di federalismo fiscale in attuazione dell'articolo 119 della Costituzione"*. Mit Art. 13 EV 23/2011 wurde die Gemeindeimmobiliensteuer IMU sowie die Aufenthaltssteuer eingeführt. Mit dem Stabilitätsgesetz 2014 (G 147/2013) folgte eine einheitliche Gemeindeabgabe (imposta unica comunale i.u.c.) bestehend aus IMU, Tari und Tasi.[63]
Diese Reformen sollten – wie weiter unten auszuführen sein wird – auch erhebliche Auswirkungen auf das italienische Steuer- und Finanzrecht haben.

Die 2007 ausgebrochene Finanz- und Wirtschaftskrise hat in Italien besonders schwerwiegende Verwerfungen ausgelöst, die das Wirtschaftswachstum einbremsten und die Staatsverschuldung laufend erhöhten.

Inmitten einer der schwersten Wirtschaftskrisen der Nachkriegszeit trat Ministerpräsident Silvio Berlusconi im **November 2011** zurück und **übernahm** der parteilose Wirtschaftsprofessor **Mario Monti** die Regierungsgeschäfte. Er leitete ein **striktes Spar- und Sanierungsprogramm** ein, das Italien vor dem Zusammenbruch rettete, aber der Bevölkerung harte Einsparungen abverlangte.

Mit dem **Verfassungsgesetz 1/2012** wurde ein weiterer wichtiger Schritt in Richtung Stabilitätspolitik und Anpassung der Haushaltspolitik an die Erfordernisse der EU-Vorgaben gesetzt.

Die nachfolgenden Regierungen ab 2013 setzten die Reformbemühungen – angesichts einer in der Zwischenzeit erreichten Stabilisierung in etwas vorsichtigerer Form – weiter fort, ohne dass Italien auf einen nachhaltigen Wachstumspfad gebracht werden konnte.

Nur **ansatzweise gelangen größere Reformschritte im Steuerrecht**. Im „Non-Profit"-Bereich wurde 2016 ein Ermächtigungsgesetz verabschiedet (G Nr. 106/2016), das nachfolgend durch eine Reihe von Ermächtigungsverordnungen – auch mit Wirkung für den steuerrechtlichen Bereich – umgesetzt worden ist. Im Bereich der Steuerfeststellung wurden ab 2018 die (steueraufkommensmehrenden, aber als belastend empfundenen) Branchenkennzahlen *(„studi di settore")* durch die „Zuverlässigkeitskennzahlen" *(„indici sintetici di affidabililtà"),* die eine Fortentwicklung mit förderndem Charakter darstellen sollten, ersetzt.

Die Steuereinhebungseinrichtung Equitalia S.p.A. – ein öffentliches Unternehmen, das seine Aufgaben mit Konsequenz, in der damaligen Krisensituation nach

[63] Vgl. zu diesen Entwicklungen Procopio, 2021, 1127.

Auffassung vieler mit zu viel Konsequenz, wahrgenommen hat – wurde Mitte 2017 aufgelöst und seine Aufgaben wurden wiederum einer öffentlichen Einrichtung übertragen, der „AdER" (Agenzia delle Entrate – Riscossione").

Im Bereich des Steuerprozesses wurde über viele Jahre die Einführung des „telematischen" Steuerprozesses diskutiert. Erst mit Wirkung ab 1.7.2019 konnte dieser zur Anwendung gebracht werden.

Andere wesentliche Reformprojekt im Steuerrecht blieben unerledigt. Dies gilt bspw. für das Vorhaben, weitere Einheitstexte, insbesondere für die MwSt, aber auch für die Steuerfeststellung, zu verabschieden. Dadurch, im Besonderen aber durch die Kodifizierung des „Allgemeinen Teils" der Steuerrechtsordnung, könnte viel an Rechtssicherheit und Transparenz gewonnen werden, weshalb auch letzthin diese Idee erneut intensiver thematisiert wird. Die große Herausforderung in diesem Zusammenhang besteht aber darin, die enorme Dynamik des Steuerrechts, die einer Kodifizierung dieser Rechtsmasse entgegensteht, in den Griff zu bekommen.

Eher bescheiden fiel der Reformanspruch des Ermächtigungsgesetzes Nr. 14/2014 (***„Delega al governo recante disposizioni per un sistema fiscale più equo, trasparente e orientato alla crescita"***) aus. Darin wurden weniger große Reformstrategien entwickelt, sondern die Diskussion bewegte sich primär im engeren technischen Bereich. Grundlegend neue Ansätze wurden im Bereich der Bekämpfung der Steuerumgehung bzw. des Rechtsmissbrauchs entwickelt. Als dringend reformbedürftig hat sich auch das Katasterwesen gezeigt, doch die diesbezüglichen Reformbemühungen sind weitgehend gescheitert. Erfolgreich waren wiederum verschiedene Initiativen zur Vereinfachung des Steuersystems, zur Einführung eines neuen Pauschalbesteuerungssystems für Kleingewerbetreibende (und für Freiberufler) sowie in Bezug auf eine Reform des Verfahrensrechts.

Besonders hervorzuheben sind folgende Reformen:

– Steuerumgehung und Rechtsmissbrauch *(elusione fiscale e abuso del diritto)*

Diese Sachbereiche wurden im Detail neu geregelt.

– Verwaltungsstrafrecht und Steuerstrafrecht

Ziel war es, die Strafen für geringere Vergehen zu reduzieren und die Verhältnismäßigkeit zwischen Strafausmaß und Schwere des Vergehens zu stärken. Die Schwellen für die Anwendung des Steuerstrafrechts wurden erhöht (bspw. im Falle einer „einfachen Steuerhinterziehung" von € 50.000 auf € 150.000), mittlerweile aber wiederum gesenkt (im zuletzt genannten Fall wiederum auf € 100.000).

– Auskunftsverfahren *(interpelli)*

Die Vielzahl an Auskunftsverfahren, die in den letzten Jahren geschaffen worden sind, verlangte nach einer Vereinheitlichung der Regeln.

– Steuereinhebung *(riscossione)*

Hier wurde u.a. die Möglichkeit zur Ratenzahlung erweitert.

– Steuerstreitverfahren *(contenzioso)*

In diesem Bereich wurde insbesondere die Verpflichtung zur Streitschlichtung *(mediazione)* ausgeweitet.

b) Die Corona-Krise und der Wiederaufbau

Die Corona-Krise ab dem Frühjahr 2020 hat zu grundlegenden Änderungen in Italien geführt. Diese Krise hat Italien schwer getroffen. Auf der steuerrechtlichen Ebene mussten zahlreiche Steuerpflichten ausgesetzt werden, so dass sich die Haushaltslage weiter verschärfte. Die prekäre Wirtschafts- und Finanzsituation in Italien hat die MS der EU schließlich dazu bewogen, im Rahmen des im Frühjahr 2021 beschlossenen Wiederaufbauprogramms Next Generation EU Italien besonders großzügige Hilfen zukommen zu lassen: Italien wurde zum Hauptnutznießer der Darlehen und Schenkungsbeiträge durch die EU.
Diese Zuwendungen haben der italienischen Wirtschaft einen Wachstumsschub verliehen, wurden z.T. aber auch wenig effizient eingesetzt (so der z.T. schuldenfinanzierte *„Superbonus“*).[64] Insbesondere über die Mittel aus dem „Wiederaufbaufonds“ (*„Recovery Fund“*, die „Aufbau- und Resilienzfazilität“), deren Grundlage, gestützt auf Art. 175 Abs 3 AEUV, mit VO 221/241 v. 12. Februar 2021 geschaffen worden ist, konnte Italien ein umfassendes Modernisierungsprogramm in die Wege leiten, und zwar über den *„Piano nazionale di ripresa e resilienza“* (PNRR). Zur Finanzierung dieser Mittel begab die Europäische Kommission in den Jahren 2021–2023 im Namen der EU eine Anleihe in Höhe von € 750 Mrd. und vergibt damit bis 2026 nichtrückzahlbare Zuschüsse (€ 390 Mrd.) bzw. Darlehen (€ 360 Mrd.) an EU-MS. Bis 2026 sollen insgesamt über € 800 Mrd. als Darlehen aufgenommen werden. Was die Mittelverwendung anbelangt, sollen € 672,5 Mrd. (also über 90% des Gesamtvolumens von € 750 Mrd.) für das neue „Recovery-Programm“ Verwendung finden, wobei diese Mittel wiederum überwiegend (€ 312,5 Mrd.) als direkte Finanzhilfen ausbezahlt werden.
Dieses Instrumentarium schafft einen einzigartigen Umverteilungsmechanismus, denn von den Mitteln, die von der Kommission über das 750-Mrd.-Darlehen aufgenommen werden, werden nur die als Darlehen an die MS weitergereichten Mittel von den MS zurückbezahlt, während die 390 Mrd. an nicht-rückzahlbaren Zuschüssen über den EU-Haushalt getilgt werden, und zwar im Zeitraum 2028–2058 zu Jahrestilgungsraten von maximal 7,5% der Gesamtsumme. Zwar sollen neue Eigenmittelkategorien eingeführt werden (so eine Abgabe auf nicht recycelte Verpackungsabfälle und Kunststoff, Einnahmen aus einem überarbeiteten Emissionshandelssystem sowie eine Finanztransaktionssteuer), doch selbst dann, wenn diese Mittel ausreichen sollten für die notwendigen Tilgungen (das ist noch keineswegs sicher und hängt u.a. auch von der Zinsentwicklung ab), so sind dies dennoch nach dem Grundsatz der Einheitlichkeit des Haushalts Mittel der EU und in der Folge ist damit – ausgehend von der EU-weit uneineinheitlichen Struktur der Zuwendungen – eine klare Umverteilungswirkung verbunden.

[64] Dieser hat laut Banca d'Italia bis Ende 2023 zu Ausgaben von 150 Mrd € geführt, zu einer zusätzlichen Staatsverschuldung von bis zu 4% des BIP und zu einer erheblichen Preissteigerung bei den Baumaterialien. Gleichzeitig wurde damit aber nur 4% der privaten Bausubstanz saniert, teilweise ohne effektiven Bedarf. Vgl. „Dolomiten“ v. 3.1.2025, S. 13.

Italien erhält von allen MS die höchsten Zuwendungen: insgesamt € 221,5 Mrd. (95,5 Mrd. aus dem Recovery Fund und 30 Mrd. aus weiteren Fonds).

c) Das Ermächtigungsgesetz Nr. 111 v. 9 August 2023

Mit dem Ermächtigungsgesetz Nr. 111 v. 9. August 2023 wurde die Basis für eine umfangreiche Steuerreform gelegt, deren Umsetzung auf insgesamt fünf Jahre ausgelegt ist. Zwischenzeitlich wurde bereits eine größere Anzahl an Dekreten verabschiedet, durch welche bedeutende Neuerungen in das italienische Steuersystem eingeführt worden sind. Insgesamt **neun Einheitstexte** sind in diesem Zusammenhang bereits ausgearbeitet worden bzw. in Arbeit, und zwar für folgende Steuern:

– Einkommensteuern
– MwSt
– Registersteuern und andere indirekte Steuern
– Bagatellsteuern *(Tributari erariali minori)*
– Steuererleichterungen und Regelungen für Spezialbereiche *(Agevolazioni tributarie e regimi di particolari settori)*
– Steuererledigungen und Steuerfeststellung *(Adempimenti e accertamento)*
– Verwaltungsstrafen und pönale Sanktionen (*Sanzioni amministrative e penali)*
– Steuergerichtsbarkeit *(Giustizia tributaria)*
– Steuerentrichtung und Steuereinhebung *(Versamenti e riscossione)*

Die erste Phase der Umsetzung dieser Reform soll am 31.12.2026 abgeschlossen sein. Danach sollen Korrekturdekrete erlassen werden und schließlich soll ein einheitlicher Steuerkodex *(codice tributario)* verabschiedet werden.
Die Neuerungen, die z.T. schon umgesetzt sind, betreffen sowohl den „Allgemeinen Teil“ als auch den „Besonderen Teil“ des italienischen Steuersystems und weitreichend.

So wird die Charta der Steuerpflichtigen (G 212/2000) im Sinne eines erweiterten Rechtsschutzes der Steuerpflichtigen umfassend reformiert und die Bestimmungen dieses Dokuments, schon bislang Grundprinzipien der Rechtsordnung, werden zu Auslegungsnormen der Steuerrechtsordnung. Die Verpflichtung zur Begründung von Steuerakten wird erweitert, der Vertrauensschutz *(legitiimo affidamento)* wird ausgebaut, die steuerlichen Auskunftsrechte *(interpelli)* neu geregelt (mit unentgeltlichen automatisierten Auskunftsverfahren und kostenpflichtigen Einzelauskünften), die verfahrensrechtlichen Zugangsrechte des Steuerpflichtigen *(accesso agli atti del procedimento tributario)* werden ebenso erweitert wie die Pflichten zur Rücknahme rechtswidriger Steuerakte *(autotutela)*. Der zuvor regionale (bzw. in den autonomen Provinzen provinziale) Garant der Steuerpflichtigen wird durch einen nationalen Garanten *(garante nazionale del contribuente)* ersetzt.

Zahlreiche Neuerungen sind im Bereich des Einkommensteuerrechts geplant bzw. wurden diese bereits verabschiedet. Diese stehen unter dem Vorzeichen der Steuervereinfachung, größerer horizontaler Steuergerechtigkeit sowie der Steuerentlastung, wobei dieser aber wiederum von den budgetären Möglichkeiten abhängt. Hervorzuheben ist die Neuregelung der steuerlichen Ansässigkeit, wobei die neuen Kriterien die Anknüpfungspunkte für eine Besteuerung in Italien erweitern. Die MwSt soll rationalisiert und verstärkt an die EU-Vorgaben angepasst werden, der Steuerföderalismus soll ausgebaut werden, die regionale Wertschöpfungsteuer IRAP soll abgeschafft und durch Zusatzsteuern ersetzt werden. Die Verwaltungsstrafen wurden gesenkt und an das europäische Niveau angepasst. Im Steuerprozess werden die Vergleichsmöglichkeiten *(deflazione del contenzioso tributario)* erweitert und bis auf den Kassationsgerichtshof ausgedehnt.

c) Zukunftsperspektiven

Die über den PNRR intensiv genutzten Mittel aus dem Wiederaufbaufonds haben der italienischen Wirtschaft zwar einen Wachstumsschub verliehen, werden aber mit dem Jahr 2026 auslaufen. Längerfristige Wachstumsimpulse können nur von umfassenderen Reformen kommen. Dabei wäre an einen weiteren Bürokratieabbau und an umfassendere Reformen des Staatsapparats zu denken, die zu schlankeren, effizienteren Strukturen führen sollen. Auf der Ebene des Steuerrechts wurde in Italien ohnehin sehr viel Innovationsgeist gezeigt, so dass hier Italien in vielen Bereichen (bspw was die elektronische Finanzverwaltung oder die Förderung von Umweltschutzmaßnahmen – „Ökologisierung des Steuerrechts" – anbelangt) europaweit beispielhaft dasteht. Das Steuerrecht ist ein wichtiges, aber nicht das einzige Steuerungsinstrument zur Gestaltung eines Wirtschaftssystems. In diesem Bereich hat Italien aber immer wieder Handlungsbereitschaft und innovativen Ideenreichtum gezeigt.

Das schon lange verfolgte Ziel, ein **partnerschaftliches Verhältnis** zwischen Steuerverwaltung und Steuerpflichtigen zu entwickeln, wurde weiter vorangetrieben.

Dabei ist u.a. geplant, die Unternehmen verstärkt in die Steuerfeststellung und -verwaltung einzubinden und damit gemäß den OECD-Vorgaben ein System der „*enhanced relationship*" zwischen Behörden und Steuerpflichtigen zu realisieren.[65] Es soll sich ein System der *„cooperative compliance"* herausbilden, wozu mit der Steuerreform gemäß G 111/2023 – wie nachfolgend zu zeigen sein wird – weitere Schritte gesetzt worden sind.

Problematisch bleibt der **hohe Steuerdruck** in Italien. Während in Deutschland der sog. *„Halbteilungsgrundsatz"* als Belastungsobergrenze eingeführt worden ist, der damit einen akzeptablen Ausgleich zwischen dem öffentlichen und dem privaten Sektor ermöglichen soll,[66] konnte man sich in Italien zu keiner Quantifizierung von diesbezüglichen Grenzen durchringen. In Italien ist es auch nicht die relative Steuerbelastung gemessen am BIP, die besonders heikel wäre, sondern

[65] Vgl. dazu auch Procopio, 2013, 181.
[66] Vgl. dazu Mangiameli, 2016, 1400, unter Bezugnahme auf R. Seer 1999 und BVerfGE 93.

die ungleiche Verteilung dieser Belastungen mit zahlreichen Ausnahme- und Sonderregeln sowie die Komplexität dieses Systems und seine außergewöhnlich bürokratische Administrierung.[67] Gleichzeitig versucht Italien, im internationalen Steuerwettbewerb mitzuhalten. So wurde bspw. im Jahr 2017 eine Zuzugsbegünstigung für Besserverdiener eingeführt. Danach kommen natürliche Personen, die ihren Wohnsitz nach Italien verlegen und in neun der letzten zehn Jahre nicht in Italien ansässig waren, in den Genuss einer besonderen Begünstigung. Ihr ausländisches Einkommen wird pauschal mit nunmehr € 200.000 besteuert. Eventuell im Ausland auf dieses Einkommen bezahlte Steuern können aber nicht angerechnet werden. Kommen weitere Familienangehörige mit, zahlen diese € 25.000 pro Kopf, wenn sie ebenfalls die Steuern auf ihre ausländischen Einkünfte pauschal abgelten möchten. Die inländischen Einkünfte werden aber weiter regulär besteuert.[68] Steuerpflichtige mit ausländischen Pensionen, die ihren Wohnsitz in eine süditalienische Gemeinde mit weniger als 20.000 Einwohnern verlegen, zahlen in den ersten fünf Jahren allein eine Einkommensteuer von 7% auf ihre Pensionen.

Der **Einfluss der EU** auf die Gestaltung der nationalen Haushaltspolitik wird immer größer und damit kommt von dieser Seite ein erheblicher Druck zur Sanierung der nationalen Budgets. Die Wirtschaftspolitik bleibt aber weiterhin weitgehend in nationaler Zuständigkeit und von dieser kommen – eingebettet in ein europaweit vergleichsweise wachstumsschwaches wirtschaftliches Umfeld – nach wie vor unzureichende Impulse.

II. Das Steuerrecht als wissenschaftliche Disziplin

Literatur: Amatucci, L'insegnamento del diritto finanziario, in: LVIII RivDirScFin 1999, 497; Falsitta, Osservazioni sulla nascita e lo sviluppo scientifico del diritto tributario in Italia, in: RassTrib 2/2000, 353; D'Amati, La formazione del diritto tributario in Italia – Riflessioni metodologiche e sistematiche, in: DPT I/2001, 3; Falsitta, Saggio dialettico sullo svolgimento della ricerca e sull'insegnamento del diritto tributario in Italia, in: RDT 12/2005, 1281; Starck, Wieviel Finanz- und Steuerrecht gehört zum Jurastudium, in: Osterloh et al. (Hrsg.), FS Peter Selmer, 2004, 925; Falsitta, Cenni storici sulla nascita e lo sviluppo degli insegnamenti di diritto finanziario e tributario in Italia, in: BollTrib 2/2006, 101; Stefani, Studio e insegnamento della scienza delle finanze e diritto finanziario in Italia, in: BollTrib 15-16/2006, 1256; Falsitta, L'influenza dell'opera di Albert Hensel sulla dottrina tributaristica italiana e le origini dell'interpretazione antielusiva della norma tributaria, in: RDT 6/2007, 569; Pitten Velloso, Vita e opera di Albert Hensel (1895–1933), in: RDT 6/2007, 617; Logozzo, L'insegnamento del diritto tributario nella facoltà di Economia, in: RassTrib 4/2008, 1025; Cipollina, Cento Anni di Didattica Accademica di Diritto Tributario: Da Zorli a Micheli, in: RivDirFinScFin 2021, 129; Lupi, La funzione amministrativa d'imposizione, 2022

[67] Vgl. dazu Hilpold/Steinmair, Italien im internationalen Wettbewerb der Steuerstandorte, 2009.

[68] Diese Regelung erfreut sich ständig wachsender Beliebtheit mit über 1.000 Anträgen von „High-Net-Worth Individuals" (HNWI) pro Jahr.

1. Die Entwicklung der italienischen Steuerrechtswissenschaft

Eine **eigenständige italienische Steuerrechtswissenschaft** konnte sich erst **relativ spät** herausbilden. Ein wesentlicher Grund dafür lag einmal in der Heterogenität der italienischen Steuerrechtsordnung, die lange Zeit ein System vermissen ließ. Dies galt umso mehr, als es auf verfassungsrechtlicher Ebene – mit Ausnahme des in Art. 30 des Albertinischen Statuts aus 1848 verankerten Legalitätsprinzips – an materiellen Vorgaben fehlte.

Eine systembildende Funktion wurde lange Zeit auch vom einfachen Gesetzgeber nicht wahrgenommen, weshalb allgemeine Prinzipien des italienischen Steuerrechts nur schwer zu ermitteln waren. Die anwendbaren Prinzipien wurden deshalb regelmäßig innerhalb der einzelnen Steuergesetze gesucht. Wissenschaftliches Interesse lösten vor allem die detaillierteren Steuergesetze wie die Registersteuergesetzgebung aus, die aber – angesichts des Regelungsgegenstandes – ein sehr starkes Naheverhältnis zum Zivilrecht aufwies und deshalb die ersten Ansätze einer autonomen Steuerrechtswissenschaft in sehr enge Verbindung zur Zivilrechtsdogmatik brachte.

Erst mit dem Einheitstext der Komplementären Einkommensteuer des Jahres 1877 wurde eine ergiebige Basis für eine eigenständige steuerrechtswissenschaftliche Betätigung geschaffen. Der anspruchsvolle Ansatz dieser Regelung erlaubte die Ableitung einzelner Prinzipien, die später auf die gesamte Steuerrechtsordnung ausgedehnt wurden. Für die Herausbildung einer umfassenden, modernen Steuerrechtswissenschaft bedurfte es aber noch eines weiteren systembildenden Einflusses der deutschen Steuerrechtswissenschaft.

2. Die einzelnen Schulen

Literatur: Vanoni, Natura e interpretazioni delle leggi tributarie, 1932, S. 78 ff.; Boria, Sistema tributario, in: Digesto, Sez. Comm., 61; Marongiu, Ezio Vanoni ministro delle finanze, 2016

Die italienische Steuer(rechts)wissenschaft war von einem **Schulenstreit** gekennzeichnet, der in der grundsätzlichen Orientierung zu geradezu pendelförmigen Ausschlägen führte.

Angesichts der oben beschriebenen Tatsachenlage darf es nicht verwundern, dass das Steuerwesen aus wissenschaftlicher Sicht zuerst aus wirtschaftswissenschaftlicher Sicht angegangen wurde. Die Steuerwirkungslehre im Rahmen der Finanzwissenschaft konnte um die Mitte des 19. Jahrhunderts bereits auf ein voll ausgereiftes Theoriengebäude verweisen und übte deshalb auch die stärkste intellektuelle Anziehungskraft aus. Mit der Zeit setzte sich aber die Überzeugung durch, dass es methodologisch unhaltbar war, die Steuernorm auch aus rechtswissenschaftlicher Sicht primär auf der Grundlage wirtschaftswissenschaftlicher Instrumente zu analysieren und zu beurteilen. Es setzte nun eine Gegentendenz ein, die wirtschaftswissenschaftliche Aspekte weitgehend unberücksichtigt ließ und deren Postulat im Kern darin lag, Inhalt und Funktion der Steuerrechtsnorm allein aus sich selbst heraus zu interpretieren.

War die Steuergesetzgebung – wie gezeigt – sehr stark von **Frankreich** beeinflusst, so wurde die Steuerrechtswissenschaft in der zweiten Hälfte des 19. Jahrhunderts vorwiegend von der **deutschen Schule** geprägt. Der „**rechtlichen Betrachtungsweise**“[69] ist eine beachtliche systembildende Wirkung zugute zu halten. Mit der Zeit führte sie jedoch zu Übersteigerungen und in der völligen Distanzierung von der ökonomischen Basis konnte die Funktion der Steuernorm, die ja regelmäßig auf wirtschaftliche Sachverhalte Bezug nimmt, nicht mehr sinnvoll erfasst werden. Die Gegenreaktion ließ deshalb nicht lange auf sich warten und äußerte sich in der von ***Benvenuto Griziotti*** begründeten **Schule von Pavia**, die für die Auslegung der Steuerrechtsnorm nicht nur rechtliche Aspekte heranzog, sondern gleichgewichtig (wenn nicht sogar bevorzugt) auch sozial- und wirtschaftswissenschaftliche sowie politische Umstände[70]. Finanzwissenschaft und Finanzrecht (einschließlich des Steuerrechts) wurden im 19. Jahrhundert gemeinsam gelehrt: Im Jahr 1878 wurde der erste Lehrstuhl für *Scienze delle Finanze e Diritto Finanziario* an der Universität Pavia eingerichtet.[71] Griziotti, der diesen Lehrstuhl ab 1920 innehatte, verlangte eine ganzheitliche Ausbildung und Perspektive der Lehrenden in diesem Bereich. Dadurch konnten tatsächlich wichtige neue Erkenntnisse beim Bemühen um den Aufbau einer eigenständigen Steuerrechtswissenschaft gewonnen werden. Dieser Ansatz hat anschaulich die Einbettung der Steuernorm in eine komplexe Realität verdeutlicht, wobei über diese Realität erst die Funktion der Norm verständlich wird. Für eine Emanzipierung der Steuerrechtswissenschaft als selbständige rechtswissenschaftliche Disziplin musste aber letztendlich wieder entschieden Distanz genommen werden von der Schule von Pavia mit ihrem Methodensynkretismus. Wiederum erfolgte ein starker Pendelausschlag in die Gegenrichtung und eine **Rückkehr zur rechtlichen Betrachtungsweise**[72]. Maßgebliche Impulse wurden dabei erneut von der deutschen Steuerrechtswissenschaft bezogen. Z.T. wird die Auffassung vertreten, dass mit der deutschen Reichsabgabenordnung des Jahres 1919 die Geburtsstunde der modernen Steuerrechtswissenschaft anzusetzen ist, da hierin erstmals eine umfassende Kodifizierung allgemeiner Prinzipien der Steuerrechtsordnung erfolgt ist[73]. Die einschlägigen Steuerrechtslehrbücher

[69] Vgl. dazu Vanoni, Natura e interpretazioni delle leggi tributarie, 1932, 78 ff.; Boria, Sistema tributario, in: Digesto, Sez. Comm., 61 ff.; Fantozzi, Diritto tributario, 1998, 9.

[70] Vgl. dazu Fantozzi, Diritto tributario, 1998, 9 f.

[71] Erster Lehrstuhlinhaber war Giuseppe Ricca Salerno.

[72] In diesem Zusammenhang seien die führenden italienischen Steuerrechtswissenschaftler der jüngeren Vergangenheit erwähnt, die Lehrer eines beachtlichen Teils der heutigen Steuerrechtsordinarii waren: A.D. Giannini, Berliri, Tesoro, Allorio und Micheli.

[73] So Rastello, Diritto tributario, 1994, 5, unter Verweis auf die Arbeiten von Blumenstein, Schweizerisches Steuerrecht, 1926; Vanoni, Natura e interpretazione delle leggi tributarie, 1932 und Hensel, Steuerrecht, 1933.

aus dem deutschen Sprachraum wurden in die italienische Sprache übersetzt und konnten damit in Italien nachhaltigen Einfluss zeitigen.

In diesem Zusammenhang sei insbesondere auf die Arbeiten von Albert Hensel (1895–1933) verwiesen, die auf Veranlassung von *Benvenuto Griziotti* ins Italienische übersetzt wurden. Hensels Arbeiten hatten schon im deutschen Steuerrecht eine enorme systembildende Kraft gezeigt und diese Wirkung äußerten seine Schriften auch in Italien, als sie in Folge der Übersetzung auch in Italien allgemein zugänglich wurden.[74]

Enormen Einfluss auf die italienische Steuerrechtswissenschaft üb(t)en auch die Arbeiten von Klaus Tipke – und insbesondere sein Lehrbuch „Steuerrecht" (hrsg. gemeinsam mit Joachim Lang) aus.[75]

In umgekehrter Richtung ist eine Beeinflussung dieser Art – anders als in anderen Rechtsgebieten[76] – dagegen weitgehend ausgeblieben.

Obwohl mit der beschriebenen Neuorientierung die Erkenntnisse der Schule von Pavia in Italien keineswegs in Vergessenheit geraten waren, war die neue Ausrichtung doch wiederum allzu stark von einer Fixierung auf den Wortlaut der Norm gekennzeichnet und die wirtschaftswissenschaftliche Steuerlehre blieb allzu häufig unberücksichtigt. Soweit finanzwissenschaftliche Konzepte berücksichtigt werden, so spiegeln diese häufig nicht den aktuellen Stand der Forschung wieder. Die Emanzipierung in der Methodik hat Brücken abgerissen, die in der Vergangenheit einen kontinuierlichen Austausch zwischen beiden Disziplinen ermöglicht haben. Impulse für ein Umdenken könnten sich auch durch die letzthin verstärkt festzustellende Öffnung der italienischen Steuerrechtswissenschaft gegenüber der internationalen Steuerrechtswissenschaft und den damit verbundenen Vergleichsmöglichkeiten ergeben[77]. Eine heilsame Gegentendenz hat **Raffaelo Lupi**, Professor an der Universität „Tor Vergata" in Rom eingeleitet, der selbst sowohl über eine wirtschaftswissenschaftliche als auch eine juristische Ausbildung verfügt und in zahlreichen seiner

---

[74] Die RAO 1919 war als Mantelgesetz gedacht, in dem die allgemeinen und sich zum Teil widersprechenden Vorschriften der Einzelsteuergesetze zusammengefasst werden sollten. Vgl. Tipke/Lang, Steuerrecht, 1998, 23.
Vgl. Falsitta, 2007, 569 und Pitten Velloso, 2007, 617. Dies gilt insbesondere für das Hensels Lehrbuch „Steuerrecht" aus 1924, das von Dino Jarach übersetzt wurde und den Titel „Diritto Tributario" trägt.

[75] Vgl. auch Tipke, Lo sviluppo della ricerca e dell'insegnamento nel diritto tributario italiano, in: RivDirScFin 1992, 322, übersetzt von Maria Cecilia Fregni.

[76] Bspw. hat die italienische Völkerrechtswissenschaft im 20. Jahrhundert erheblichen Ein-fluss auf die deutsche Völkerrechtswissenschaft ausgeübt, was sich auch in der Übersetzung einschlägiger italienischer Lehrbücher niedergeschlagen hat.

[77] Vincenzo Visco hat vor einigen Jahren folgende Feststellung getroffen: *„In Italia a differenza che in altri paesi, le questioni fiscali vengono considerate materia di prevalente competenza di giuristi o contabili e non argomento fondamentale della disciplina economica. Manca quindi, anche per responsabilità degli economisti, uno dei principali controlli esterni sulla coerenza e sulla razionalità della normativa, e sulle conseguenze pratiche che essa può determinare."* Vgl. RivDirScFin 1991, I, 268.

Werke zu Recht die Forderung nach einer pragmatischen Anwendung der Steuerrechtsnorm im Sinne einer Berücksichtigung des ökonomischen Kontextes erhebt.

Das Fach „Steuerrecht“ stellt **an italienischen Universitäten im rechtswissenschaftlichen Studium** durchgehend ein **Pflichtfach** dar, im wirtschaftswissenschaftlichen dagegen ein Wahlfach. Steuerrecht ist zudem ein Wahlfach im Rahmen der Anwaltsprüfung (die in Italien vielfach als notwendige letzte Phase der Juristenausbildung gesehen wird) und ein Wahlfach im Rahmen der Prüfung für Richteramtsanwärter.

Die Komplexität des Steuerrechts und das Vorwissen, das für dieses Fach benötigt wird, stellen auf den ersten Blick – und nicht nur in Italien – ein Hindernis für seine Aufnahme als Pflichtfach in die juristischen Curricula dar. Dieser Einwand ist aber nicht zwingend, wie Christian Starck schreibt:

„Die Kompliziertheit sowohl des Steuerrechts als auch des Finanzrechts ist kein durchschlagendes Argument gegen deren Berücksichtigung im regulären Jurastudium. Denn es kommt auf die Auswahl des Lehrstoffs an. Dazu gehören vor allem die Grundsätze und die wichtigsten Regelungen, die Bestand haben. Mit diesem Wissen ausgestattet, können Einzelregelungen, auch wenn sie sich häufig ändern, verstanden und beurteilt werden.“[78]

Lupi[79] zeichnet im Übrigen ein düsteres Sittenbild der italienischen Steuerrechtswissenschaft mit auto-referenziellen Wissenschaftlern, die nach Erlangung des Lehrstuhls ihre Publikationstätigkeit einschränken oder ganz aufgeben, dem Überhandnehmen von wissenschaftlichen Tagungen ohne wissenschaftlichen Mehrwert[80], der Schaffung ständig neuer wissenschaftlicher Konzepte, die eine Schein-Gelehrtheit zum Ausdruck bringen und getürkten Berufungsverfahren für die Vergabe von Steuerrechtslehrstühlen, in deren Rahmen die Kommissionsmitglieder primär Machtspiele betreiben. Man wäre geneigt zu sagen, dass diese Probleme nicht allein die Steuerrechtswissenschaft betreffen und erst recht nicht allein auf die italienische Wissenschaftswelt beschränkt sind.

3. Die Autonomie des Steuerrechts als Disziplin

Literatur: Russo, Manuale di Diritto Tributario, 1999, S. 3 ff.; Falsitta, Manuale di Diritto Tributario, 1997, S. 8 ff.; Lupi, Diritto Amministrativo dei Tributi, 2017

Das Steuerrecht ist **Teil des öffentlichen Rechts** und hat sich – gemeinsam mit dem Finanzrecht – **aus dem Verwaltungsrecht** herausgebildet[81]. Dabei hat sich

[78] Vgl. Starck, Wieviel Finanz- und Steuerrecht gehört zum Jurastudium?, in: Osterloh et al. (Hrsg.), FS Peter Selmer, 2004, 925 (928).

[79] Vgl. Lupi, Evasione fiscale, paradiso e inferno, 2008, 367.

[80] So schreibt Lupi von einer *„diffusione di convegni, una specie di turismo giuridico relazionale, meno faticosi della creazione di modelli esplicativi, ma dove si parla sempre degli stessi stereotipi e il cui lascito cartaceo si limita in genere a locandine e note spese“*. Ibid.

[81] Noch das Lehrbuch zum Verwaltungsrecht von Aldo Sandulli (Diritto amministrativo, 2 Bände, 15. Auflage 1989) widmet dem Steuerrecht breiten Raum (S. 887-936), wenngleich der Autor diesem Rechtsbereich „als Teil des Finanzrechts“ „didaktische Autonomie“ zugesteht (S. 887, Fn 251). Die Auffassung, das Steuerrecht sei nach wie vor Teil des Verwaltungsrechts, stellt eine absolute Mindermeinung dar. So aber noch 1994 Rastello, 21.

das **Finanzrecht** als **Gesamtheit der Normen, die die Mittelbeschaffung, Mittelverwaltung und Mittelverwendung im öffentlichen Sektor** regeln, zuerst verselbständigt[82]. Mit fortschreitender wissenschaftlicher Durchdringung der verschiedenen Teilgebiete des Finanzrechts[83] spaltete sich diese Disziplin schließlich in zwei autonome Teildisziplinen auf: In das staatliche Rechnungswesen *(Contabilità di Stato)* und das Steuerrecht.

Das **staatliche Rechnungswesen** umfasst folgende Gebiete[84]:
– die Verwaltung des öffentlichen Vermögens;
– das öffentliche Vertragswesen;
– die Haushaltsgesetzgebung;
– die öffentliche Finanzwirtschaft (z.B. die öffentliche Kreditaufnahme)
– die öffentliche Rechnungslegung sowie die Amtshaftung der staatlichen Funktionäre.

Dagegen regelt das Steuerrecht einen Ausschnitt des einnahmenseitigen Teils des Finanzrechts. So kann das Steuerrecht als Gesamtheit der Normen definiert werden, die die hoheitliche Einnahmeerzielung durch den Staat und andere öffentliche Körperschaften zur Finanzierung ihrer Zielsetzungen zum Gegenstand haben[85]. Die Verselbstständigung des Steuerrechts ist auch mit der ständig ansteigenden Staatsquote im 20. Jahrhundert und dem einher gehenden zunehmenden Mittelbedarf verbunden.[86]

Trotz der mittlerweile unbestrittenen Autonomie des Steuerrechts ist dieses **vielfach mit anderen Rechtsgebieten** verwoben. Das Steuerrecht ist eine typische Querschnittsmaterie, die auf Elementen praktisch der gesamten Rechtsordnung fußt, die aber auf der Grundlage gemeinsamer Prinzipien – allen voran dem Leistungsfähigkeitsprinzip nach Art. 53 der Verfassung – dennoch ein einheitliches System bildet. Art. 81 verlangt grundsätzlich einen Haushaltsausgleich.[87]

– Vielfältig sind die Beziehungen des Steuerrechts zum **Zivilrecht.** In der ersten Entwicklungsphase des Steuerrechts war der Einfluss der zivilrechtlichen Dogma-

---

[82] Das Finanzrecht wurde lange Zeit – als Folge der oben beschriebenen, von der Schule von Pavia maßgeblich beeinflussten „wirtschaftlichen Betrachtungsweise" – gemeinsam mit der Finanzwissenschaft gelehrt. Noch heute gibt es in Italien Lehrstühle für „Finanzrecht und Finanzwissenschaft" *(diritto finanziario e scienze delle finanze)*. Eine renommierte, von Benvenuto Griziotti begründete Zeitschrift trägt den Titel *„Rivista di diritto finanziario e scienza delle finanze"*.

[83] Zur Heterogenität der verschiedenen Teilgebiete des Finanzrechts vgl. A.D. Giannini, Istituzioni di diritto tributario, 1974, 4.

[84] Vgl. Falsitta, MDT, 1997, 7 unter Verweis auf Giannini, Istituzioni di diritto tributario, 1960, 5.

[85] So die Definition von Berliri, Principi di diritto tributario, 1967, Bd. I, 5; ders., Corso istituzionale di diritto tributario, Bd. I, 1980, 5; Falsitta, MDT, 1997, 7. Fantozzi (Diritto tributario, 1998, 4) erwähnt als eigenes Definitionselement jene Normen, die die steuerrechtliche Normsetzung zum Gegenstand haben, wodurch insbesondere die Bestimmungen in den Art. 23 und 53 der Verfassung explizit miteinbezogen wären.

[86] So Russo/Fransoni/Castaldi, IDT, 2014, 2.

[87] Bis 2012 hat Art. 81 Abs. 3 (mittlerweile abgeschafft) die Einführung neuer Steuergesetze über das Haushaltsgesetz untersagt.

tik sogar dominant[88]. Auch heute noch bezieht sich das Steuerrecht vielfach auf zivilrechtliche Kategorien zur Beschreibung steuerrechtlich relevanter Sachverhalte bzw. zur Definition des Steuerrechtsverhältnisses. Zu beachten ist aber, dass die Verwendung zivilrechtlicher Konzepte nicht ohne weiteres die Übertragung der damit verbundenen zivilrechtlichen Dogmatik erlaubt; vielmehr hat die Auslegung im Lichte der steuerrechtlichen Teleologie zu erfolgen. Die Rezeption der zivilrechtlichen Dogmatik ist nicht auszuschließen[89]. Sie gebietet sich aber nicht automatisch, sondern muss jeweils ihre Grundlage im Steuerrecht selbst finden[90].

– Neben dem Zivilrecht muss als weiterer Teil des Privatrechts das **Handelsrecht** Erwähnung finden, dessen Institute regelmäßig steuerrechtliche Relevanz entfalten und welche im Steuerrecht z.T. unmittelbar, z.T. in abgewandelter Form breit rezipiert werden.

– Schon erwähnt wurde die Nahebeziehung des Steuerrechts mit dem **Verwaltungsrecht**, aus welchem das Steuerrecht hervorgeht und von dem wesentliche Teile der Dogmatik übernommen wurden bzw. auf welchem zentrale Elemente der Steuerrechtswissenschaft in wenn auch abgewandelter Form beruhen[91].

– Eng verwoben ist das Steuerrecht auch mit dem **Verfassungsrecht**, insbesondere was die beiden in Art. 23 (Legalitätsprinzip) und Art. 53 (Leistungsfähigkeitsprinzip) verankerten „Grundprinzipien" des Steuerrechts anbelangt. Zahlreiche andere Verfassungsnormen sind aber von unmittelbarer Relevanz für das Steuerrecht, so Art. 75, der in Abs. 2 Volksbefragungen über Steuer- oder Haushaltsgesetze für unzulässig erklärt. Art. 81 beschränkt die Einführung neuer Steuern. Das Leistungsfähigkeitsprinzip wurde in Verbindung gesetzt mit anderen verfassungsrechtlichen Prinzipien wie jenem der sozialen Solidarität (Art. 2), dem Gleichheitsgrundsatz (Art. 3), dem Anspruch des Arbeitnehmers auf eine Entlohnung, die ihm und seiner Familie auf jeden Fall ein freies und würdiges Leben garantiert (Art. 36) sowie auf den Schutz vor entschädigungsloser Enteignung (Art. 42 Abs. 3).

– Die Beachtung der Steuerrechtsnorm wird u.a. durch das **Strafrecht** sichergestellt. In diesem Zusammenhang hat sich ein eigenes Steuerstrafrecht herausgebildet, das zwar eng mit dem allgemeinen Strafrecht verbunden bleibt und auch als Teilgebiet des besonderen Teils des Strafrechts gelehrt wird. Vom technischen Charakter seines Gegenstandes her ist dieser Bereich aber eher dem Steuerrecht zuzuordnen, von dessen Prinzipien dieser Normensektor auch maßgeblich geprägt ist. Die Normsetzung in diesem Gebiet wird auch primär von steuerpolitischen

---

[88] Dieses Phänomen ist im Übrigen typisch für die frühe Entwicklungsstufe einer Rechtsordnung. So läßt sich eine ähnlich enge Anlehnung an das Zivilrecht in der Völkerrechtswissenschaft der Vergangenheit feststellen.

[89] Vgl. Tipke/Lang, Steuerrecht, 1998, 7 f., Rn 19 ff.

[90] Ibid., S. 8, Rn 21. Vgl. zum Verhältnis Steuerrecht und Zivilrecht auch Osterloh, Il diritto tributario ed il diritto privato, in: Amatucci (Hrsg.), Trattato di diritto tributario, 1994, Bd. I, Tbd. 1, 113 m.w.N.

[91] Die formale Struktur der Beziehungen zwischen Finanzverwaltung und Steuerpflichtigem beruht durchgehend auf verwaltungsrechtlichen Prinzipien.

Gesichtspunkten bestimmt, wobei den strafrechtlichen Instrumenten die Funktion der Prävention zukommt.

– Eine im internationalen Vergleich besonders enge Beziehung besteht in Italien zwischen Steuerrecht und **Zivilprozessrecht**. Die Steuerprozessordnung ist weitgehend nach dem Vorbild der Zivilprozessordnung gestaltet, während bspw. in Österreich das Steuerstreitverfahren in die ordentliche Verwaltungsgerichtsbarkeit fällt und in Deutschland mit der Steuergerichtsbarkeit besondere Verwaltungsgerichte, die Finanzgerichte, betraut wurden[92].

– Vielfältig ist der Einfluss des **Völkerrechts** und des Europarechts auf das Steuerrecht. Völkerrechtlicher Natur sind in erster Linie die Doppelbesteuerungsabkommen und die Abkommen über den Informationsaustausch. Häufig enthalten auch Amtssitzabkommen internationaler Organisationen steuerrechtliche Regelungen. Die völkerrechtlichen Privilegien zugunsten von Diplomaten und Konsuln betreffen z.T. auch das Steuerrecht[93].

– Ständig wachsende Bedeutung gewinnt für die Steuerrechtsordnung das **Europarecht**. Dies gilt insbesondere für die Harmonisierung der indirekten Steuern, die bereits sehr weit gediehen ist[94]. In Teilbereichen ist aber auch das Gebiet der direkten Steuern bereits harmonisiert[95]. Aktuelle Bemühungen gelten bspw. der Bekämpfung des Steuerwettbewerbs zwischen den Mitgliedstaaten.

Diese Teilbereiche des Steuerrechts, die sich – wie bereits erwähnt – über die Anwendung gemeinsamer Prinzipien zu einem einheitlichen Ganzen zusammenfügen, gewinnen mit fortschreitendem Entwicklungsstand der Steuerrechtswissenschaft zusehends an Autonomie, sodass sie schon als echte Teildisziplinen mit einer partiell autonomen Dogmatik gelten können.

Einen interessanten Ansatz hat letzthin Raffaello Lupi entwickelt, der das Steuerrecht wieder auf seine verwaltungsrechtlichen Wurzeln zurückführen möchte. In dieser Hinsicht zeigen sich Parallelen zu den immer stärker werdenden EU-weiten Bemühungen, ein „Europäisches Verwaltungsrecht“[96] herauszubilden sowie zu den Bemühungen zur Identifikation eines „Global Administrative Law“ (GAL).[97]

---

[92] Art. 1 Abs. 2 EV 546/1992 verweist subsidiär (und soweit die betreffenden Normen mit den Bestimmungen der Steuerprozessordnung vereinbar sind) als Rechtsgrundlage für die Entscheidungsfindung der Steuerkommissionen auf das Zivilprozessrecht. Die Steuerprozessordnung weist im Übrigen auch Elemente auf, die dem Verwaltungsverfahrensrecht entnommen wurden (bspw. hinsichtlich des Beweisrechts).

[93] Innerstaatlicher Natur ist dagegen jener Teil des Internationalen Steuerrechts, der als Außensteuerrecht bezeichnet wird.

[94] Dabei ist insbesondere das gemeinsame MwSt-System hervorzuheben.

[95] Vgl. die Richtlinie 90/434 über ein gemeinsames Steuersystem für Fusionen, Spaltungen und die Einbringung von Unternehmensteilen (ABl. 1990, Nr. L 225, S. 1 ff.) sowie die Richtlinie 90/435 über ein gemeinsames Steuersystem der Mutter- und Tochtergesellschaften verschiedener Mitgliedstaaten (ABl. 1990, Nr. L 225, 6 ff.).

[96] Vgl. Terhechte (Hrsg.), Verwaltungsrecht der Europäischen Union, 2022 mit Besprechung Hilpold, EuZW, 2022, 162.

[97] Vgl. Cassese, Advanced Introduction to Global Administrative Law, 2021.

III. Klassifizierungen und Definitionen

1. Vorbemerkungen

Klassifizierungen und Definitionen, die vom Gesetzgeber in einem Rechtsbereich vorgenommen werden, stellen – ihre inhaltliche Konsistenz vorausgesetzt – ein wertvolles Hilfsmittel für den Rechtsanwender dar. Häufig wird diese Systematisierungsleistung – wie hinsichtlich der hier zu behandelnden Kategorien – vom Gesetzgeber jedoch nicht erbracht und in diesem Falle ist ein entsprechender Beitrag der Lehre umso höher einzuschätzen. Sie stellen einen wichtigen, ja unabkömmlichen Behelf für die systematische Durchdringung eines Wissensgebietes dar. Sie werfen aber auch Gefahren auf. Diese bestehen einmal in der Projektion von aprioristisch geschaffenen Konzepten in das betreffende Wissensgebiet, wodurch die Wirklichkeit der Definition erst angepasst wird (bzw. angepasst werden soll)[98]. Des Weiteren besteht auch die Gefahr, dass die Definition zu einem gegebenen Zeitpunkt die Realität adäquat widerspiegelt, dann aber ein Eigenleben in dem Sinne gewinnt, dass sie an Änderungen der Rechtsnorm nicht mehr angepasst wird und wiederum – bewusst oder unbewusst – dazu verwendet wird, bestimmte Konzepte in die Rechtsordnung erst hineinzutragen, die sich aus ihr nicht unmittelbar ergeben[99].

Wenn diesen Unterteilungen und Definitionen hier breiterer Raum gewidmet wird, dann deshalb, da die Literatur diesen in der Regel beachtliche Bedeutung beimisst und sich z.T. auch die Rechtsetzung – in wenn auch uneinheitlicher Form – daran orientiert. Diese Darstellung soll aber Gelegenheit geben, die Bedeutung dieser Begrifflichkeiten und Systeme zu relativieren.

2. Die Abgaben *(tributi)*

Literatur: Viotto, Tributo, in: Digesto, Sez. Comm., Bd. XVI, 1999, S. 221 ff.

Als **Oberbegriff** der im Steuerrecht behandelten **vermögenswerten Leistungen** ***(prestazioni patrimoniali)*** werden gewöhnlich die Abgaben angeführt. In ihrer weitesten Definition umfassen die Abgaben **Steuern** ***(imposte)***, **Gebühren** ***(tasse)***, **Beiträge** ***(contributi)***, **Monopolabgaben** ***(monopolio fiscale)*** und **parafiskalische Erträge** ***(entrate parafiscali)***.

Im Wesentlichen zwei Gründe wurden in der Literatur angeführt, der Abgabe den Rang einer eigenständigen Kategorie zu verweigern:

– ihr Gegenstand erschöpft sich in den einzelnen, eben angeführten Teilkategorien;

98 In diesem Sinne Tesauro, IDT, 1998, 8 ff.

99 Vgl. auch Tesauro, IDT, 1998.

– der Begriff Abgabe wird zwar in Rechtsnormen verwendet, doch in höchst uneinheitlicher Form, wobei diese Uneinheitlichkeit nicht nur dem nationalen Gesetzgeber vorzuwerfen ist, sondern auch dem Gemeinschaftsgesetzgeber.

Schon als einigende Kategorie, die die genannten Teilkategorien umschließt, kommt der Abgabe aber ein konkreter Erkenntniswert zu. In ihr sind all jene geldwerten Leistungen an öffentliche Einrichtungen zu sehen, die im Rahmen eines hoheitlich strukturierten Rechtsverhältnisses zur Finanzierung staatlicher Leistungen erbracht werden und die auf der Grundlage einer bestimmten Leistungsfähigkeit oder angesichts der Inanspruchnahme bestimmter Leistungen geschuldet werden. Es liegt kein synallagmatisches Verhältnis vor.[100]

Diese rein systembildende Funktion erschöpft aber nicht die Bedeutung dieser Kategorie: das Institut der Abgabe wird auch als Anknüpfungspunkt einer Reihe einheitlicher Rechtsregeln gesehen und hierdurch wird diese Kategorie mit Inhalt erfüllt, der über die bloße Summe der Bedeutung der Einzelkategorien hinausgeht. Es sind dies folgende Prinzipien[101]:

– Abgabenforderungen sind nicht pfändbar[102];

– sie können grundsätzlich keiner Zusatzsteuer unterworfen werden[103];

– grundsätzlich ist für Streitfälle hinsichtlich Steuern und Gebühren das Landesgericht zuständig[104]

– gesetzliche Bestimmungen, die in Zusammenhang mit Steuerfahndungsmaßnahmen den Zutritt zur Wohnung vorsehen, sind in Abweichung zu Art. 14 der Verfassung (Unverletzlichkeit der Wohnung) zulässig;

– auf den Abgabenbereich finden insgesamt die Bestimmungen der Art. 20, 75 und 81 der Verfassung Anwendung[105];

– zahlreiche sonstige Gesetzesbestimmungen verweisen auf „Abgaben" („tributi"), wie etwa die Bestimmungen über die Verwaltungsstrafen (EV 472/1997) oder zahlreiche Normen des Codice Civile.

---

[100] Uricchio, MDT, 2020, 74, unter Verweis auf Cort.Cost.304/2013.

[101] Vgl. Falsitta, MDT – PG, 2020, 18.

[102] Pfändbar sind hingegen die Kassabestände öffentlicher Einrichtungen. Ibid., Fn 7.

[103] Dahinter steht die Überlegung, dass eine Abgabenschuld keine Leistungsfähigkeit zum Ausdruck bringt (vgl. Viotto, 227). Die erwähnte Regel kennt aber auch Ausnahmen: So unterliegen die von den Freiberuflern an ihre Spezialkassen entrichteten Sozialversicherungsbeiträge auch der MwSt. Vgl. Falsitta, 20 f., Fn 8. Insgesamt stellt sich hier somit die Frage, ob es sich tatsächlich um eine Rechtsregel handelt oder eher um ein rechtspolitisches Prinzip.

[104] Vgl. Art. 9 c.p.c. („das Landesgericht ist ausschließlich zuständig für Steuer- und Gebührenangelegenheiten"). Aufgrund der äußerst weitreichenden Zuständigkeiten der Steuerkommissionen als Sondergerichte kommt der Zuständigkeit des Landesgerichtes absoluter Ausnahmecharakter zu.

[105] Art. 20 untersagt u.a. besondere Abgabenbelastungen von Vereinigungen oder Einrichtungen allein aufgrund ihres kirchlichen, religiösen oder kultischen Zweckes; Art. 75 verbietet Volksbefragungen im Abgabenbereich; Art. 81 beschränkt die Einführung von neuen Steuern über das Haushaltsgesetz.

Insgesamt ist also der eigenständige Bedeutungsgehalt der Abgabe eher bescheiden und selbst die Kriterien, denen die Qualität eines eigenständigen Bandes zugeschrieben wird, werden z.T. durch Ausnahmen relativiert. Dennoch kann der **Systematisierungsbeitrag** dieser Kategorie nicht geleugnet werden und auch in **didaktischer Hinsicht** erscheint die Beibehaltung der Bezeichnung „diritto tributario“ (auf deutsch „Abgabenrecht“) durchaus sinnvoll[106].

Nicht überzeugen konnte der Versuch, die Abgaben als jene vermögenswerten Leistungen zu definieren, auf welche das Leistungsfähigkeitsprinzip Anwendung findet[107]. Die Beachtung des Leistungsfähigkeitsprinzips stellt nämlich Voraussetzung für die Verfassungskonformität der Abgabe dar und kann damit nicht ein Definitionselement bilden.

Für alle Abgaben – und, darüberhinaus, für alle vermögenswerten Leistungen – gilt das Legalitätsprinzip nach Art. 23 der Verfassung in der Form eines relativen Gesetzesvorbehalts für die Einführung neuer Abgaben[108].

Insgesamt muss also davor gewarnt werden, eine Klassifizierung, die im Rahmen einer völlig verschiedenen verfassungsrechtlichen Realität entstanden ist, unbesehen auf die Gegenwart zu übertragen oder – was noch gefährlicher ist – diesen Konzepten verbindliche Kraft für die Auslegung der geltenden Rechtsordnung beizumessen[109]. Während für didaktische Zwecke am einheitlichen Abgabenbegriff festgehalten werden kann und ein gewisses Maß an Abstraktion, ja an Vereinfachung, auch zum Zweck einer internationalen steuerrechtlichen Diskussion möglich sein muss, ist der Abgabenbegriff dagegen in der rechtlichen Anwendung auszudifferenzieren. **Es gibt somit je nach Normzweck unterschiedlich breite gefasste Abgabenbegriffe.**[110]

Auf einfachgesetzlicher Ebene wird der Anwendungsbereich abgabenrechtlicher Bestimmungen in der Regel ohnehin genau determiniert, so z.B. was die Zuständigkeit der Steuergerichte anbelangt. Die Hauptproblematik äußert sich diesbezüglich bei der Anwendung ver-

[106] Demgegenüber schlägt de Mita, Appunti di diritto tributario, 1997, 11, ausgehend vom Sprachgebrauch im deutschsprachigen Bereich „diritto delle imposte“ als Bezeichnung der hier behandelten Materie vor.
Enrico de Mita (ibid., 16 f.) ist ebenso wie Pasquale Russo (MDT, 1999, 32 f.) der Auffassung, dass angesichts der völligen Heterogenität von Steuer und Gebühr die Beibehaltung der Kategorie „Abgabe“ nicht zu rechtfertigen sei.

[107] So Micheli, CDT, 1979, 12 und im Ergebnis auch noch Fantozzi, DT, 1998, 44 ff.

[108] Das Legalitätsprinzip gilt freilich nicht nur für die Abgaben, sondern für alle vermögenswerten Leistungen.

[109] Dieses Dilemma ist keineswegs nur im Bereich des Steuerrechts gegeben. Die Entwicklung von Begriffen und Konzepten durch die Lehre und der nachfolgende Versuch der Umdeutung der Rechtswirklichkeit, in dem diesen Termini in einer ganz bestimmten Auslegung normative Kraft zuerkannt wird, ist vielmehr ein weitverbreitetes Übel, auf das ich – in Hinblick auf Teile der einschlägigen deutschsprachigen Literatur – im Rahmen der Diskussion der unmittelbaren Anwendbarkeit des WTO-Rechts im EU-Recht eingegangen bin. Vgl. bspw. „Die EU im GATT-/WTO-System, 4. Aufl. 2018.

[110] Vgl. auch Melis, 2013, 27.

fassungsrechtlicher Prinzipien, die Abgabenleistungen betreffen. In diesem Zusammenhang ist von Tesauro[111] überzeugend argumentiert worden, dass ein breiter Abgabenbegriff immer dann anzuwenden sei, wenn eine Verfassungsnorm individuelle Freiheiten schützt (so z.B. wenn Art. 14 Hausdurchsuchungen zum Zwecke von Steuerkontrollen erlaubt oder hinsichtlich des in Art. 20 enthaltenen Verbots, religiösen Vereinigungen spezielle Abgabenlasten aufzuerlegen). Hinsichtlich der in Art. 75 verankerten Unzulässigkeit von Referenden über Abgabenverpflichtungen oder hinsichtlich der in Art. 81 geregelten Einschränkungen hat der Verfassungsgerichtshof bereits einen weiten Abgabenbegriff vertreten[112].

Es kann damit wohl insgesamt davon ausgegangen werden, dass die Verfassung insgesamt auf einen breiten Abgabenbegriff abstellt.

3. Die Steuern *(imposte)*

Die Steuern stellen ohne Zweifel die zentrale Abgabenkategorie dar. Dies äußert sich in der Breite des diesbezüglichen Regelungsbereichs als auch im fiskalischen Aufkommen, hinsichtlich dessen die Steuer absolut führend ist.

Für eine Definition der Steuer im rechtlichen Sinne kann auf die Finanzwissenschaften Rückgriff genommen werden. Danach werden Steuern als **Zwangsabgaben ohne Anspruch auf Gegenleistung** definiert[113]. Diese, auf die ökonomische Wirkungsweise abstellende Definition kann allerdings nicht zwischen Steuern und Geldstrafen differenzieren. Deshalb muss in einer rechtlichen Betrachtungsweise zusätzlich angemerkt werden, dass die Steuern zur Finanzierung der Ausgaben öffentlicher Einrichtungen erhoben werden[114]. Die Steuer wird als Geldleistung eingehoben[115]. Maßstab der Besteuerung ist die Leistungsfähigkeit des Steuerpflichtigen.

Zusammenfassend kann die Steuer also folgendermaßen definiert werden:
- es handelt sich um eine Zwangsabgabe in Geld;
- ohne Anspruch auf Gegenleistung (Verbot der Zwecksteuern)[116];
- die der Finanzierung der Ausgaben oder Maßnahmen öffentlicher Einrichtungen dienen.

---

[111] Istituzioni di diritto tributario, 2000, 11.

[112] Ibid.

[113] Vgl. Brümmerhoff, Finanzwissenschaft, 1996, 222. In der italienischen Steuerrechtsliteratur ist häufig die Feststellung vorzufinden, die finanzwissenschaftliche Definition sei aus steuerrechtlicher Sicht inkorrekt, da dort jene Abgaben als Steuern definiert würden, welche zur Finanzierung von Leistungen verwendet würden, für welche das Ausschlussprinzip nicht anwendbar sei. Es sei aber unzulässig, für die Definition der Steuer auf den Verwendungszweck der durch diese aufgetriebenen Mittel Rückgriff zu nehmen. Tatsächlich wird der Finanzwissenschaft hier eine Aussage unterstellt, die in keinem einigermaßen anerkannten Text der Gegenwart vorzufinden ist.

[114] Bei den Geldstrafen steht hingegen nicht die Einnahmenerzielung im Vordergrund, sondern der Schutz eines bestimmten Rechtsgutes.

[115] In der Vergangenheit war auch die Erbringung von Sachleistungen zulässig. Vgl. Art. 7 Nr. 10 TU finanza locale des Jahres 1931. Die Bestimmung wurde außer Kraft gesetzt durch das G Nr. 1014 v. 6.9.1960.

[116] Vgl. Art. 39 TU sull'amministrazione del patrimonio e sulla contabilità generale dello Stato.

Die Steuer orientiert sich an der Leistungsfähigkeit des Steuerpflichtigen, ohne dass dieses Kriterium als Definitionskriterium herangezogen werden müsste.

4. Die Gebühren *(tasse)*

Gebühren sind jene Geldleistungen, die anlässlich der Inanspruchnahme einer öffentlichen Leistung (im weitesten Sinne) geschuldet werden, wobei das Verhältnis zwischen öffentlicher Einrichtung und Nutzenempfänger allerdings nicht vertraglicher, sondern hoheitlicher Natur ist[117].

Es entsteht hier ein Abgrenzungsproblem sowohl hinsichtlich der Steuern als auch hinsichtlich des Entgelts für privatwirtschaftliche Leistungen. Diese Unterscheidung hat nicht allein akademische Bedeutung: Grundsätzlich bemisst sich die Steuer nach der Leistungsfähigkeit, nicht hingegen die Gebühr. Andererseits kann das Entgelt für eine privatwirtschaftliche Leistung einer Steuer unterworfen werden, nicht aber die Gebühr.

Gegenüber der Steuer unterscheidet sich die Gebühr dadurch, dass diese anlässlich eines ganz konkreten Handelns öffentlicher Einrichtungen geschuldet wird, während eine Steuerpflicht dann gegeben ist, wenn der Pflichtige die Voraussetzungen erfüllt, die die Steuernorm als Indikator der Steuerpflicht ansieht. Die Handlungen öffentlicher Einrichtungen, die eine Gebührenpflicht bewirken, stehen in der Regel im unmittelbaren Interesse des Pflichtigen. Bspw. werden häufig Gebühren für die Inanspruchnahme öffentlicher Leistungen erhoben. In anderen Fällen ist diese Nutzenzuwendung nicht so deutlich ersichtlich, z.B. wenn ein gebührenpflichtiger Verwaltungsakt Voraussetzung für die Inanspruchnahme eines Rechts darstellt bzw. wenn der Verwaltungsakt sogar Sanktionen zum Gegenstand hat (Prozessgebühren in einem Strafprozess). Hierzu ist aber festzuhalten, dass nicht der durch das staatliche (öffentliche) Handeln bewirkte materielle Nutzen für das Individuum entscheidend ist, sondern allein der Umstand, dass dieses Handeln individuell verursacht oder zurechenbar ist[118].

Gegenüber dem Entgelt für privatwirtschaftliche Leistungen unterscheidet sich die Gebühr dadurch, dass diese auf der Grundlage hoheitlichen Handelns geschuldet wird, während privatwirtschaftliche Leistungen **auch durch Private** erbracht werden könnten (bzw. sollten). So sind bspw. die Entgelte für die Lieferung von Strom, Wasser und Gas, die Post-, Eisenbahn- und Telefon„gebühren" keine Gebühren im rechtlichen Sinne, da all diese Leistungen auch von Privaten erbracht werden können (und in weitem Umfange auch tatsächlich von diesen erbracht werden). Anders als Entgelte können Gebühren auch keinen weiteren Abgaben unterworfen werden.[119]

117 Vgl. A.D. Giannini, Il rapporto giuridico d'imposta, 1937, 13 ff.

118 Für einen weiten „Nutzen"begriff vgl. auch Russo, MDT, 22 f.

119 Falsitta, MDT – PG, 2020, 29.

Was hier als klare Abgrenzung erscheint, ist in der Praxis von vielen Unklarheiten gekennzeichnet.

Mit zunehmender Bedeutung des Solidaritätsprinzips haben zahlreiche Abgaben den Charakter der Gegenleistung für einen Hoheitsakt verloren und die Entgelthöhe wird auf der Grundlage der Leistungsfähigkeit bemessen. Hier steht also die Abgabenhöhe in keinem Verhältnis mehr zu den Kosten der Leistungserbringung[120]. Im privaten Handeln, das hoheitliches Handeln zur Folge hat, wird oft unmittelbarer Ausdruck von Leistungsfähigkeit gesehen. In diesen Fällen ist dann auch die Bezeichnung „Gebühr" nicht mehr gerechtfertigt, sondern die Abgabe muss als „Steuer" bezeichnet werden. Dies gilt bspw. für die früheren Register- und Stempelgebühren, die heute als Steuern eingestuft werden.

Schließlich ist noch der Fall der sog. „essentiellen Leistungen" zu erwähnen, die von öffentlichen Einrichtungen in einer Monopolstellung angeboten werden (z.B. Grundschulausbildung und sanitäre Leistungen)[121]. Hier ist auf jeden Fall das Leistungsfähigkeitskriterium zu beachten.

Hiermit wird schon vorweggenommen, was weiter unten im Detail zu zeigen sein wird, nämlich die Vieldeutigkeit des Leistungsfähigkeitsprinzips. Während dieses grundsätzlich auf Gebühren keine Anwendung findet, muss diesem Prinzip aber trotzdem Rechnung getragen werden, wenn die beanspruchte öffentliche Leistung die Leistungsfähigkeit berührt. Regelmäßig betragen Gebühren nur einen Bruchteil der Leistungserstellungskosten. Auch in diesem Zusammenhang fließen oft neben lenkungspolitischen Überlegungen Leistungsfähigkeitszielsetzungen in die Gebührenkalkulation mit ein.

Insgesamt ist also die Kategorie der Gebühren keineswegs eindeutig abgegrenzt. Insbesondere ist hier im Zeitablauf ein erheblicher Wandel feststellbar, der vor allem mit der Tragweite des Solidaritätsgedankens und mit der dem öffentlichen Sektor hinsichtlich der gesamtwirtschaftlichen Leistungserbringung zugedachten Rolle verbunden ist.

5. Die Beiträge *(contributi)*

Als Beiträge werden jene Abgaben definiert, beim welchen das Äquivalenzprinzip zwar Anwendung findet, jedoch nicht unbedingt aufgrund einer individuellen Inanspruchnahme öffentlicher Leistungen, sondern aufgrund einer gruppenspezifischen Zurechnung[122]. Dabei entstehen nicht unbeachtliche Abgrenzungsprobleme[123].

---

[120] Dieser Ausgleich wird freilich auch bei den „echten" Gebühren allenfalls tendentiell erreicht und kann somit nur als Idealziel bezeichnet werden.

[121] Vgl. Falsitta, MDT, 1997, 27.

[122] Vgl. Brümmerhoff, Finanzwissenschaft, 1996, 224.

[123] Ibid.

Ob es nach der Abschaffung der Meliorisierungsabgabe in Italien Beiträge im engeren rechtlichen Sinne gibt, ist umstritten. Die Sozialversicherungsbeiträge sind eher vom Leistungsfähigkeitsprinzip gekennzeichnet als vom Äquivalenzprinzip, auch wenn der Verfassungsgerichtshof der gegenteiligen Auffassung ist (C. Cost. 23/1968, 146/1972, 167/1986).

Allenfalls die **Baukostenabgabe** *(contributo di costruzione)*, die der Inhaber einer Baukonzession an die Gemeinde zahlen muss (vgl. Art. 16 DPR 380/2001, ET Bauwesen, *„testo unico edilizia"*)[124] könnte zu den Beiträgen gerechnet werden.

Gegenteiliger Auffassung ist allerdings Falsitta (MDT – PG, 2020, 32), der die Baukostenabgabe in zwei Teile unterteilt:

– in eine Gegenleistung für die Urbanisierungsleistungen (hier handelt es sich um eine Gebühr)

– in ein Entgelt für die Gewährung der Konzession (des *„ius aedificandum"*); diesen Teil der Abgabe qualifiziert Falsitta als Entgelt im eigentlichen Sinne.

Russo/Fransoni/Castaldi, IDT, 2014, 12, sehen dagegen in der Baukostenabgabe insgesamt ein Entgelt.

6. Die Monopolgebühren und die Einnahmen der Parafisci

Zu den Abgaben werden z.T. auch die Monopolgebühren und die Einnahmen der Parafisci gezählt.

Hinsichtlich der **Monopole** ist in erster Linie festzuhalten, dass hier nicht die faktischen Monopole, sondern allein die rechtlichen Monopole – und hier insbesondere die Fiskalmonopole – in Frage kommen[125]. Die Fiskalmonopole stellen aber in dem der Verfassungsordnung zugrundeliegenden Wirtschaftssystem einen Fremdkörper dar und auch das Gemeinschaftsrecht steht diesen grundsätzlich kritisch gegenüber[126]. Gegenwärtig besteht von den Fiskalmonopolen nur mehr jenes der **verarbeiteten Tabake** und der **Zigaretten** sowie das **Lottomonopol**[127].

Ebenso werden z.T. die Einnahmen der **Parafisci**[128] zu den Abgaben gezählt. Als Parafisci (oder intermediäre Finanzgewalten) werden jene zwischen dem öffentlichen und dem privaten Bereich stehende Organisationen bezeichnet, die an der Erfüllung öffentlicher Augaben mitwirken, aber als gruppenbezogene Selbstverwaltungskörperschaften und Verbände nicht den Gebietskörperschaften zuzurechnen

---

124 So Fantozzi, MDT – PG, 2020, 32. Der Kassationsgerichtshof hat die Existenz von Beiträgen bestätigt: Kass. Nr. 2599 v. 5.2.2013.

125 Ibid., 63 ff.

126 Laut Art. 31 EGV = 37 alt formen die Mitgliedstaaten ihre staatlichen Handelsmonopole derart um, dass jede Diskriminierung in den Versorgungs- und Absatzbedingungen zwischen den Angehörigen der Mitgliedstaaten ausgeschlossen ist.

127 Vgl. Fantozzi, 1998. 66.

128 Zu den Parafisci vgl. Braccini, Parafiscalità, in: Dig.Sez.Comm., Bd. X, 1994, S. 447 ff.; Smekal, Die Finanzwirtschaft intermediärer Gruppen, 1969.

sind[129]. Zu den Parafisci werden in der weitesten Fassung die Sozialversicherung, die Industrie- und Handelskammern sowie Landwirtschaftskammern, die Arbeitgeberverbände und Gewerkschaften, die öffentlichen Unternehmen, die Universitäten sowie die öffentlich-rechtlichen Rundfunkanstalten gezählt[130]. In der italienischen Steuerrechtswissenschaft wird in diesem Zusammenhang aber üblicherweise ein engerer Ansatz vertreten, wobei allein die Beiträge an die Für- und Vorsorgeeinrichtungen dazugerechnet werden. Der Verfassungsgerichtshof hat diese in Hinblick auf das Verbot der abschaffenden Referenden zu den Abgaben gezählt.

IV. Die verfassungsrechtlichen Prinzipien

1. Einführung

Mehrere Bestimmungen der Verfassung nehmen auf das Steuerrecht Bezug. Zahlreiche weitere verfassungsrechtliche Normen lassen sich zumindest indirekt mit der Steuerrechtsordnung in Verbindung setzen. Insgesamt kommt damit der Verfassung eine beachtliche systembildende Rolle für das Steuerrecht zu. Ein wesentlicher Part in der Umsetzung dieser Aufgabe ist in erster Linie dem Verfassungsgerichtshof zugefallen. Die zahlreichen, in diesem Zusammenhang ergangenen Urteile ergeben aber keineswegs ein widerspruchsfreies Bild, weshalb zusätzlich die Lehre gefordert war systemgestaltend mitzuwirken. Ein umfangreicher Literaturzweig im Grenzbereich zwischen Steuerrecht und Verfassungsrecht ist dieser Aufgabe gewidmet[131]. Nachfolgend werden die hier einschlägigen Verfassungsnormen behandelt. Es sind dies Art. 53 zum Leistungsfähigkeitsprinzip, Art. 23 zum Legalitätsprinzip, Art. 81 zum Haushaltsdeckungsprinzip und Art. 75 zum Verbot von Steuerreferenden.

2. Das Leistungsfähigkeitsprinzip

Literatur:
Selbständige Publikationen: Giardina, Le basi teoriche del principio della capacità contributiva, 1961; Manzoni, Il principio della capacità contributiva nell'ordinamento costituzio-

---

[129] Vgl. Brockhaus Enzyklopädie in 20 Bd., Bd. 19, 1991, S. 518.

[130] Ibid.

[131] Vgl. dazu insbesondere von folgende Arbeiten von Enrico de Mita:
- Fisco e Costituzione, Bd. 1, 1984;
- Fisco e Costituzione, Bd. 2, 1993;
- La legalità tributaria, 1993;
- Interesse fiscale e tutela del contribuente, 1995.

Vgl. auch Marongiu, I fondamenti costituzionali dell'imposizione tributaria, 1994; Falsitta, Per un fisco „civile", 1996 sowie Antonini, Dovere tributario, interesse fiscale e diritti costituzionali, 1996.

nale italiano, 1965; Gaffuri, L'attitudine alla contribuzione, 1969; Maffezzoni, La capacità contributiva nel diritto finanziario, 1970; Moschetti, Il principio della capacità contributiva, 1973; Moschetti/Lorenzon/Schiavolin/Tosi, La capacità contributiva, 1993; Salvini/Melis (Hrsg.), L'evoluzione del sistema fiscale e il principio di capacità contributiva, 2014; Falsitta, Il principio della capacità contributiva, 2014; Gaffuri (Hrsg.), La nozione della capacità contributiva e un essenziale confronto di idee, 2016; Aulenta, Capacità contributiva ed equilibri finanziari dei soggetti attivi, 2022
Beiträge in Enzyklopädien, Sammelwerken, Zeitschriften u.ä.: Maffezzoni, Capacità contributiva, in: NN.D.I., app., Bd. 1, 1980, S. 1009 ff.; Moschetti, Capacità contributiva, in: Enc. giur. Treccani, 1988; ders., La capacità contributiva, in: Amatucci (Hrsg.), Trattato di diritto tributario, 1994, Bd. I, Tbd, 1, 223 ff.; Batistoni Ferrara, Art. 53, in: Branca/Pizzorusso, Commentario della Costituzione, Rapporti Politici, Bd. II, 1994, 1 ff.; Marongiu, L'art. 53 della Costituzione ed il principio di capacità contributiva, in: ders., I fondamenti costituzionali dell'imposizione tributaria, 1994; Batistoni Ferrara, Capacità contributiva, in: EncDir, Aggior, III, 1999, 345; Boria, Art. 53, in: Commentario alla Costituzione, I, 2006, 1055; Gallo, Nuove espressioni di capacità contributiva, in: Rass.Trib. 4/2015, 771; Hilpold, Il principio della capacità contributiva – una visione comparatistica ed europea, in: Fregni et al. (Hrsg.), Liber in Memoriam di Francesco Tesauro, 2022
Lehrbuchbeiträge: Falsitta, Manuale di diritto tributario, 1997, 139; Tesauro, Istituzioni di diritto tributario, 1998, 52; De Mita, Principi di diritto tributario, 1999, 77; Russo, Manuale di diritto tributario, 1999, 50; Lupi, Diritto tributario – Parte generale, 2000, 22; Falsitta, Corso istituzionale di diritto tributario, 2009, 68; La Rosa, Principi di diritto tributario, 2009, 10 ff., Gaffuri, Diritto tributario, 2012, 29; Melis, MDT, 2025, 47; Falsitta, IDT – PG, 2020, 67; Carinci/Tassani, MDT, 2021

a) Die ökonomischen Grundlagen

Literatur: Musgrave/Musgrave/Kullmer, Die öffentlichen Finanzen in Theorie und Praxis, Bd. 2, 1993, S. 11 ff.; Brümmerhoff, Finanzwissenschaft, 1996, S. 240 ff.; Andel, Finanzwissenschaft, 1999, S. 293 ff.

Das **Leistungsfähigkeitsprinzip** *(ability to pay-principle)* zählt neben dem **Äquivalenzprinzip** zu den beiden zentralen Ansätzen, über welche ein **gerechtes Steuersystem** verwirklicht werden soll.[132] Während sich auf der Grundlage des Äquivalenzprinzips die Steuerlast nach Maßgabe der Inanspruchnahme öffentlicher Leistungen bestimmt, wird im Falle der Anwendung des Leistungsfähigkeitsprinzips die wirtschaftliche Leistungsfähigkeit des Steuerpflichtigen herangezogen, um seine Steuerpflicht zu bestimmen. Das Ausmaß der beanspruchten Leistungen ist in diesem Fall völlig unerheblich.

Das Äquivalenzprinzip erlaubt somit eine simultane Bestimmung von Steuervolumen und Leistungsniveau der öffentlichen Hand. Das Leistungsfähigkeitsprinzip betrachtet hingegen das Ausgabenvolumen als Datum; die dafür erforderlichen Mittel sind nach Maßgabe der Leistungsfähigkeit der Steuerpflichtigen zu beschaffen. Lange Zeit wurde dem Leistungsfähigkeitsprinzip eher die Eignung zugesprochen, ein gerechtes Steuersystem zu verwirklichen.

[132] Vgl. Musgrave/Musgrave/Kullmer, 11.

Das Äquivalenzprinzip ist auf die kontraktualistische Staatstheorie des 17. Jahrhunderts (siehe insbesondere Locke und Hobbes) rückführbar und später auch utilitaristisch gedeutet worden. Das Leistungsfähigkeitsprinzip ist hingegen schon früher, im 16. Jahrhundert, vertreten worden und wurde im 20. Jahrhundert in den Dienst der Umverteilung gestellt[133].

Mit der **Krise des modernen Sozialstaates**, dem Deutlichwerden seiner Ineffizienzen und insbesondere der Tatsache, dass ein breiter Staatssektor kein Garant für ein gerechtes Austauschsystem ist, hat das Äquivalenzprinzip wiederum eine Aufwertung erfahren und es wird diskutiert, das Steuersystem verstärkt danach zu orientieren. Kein Zweifel kann aber daran bestehen, dass nach wie vor das Leistungsfähigkeitsprinzip – oder zumindest, was als solches erachtet wird – die Steuersysteme der modernen Volkswirtschaften prägen. Das Problem liegt in der Bestimmung der Leistungsfähigkeit. Dazu schreibt K. Schmidt: *„Die Norm ist offensichtlich allgemein bzw. unscharf genug, so dass sie von vielen bejaht werden kann; Konsens über den konkreten Inhalt lässt sich (ähnlich wie bei der steuerlichen Gerechtigkeit) indessen nicht feststellen. Vermutlich rührt das zu einem guten Teil daher, dass das Leistungsfähigkeitsprinzip [...] keine befriedigende theoretische Grundlage hat und dass sein Inhalt deshalb objektiv nicht bestimmt werden kann.“*[134]

Zahlreiche **Indikatoren** werden für die Konkretisierung der Leistungsfähigkeit vorgeschlagen:

– In erster Linie wird auf das **Einkommen** Bezug genommen. Soll damit aber allein das Einkommen als objektive Größe berücksichtigt werden oder sollen auch die persönlichen Umstände des Einkommensbeziehers (Anstrengungen, Risiken, Haushaltsgröße usw.) berücksichtigt werden?[135] Der erstgenannte Weg würde zu Ergebnissen führen, die allgemein als ungerecht erachtet werden; der zweitgenannte ist nur partiell realisierbar. Des Weiteren stellt sich hier die Frage, wie bestimmte Formen der Einkommenserzielung gefördert, andere hingegen diskriminiert werden sollen. Wie soll der Tatsache begegnet werden, dass nicht alle Einkommenselemente erfassbar sind? Auch nehmen nicht alle Nutzenzuwendungen die Form von Einkommen an. Es bedarf ergänzender Kriterien.

– Traditionell wird im **Vermögen** eine Quelle von Leistungsfähigkeit gesehen. Hier muss einerseits darauf geachtet werden, dass es nicht zu einer Doppelerfassung von Leistungsfähigkeit (zuerst als Einkommen, dann als Vermögen) bzw. zu Substanzbesteuerung kommt. Sinnvollerweise werden Vermögen und Einkommen wechselseitig ergänzend berücksichtigt.

– Neuerdings wird verstärkt auf den **Konsum** als Indikator von Leistungsfähigkeit Bezug genommen, da davon möglicherweise geringere negative Anreize auf Ersparnis und Investition ausgehen[136]. Kritisch wird dagegen eingewandt, dass sich

---

[133] Vgl. Musgrave/Musgrave/Kullmer, 12.
[134] Vgl. K. Schmidt, Grundprobleme der Besteuerung, in: HdF, Bd. II, 1980, 199.
[135] Vgl. Brümmerhoff, Finanzwissenschaft, 1996, 242.
[136] Vgl. Andel, Finanzwissenschaft, 1998, 293.

der Konsum nicht mit der Leistungsfähigkeit des Steuerpflichtigen decken muss und dass die Erfassung des Konsums an Praktikabilitätsproblemen scheitern kann.

Weitgehend willkürlich ist die unterschiedliche Besteuerung einzelner Konsumgüter unter der Annahme, dass deren Konsum eine unterschiedliche Leistungsfähigkeit zum Ausdruck bringt. Schichtenspezifischer Konsum ist als generelles Prinzip kaum belegbar.

Selbst wenn es gelänge, ein Maß der Leistungsfähigkeit zu finden, das Einkommen (in seiner persönlichen Ausprägung), Vermögen und Konsum berücksichtigt, bleibt das Problem, dass Leistungsfähigkeit unterschiedlich ausgeprägt ist. Wie aber soll Leistungsfähigkeit im Rahmen der Besteuerung entzogen werden: als gleiches absolutes, relatives oder marginales Opfer?

Die Theorie des **gleichen absoluten Opfers** verlangt eine gleiche Nutzeneinbuße in absoluten Beträgen. Darin wird aber ein Verstoß gegen das Prinzip der vertikalen Gerechtigkeit gesehen, da danach verschiedene Nutzenniveaus auch ungleich behandelt werden sollen. Nach dem Konzept des **gleichen proportionalen Opfers** wird der Gesamtnutzen eines jeden Steuerpflichtigen verhältnismäßig in gleichem Ausmaß vermindert; die relative Nutzenposition der Steuerpflichtigen bleibt also nach der Besteuerung unverändert. Es ist dies die Opfertheorie, die breitesten Anklang findet. Nach der Regel des **gleichen marginalen Opfers** werden Bezieher höherer Einkommen tendentiell solange besteuert, bis die Grenznutzen allen Einkommen ausgeglichen sind. U.U. kann dieses System durch eine negative Einkommensteuer ergänzt werden. Es versteht sich von selbst, dass ein solches System extrem leistungshemmend wirken würde.

Keine Besteuerungsform ist im Übrigen eindeutig mit einer der genannten Opfertheorien rechtfertigbar, da weder die Grenznutzenkurve bekannt ist noch davon ausgegangen werden kann, dass alle Nutzenverläufe gleich sind[137].

Insgesamt ist also festzuhalten, dass die Finanzwissenschaft nicht imstande ist, eine bestimmte Steuerlastverteilung wissenschaftlich zu begründen bzw. zu rechtfertigen[138].

Von den Rechtswissenschaften wurde das Konzept der Leistungsfähigkeit übernommen und der Anspruch erhoben, dieses auf rechtlicher Ebene mit Leben zu erfüllen.

Dies ist nicht grundsätzlich abzulehnen, da die Rechtswissenschaft eigenen wissenschaftlichen Kriterien folgt und durchaus einem auf der Ebene der Wirtschaftswissenschaften sich als impraktikabel erwiesenen Konzept einen eigenen Bedeutungsgehalt geben kann. Der Ansatz ist aber dann zum Scheitern verurteilt, wenn auf der Ebene der Rechtswissenschaft die Hoffnung gehegt wird, über die juristische Methode die Lücken zu schließen, die auf wirtschaftswissenschaftlicher Ebene offengelassen werden mussten und damit ein objektiv gerechtes Steuersystem zu finden.

[137] Vgl. die diesbezüglichen Ausführungen in Musgrave/Musgrave/Kullmer, 28 ff.; Andel, 294 f., Brümmerhoff, 1996, 245 ff.

[138] Vgl. Andel, 1998, 295.

b) Das Leistungsfähigkeitsprinzip in der italienischen Verfassungsordnung

Nach dem Willen der Väter der italienischen Verfassungsordnung sollte dem Leistungsfähigkeitsprinzip gegenüber dem Äquivalenzprinzip eine prioritäre Rolle zukommen. Dies schließt aber nicht aus, dass im Einzelfall eine stärkere Orientierung am Äquivalenzprinzip erfolgt, wobei die jeweilige Entscheidung Teil der diskretionären Fiskalpolitik ist[139].

Das Leistungsfähigkeitsprinzip wurde auf Antrag des Kassationsgerichtshofs in Art. 53 Abs. 1 der Verfassung verankert und sollte dem Gesetzgeber, dessen Bindung an das Legalitätsprinzip in Art. 23 der Verfassung als ungenügend erachtet wurde, eine materielle Schranke setzen: *„Jedermann ist verpflichtet, im Verhältnis zu seiner Leistungsfähigkeit zu den öffentlichen Ausgaben beizutragen“*. Von finanzwissenschaftlicher Seite wurde diesem Vorhaben – aufgrund der weitgehenden Unbestimmtheit des Leistungsfähigkeitsprinzips – große Skepsis entgegengebracht, die auch die erste Deutung des Leistungsfähigkeitsprinzips aus rechtswissenschaftlicher Sicht beeinflusste. Das Leistungsfähigkeitsprinzip wurde als *„scatola vuota“*, **als „leere Hülse“** qualifiziert.

Mit **Beginn der 1960er Jahre änderte sich die Haltung** der Lehre in dieser Frage. In dieser Vorgabe wurde ein Auftrag an den Gesetzgeber gesehen, unter Berücksichtigung der allgemein diesem Prinzip zugemessenen Bedeutung, der Vorarbeiten zur Verfassung und des Verfassungssystems insgesamt bei der Wahl des Steuergegenstandes dem wirtschaftlichen Vermögen des Steuerpflichtigen Rechnung zu tragen[140].

Hinsichtlich der einschlägigen verfassungsrechtlichen Prinzipien wurde bspw. auf den Schutz der Wirtschaftstätigkeit verwiesen und davon – wohl überschießend – das Verbot einer Vermögensteuer abgeleitet[141].

An das Leistungsfähigkeitsprinzip wurden zunehmend höhere Ansprüche gestellt: es sollte **Voraussetzung, Grenze und Maßstab der Besteuerung** sein[142].

Schließlich wurde die **Solidarfunktion** der Besteuerung nach Leistungsfähigkeit hervorgehoben: Ausgehend von der Feststellung, dass der Solidaritätsgedanke die gesamte Verfassungsordnung durchwirkt (Art. 4, „Pflicht zur Ausübung einer Tätigkeit, die zum materiellen oder geistigen Fortschritt der Gesellschaft beiträgt“; Art. 41 und 42 „Sozialpflichtigkeit der Privatinitiative und des Eigentums“) wurde ein unmittelbarer Bezug zu Art. 2 der Verfassung hergestellt, der einen Verweis auf die „Pflichten politischer, wirtschaftlicher und sozialer Solidarität“ enthält[143].

---

[139] Vgl Lupi, DT – PG, 2001, 25.

[140] Grundlegend für diese Neuausrichtung ist die Arbeit von Giardina.

[141] Gaffuri, L'attitudine alla contribuzione, 1965. Tatsächlich läßt sich aus diesen Prinzipien allein das Verbot einer Substanzbesteuerung des Produktionsvermögens ableiten.

[142] Manzioni, Il principio di capacità contributiva nell'ordinamento costituzionale italiano, 1965; Falsitta, MDT, 1999, 144 ff.

[143] Grundlegend dazu Moschetti, Il principio di capacità contributiva, 1973.

Bis zur Mitte der 1980er hat der Verfassungsgerichtshof bei der Überprpüfung einzelner Steuern in Hinblick auf die Entsprechung mit Art. 53 einen „subjektiven" Maßstab in dem Sinne angelegt, dass er versucht hat, die Steuer auf die Situation einer – abstrakt definierten – Einzelperson samt ihrer typisierten Vermögenslage zurückzuführen.[144] Auf dieser Grundlage konnten weiterreichende Eingriffe in das Steuersystem gerechtfertigt werden.

Nach diesem Zeitpunkt wechselte der Verfassungsgerichtshof immer mehr zu einer „objektiven" Sichtweise, die auf die objektive Vertretbarkeit einer Steuer, ihre innere Widerspruchsfreiheit *(„razionalità, coerenza, non cotradditorietà, non arbitrarietà")* abstellte.[145] Die Natur des diesbezüglichen Prüfungsverfahrens hat damit einen grundlegenden Wandel erfahren. Der Kontrollvorgang ist damit dogmatisch weniger angreifbar, der Verfassungsgerichtshof nimmt sich damit zurück, aber er betont damit auch seine rechtspolitische Rolle als Garant der Kohärenz der Rechtsordnung insgesamt.[146]

c) Die Konkretisierung des Leistungsfähigkeitsprinzips

Lehre und Verfassungsrechtsprechung waren in den vergangenen Jahrzehnten bemüht, eine Vielzahl von Einzelfragen zu klären, die sich in Zusammenhang mit dem Leistungsfähigkeitsprinzip ergeben. Dieses Prinzip wurde damit zu einem Anknüpfungspunkt für ein reichhaltiges systemgestaltendes Schaffen.

In erster Linie war der Anwendungsbereich des Leistungsfähigkeitsprinzips zu klären, d.h. zu prüfen, ob das gesamte Einnahmensystem des Staates danach ausgerichtet werden sollte, allein die Steuern oder gar nur ein Teilbereich der Steuern, nämlich die direkten Steuern.

Die wohl herrschende Meinung geht davon aus, dass das Leistungsfähigkeitsprinzip **grundsätzlich auf Steuern** Anwendung finden soll, dabei aber **sowohl** auf die **direkten als auch auf die indirekten Steuern**[147].

Auf jeden Fall ausgeschlossen ist die Anwendung dieses Prinzips auf Entgelte und Strafen, da deren Funktion dies verbietet. Hinsichtlich der Gebühren wurde die Anwendung des Leistungsfähigkeitsprinzips insoweit ausgeschlossen, als deren Kosten unmittelbar zurechenbar sind (C. Cost. 30/1964, 23/1968, 91/1972) und auch keine Wertentscheidung getroffen wird,

[144] Melis, MDT, 2025, 55.
[145] Ibid.
[146] Kritisch in diesem Zusammenhang die Vertreter des „klassischen" Leistungsfähigkeitsprinzips, so Falsitta, 2020, 158: *„passo all'indietro sulla strada della civilizzazione del diritto fiscale italiano", „grezzo concetto di capacità contributiva".*
[147] In der jüngeren Literatur vertritt hingegen Fantozzi, DT, 1998, 33 ff. die Auffassung, dass alle Abgaben dem Leistungsfähigkeitsprinzip unterworfen werden sollen, da der Wortlaut des Art. 53 die vom Verfassungsgerichtshof vorgenommene Einschränkung nicht stütze. Z.T. wird aber auch die Auffassung vertreten, dieses Prinzip finde nur auf direkte Steuern Anwendung.

Teile der Kosten der Allgemeinheit anzulasten[148]. Auch die indirekten Steuern sind am Leistungsfähigkeitsprinzip auszurichten, wobei sich diesbezüglich aber größte Schwierigkeiten in der Feststellung der Indikatoren der Leistungsfähigkeit ergeben. Schließlich hat der Verfassungsgerichtshof auch Beitragszahlungen sowie die obligatorischen Preisnachlässe für Medikamente (C. Cost. 92/1972) an Art. 53 bemessen.

Die konkrete Bedeutung des Leistungsfähigkeitsprinzips ist – bezogen auf die einzelnen Steuerarten – eine jeweils unterschiedliche. Im **Bereich der direkten Steuern** kann das Leistungsfähigkeitsprinzip als **Maßstab für die Prüfung der Verfassungskonformität** einzelner Steuern herangezogen werden. In Bezug auf die **indirekten Steuern** und die Gebühren ist das Leistungsfähigkeitsprinzip hingegen **eher Orientierungspunkt** für den Steuergesetzgeber. Dieses Prinzip erfüllt hier also primär eine rechtspolitische Funktion.

In der Literatur wurde treffend festgestellt, dass **Art. 53 sowohl von „rechts" als auch von „links"** gelesen werden könne. Die erstgenannte Sichtweise betont die **Garantiefunktion** dieses Prinzips und geht von einer liberalen Staatsphilosophie aus. Die „linke" Betrachtungsweise hebt dagegen die **Solidarfunktion** hervor. Ausgehend von einem bestimmten Mittelbedarf, dessen Höhe nicht hinterfragt wird, wird die Pflicht herausgestrichen, einen – je nach Leistungsfähigkeit differenzierten – Solidarbeitrag dazu zu erbringen[149]. Es wird davon ausgegangen, dass eine der Verfassung gerecht werdende Besteuerung beide Perspektiven im Auge behalten muss.

In der Literatur finden sich häufig extreme Beispiele von Steuern, die nach Maßgabe des Leistungsfähigkeitsprinzips unzulässig wären: Bartsteuern, Steuern, die nach der Haarfarbe differenzieren u.ä. Zu Recht wurde in diesem Zusammenhang eingewandt, dass sich die Unzulässigkeit solcher Steuern nicht erst nach Maßgabe des Leistungsfähigkeitsprinzips ergibt, sondern bereits aus der Anwendung des Gleichheitsgrundsatzes resultiere (Lupi, Diritto tributario, 2000, 25). Was die ebenfalls häufig ins Feld geführte Ledigensteuer anbelangt, ist die Sachlage weniger klar. Es kann zumindest argumentiert werden, dass der Familienstand auch die individuelle Leistungsfähigkeit beeinflusst (so verpflichtet Art. 143 CC die Ehegatten auch zu wechselseitigem materiellem Beistand).

Zahlreiche Urteile des Verfassungsgerichtshofs sind mit Bezug auf Art. 53 der Verfassung ergangen. Das Ergebnis ist keineswegs widerspruchsfrei, und zahlreiche offene Fragen sind verblieben.

---

[148] Hier zeigt sich aber auch die Gefahr der tautologischen Argumentation bzw. der oben schon angesprochenen bloß relativen Brauchbarkeit der verschiedenen Abgabendefinitionen: Das Leistungsfähigkeitsprinzip findet dann Anwendung, wenn die Entscheidung getroffen wurde, dieses anzuwenden.

[149] Vgl. Falsitta, MDT, 1997, 163.

Folgende Eckpunkte lassen sich aber feststellen:

– Da **„jedermann"** verpflichtet ist, im Rahmen **„seiner"** Leistungsfähigkeit zum geforderten Steueraufkommen beizutragen, ist die Leistungsfähigkeit eine subjektive Eigenschaft des Steuerpflichtigen (C. Cost 45/1964, 201/1975).

In diesem Zusammenhang wurde auch eine im früheren Registersteuergesetz vorgesehene und sehr weitreichende Solidarsteuerschuld für verfassungswidrig erklärt. Ebenso wurde die im erwähnten Registersteuergesetz vorgesehene Solidarsteuerschuld des Rechtsanwalts für Gerichtsgebühren des Mandanten aufgehoben (C. Cost. 120/1972).

Gleichzeitig wurde die Möglichkeit von Solidarschuldverhältnissen auch für Personen bestätigt, die an dem der Besteuerung zugrundeliegenden Rechtsverhältnis nicht unmittelbar beteiligt sind, wenn dies aufgrund einer rechtlich-wirtschaftlichen Beziehung zwischen den Steuerpflichtigen, die auf eine einheitliche Position hindeutet, rational begründet werden kann.

Das Solidarschuldverhältnis zwischen Erben wurde vom Verfassungsgerichtshof als Ausdruck einer solchen Beziehung gesehen.

Die Steuerlast kann aus Gründen der Zweckmäßigkeit auch anderen Subjekten als jenen aufgebürdet werden, bei welchen die Elemente der Leistungsfähigkeit gegeben sind. Dies gilt aber nur unter der Voraussetzung, dass die betreffenden Steuerpflichtigen die konkrete Möglichkeit haben, die Steuer von den Letztadressaten zurückzufordern.[150] Der Steuerpflichtige erfüllte hier nur die Rolle eines Substituten.[151]

Steuersubstitute werden häufig mit erheblichen administrativen Bürden belegt, die keinen unmittelbaren Niederschlag in Zahlungsverpflichtungen finden. In Extremsituationen kann auch hier die Frage aufgeworfen werden, ob die Grenzen der Leistungsfähigkeit damit überschritten werden.[152]

Dagegen kann jeder Steuerpflichtige freiwillig die Steuerschuld anderer Steuerpflichtiger übernehmen, soweit dies nicht explizit rechtlich untersagt wird.[153]

Auch in der Zurechnung des Einkommens der Ehefrau zu jenem des Ehegatten wurde ein Verstoß gegen das Leistungsfähigkeitsprinzip gesehen (C. Cost. 179/1976). Damit blieb aber unbeachtet, dass das Vorliegen einer Ehegemeinschaft auch die subjektive Leistungsfähigkeit beeinflusst. Des Weiteren wurde damit einer stärken Berücksichtigung der Familie im Steuerrecht entgegengearbeitet.

– Die Leistungsfähigkeit muss **effektiv** gegeben sein und nicht allein auf Annahmen beruhen (C. Cost. 178/1986, 431/1987, 103/1991).

Der breite Beurteilungsspielraum, der sich in dieser Frage auftut, aber auch die Notwendigkeit zur Vereinfachung des Steuersystems und zur Verteidigung der Fiskalinteressen (der sog. *„ragion fiscale")* haben dazu geführt, dass der diesbezügliche Beitrag des Verfassungsgerichtshofs eher unbefriedigend ist.

[150] Vgl. Falsitta, CDT, 2009, 81.
[151] Vgl. Gaffuri, DT, 2012, 35.
[152] Ibid., 34.
[153] Vgl. Falsitta, CIDT, 2009, 82.

Die Besteuerung allein einer effektiven Leistungsfähigkeit würde voraussetzen, dass ein Lebensminimum steuerbefreit sein muss. Dies ist in Italien jedoch nicht gegeben.

Gegen die Umsetzung dieser Forderung sprechen nicht nur fiskalische Überlegungen, sondern auch Überlegungen praktischer Art: Wie hoch ist das Existenzminimum? Gibt es ein Existenzminimum oder ist dieses zu differenzieren? Wie sollen die indirekten Steuern dieses Existenzminimum berücksichtigen?

In engem Zusammenhang mit der Frage des Existenzminimums steht die Berücksichtigung der zu Lasten lebenden Personen. Die Regelung in Art. 12 TUIR 1986 ist nicht im Mindesten geeignet, die effektive Minderung der Leistungsfähigkeit durch zu Lasten lebende Personen zu berücksichtigen.

Das Erfordernis einer effektiven Leistungsfähigkeit kann in Konflikt treten mit einer Besteuerung auf der Grundlage von **Vermutungen**. Dabei erscheinen die widerlegbaren Vermutungen weniger problematisch, soweit der Gegenbeweis nicht allzusehr erschwert wird *(probatio diabolica)*. Die unwiderlegbare Vermutung einer Leistungsfähigkeit ist hingegen verfassungswidrig.

Mit Urteil 256/1992 hat der Verfassungsgerichtshof die Gesundheitsteuer in dem Punkt für verfassungswidrig erklärt, wo sie den Nachweis für eine gegenüber dem vorgeschriebenen Einkommen niedrigeren Leistungsfähigkeit nicht zuließ.

Die Frage der Effektivität der Leistungsfähigkeit stellte sich auch in Zusammenhang mit der **Katasterbesteuerung** des Grundvermögens. Dieses wurde jedoch als verfassungskonform erklärt[154], wobei der Notwendigkeit der Steuervereinfachung großes Gewicht beigemessen wurde.

Mit Urteil 228/2014 hat der Verfassungsgerichtshof die Vermutung für verfassungswidrig erklärt, dass **Freiberufler nicht belegte Ausgaben als Einnahmen zu deklarieren** haben, da – anders als bei Unternehmern – kein unmittelbarer Zusammenhang zwischen Ausgaben und Einnahmen erkannt werden kann.

Generell gilt auch für alle Formen induktiver oder pauschaler Besteuerung, dass diese zwar grundsätzlich zulässig sind, dass aber ein Gegenbeweis möglich sein muss. Die Notwendigkeit der Vereinfachung und der Hinweis auf Erfahrungswerte erlauben es, der Finanzverwaltung eine privilegierte Position zuzuerkennen.

Unzulässig ist grundsätzlich eine Substanzbesteuerung sowie eine Besteuerung jener Mittel, die für die Ertragserzielung eingesetzt werden müssen. Beide Prinzipien werden aber vielfach verletzt.

So führt die Besteuerung nach Maßgabe der Nominalwerte in Zeiten mit hoher Inflation zu einer Substanzbesteuerung. Der Verfassungsgerichtshof hat eine solche Besteuerung für zulässig erklärt, wenn dadurch keine abnormen Ergebnisse erzielt werden.[155] Jede andere Lösung hätte auch zu exzessiven Verwaltungsaufwendungen geführt.

---

[154] Vgl. C. Cost. 16/1965, 9/1993. Im Übrigen ist eine kontinuierliche Anpassung der Katasterwerte vorgesehen. Außerdem sind verschiedene Regelungen vorgesehen, wonach bei nicht vorhandener Leistungsfähigkeit in einer Steuerperiode die Steuerpflicht eingeschränkt oder ausgeschlossen wird.

[155] Vgl. C. Cost. 126/1979.

Die Mittel, die für die Ertragserzielung eingesetzt werden, können in Italien vielfach nicht oder nur sehr eingeschränkt in Abzug gebracht werden (so z.B. im Rahmen der Kapitalertragsbesteuerung oder bei der Erzielung von Einkünften aus nichtselbstständiger Tätigkeit). Hier überwiegen Praktikabilitätserwägungen.

– Die Leistungsfähigkeit muss **in der Gegenwart gegeben** sein *(attualità).*
In diesem Zusammenhang wurde eine **rückwirkende Besteuerung** dann für unzulässig erklärt, wenn die Leistungsfähigkeit in der Gegenwart nicht mehr gegeben ist (C. Cost. 44/1966, 75/1969, 143/1982). Die Besteuerung der am 9.7.1992 zu Mitternacht verfügbaren Kontobestände wurde aber für verfassungskonform erklärt[156], ebenso die Besteuerung von drei Jahre zurückliegenden Erlösen bzw. Wertsteigerungen[157].
Eine rückwirkende Besteuerung ist also dann zulässig, wenn plausibel angenommen werden kann, dass die Leistungsfähigkeit der Vergangenheit in der Gegenwart noch fortbesteht.

Die in Italien übliche Praxis, Änderungen an der geltenden Steuerrechtsordnung mit Wirkung für die laufende Steuerperiode, ja sogar rückwirkend kurz vor Abgabe der Steuererklärung vorzunehmen, kann aus dieser Perspektive kaum für verfassungswidrig erklärt werden, widerspricht aber rechtspolitischen Grundsätzen[158] und wurde auch im Rahmen der Charta der Steuerpflichtigen untersagt.[159]

d) Konkurrierende Prinzipien

Das Leistungsfähigkeitsprinzip ist nicht der einzige Grundsatz, dem eine Steuer zu entsprechen hat. Vielmehr ist **jede Steuer eingebettet in das vieldimensionale Wertesystem der Verfassung**, das einerseits Lenkungsteuern erfordert, andererseits Steuervergünstigungen tolerieren kann[160]. Damit können also Steuervergünstigungen für Berggebiete oder für Süditalien ebenso verfassungsrechtlich gerechtfertigt werden wie die steuerliche Mehrbelastung von Zweitwohnungen bzw. von umwelt- oder gesundheitsschädlichen Konsumartikeln[161].

---

[156] Vgl. C. Cost. 143/1995.
[157] Vgl. C. Cost. 315/1994, 14 und 410/1995. Vgl. zum Ganzen Falsitta, MDT, 1999, 147.
[158] Vgl. Lupi, DT – PG, 1995, 35.
[159] Vgl. Art. 3 G 212/2000. Da diese Bestimmung aber nur einfachgesetzliche Natur hat, ist sie wiederum durch spätere Steuerbestimmungen derogierbar. Die Charta der Steuerpflichtigen bietet also diesbezüglich nur bescheidenen Schutz.
[160] Moschetti führt beide Phänomene auf den Solidaritätsgedanken zurück und integriert damit diese Elemente in das Leistungsfähigkeitsprinzip. Vgl. Moschetti, in: Moschetti/Lorenzon/Schiavolin/Tosi, 43.
[161] Die Beispiele stammen aus Moschetti, in: Moschetti/Lorenzon/Schiavolin/Tosi, 45 f. Siehe letzthin auch die Erklärung der Verfassungskonformität der „sugar tax" für zuckerhaltige alkoholfreie Getränke unter Verweis auf die Gesundheitsgefährdung (insbes. Diabetes) durch deren Konsum (C. Cost. Nr. 46 v. 26.3.2024).

Diese Beispiele zeigen aber auch, wie groß der Auslegungsspielraum hinsichtlich des Leistungsfähigkeitsprinzips nach wie vor ist. Die Mehrbelastung von Zweitwohnungen muss nicht unbedingt als Lenkungsteuer interpretiert werden; sie kann unmittelbar auf eine höhere Leistungsfähigkeit zurückgeführt werden. Ebenso bedarf es für die zweitgenannte Kategorie von Steuern nicht unbedingt eines Rückgriffs auf Art. 32 Abs. 1 (Schutz der Gesundheit) bzw. Art. 9 Abs. 2 (Schutz der Umwelt) der Verfassung. Vielmehr kann davon ausgegangen werden, dass der Gesetzgeber bei der Konzeption dieser Steuern Äquivalenzüberlegungen einfließen hat lassen. Die Mehrbelastung stellt einen Ausgleich für die Lasten dar, die die Allgemeinheit durch den betreffenden Konsum zu tragen hat.

Ähnliche Überlegungen gelten hinsichtlich der kürzlich eingeführten „sugar tax" (einer Verbrauchsteuer auf Softdrinks mit Alkoholgehalt von nicht mehr als 1,2%, die seit 2020 zur Anwendung kommt) oder der „plastic tax" (einer Verbrauchsteuer auf Einwegverpackungen, die seit 1.1.2022 erhoben wird): Die Funktion dieser Steuern ist einerseits gemischt, da damit auch ein gewisses Aufkommensinteresse verbunden ist, aber primär handelt es sich hierbei sicherlich um Lenkungsteuern.

Die Überprüfung der Verfassungskonformität einer Steuer durch den Verfassungsgerichtshof kann also nicht in der Kontrolle bestehen, ob die Steuer punktuell einem inhaltlich vielfältig deutbaren Leistungsfähigkeitsprinzip entspricht, sondern allein in der Untersuchung, ob die Steuer auf **rationalen Kriterien** aufbaut und sich in das **Wertesystem der Verfassung fügt**, wobei der Verfassungsgerichtshof angesichts des breiten Interpretationsspielraums hinsichtlich dieser Fragen grundsätzlich eine Haltung des *„judicial restraint"* einnimmt und nur im Falle einer grob irrational erscheinenden Steuer bzw. eines schweren Verstoßes gegen einschlägige Verfassungswerte einschreitet. In der Literatur wird häufig das große Gewicht kritisiert, das der Verfassungsgerichtshof dem staatlichen Interesse an einer wirksamen Steuereinhebung beimisst, was zur Abweisung einer Vielzahl von Beschwerden führt, die prima facie irrational erscheinende Steuerbestimmungen zum Gegenstand haben[162].

Raffaello Lupi hat anschaulich die Schwierigkeiten praktischer Natur herausgestrichen, mit welchen der Verfassungsgerichtshof in diesem Zusammenhang konfrontiert ist. So könnte die Erklärung der Verfassungswidrigkeit bestimmter Gesetzesbestimmungen unter Bezugnahme auf das Leistungsfähigkeitsprinzip zu breiten Lücken in der Steuerrechtsordnung führen, die vom Verfassungsgerichtshof als rechtsprechendem Organ nicht geschlossen werden können. So hat sich der Verfassungsgerichtshof häufig mit Ermahnungen *(sentenze-monito)* und Auslegungsurteilen begnügt und dem Gesetzgeber einen sehr breiten Entscheidungsspielraum zuerkannt.

Lupi bemerkt des Weiteren, dass die Beurteilung der Verfassungskonformität einer Steuerbestimmung eine sehr enge Vertrautheit mit dem Steuerrecht voraussetze, die beim Verfassungsgerichtshof nicht immer gegeben sei[163].

[162] Ausführlich dargestellt wird die hier einschlägige Verfassungsrechtsprechung in De Mita, Interesse fiscale e tutela del contribuente, 2000.

[163] Vgl. Lupi, DT – PG, 2000, 31.

e) Abschließende Überlegungen

Wie gezeigt, ist es wohl **kaum möglich, auf der Grundlage des Leistungsfähigkeitsprinzips ein widerspruchsfreies und objektiv gerechtes Steuersystem zu schaffen.** Was der Finanzwissenschaft hier nicht gelungen ist, kann auch die Rechtswissenschaft nicht kompensieren: Das Leistungsfähigkeitsprinzip ist wertausfüllungsbedürftig und selbst wenn man davon ausgeht, dass sich der Verfassungsauftrag aus der Summe der Verfassungswerte erschließt, ist jeder dieser Werte auslegungsbedürftig, und lässt auch erheblichen diskretionären Spielraum offen. Wenn dann noch eine Gewichtung dieser Werte vorgenommen werden muss, so wird vollends deutlich, dass das Leistungsfähigkeitsprinzip keinen Maßstab darstellt, an dem eine Steuer objektiv und widerspruchsfrei beurteilt werden könnte. Der große Nutzen dieses Kriteriums liegt darin, dass es Steuergesetze einer Nachprüfung durch den Verfassungsgerichtshof unterwirft. Zwar könnten dafür auch andere Verfassungsprinzipien als Grundlage herangezogen werden; das Leistungsfähigkeitsprinzip stellt aber einen Kristallisationspunkt aller einschlägigen Verfassungswerte dar und erlaubt vor allem eine Rationalitätsprüfung. Was Leistungsfähigkeit bedeutet, ist nicht objektiv vorgegeben. **Der Gesetzgeber kann eine Vielzahl an Elementen heranziehen, die nach allgemeinem Dafürhalten und auf der Grundlage rationaler Gesichtspunkte als Ausdruck von Leistungsfähigkeit angesehen werden.** Keineswegs muss er sich dabei – wie vielfach in der Literatur angenommen – allein auf das Einkommen beziehen. Die betreffenden Elemente müssen auch nicht ausnahmslos und nachweislich in jedem Fall zu einer entsprechenden Leistungsfähigkeit führen, sondern es genügen **entsprechende Erfahrungswerte** *(id quod plerumque accidit).*[164] Die **zentrale, häufig verkannte Funktion** des Leistungsfähigkeitsprinzips liegt darin, dass auf der Grundlage von Art. 53 eine **gerichtliche Überprüfung der Steuerrechtsordnung** im Lichte der jeweils geltenden gesellschaftlichen Vorstellungen über ein **gerechtes Steuersystem** möglich wird. Trotz des damit verbundenen erheblichen Wertungsspielraums ist hiermit schon viel erreicht.

Wie sehr die Anwendung dieses Prinzips ein ständiges Umdenken und eine Anpassung an neue wirtschaftliche Bedürfnisse erfordert, zeigt die Diskussion hinsichtlich der Verfassungskonformität der regionalen Wertschöpfungsteuer IRAP.

Ein beachtlicher Teil der italienischen Steuerrechtslehre ging von der Verfassungswidrigkeit dieser Abgabe aus, und zwar aufgrund der Tatsache, dass ihre Bemessungsgrundlage die Wertschöpfung ist, eine Kategorie, von welcher zentrale Aufwandskategorien wie Löhne und Fremdkapitalzinsen nicht abziehbar sind. Dagegen ist aber Folgendes einzuwenden[165]:

– Die IRAP hat eine hybride Natur, d.h. sie kann z.T. mit Äquivalenzüberlegungen begründet werden, da sie als Abgeltung von Leistungen der öffentlichen Hand gesehen werden

[164] Batistoni Ferrara, 1999, 355.

[165] Vgl. dazu Hilpold, Italien: Die regionale Wertschöpfungssteuer IRAP, in: RIW 4/1999, 264.

kann, die den Steuerpflichtigen zugute kommen. Damit wäre das Leistungsfähigkeitsprinzip grundsätzlich nicht mehr anwendbar.

– Zum anderen – und noch überzeugender – kann eingewendet werden, dass die Wertschöpfung selbst Ausdruck von Leistungsfähigkeit ist. Es wurde bereits gezeigt, dass Leistungsfähigkeit durch eine Vielzahl von Elementen ausgedrückt wird. Mit dem strukturellen Wandel der Volkswirtschaft entstehen neue Indikatoren der Leistungsfähigkeit.

– Zwar ist nicht gesichert, dass die IRAP auf die Faktorentgelte überwälzt wird, wodurch es zu einer Verletzung des Grundsatzes kommen kann, dass die Leistungsfähigkeit eine persönliche, subjektive Kategorie ist. Dagegen kann aber eingewandt werden, dass auch Effizienzüberlegungen in einer globalisierten Wirtschaft für die Wahl neuer Zugriffsformen sprechen. Auch in den Geschäftsbeziehungen wird die Leistungsfähigkeit eines Unternehmens (nun im betriebswirtschaftlichen Sinne) zunehmend häufiger an Größen wie Umsatz oder Wertschöpfung gemessen als am – vielfach manipulierbaren – Gewinn.

Ähnlich wie in Zusammenhang mit der MwSt, wo die Transaktion als solche als Indikator der Leistungsfähigkeit herangezogen wird (dasselbe gilt im Übrigen in Bezug auf die Registersteuer und die Stempelsteuer), sind verschiedenste Maßstäbe der Leistungsfähigkeit denkbar. Art. 53 stellt somit in erster Linie einen Auftrag an den Gesetzgeber dar, an einem rationalen Steuersystem zu arbeiten und enthält auch die Mahnung, dass eine gerichtliche Nachprüfung des Ergebnisses jederzeit möglich ist.

Das Leistungsfähigkeitsprinzip ist allerdings stark mit der Einkommensteuer verknüpft. Dadurch, dass die Einkommensteuer im italienischen Steuersystem an Bedeutung verloren hat und dass eine Vielzahl neuer Steuern, oft mit realem Charakter, geschaffen worden ist, wird die Anwendung des Leistungsfähigkeitsprinzips auf der realen Ebene erheblich erschwert.[166]

In den letzten Jahren ist von prominenter Seite (Gallo, 2015) argumentiert worden, das Leistungsfähigkeitsprinzip stelle ein **bloßes Verteilungskriterium** („*criterio di reparto*“, in Bezug auf die Steuerlast) dar, das abstrakt und losgelöst vom Einzelfall die politisch zu determinierenden Abgabenverpflichtungen zuweise. Diese Sichtweise ist in vielerlei Hinsicht zutreffend, wobei aber dennoch eine besondere Eigenschaft dieses Prinzips nicht aus den Augen verloren werden darf: seine **Fähigkeit, lenkend und beschränkend auf den Steuergesetzgeber im Lichte des aktuell geltenden Verfassungskonsenses einzuwirken** (siehe gesamthaft Hilpold, 2022).

Nur am Rande erwähnt sei die Bestimmung in **Art. 53 Abs. 2** der Verfassung, wonach das **Steuersystem progressiv** ausgestaltet sein soll. Obwohl in dieser Bestimmung bisweilen eine Konkretisierung des Leistungsfähigkeitsprinzips gesehen wird, handelt es sich hier tatsächlich allein erneut um ein politisches Postulat, das nicht umgesetzt wurde und wohl auch nicht umgesetzt werden kann. In den Finanzwissenschaften wird zwischen formaler und materieller Inzidenz der Abgaben unterschieden. Das erstgenannte Konzept bezieht sich auf die Verteilung der Steuerlast, so wie sie sich aus den Gesetzesvorschriften ergibt; das zweitgenannte bezieht auch alle Reaktionen des Steuerpflichtigen mit ein. Während aus der

[166] Vgl. Fedele, in: Salvini/Melis (Hrsg.), 13 (24).

Perspektive der formalen Inzidenz IRPEF und Erbschaftsteuer als progressive Steuern zu qualifizieren sind, führt das Steuersystem insgesamt unter Berücksichtigung des Gesamtsteueraufkommens das Steuersystem wohl eher zu einer regressiven Belastung. Auch aus der Sicht der materiellen Inzidenz ist mit solchen Wirkungen zu rechnen, wenngleich in den Finanzwissenschaften gezeigt wurde, dass keine definitiven Aussagen über die materielle Inzidenz von Steuern möglich sind, da das Ergebnis zu stark von den dem jeweiligen Modell zugrundeliegenden Annahmen abhängt.[167]

3. Das Legalitätsprinzip

Literatur: Marongiu, I fondamenti costituzionali dell'imposizione tributaria, 1991, 29; De Mita, La legalità tributaria, 1993; Fedele, La riserva di legge, in: Amatucci (Hrsg.), Trattato di Diritto Tributario, 1994; Lupi, Diritto tributario, 1998, 5 ff.; Fantozzi, Diritto tributario, 1998, 69; Tesauro, Istituzioni di diritto tributario, 1998, 15; Russo, Manuale di diritto tributario, 1999, 41; Falsitta, Manuale di diritto tributario, 1999, 127; De Mita, Principi di diritto tributario, 1999, 99; Uckmar, Principi comuni di diritto costituzionale tributario, 1999, 9; Antonini, Art. 23, in: Commentario alla Costituzione, I, 2006

Laut **Art. 23** der Verfassung können **persönliche oder vermögenswerte Leistungen nur auf der Grundlage eines Gesetzes** auferlegt werden[168].

Das Legalitätsprinzip weist im Steuerrecht eine lange historische Tradition auf; sein Gehalt hat aber im Laufe der Jahrhunderte eine starke Wandlung erfahren. Üblicherweise wird dieses Prinzip auf die **Magna Charta des Jahres 1215** zurückgeführt, mit welcher dem Kompromiss zwischen König und Adel Ausdruck gegeben wurde und wonach einer Besteuerung nur gegen Gewährung gewisser Mitbestimmungsrechte zugestimmt wurde („*no taxation without representation*")[169]. Das Legalitätsprinzip als **konsensual** zwischen Exekutive und Legislative **akkordiertes Besteuerungsrecht** hat im Albertinischen Statut des Revolutionsjahres 1848 seinen hervorragendsten Ausdruck gefunden. Laut Art. 30 dieses Dokuments, der späteren italienischen Verfassung, kann ohne Zustimmung des Parlaments und der Approbation durch den König keine Abgabe auferlegt oder eingehoben werden[170].

---

[167] Vgl. Brümmerhoff, Finanzwissenschaft, 1996, 443 ff.

[168] „*Nessuna prestazione personale o patrimoniale può essere imposta se non in base alla legge*".

[169] Festzuhalten ist, dass in Europa zeitgleich bzw. auch früher vergleichbare Regelungen ergangen sind. Die Magna Charta sticht unter diesen Dokumenten aber deshalb hervor, da sie sich nachträglich als ein Ausgangspunkt für die Festschreibung allgemeiner Partizipationsrechte darstellt. Besonders deutlich kommt dies in der Confirmatio Cartarum des Jahres 1297 zum Ausdruck, die mit dem Rückgang der Steuerkraft des Adels und der Besteuerung der niederen Einkommensschichten nun auch diesen Mitspracherechte einräumte. Vgl. Marongiu, I fondamenti costituzionali, 1991, 28 f. unter Verweis auf Uckmar, Principi comuni di diritto costituzionale tributario, 1957, 7 ff. sowie Bartholini, Il principio di legalità dei tributi in materia di imposte, 1957, 60.

[170] „*Nessun tributo può essere imposto se non è stato consentito dalle camere e sanzionato dal Re*".

Dieser konsensuale Aspekt trat im Lauf der Jahrzehnte aber immer mehr in den Hintergrund; überwiegend wurde das Legalitätsprinzip allein als **Festschreibung eines formellen Verfahrens** für die Festlegung von Steuerbestimmungen interpretiert, nicht hingegen als unmittelbare Verankerung des Besteuerungsanspruchs im Volkswillen[171].

Im Jahr 1947, im Zuge der Aushandlung der neuen Verfassung, war diese gefestigte Auslegung des Legalitätsprinzips Ausgangspunkt für seine Neufassung. Es darf deshalb nicht verwundern, dass das ursprüngliche konsensualistische Element des Legalitätsprinzips nicht wieder aufgegriffen wurde[172]. Dieses Element kommt allein in einem Teilaspekt bzw. indirekt zum Tragen: Das Legalitätsprinzip steht nunmehr betont im **Dienste des Individualrechtsschutzes**. Dazu hat der Verfassungsgerichtshof **materielle Kriterien** für die Anwendung dieses Prinzips herausgearbeitet. Zudem ist dieses Prinzip nun im Lichte eines völlig neuen Umfeldes zu sehen und hat die entsprechenden Wertungen zu berücksichtigen.

Das Legalitätsprinzip bezieht sich sowohl auf persönliche als auch auf vermögenswerte Leistungen. Hier ist allein die zweitgenannte Kategorie von Relevanz[173]. **Vermögenswerte Leistungen** sind nicht allein **Abgaben *(tributi)***, sondern alle **behördlichen Maßnahmen**, die mit der Zielsetzung erfolgen, bei Privaten **Vermögensminderungen** vorzunehmen und auch tatsächlich zu diesem Ergebnis führen. Konkrete Anwendungsvoraussetzung für die Durchführung einer solchen Maßnahme kann auch ein Rechtsgeschäft zwischen Privaten sein: Die äußere Form der Anwendungsvoraussetzungen ist somit sekundär[174]. Wird eine **essentielle Dienstleistung** über ein öffentliches Monopol angeboten, wobei dem Einzelnen nur die Möglichkeit offensteht, die Leistung anzunehmen oder abzulehnen, so unterliegt die Festlegung der betreffenden Monopolgebühr dem Gesetzesvorbehalt[175].

In erster Linie zählen alle **Abgaben** und die **Verwaltungssanktionen** vermögensrechtlicher Natur zu den vermögenswerten Leistungen, deren Festlegung dem

---

171 Vgl. Marongiu, I fondamenti costituzionali, 1991, 65.

172 Dieser Aspekt hat in der jüngeren, vor allem in den USA geführten finanzwissenschaftlichen Diskussion einen neuen Stellenwert erlangt. Im Mittelpunkt steht dabei die Überlegung, dass das Erfordernis einer Approbation der Steuernormen durch das Parlament aus demokratietheoretischer Sicht nicht genügt, da das Parlament in gleichem Maße wie die Regierung von Interessensgruppen dominiert sein kann. Es müssen somit konstitutionelle Schranken für die Ausübung des Besteuerungsrechts geschaffen werden, die eine Ausbeutung des Einzelnen durch den demokratischen Prozess bzw. eine unbegrenzte Ausweitung des keiner wirksamen Effizienzkontrolle unterliegenden Staates verhindern sollen.
Vgl. dazu Hayek, Law, Legislation and Liberty, 1973 und Buchanan, The Limits of Liberty: Between Anarchy and Leviathan 1975.

173 Hinsichtlich der erstgenannten Kategorie ist für die italienische Rechtsordnung der Militärdienst zu erwähnen, wobei die diesbezügliche Pflicht aber ebenfalls mit 1.1.2005 aufgehoben worden ist.

174 Vgl. Fedele, La riserva di legge, 165 ff.

175 Vgl. das Urteil des Verfassungsgerichtshofs Nr. 72 v. 9. April 1969, in welchem das Legalitätsprinzip auch für die Festlegung der Monopolgebühren als anwendbar erklärt worden ist.

Gesetzesvorbehalt unterliegt. Im Einzelnen wurde der Gesetzesvorbehalt als anwendbar erklärt auf:[176]

- die Methangasgebühr[177];
- die Tourismusabgabe[178];
- die Konzessionsabgabe auf die Großwasserableitungen[179];
- die von Privaten an die Gemeinden zu entrichtende Werbeabgabe[180];
- der verpflichtende Preisabschlag, dem die Pharmaunternehmen zugunsten der Krankenkassen unterliegen[181];
- die Müllabfuhrgebühr[182];
- die Gebühr für die Besetzung öffentlichen Grundes[183];
- die vereinheitlichten landwirtschaftlichen Gebühren SCAU[184];
- die Beiträge an die Bonifizierungskonsortien[185];
- die Gebühren für die Abschöpfung von Mineralwasserquellen[186];
- die Telefongebühren[187];
- die Abwasserentsorgungsabgaben zugunsten der Gemeinden[188];
- die Beiträge zu Lasten der Arbeitsberater und Rechtsanwälte[189];
- die spezielle Meliorierungsabgabe[190];
- die Gebühren der Handelsbörsen[191].

Außerhalb des Art. 23 steht das strafrechtliche Legalitätsprinzip, das in Art. 25 der Verfassung geregelt ist und auf strengeren Kriterien beruht[192]. Auf besondere Gesetzesvorbehalte mit einer eigenen Funktion beziehen sich auch die Art. 41, 42 und 43 der Verfassung, die ein grundsätzliches Bekenntnis zur freien Marktwirtschaft

---

[176] Diese und weitere Beispiele finden sich bei Marongiu, I fondamenti costituzionali, 1991, 85 f. sowie bei Bertolissi, Legge tributaria, in: Digesto delle Discipline Privatistiche, Bd. VIII, 1992, 519 (525 f.).
[177] Cort.Cost. Nr. 30/1957.
[178] Cort.Cost. Nr. 47/1957.
[179] Cort.Cost. Nr. 122/1957.
[180] Cort.Cost. Nr. 36/1959.
[181] Cort.Cost. Nr. 70/1960.
[182] Cort.Cost. Nr. 51/1960.
[183] Cort.Cost. Nr. 2/1962.
[184] Cort.Cost. Nr. 65/1962.
[185] Cort.Cost. Nr. 55/1963.
[186] Cort.Cost. Nr. 93/1963.
[187] Cort.Cost. Nr. 72/1969.
[188] Cort.Cost. Nr. 113/1970.
[189] Cort.Cost. Nr. 67/1973.
[190] Cort.Cost. Nr. 54/1980.
[191] Cort.Cost. Nr. 507/1988.
[192] Art. 25 Abs. 2 der Verfassung legt einen besonders hohen Schutzstandard fest. Es gilt ein absoluter Gesetzesvorbehalt und ein Rückwirkungsverbot: „Niemand darf bestraft werden außer kraft eines Gesetzes, das vor der Ausführung der Tat in Kraft getreten ist.“.

und zum Privateigentum beinhalten, gleichzeitig aber eine Einschränkung dieser Prinzipien durch gesetzliche Maßnahmen erlauben[193].

Die Gesetzesvorbehalte werden in absolute und relative Vorbehalte unterteilt. Art. 23 enthält zweifelsohne allein einen **relativen Vorbehalt**, da diese Bestimmung die Auferlegung vermögenswerter Leistungen **„auf der Grundlage" gesetzlicher Bestimmungen** erlaubt. Damit stellt sich die – in der Literatur nicht einheitlich beantwortete Frage – wie detailliert diese Grundlage ausgeprägt sein soll bzw. welche wesentlichen Elemente diese auf jeden Fall enthalten muss. Die Ansichten divergieren sehr stark, wobei beide Extrempunkte vertreten sind: Beziehen wir uns nun in erster Linie auf Steuernormen, so wird zum einen behauptet, diese müssten die Bestimmung des Steuerpflichtigen, den Steuergegenstand und das Ausmaß der Steuerbelastung im Detail regeln[194]. Der andere Extrempunkt wird wiederum von der vom Verfassungsgerichtshof vertretenen Auffassung repräsentiert, wonach dem Verfassungsauftrag bereits dann Genüge getan werde, wenn die gesetzliche Grundlage ein arbiträres Vorgehen der Verwaltung verhindere[195]. Die vermittelnde – in Literatur und Praxis absolut vorwiegende – Ansicht geht dagegen davon aus, dass **Steuerpflichtiger und Steuergegenstand bestimmt sein müssten**, während die exakte Festlegung der Steuerbelastung auch auf sekundärrechtlicher Ebene erfolgen könne[196]. Damit verbliebe der Verwaltung Spielraum bei der genauen Bestimmung der Steuerbemessungsgrundlage und auch bei der Festlegung des Steuertarifs.

In diesem Zusammenhang ist festgehalten worden, dass über das Zusammenspiel beider Elemente, des Steuerpflichtigen und des Steuergegenstandes, ohnehin bereits die wesentlichsten Charakteristika der Steuer unter den Gesetzesvorbehalt fielen[197].

Tatsächlich führen diese Unterscheidungen in der Praxis aber zu einem weniger deutlichen Ergebnis als der erste Augenschein vielleicht vermuten lassen würde. Die grundsätzliche Festlegung der genannten Elemente kann einer Steuer eine äußere Gestalt geben; ihre wahre Natur wird möglicherweise aber erst durch die Klärung zahlreicher Detailfragen geklärt, deren Beantwortung auf sekundärrechtlicher Ebene erfolgt. Entscheidend ist somit, wie detailliert die beiden genannten Elemente gesetzlich definiert sein müssen, was sich antizipativ kaum festlegen läßt.

Es darf deshalb nicht verwundern, dass der Verfassungsgerichtshof, vor die konkrete Frage gestellt, ob ein bestimmtes Verfahren der Festlegung der wesentlichen

---

[193] Vgl. Russo, MDT, 1999, 45. Zu den Gesetzesvorbehalten in der italienischen Verfassung vgl. auch Paladin, Diritto costituzionale, 1995, 168 ff.

[194] Vgl. Fedele, 1994, 179, Fn 9.

[195] Vgl. Fantozzi, 1998,78.

[196] Vgl. statt aller Paladin, Diritto costituzionale, 1995, 171. Vgl. letzthin auch Carinci/Tassani, MDT, 2021, 48, die unter Bezugnahme auf Cort.Cost. Nr. 83/2015 darauf hinweisen, dass die gesetzliche Grundlage die Exekutive bei der Bestimmung von Steuersatz und Bemessungsgrundlage allein lenken und in ihrem Ermessensspielraum begrenzen müsse.

[197] Vgl. Fedele, 1994, 179 ff.

Elemente einer Steuer dem Legalitätsprinzip gerecht werde, auf Indizien folgender Art Rückgriff genommen hat:

– War allein der Höchstsatz bestimmt, so wurde die Fixierung der konkret anzuwendenden Steuer durch die Verwaltungsbehörde dann als zulässig erachtet, wenn der Gestaltungsspielraum eng begrenzt war. Zudem wurde vorausgesetzt, dass die betreffende Behörde eine Abwägung zwischen ihrem Verwaltungsbedarf und ihren finanziellen Möglichkeiten vornimmt[198].

– Die **periodische Anpassung der Katasterwerte durch den Finanzminister** wurde als **vereinbar mit dem Legalitätsgrundsatz** erklärt, da die zugrundeliegenden Kriterien (durchschnittliche Mietwerte) vorgegeben waren und der Verwaltung keinen arbiträren Spielraum mehr beließen[199].

– Als allgemeines Kriterium formuliert kann festgehalten werden, dass die **Festlegung einzelner Elemente der Steuer durch die Verwaltung zulässig ist**, soweit diesbezüglich allein **technisches Ermessen** zur Anwendung kommt, nicht hingegen eine diskretionäre Entscheidungskompetenz[200].

– In einem Extremfall wurde sogar der konkrete Finanzmittelbedarf zur Erreichung der institutionellen Zielsetzungen als hinreichende Vorgabe angesehen, um bei der Festlegung einer Abgabe die implizite Achtung des Legalitätsgrundsatzes sicherzustellen[201]. Vor einer Verallgemeinerung dieses sehr breit gehaltenen Grundsatzes muss aber gewarnt werden[202], da es sich im gegebenen Fall um eine Institution mit nur einer Zielsetzung handelte und zudem die Festlegung der Abgabe durch den Verwaltungsrat der betreffenden Körperschaft erfolgte, in welchem die verschiedenen Interessensgruppen vertreten waren, die von der Tätigkeit der Körperschaft betroffen waren[203].

Diese Rechtsprechung bietet Gelegenheit, die Frage der Funktion des Gesetzesvorbehalts im Steuerrecht wieder aufzugreifen. Oben wurde schon darauf hingewiesen, dass diese grundsätzlich im Schutz des Individuums zu suchen ist. Worin äußert sich nun aber dieser Schutz im Einzelnen? Im Allgemeinen wird in diesem Zusammenhang betont, dass der Gesetzesvorbehalt die **Einbindung der parlamentarischen Minderheit** in das Normsetzungsverfahren erlaubt, während die Setzung von sekundärrechtlichen Normen allein durch die jeweilige Mehrheit erfolgt. Darüber hinaus wird hervorgehoben, dass der Gesetzesvorbehalt eine **überlegtere Normsetzung** erlaubt, wobei die daraus resultierende Norm auch der Kontrolle des Verfassungsgerichtshofs unterzogen werden kann[204].

---

[198] Cort.Cost. Nr. 93/1963.

[199] Cort.Cost. Nr. 16/1965.

[200] Cort.Cost. 48/1961.

[201] Cort.Cost. Nr. 4/1957.

[202] Gemeinsam mit anderen Überlegungen wurde dieses Kriterium vom Verfassungsgerichtshof allerdings auch in mehreren anderen Urteilen geltend gemacht. Vgl. Fantozzi, 1998, 80, Fn 34.

[203] Vgl. zu diesem und zu den vorgenannten Urteilen Marongiu, 1991, 88 ff. sowie Falsitta 1999, 134 ff.

[204] Vgl. statt aller Falsitta, MDT, 1999,. 128 f. m.w.N.

Generell formuliert, soll der (relative) Gesetzesvorbehalt eine **gewisse Rationalität und Transparenz in der Steuergesetzgebung** sicherstellen und einen **möglichst breiten Teil der Bevölkerung – zumindest indirekt – in das Normsetzungsverfahren einbinden**. Da es aber im Rahmen eines relativen Gesetzesvorbehalts in einer technisch derart komplexen Materie wie der steuerlichen nicht möglich ist, eine abstrakte und detaillierte Aufteilung aller Normelemente nach dem Kriterium vorzunehmen, ob jeweils eine primärrechtliche oder eine sekundärrechtliche Regelung vorzunehmen ist, hat der Verfassungsgerichtshof einen sehr **pragmatischen Ansatz** gewählt: Er hat einerseits die Bedeutung dieses Gesetzesvorbehalts regelmäßig betont, gleichzeitig in der **praktischen Anwendung aber seine Tragweite eingeschränkt** und eine weitreichende Integration der Steuernorm auf sekundärrechtlicher Ebene unter der Bedingung erlaubt, dass eine willkürliche Umsetzung dieser Befugnis hinreichend ausgeschlossen werden kann[205].

Worin liegt nun zusammenfassend die konkrete Bedeutung des Legalitätsprinzips im Steuerrecht?

– Die Verankerung des Legalitätsprinzips in der Verfassung eröffnet neben dem Leistungsfähigkeitsprinzip eine zweite wichtige Möglichkeit der **Kontrolle der Steuergesetzgebung durch den Verfassungsgerichtshof**, wobei hier einerseits Schutz vor einem Ermessensmissbrauch durch die Verwaltung hinsichtlich ihrer Tätigkeit zur Integration der Steuernorm gewährt wird, andererseits – durch eine pragmatische Handhabung dieses Kriteriums – sichergestellt wird, dass der Gesetzgeber – angesichts des ständig steigenden Normsetzungsbedarfs im Steuerrecht – nicht überfordert wird.

– Der Gesetzesvorbehalt entfaltet eine beachtliche **kohäsive Kraft im Rechtssystem**, und zwar nicht nur hinsichtlich seiner bereits angesprochenen Eigenschaft, die **Opposition im Parlament in die Steuergesetzgebung miteinzubeziehen**, sondern auch aufgrund der Tatsache, dass seine relative Natur ein bedeutendes Element zur Ermöglichung föderaler Ansätze darstellt, deren Vorhandensein aber wiederum das Staatsganze festigt.

– Schließlich ist ein gewichtiger **rechtspolitischer Aspekt** hervorzuheben: Das Vorhandensein eines Legalitätsprinzips sollte **Ansporn für den Gesetzgeber** sein, nach den **Prinzipien einer jeden Steuerrechtsmaterie** zu suchen und diese gesetzlich zu regeln. Damit würde das Steuersystem insgesamt an Rationalität, Berechenbarkeit und Verständlichkeit gewinnen[206].

Abschließend zu diesem Kapitel soll noch geprüft werden, an wen sich der Gesetzesvorbehalt richtet bzw. durch welche Rechtsakte dieser Vorgabe Genüge getan wird: Es sind dies neben den ordentlichen Gesetzen und den Verfassungsgesetzen **auch die Maßnahmen mit Gesetzeskraft** (Notverordnungen und Ermächtigungsverordnungen) sowie die **Regionalgesetze** und die **Landesgesetze der autonomen**

---

[205] Vgl. Fantozzi, DT, 1998, 80. Weitgehend in Frage gestellt wird die konkrete Tragweite des Legalitätsprinzips im Steuerrecht durch De Mita in: La legalità tributaria, 1993.

[206] Vgl. De Mita, Principi di diritto tributario, 1999, 103 f.

Provinzen Bozen und Trient. Hinsichtlich der **EU-Verordnungen und -Richtlinien**, mit welchen ebenfalls im Staatsgebiet anwendbare Steuernormen geschaffen werden können, wurde die Frage aufgeworfen, ob damit das verfassungsrechtliche Legalitätsprinzip Berücksichtigung findet. Tatsächlich stellt sich aber ein solches Problem nicht:

– Berücksichtigt man, dass **Art. 11 der Verfassung** die Grundlage für den Beitritt Italiens zur Europäischen Wirtschaftsgemeinschaft dargestellt hat, so war mit der gesetzlichen Ratifikation des Beitrittsvertrags hinsichtlich der E(W)G-Steuernormen die Einhaltung des Legalitätsprinzips in pauschaler Form bereits sichergestellt.

– In einer strikt **„unionsrechtlichen Sichtweise"**, die vom Geltungsgrund des Unionsrechts in Italien abstrahiert, wird darauf abgestellt, dass das Unionsrecht in einem Freiraum wirkt, der grundsätzlich nicht mehr den verfassungsrechtlichen Schranken unterliegt. Auch da Art. 23 sicherlich nicht zum Kernbestand der Grundrechtsordnung zählt, für welchen sich der Verfassungsgerichtshof gegenenfalls ein Kontrollrecht auch gegenüber EU-Normen vorbehalten hat, ist eine Kollision zwischen diesem Verfassungsartikel und EU-Steuernormen auf Dauer ausgeschlossen.

4. Die Artikel 75 und 81 der Verfassung

4.1 Artikel 75

Art. 75 der Verfassung **untersagt generell die Abhaltung von (abschaffenden) Referenden über Steuer- und Haushaltsgesetze.** Die konkrete Anwendung dieser Norm erforderte eine Auslegung des Begriffs der Steuerbestimmung durch den Verfassungsgerichtshof, wobei ein sehr breites Konzept angewandt worden ist. Bspw. hat der Verfassungsgerichtshof ein Referendum über die **Sanitätsbeiträge** abgelehnt und diese damit als Steuern qualifiziert. Das Verbot von Referenden für Steuerbestimmungen bezieht sich nicht nur auf Steuerbestimmungen im materiellen Sinne, sondern **auch auf verfahrensrechtliche Normen**.

Ob diese Norm heute noch eine **Existenzberechtigung** hat, ist **zweifelhaft**. Sie bringt in erster Linie ein erhebliches Misstrauen im Verhältnis zwischen Staat und Bürger zum Ausdruck. Es wird hier ein Bild des Bürgers gezeichnet, der grundsätzlich bemüht ist, sich seinen staatsbürgerlichen Verpflichtungen zu entziehen und dem auch die Einsicht für die Bedürfnisse des Staatsganzen fehlen[207]. Der Versuch, diese Regelung unter Bezugnahme auf Art. 23, also über einen Verweis auf die Präferenz des Verfassungsgebers für ein formalisiertes Steuergesetzgebungsverfahren mit allen parlamentarischen Mitwirkungsgarantien zu rechtfertigen[208], kann nicht überzeugen, da letztendlich die eigentliche Begründung der Normsetzungsgewalt im Volkswillen zu suchen ist. Für einen Ausschluss der ohnehin eingeschränkten Mitwirkungsmöglichkeiten gerade im steuerlichen Normsetzungsbereich gibt es

[207] Vgl. z.B. Berliri, Principi di diritto tributario, 1952, Bd. 1, 30.
[208] Vgl. Fantozzi, Diritto tributario, 1998, 85.

keinen sachlichen Grund. Darüber hinaus würde die Zulassung abschaffender Referenden eine wirkungsvolle Kontrollmöglichkeit gegenüber einem ausufernden Staatsapparat eröffnen. Sie würde auch die Möglichkeit bieten, jenes egalitäre, partizipatorische Verhältnis zwischen Finanzbehörden und Steuerbehörden zu begründen, dessen Realisierung immer wieder angekündigt wird[209]. Dies ist freilich eine Thematik, die erst in jüngerer Zeit gezielt angegangen wird und zur Mitte des 20. Jahrhunderts noch kaum problematisiert wurde.

4.2 Art. 81; das Haushaltsgesetz

Literatur: D'Amati, Diritto finanziario, in: Dig.Disc.Pr. – Sez.Comm., Bd. IV 1989, S. 587 ff. (591 ff.); Paladin, Diritto costituzionale, 1998; Amatucci, L'ordinamento giuridico finanziario, 1999; Amatucci, Chiarezza e trasparenza delle disposizioni tributarie contenute nella legge di stabilità, in: Bodrito et al. (Hrsg.), Consenso, equità e imparzialità nello Statuto del contribuente, 2012, 35; Hilpold, Eine neue Europäische Finanzarchitektur, in: Hilpold/ Steinmair (Hrsg.), Neue europäische Finanzarchitektur, 2014; Guella, Il patto di stabilità interno, tra funzione di coordinamento finanziario ed equilibrio di bilancio, in: 33 QuadCost 3/2013, 585; De Luca, Manuale di Contabilità di Stato e degli Enti Pubblici, 2014

4.2.1 Grundsätzliches

Der Haushalt und das zugrundeliegende Haushaltsgesetz sind von grundlegender Bedeutung für die Planung und Gestaltung von Einnahmen und Ausgaben eines Staates. Es ist deshalb schon früh deutlich geworden, dass Art. 81 der Verfassung zum Haushaltsgesetz und die diesbezügliche Durchführungsgesetzgebung von neuralgischer Bedeutung für die Reduzierung des ausufernden Haushaltsdefizits und für die Gesundung der Staatsfinanzen sind. Der diesbezügliche Reformprozess verlief allerdings schleppend. Sinnvolle Reformen wurden wieder zurückgenommen und verwässert, so dass Art. 81 keine wirkliche Barriere für den Staatsschuldenanstieg bot. Erst auf Veranlassung der EU wurde Art. 81 mit Wirkung ab 1.1.2014 grundlegend abgeändert.

4.2.2 Die ursprüngliche Regelung

Ursprünglich hatte Art. 81 der Verfassung folgenden Wortlaut:

„Die Kammern genehmigen jedes Jahr die von der Regierung vorgelegten Haushaltspläne und Schlussrechnungen.

Die vorläufige Haushaltsgebarung darf nur mittels Gesetz und für Zeiträume von insgesamt nicht über vier Monate bewilligt werden.

[209] Auf die Schaffung von mehr Transparenz und eines intensiveren Bewusstseins über die tatsächliche Steuerbelastung der Bürger zielten Referendumsanträge der jüngeren Vergangenheit, mit welchen die Steuerrückbehalte der Steuersubstitute laut Art. 23 und 25 DPR 600/1973 abgeschafft werden sollten. Dieser Antrag wurde jedoch vom Verfassungsgerichtshof abgelehnt; siehe Cort.Cost. 11/1995 und 51/2000.

Mit dem Gesetz über die Genehmigung des Haushaltsplanes dürfen keine neuen Abgaben und keine neuen Ausgaben festgesetzt werden.

Jedes andere Gesetz, das neue oder höhere Ausgaben zur Folge hat, muss die Mittel zu ihrer Bestreitung angeben."

Von zentraler Bedeutung war die – mittlerweile außer Kraft gesetzte – Bestimmung in **Art. 81 Abs. 3**, wonach mit dem Haushaltsgesetz *(legge di bilancio)* keine neuen Steuern und Abgaben eingeführt werden. Das Haushaltsgesetz wurde auf dieser Grundlage als ein **Gesetz im rein formalen Sinne** qualifiziert, d.h. es führt keine materiellen Neuerungen in die Rechtsordnung ein. Das Haushaltsgesetz hatte in erster Linie eine koordinierende Funktion, die Aufgabe, Transparenz zu schaffen. Diesem Gesetz kam eine programmatische Rolle zu, da es den Rahmen absteckte, der den politischen Entscheidungsträgern vorgegeben war. Das Verbot, mit dem Haushaltsgesetz neue Steuern und Ausgaben einzuführen, hatte den Zweck, eine **besonders überlegte Entscheidungsfindung** bei diesen demokratiepolitisch heiklen Maßnahmen zu garantieren. Es wurde nämlich die Gefahr erkannt, dass die Aufnahme solcher Maßnahmen in ein periodisch zu erlassendes Gesetz, das die Fortführung einer Vielzahl von Ausgaben und Einnahmen bewilligt, den Blick für die Bedeutungsschwere neuer budgetärer Maßnahmen verwischt[210]. Dieses demokratiepolitische Anliegen konfligiert allerdings unmittelbar mit einem Bedürfnis nach gestalterischer Effizienz. Mit anderen Worten: Parallel zur Verabschiedung des Haushaltsgesetzes entsteht auch die Notwendigkeit, zahlreiche Maßnahmen im Bereich der Einnahmen- und Ausgabenpolitik zu setzen. Diese Funktion sollte das **Haushaltsrahmengesetz *(legge finanziaria)*** erfüllen. Zwar sind schon zum Zeitpunkt der Verabschiedung dieses Gesetzes Warnungen laut geworden, dass damit Art. 81 der Verfassung umgangen werden könnte. Diese Warnungen blieben aber lange unberücksichtigt und in das Haushaltsrahmengesetz wurde regelmäßig eine Vielzahl von Maßnahmen gepackt, wobei jegliche Transparenz verloren ging. Das Beschlussverfahren zum Haushaltsgesetz wurde zur Präferenzschiene für die Verabschiedung von Maßnahmen, die über den ordentlichen Normsetzungsprozess nicht durchzubringen waren[211]. Mit **Art. 5 des G 362/1988** wurde dieser Praxis ein Riegel vorgeschoben: Mit dem Haushaltsrahmengesetz durften nun keine neuen Steuern, Gebühren und Beiträge eingeführt und auch keine neuen (laufenden) Ausgaben mehr vorgesehen werden.[212] Diese Maßnahmen wurden deshalb auf die **Begleitgesetze zum Haushaltsrahmengesetz** *(leggi collegate alla manovra finanziaria)* ausgelagert. Da die Abstimmung über ein Gesetz laut italienischer Verfassung grundsätzlich artikelweise zu erfolgen hat, wurden in der Vergangenheit Artikel

[210] Vgl. Gaffuri, Lezioni di diritto tributario, 1994, 39 f.; Amatucci, L'ordinamento giuridico finanziario, 1999, 52 ff.

[211] Vgl. Paladin, Diritto costituzionale, 1998, 367.

[212] Schließlich wurde aber festgelegt, dass neue Ausgaben und Steuerkürzungen dann in das Haushaltsrahmengesetz aufgenommen werden dürfen, wenn dies der Ankurbelung der Wirtschaft diente und immer unter der Voraussetzung, dass damit keine Maßnahmen von rein lokaler oder mikrosektorieller Bedeutung finanziert wurden.

mit mehreren hundert Absätzen in dieses Gesetz aufgenommen. Damit wurde der Abstimmungsprozess zwar beschleunigt, die Verfassung aber wiederum umgangen.

Während dem **Haushaltsgesetz** also die **Funktion** zukam, **auf der Grundlage der bestehenden Gesetzgebung das Ausmaß der zu erbringenden Leistungen festzulegen** und die **Aufbringung von Mitteln über den Kapitalmarkt** zu garantieren, wurden mit dem **Haushaltsrahmengesetz und dem Begleitgesetz zum Haushaltsrahmengesetz neue Rechtsnormen** gesetzt. Diese vielfache Schichtung der budgetären Maßnahmen hatte zwar insgesamt zur Schaffung einer erhöhten Transparenz beigetragen, eine verfassungsrechtlich befriedigende Situation war damit aber noch nicht erreicht worden. Wie die Daten über die Entwicklung des Gesamtschuldenstandes belegen, konnte damit auf jeden Fall keine wirkliche Haushaltsdisziplin erzielt werden. Der politische Prozess in Italien war aber nicht imstande, hier für Abhilfe zu sorgen. Erst auf Druck der EU hin, der allerdings genereller Natur war und nicht allein Italien betraf, wurde Art. 81 schließlich im Jahr 2012 grundlegend reformiert.

4.2.3 Die neue Fassung des Art. 81

Mit **Verfassungsgesetz Nr. 1 aus 2012** wurde Art. 81 mit Wirkung ab 1.1.2014 grundlegend abgeändert. Dieser Artikel hat nun folgenden Wortlaut:

„Lo Stato assicura l'equilibrio tra le entrate e le spese del proprio bilancio, tenendo conto delle fasi avverse e delle fasi favorevoli del ciclo economico.

Il ricorso all'indebitamento è consentito solo al fine di considerare gli effetti del ciclo economico e, previa autorizzazione delle Camere adottata a maggioranza assoluta dei rispettivi componenti, al verificarsi di eventi eccezionali.

Ogni legge che importi nuovi o maggiori oneri provvede ai mezzi per farvi fronte. Le Camere ogni anno approvano con legge il bilancio e il rendiconto consuntivo presentati dal Governo.

L'esercizio provvisorio del bilancio non può essere concesso se non per legge e per periodi non superiori complessivamente a quattro mesi.

Il contenuto della legge di bilancio, le norme fondamentali e i criteri volti ad assicurare l'equilibrio tra le entrate e le spese dei bilanci e la sostenibilità del debito del complesso delle pubbliche amministrazioni sono stabiliti con legge approvata a maggioranza assoluta dei componenti di ciascuna Camera, nel rispetto dei principi definiti con legge costituzionale."

Die wesentlichen Neuerungen sind folgende:

1. Es ist grundsätzlich ein **Haushaltsausgleich sicherzustellen**, wobei den **Phasen des Konjunkturzyklus Rechnung zu tragen** ist.
2. Eine **Neuverschuldung ist nur zulässig als antizyklische Maßnahme** und unter vorheriger **Zustimmung der Kammern mit absoluter Mehrheit** ihrer Mitglieder.

3. Das Haushaltsgesetz und die grundlegenden Bestimmungen und Kriterien zur Sicherstellung des Gleichgewichts von Einnahmen und Ausgaben sowie der Tragfähigkeit der öffentlichen Gesamtverschuldung werden mit **absoluter Mehrheit der Mitglieder beider Kammern** unter Berücksichtigung der mit Verfassungsgesetz festzulegenden Prinzipien approbiert.

4. Art. 81 Abs. 3 wurde gestrichen. Das Haushaltsgesetz ist jetzt nicht mehr allein ein **Gesetz im** formellen Sinne, sondern im **materiellen Sinne**.

Die **Umsetzung** dieser Bestimmung erfolgte mit **G Nr. 243 v. 24.12.2012**.

Hintergrund dieser Regelungen ist der sog. **Fiskalpakt** („Vertrag über Stabilität, Koordinierung und Steuerung in der Wirtschafts- und Währungsunion", „*fiscal compact*") v. 2. März 2012.[213] Der Fiskalpakt ist ein völkerrechtlicher Vertrag und stellt begleitendes Europarecht dar, da er sich auf einen Sachverhalt des EU-Rechts bezieht. Gegenwärtig hat dieser Pakt 25 Vertragsparteien (von den EU-Staaten gehören diesem Großbritannien, Tschechien und Kroatien nicht an).

Der Fiskalpakt hat folgenden Inhalt:
– die Einführung einer verstärkten Haushaltsdisziplin;
– die Stärkung der wirtschaftspolitischen Koordinierung und Konvergenz;
– die Schaffung neuer Formen zur Steuerung des Euro-Währungsgebietes.

Hatte noch der Stabilitäts- und Wachstumspakt (SWP) aus 1997 die Erreichung eines „ausgeglichenen oder annähernd ausgeglichenen Haushalts" vorgeschrieben, so wird mit dem Fiskalpakt ein „ausgeglichener oder einen Überschuss aufweisender Haushalt angestrebt".

Die **Defizit-Kriterien von Maastricht** (maximal 3% Haushaltsdefizit, maximaler Schuldenstand von 60%, beide Kennzahlen gemessen am BIP) werden **verschärft** und in der Anwendung operationalisiert. Nunmehr ist nämlich im „länderspezifischen mittelfristigen Ziel" allein ein **strukturelles Haushaltsdefizit von 0,5% des BIP** zulässig. Nur wenn der Gesamtschuldenstand deutlich unter 60% des BIP liegt, kann sich das Defizit in dem vom SWP gesetzten Rahmen von 1% bewegen.

Das vom SWP gesetzte jährliche Limit von 3% Haushaltsdefizit (konjunkturell unbereinigt) wird damit zu einer eher theoretischen Größe.

Der Fiskalpakt wiederholt die sich bereits aus dem „Six-Pack" ergebende Verpflichtung, **den über 60% des BIP hinausgehenden Schuldenstand jährlich um 5% zu verringern**.

Zudem enthält der Fiskalpakt die Verpflichtung für die Vertragsparteien, dass die **Stabilitätskriterien nach Art. 3 Abs. 1** des Paktes (verstärktes Defizitkriterium und Schuldenstandskriterium) **in qualifizierter Form in den jeweiligen Rechtsordnungen zu verankern** sind. Die ursprünglich insbesondere von Deutschland erhobene Forderung, diese „goldene Bilanzregel" in das Verfassungsrecht der MS einzufügen, musste fallen gelassen werden, da dies rechtstechnisch nicht in allen MS möglich gewesen wäre. Italien hat aber auf jeden Fall diesem erhöhten

[213] Vgl. dazu im Detail Hilpold, Hilpold/Steinmair (Hrsg.), 2014.

Anspruch Genüge getan. Es ist auch ein spezielles Vertragsverletzungsverfahren vorgesehen, in dessen Rahmen geprüft werden kann, ob die einzelnen MS ihrer Umsetzungsverpflichtung gemäß Art. 3 Abs. 1 nachgekommen sind (nicht jedoch, ob diese Bilanzregel auch tatsächlich eingehalten wird).

Was die wirtschaftspolitische Koordinierung, Kohärenz und Steuerung des Euro-Währungsgebietes anbelangt, wird ein **Euro-Gipfel** eingerichtet, der aus den Staats- und Regierungschefs der Euro-Staaten und dem Präsidenten der Kommission und bei Bedarf – mindestens aber zweimal jährlich – zusammentritt.

Mit **G 243 v. 24.12.2012** werden diese Vorgaben, wie erwähnt, **im Detail umgesetzt**, insbesondere was den **Haushaltsausgleich** anbelangt. Eine Neuverschuldung ist nur bei außergewöhnlichen Ereignissen zulässig, wozu eine schwere Finanzkrise, eine schwere Wirtschaftskrise sowie außerordentliche Naturereignisse zählen.

Mit **G 196 v. 31.12.2009** ***(„Legge di contabilità e finanza pubblica")*** wurde das öffentliche Rechnungswesen grundlegend reformiert. Eine weitere Reform erfolgte mit G 243 v. 24.12.2012 („disposizioni per l'attuazione del pareggio di bilancio"). Im Besonderen ersetzt ab 2010 das Stabilitätsgesetz *(„legge di stabilità")* das Haushaltsrahmengesetz *(„legge finanziaria")*.

Nunmehr ist auch das sog. **„Europäische Semester"** zu beachten. Unter dem „Europäischen Semester" versteht man das erste Halbjahr eines jeden Kalenderjahres, das der Überwachung und Koordinierung der mitgliedstaatlichen Haushaltspolitik nach Maßgabe von EU-Vorgaben dienen soll.[214] Damit soll nicht nur rechtzeitig eine übermäßige Verschuldung erkannt werden, sondern auch sichergestellt werden, dass die „Europa 2020"-Strategie eine wirksame Umsetzung erfährt.[215] Das erste „Europäische Semester" begann am 1.1.2011 und wird seitdem regelmäßig durchgeführt.

4.2.4 Das neue Haushaltsgesetz als Gesetz im materiellen Sinne

Art. 81 enthält nun nicht mehr die frühere Bestimmung in Art. 81 Abs. 3, wonach mit dem Haushaltsgesetz keine neuen Ausgaben eingeführt werden können. Das Durchführungsgesetz Nr. 243 v. 24.12.2012 trägt dem in Art. 15 Rechnung:

Das 2010 eingeführte **Stabilitätsgesetz** (das das Haushaltsrahmengesetz, die *legge finanziaria* ablöst) wird nun **unmittelbar in das Haushaltsgesetz eingebaut**, das jetzt aus **zwei Teilen** besteht:

- **dem Stabilitätsgesetz und**
- **dem Haushaltsgesetz i.e.S.**

Das **Stabilitätsgesetz** enthält den **Finanzierungssaldo** sowie die **gesetzlichen Änderungen** und die **maximale Nettoneuverschuldung**, die zur Finanzierung dieses Saldos erforderlich sind. Die Befürchtungen, die in der Vergangenheit den Gesetzgeber veranlassten, das Haushaltsgesetz als Gesetz im formellen Sinne zu konzipieren und die den erwähnten Beschränkungen für das Haushaltsrahmen-

[214] Vgl. Hilpold, in: Hilpold/Steinmair (Hrsg.), 2014, 55.
[215] Ibid.

gesetz zugrunde lagen, sind nun nicht mehr aufrecht: Die EU setzt über den reformierten SWP sowie über den Fiskalpakt derart restriktive Beschränkungen für Defizit und Neuverschuldung, dass die internen (verfassungsrechtlichen und einfachgesetzlichen) Beschränkungen, die sich in der Vergangenheit ohnehin als weitgehend wirkungslos erwiesen haben, auch außer Kraft gesetzt werden konnten.

Das Stabilitätsgesetz darf – wie zuletzt das Haushaltsrahmengesetz – **keine Ermächtigung** zu **grundlegenden Gesetzesreformen** oder **organisatorischen Reformen** enthalten und auch keine **Maßnahmen von reiner lokaler oder mikrosektorieller Ebene** vorsehen.[216]

Die mehrjährige Haushaltsplanung ist auf drei Jahre angelegt. Der **kurzfristigen Haushaltsplanung** dient der „Wirtschafts- und Finanzplan" ***(„Documento di economia e finanza" DEF)***, der vom Wirtschafts- und Finanzminister bis zum **10. April** dem Parlament vorzulegen ist sowie der „Allgemeine Bericht über die wirtschaftliche Lage des Staates" *(„Relazione generale sulla situazione economica dello Stato").* Bis zum 20. September folgt die Ajournierung zum DEF („*Nota di aggiornamento del DEF*").

4.2.5 Haushaltskonsolidierung als Aufgabe des Gesamtstaates: Die Reform der Artikel 97, 117 und 119 der Verfassung

Mit dem Verfassungsgesetz 1/2012 wurde die öffentliche Verwaltung umfassend in die Stabilisierungsverpflichtung eingebunden. Konkret enthält nun **Art. 97 Abs. 1** der Verfassung folgende Bestimmung:

„Le pubbliche amministrazioni, in coerenza con l'ordinamento dell'Unione europea, assicurano l'equilibrio dei bilanci e la sostenibilità del debito pubblico."

Damit gelten die Verpflichtung des **Haushaltsausgleichs** und der **Tragfähigkeit des Schuldenstandes** nicht nur für den Zentralstaat, sondern für die **öffentliche Verwaltung aller Ebenen**. Explizit erfolgt auch eine Rückbindung an die EU, da von dieser maßgebliche Impulse für die Haushaltsdisziplin der MS ausgehen.

Eine Änderung hat auch **Art. 117** der Verfassung über die Kompetenzverteilung zwischen Staat und Region erfahren: Die **Harmonisierung der Haushalte** fällt nun nicht mehr in die konkurrierende Zuständigkeit Staat/Region, sondern in die **ausschließliche des Staates**, wodurch wiederum eine größere Haushaltsdisziplin auf allen Ebenen erreicht werden soll.

Art. 119 der Verfassung, der die **Finanzautonomie** der Gemeinden, der Provinzen, der Metropolstädte und der Regionen bekräftigt, wird eine Wendung hinzugefügt, wonach diese Autonomie „unter **Beachtung des Haushaltsausgleichs**" auszuüben sei und zudem wird auf die Verpflichtung dieser Gebietskörperschaften verwiesen, daran mitzuwirken, dass die von der EU vorgegebenen **wirtschaftlichen und finanziellen Verpflichtungen eingehalten** werden.

---

[216] Art. 15 Abs. 2, 2. Satz: „Non possono essere previste norme di delega, di carattere ordinamentale o organizzatorio, nè interventi di natura localistica o microsettoriale."

Insgesamt verweisen diese Reformen somit auf eine **umfassende Solidaritäts- und Kooperationsverpflichtung** aller Verwaltungsebenen des Staates. Der **Steuerföderalismus darf nicht zu einer Verletzung der von der EU vorgegebenen Stabilitätsverpflichtung führen**.

Nach angloamerikanischem Vorbild wurde eine *„spending review"* eingeführt, nach welcher die Ausgaben einer systematischen Kontrolle unterzogen werden sollen, wobei auf der Grundlage umfassender statistischer Erhebungen Standardkosten definiert werden, die dem Finanzbedarf der Verwaltung auf allen Ebenen zugrunde gelegt werden. Diese „spending review" wurde kontinuierlich erweitert und verfeinert. Es wurden **„Ausgabenanalyse und -bewertungszentren"** ***(„nuclei di analisi e valutazione della spesa")*** eingerichtet und diese Kontrollverfahren betreffen nun auch das öffentliche Beschaffungswesen. Auch auf dezentraler Ebene werden nun entsprechende Kontrollen durchgeführt.

Eng damit zusammen hängt das Konzept des **„internen Stabilitätspakts"** (im Unterschied zum externen, der auf EU-Ebene greift).[217]

Der SWP der EU stammt aus dem Jahr 1997. Auf nationaler Ebene wurde rasch erkannt, dass die Einhaltung der daraus resultierenden Verpflichtungen nur im Falle der Kooperation der nachgelagerten Körperschaften möglich ist. Dazu wurde schon im Jahr 1999 ein „interner Stabilitätspakt" geschaffen, dessen Anwendungsbereich laufend erweitert wurde und der gegenwärtig Anwendung findet auf:

– Gemeinden mit mehr als 1.000 Einwohnern, Gemeindeverbände, In-House-Gesellschaften;
– alle Provinzen;
– die Regionen und die autonomen Provinzen.

Abschnitt IV des Verfassungsgesetzes Nr. 1/2012 sowie der mit diesem Gesetz abgeänderte Art. 119 der Verfassung binden nun die Regionen, die autonomen Provinzen sowie die lokalen Körperschaften explizit in die Stabilitätsverpflichtung ein (Verpflichtung zum ausgeglichenen Haushalt, Tragfähigkeit des Schuldenstandes) und verleihen dem internen Stabilitätspakt damit verfassungsrechtliche Relevanz.

Die **konkreten Vorgaben** des internen Stabilitätspaktes werden mit dem **Stabilitätsgesetz** auf einfachgesetzlicher Basis bestimmt. Für die Regionen und die autonomen Provinzen beziehen sich die Vorgaben auf den Endbetrag des Ausgabenvolumens, das nur mehr zu einem bestimmten Prozentsatz wachsen darf bzw. reduziert werden muss, damit der Staat seinen Gesamtverpflichtungen im Bereich Schuldenabbau und Stabilität nachkommen kann. Generell sind die Vorgaben des Staates in den Stabilitätsgesetzen immer detaillierter geworden: So sind Ausgabenbeschränkungen (prozentueller Natur bzw. Ausgabenobergrenzen) eingeführt worden bzw. Beschränkungen in Bezug auf einzelne Ausgabenpositionen.[218]

[217] Vgl. dazu ausführlich das Dokument der italienischen Abgeordnetenkammer „Disciplina del patto di stabilità delle regioni e delle province autonome per il 2013", http://www.camera.it/Camera/browse/561?appro=445&Disciplina+del+patto+di+stabilit%C3%A0+delle+regioni+e+delle+province+autonome+per+il+2013-approList (11. April 2014).

[218] Vgl. Guella, 2013, 593.

Auf der Grundlage der Abänderung des Art. 119 der Verfassung durch das Verfassungsgesetz Nr. 1/2012 kommt dem internen Stabilitätspakt nunmehr verfassungsrechtliche Relevanz zu.

Die **Nichteinhaltung der Vorgaben** aus dem internen Stabilitätspakt ist mit **Sanktionen** verbunden.

So hat die betreffende Körperschaft Strafzahlungen zu leisten, die Zuwendungen an die Verwalter werden reduziert und es kommt zu einem Aufnahmestopp.[219]

Umgekehrt werden bei der Verteilung der Lasten aus dem internen Stabilitätspakt aber auch sog. **„Kriterien der Tugendhaftigkeit“** ***(„criteri di virtuosità“)*** berücksichtigt: Jene Körperschaften, die in besonderem Maße zur Stabilisierung der Staatsfinanzen beitragen, sollen auch entsprechend entlastet werden.

Für die autonomen Regionen und Provinzen enthalten die Absätze 454 und 455 des einzigen Artikels des Stabilitätsgesetzes 2013 einen Berechnungsmodus für die vorzunehmenden Einsparungsmaßnahmen sowie eine Akkordierungsverpflichtung.

5. Steuerföderalismus *(fiscal federalism, federalismo fiscale)*

Literatur: Oates, An Essay on Fiscal Federalism, 37 Journal of Economic Literature 1999, 1120; Pennetta, Il federalismo fiscale, 2010; Murrer, Il federalismo fiscale, 2011; Baldi, Regioni a statuto speciale e federalismo fiscale: un'analisi comparata, in: 23 IstFed 2012, 245; Domorenok, La Provincia autonoma di Bolzano. Tendenze e criticità nel consolidamento dell'autonomia fiscale, in: 23 IstFed 2012, 63; Uricchio (Hrsg.), I percorsi del federalismo fiscale, 2012; Palermo/Parolari/Valdesalici (Hrsg.), Federalismo Fiscale e Autonomie Territoriali: Lo Stato dell'Arte nell'Euregio Tirolo – Alto Adige/Südtirol – Trentino, 2013

5.1 Das Konzept des Steuerföderalismus

Das Konzept des Steuerföderalismus wurde vom US-amerikanischen Finanzwissenschaftler **Richard Musgrave** geprägt, der darunter die Frage behandelte, **wie in einem Staatsverband Aufgaben zwischen der zentralen Ebene und den lokalen Einheiten verteilt werden sollen und wie die entsprechende Finanzierung erfolgen sollte**. Im Hintergrund steht somit die Idee, dass Föderalismus und Subsidiarität grundsätzlich erstrebenswert sind. Demzufolge ist die Diskussion über den Steuerföderalismus insbesondere in den Staaten gepflegt worden, in welchen ein föderaler Staatsaufbau gegeben war. In Deutschland läuft diese Diskussion primär unter dem Titel **„Finanzausgleich“**. Geprägt von den jeweiligen nationalen Erfahrungen und Traditionen werden dem Begriff des Steuerföderalismus stark divergierende Bedeutungen zugemessen. So wird einmal zwischen **kompetitiven** und **solidarischen Förderalismusentwürfen** unterschieden. Das erstgenannte

[219] Art. 7 EV 149/2011.

Konzept ist das ältere und typisch für den angloamerikanischen Raum, während sich solidarische Föderalismusvorstellungen insbesondere in Kontinentaleuropa herausbildeten. Der kompetitive Föderalismus geht von der Vorstellung aus, dass ein Wettbewerb zwischen verschiedenen Regionen in einem Staatswesen zur Optimierung beim Angebot öffentlicher Leistungen und – korrespondierend – im Abgabenbereich führt. Der solidarische Föderalismus strebt dagegen nach einem Wohlstandsausgleich zwischen verschiedenen Regionen eines Staates.

Prägnanter Ausdruck gegeben wurde dem Modell des kompetitiven Föderalismus durch die Arbeiten von **Charles Tiebout (1956)**[220]. Danach kann eine Volkswirtschaft mit vielen (unzählig vielen?) Gemeinden, die jeweils selbst über den idealen Mix öffentlicher Güter und Steuern entscheiden können, ein Allokations- und Wohlstandsoptimum erreichen. Das Tiebout-Modell ist allerdings mehr ein abstraktes Denkmodell als ein unmittelbar umsetzbarer Ansatz, da die zugrunde liegenden Annahmen sehr einschränkend und in der Praxis nicht verwirklichbar sind:

– So wird von einem rationalen, vollständig mobilen Bürger ausgegangen, der zur Nutzenoptimierung bereit ist, jederzeit seinen Wohnsitz zu ändern.

– Dieser Nutzen wird allein an ökonomischen Kriterien gemessen; von persönlichen und affektiven Bindungen wird abstrahiert.

– Die Kosten der Mobilität sind gleich Null und der Bürger verfügt über vollständige Information.

– Die Gemeinden reagieren sofort und punktgenau auf Nachfrageänderungen; die Transaktionskosten sind gleich Null.

– Angesichts der unüberschaubaren Zahl an Präferenzsituationen müsste es eine sehr große Anzahl an Gemeinden geben – möglicherweise sogar unendlich viele.

In **Kontinentaleuropa** überwiegt – wie erwähnt – das **solidarische Föderalismusmodell**, auf dessen Grundlage nicht Nutzenmaximierung im Allokationsprozess, sondern weitgehende Gleichheit durch Umverteilung (deshalb auch der Name „Finanzausgleich" für Steuerföderalismus in Deutschland) angestrebt wird. Insbesondere diese Form des Steuerföderalismus weist eine horizontale (Finanzausgleich zwischen einzelnen Gebietskörperschaften) und eine vertikale (Finanzausgleich zwischen der zentralen Ebene und der Peripherie) Dimension auf.

5.2 Steuerföderalismus in Italien

Trotz einer gewissen Aufwertung der Regionen **bleibt Italien nach wie vor ein primär zentralistisch strukturierter Staat**. Jene Maßnahmen, die bislang unter der Bezeichnung **„Steuerföderalismus"** liefen, sind damit eigentlich **eher Dezentralisierungsinitiativen**. Rein rechtlich gilt die Steuerautonomie für die Regionen, die Provinzen, die Metropolstädte und die Gemeinden (Art. 119 der Verfassung) Für den Zentralstaat war jedoch bislang die **Region der primäre Bezugspunkt** für

[220] Tiebout, A Pure Theory of Local Expenditures, 64 The Journal of Political Economy, 64 1956, 416.

die Verwirklichung dieser Autonomie. Da sich in Italien aber historisch Identitäten sehr stark an lokalen Einrichtungen (Gemeinden, Städte) orientieren, stieß diese Form des Föderalismus auf zusätzliche Akzeptanzprobleme.

Die in Italien realisierten Ansätze für einen Steuerföderalismus waren vielfach gekennzeichnet von **Zuweisungen ohne Ausgabenkontrolle und ohne lokale Verantwortung für die Bekämpfung der Steuerhinterziehung**, woraus Misswirtschaft, Korruption und eine explodierende Staatsverschuldung resultierten. Die jüngsten Ansätze für die Verwirklichung eines neuen Steuerföderalismus versuchen, diese Fehler der Vergangenheit zu vermeiden.

Zum Zeitpunkt der Einigung Italiens verfügten die italienischen Gemeinden und Provinzen über eine gewisse Abgabenhoheit, um ihren vielfältigen Aufgaben bei der Erbringung öffentlicher Aufgaben gerecht zu werden, doch wurde diese zusehends eingeschränkt.[221]

Das föderale Staatsorganisationsmodell hätte in Italien durchaus Vordenker und Verfechter gefunden (bspw. Carlo Cattaneo oder Vincenzo Gioberti), doch wurde letztlich das genau entgegen gesetzte Modell gewählt, nämlich jenes des zentralistischen Einheitsstaates nach französischem Vorbild.

Die verbliebenen lokalen Abgaben waren zu einem erheblichen Teil **mittelalterliche Relikte**, die sich zunehmend als Hindernisse für Handel und Verkehr in einer zusammen wachsenden Volkswirtschaft erwiesen. Auch im 20. Jahrhundert standen lange Zeit entscheidende Ereignisse einer Föderalisierung des Steuersystems entgegen:

- die beiden Weltkriege mit ihrem enormen Finanzmittelbedarf;
- die autoritäre Staatsphilosophie bis 1943/1945;
- das Ansinnen ab 1945, einen modernen, demokratischen Nationalstaat aufzubauen, in dem Lokalismen keinen Platz mehr haben sollten.

Wie eingangs gezeigt, **hinkte die Adaptierung des Steuersystems der Modernisierung des Staatswesens als Ganzes erheblich nach**. Die große Steuerreform, die mit dem G 825/1971 eingeleitet und in deren Rahmen ein beachtlicher Teil der lokalen Abgaben außer Kraft gesetzt worden ist,[222] wurde zu einem Zeitpunkt umgesetzt, als gerade die Ölkrise zu einem schweren strukturellen Umbruch in der italienischen Volkswirtschaft führte und nachfolgend die Grenzen des zentralistischen Systems aufzeigte. Den Gemeinden wurden auch nahezu alle Aufgaben im Bereich der Steuerfeststellung und -kontrolle entzogen, wodurch die Steuerhinterziehung weiter gefördert wurde. Die Gemeinde wurde weitgehend zum bloßen Empfänger von zentralen Überweisungen nach Maßgabe der Kosten der Vergangenheit *(costi storici),* wodurch jede lokale Verantwortung für Einnahmen und Ausgaben entfiel.

[221] Murrer, 2011, 27.

[222] Zwar wurden gleichzeitig neue Abgaben eingeführt, deren Aufkommen den Gemeinden zustehen sollte, doch blieb deren Ertrag hinter den Erwartungen zurück. Einzig die Gemeindewertzuwachsteuer INVIM wies ein gewisses Aufkommen auf. Die lokale Einkommensteuer ILOR blieb trotz ihrer Benennung eine zentrale, staatliche Steuer, deren Aufkommen zuerst überwiegend und schließlich gänzlich dem Staat zufloss.

Erst mit der Einführung der ICI (EV 504/1992) und mit der gezielten Einbindung in die Steuerfahndung (gleichlaufend mit der Beteiligung an den Ergebnissen dieser Fahndung) ab 2011 wurde hier ein klarer Schritt in die Gegenrichtung gesetzt. Später folgte noch die Zuerkennung von Anteilen an der Einkommensteuer sowie an der IRAP (wobei die letztgenannte Regelung aber wieder aufgehoben wurde).

Die Bemühungen ab 1945, erste Formen des Steuerföderalismus in Italien einzuführen, konzentrierten sich auf die **Region**, wobei zwischen zwei Arten von Regionen zu unterscheiden ist: jene mit Sonderstatut und jene mit Normalstatut.

Die **Regionen mit Sonderstatut** Aostatal, Friaul-Julisch-Venetien, Sardinien, Sizilien und Trentino-Südtirol erhielten schon sehr früh Zuständigkeiten im steuerrechtlichen Bereich und wurden mit einer gewissen Finanzautonomie ausgestattet (System von Zuweisungen und Beteiligung an staatlichen Einnahmen). Diese Regelungen sind nur begrenzt vergleichbar: Man spricht hier auch von „Diversität in der Diversität" *(diversità nella diversità).* Von Anfang an sehr weitreichend war die Finanzautonomie der Region Sizilien nach Maßgabe des Autonomiestatuts aus 1946, während jene der Region Sardinien auf der Grundlage des Statuts aus 1948 weniger großzügig gestaltet war. In beiden Regionen kam aber die Problematik des *„Mezzogiorno"* voll zum Tragen und sie bleiben in hohem Maße von staatlichen Zuwendungen abhängig. Relativ bescheiden ausgeprägt war die Finanzautonomie der Region Friaul-Julisch-Venetien, deren Sonderstatut aus dem Jahr 1963 stammt und somit aus einer Zeit, in welcher der Autonomiegedanke nicht *en vogue* war. Eine kontinuierliche Fortentwicklung erfuhr dagegen die Finanzautonomie des Aostatals sowie jene der Provinzen Bozen und Trient, auf welche weiter unten gesondert einzugehen sein wird.

Für die **Regionen mit Normalstatut** ließ die Gewährung einer Finanzautonomie hingegen lange auf sich warten, da diese Regionen, obwohl von der Verfassung vorgesehen, erst 1970 mit G 281 eingerichtet worden sind. Dieses Gesetz wies den Regionen mit Normalstaat verschiedene Abgaben zu, so:

- die regionalen Konzessionsgebühren;
- die regionale Kfz-Steuer;
- die Gebühr für die Besetzung öffentlicher Flächen;
- die Umschreibegebühren in Bezug auf das Automobilregister;
- die Verbrauchsabgabe auf Methangas und
- die Benzinsteuer.

Das **Aufkommen dieser Steuern** war aber nur **bescheiden**, und diese Regelung erwies sich angesichts eines sich rasch ändernden Gesamtkontextes bald als völlig unzureichend. Nicht nur hatte die Steuerreform des Jahres 1971 eine Schwerpunktverlagerung hin zu zwei staatlichen Steuern (Einkommensteuern und MwSt) vorgenommen, sondern den Regionen wurden in der Folge auch weitere Zuständigkeiten übertragen (insbesondere durch DPR 616/1977), so dass sich die erwähnten regionalen Abgaben als völlig unzureichend erweisen mussten, um all diesen Aufgaben gerecht zu werden. Damit mussten die Regionen primär mit staatlichen

Zuweisungen finanziert werden, über deren Höhe bald Streit zwischen den Regionen und dem Zentralstaat sowie auch zwischen den einzelnen Regionen aufkam. Das Hauptproblem lag, wie bereits erwähnt, darin, einen gerechten Schlüssel zu finden. Die rechnerisch einfachste Lösung, auf welche zuerst auch tatsächlich zurückgegriffen wurden, nämlich die Fortschreibung der Kosten der Vergangenheit, förderte die Misswirtschaft und honorierte in keiner Weise innovative Vorhaben, Kostensenkungsprogramme sowie Maßnahmen zur Effizienzsteigerung.

Mit EV 56/2000 erfolgte schließlich eine Neustrukturierung der Regionalfinanzen, wobei die **staatlichen Zuwendungen gestrichen** und stattdessen eine **Beteiligung der Regionen an den staatlichen Steuern sowie ein nationaler Ausgleichsfonds** ***(fondo perequativo nazionale)*** eingeführt wurden.[223] Über die Verteilung der Mittel aus diesem Fonds entstand aber bald Streit, so dass dieser Fonds schließlich gestrichen werden musste.

Mit dem **Verfassungsgesetz Nr. 3 v. 18. Oktober 2001** wurde ein mutiger **Schritt in Richtung Föderalisierung** Italiens getan. Folgende Neuerungen sind in diesem Zusammenhang hervorzuheben:

– In **Art. 117** der Verfassung werden die ausschließlichen staatlichen Kompetenzen abschließend aufgezählt. Gemäß lit e) gehören dazu auch das „Steuersystem des Staates" sowie der „Finanzausgleich". Detailliert aufgezählt werden auch die konkurrierenden Kompetenzbereiche, für welche die Regionen zuständig sind, doch kann der Staat in diesen Bereichen wesentliche Grundsätze festlegen, die von den Regionen zu beachten sind. Für alle anderen Bereiche verfügen die Regionen über die ausschließliche Gesetzgebungsbefugnis.

– **Art. 118** der Verfassung regelt eine weitgehende Dezentralisierung der Verwaltungsbefugnisse und verweist dabei u.a. auf den Grundsatz der **Subsidiarität**.

– **Art. 119** der Verfassung wird zum **Grundbaustein des italienischen Steuerföderalismus**:

„Gemeinden, Provinzen, Großstädte mit besonderem Status und Regionen besitzen eigene Einnahmequellen. Sie erheben eigene Steuern und Einnahmen in Übereinstimmung mit der Verfassung und gemäß den Prinzipien der Koordinierung der öffentlichen Finanzen und des Steuersystems. Sie sind an den Einnahmen aus den Staatssteuern beteiligt, die sich auf ihr Gebiet beziehen.

Das Staatsgesetz führt für Gebiete mit geringerer Steuerkraft pro Einwohner einen Ausgleichsfonds ohne Zweckbindung ein.

Die aus den in den vorstehenden Absätzen genannten Einnahmequellen erwachsenden Mittel geben Gemeinden, Provinzen, Großstädten mit besonderem Status und Regionen die Möglichkeit, die ihnen zugewiesenen öffentlichen Befugnisse zur Gänze zu finanzieren.

…"

Auf der Grundlage von Art. 119 der Verfassung ist somit den territorialen Gebietskörperschaften eine **eigene Besteuerungsbefugnis** zuerkannt worden (die aller-

[223] Pennetta, 2010, 34.

dings nicht nur in Übereinstimmung mit der Verfassung, sondern auch **in Einklang mit den „Prinzipien der Koordinierung der öffentlichen Finanzen und des Steuersystems"** ausgeübt werden muss) und zudem werden sie **an den staatlichen Steuereinnahmen beteiligt**. Schließlich ist noch ein **Ausgleichsfonds** vorgesehen.

Wie oben gezeigt, wurde die Einführung des Steuerföderalismus mit parallelen Verpflichtungen zur Verwirklichung gesamtstaatlicher Stabilität verbunden.

In der Literatur wurde vielfach bemängelt, dass Art. 119 wenig konkret in Bezug auf das gewählte Modell des Steuerföderalismus sei und dass insbesondere das Gebot der Koordinierung mit dem staatlichen Finanz- und Steuersystem den Gestaltungsspielraum erheblich einschränke. Die **Festlegung dieses Koordinierungsrahmens** ließ lange auf sich warten: Dies geschah erst mit dem **Gesetz 42/2009** ***„Delega al Governo in materia di federalismo fiscale in attuazione dell'articolo 119 della Costituzione"***. Es handelt sich dabei um ein Ermächtigungsgesetz gemäß Art. 76 der Verfassung, auf dessen Grundlage bereits mehrere Ermächtigungsverordnungen ergangen sind.

Von zentraler Bedeutung ist der Wechsel vom Ansatz der „historischen Kosten" zu den **„Standardkosten" bei der Finanzierung der – essentiellen – Regionalausgaben**. Gemäß dem historischen Kostenansatz wurden, wie gezeigt, die Kosten der Vergangenheit einfach fortgeschrieben, wodurch es in verschiedenen Regionen zu einer wahren Kostenexplosion kam, ohne dass die zuständigen Verwalter bereit waren, die diesbezügliche Verantwortung zu übernehmen. Nach dem Ansatz der Standardkosten werden hingegen italienweit für essentielle Leistungen im Zuständigkeitsbereich der Regionen Kosten festgelegt, die die Erbringung dieser Leistungen nach Maßgabe der Grundsätze der Effizienz und Angemessenheit erlauben sollen. Zu den essentiellen Dienstleistungen zählen **Gesundheitswesen, Fürsorge und Bildung** (soweit sich diese auf das Grundrecht auf Bildung beziehen). Fallen in einzelnen Regionen höhere Aufwendungen an, so greift hier nicht der Grundsatz der gesamtstaatlichen Solidarität, sondern die zusätzlichen Mittel sind lokal aufzubringen. Die **Erbringung der essentiellen Dienstleistungen muss für alle Regionen garantiert werden**. Wenn die Regionalabgaben und die Beteiligung an den staatlichen Abgaben dafür nicht ausreichen sollten, so erfolgen entsprechende Zuwendungen über den Ausgleichsfonds. Für die **nicht essentiellen Leistungen** besteht hingegen **keine derartige Garantie** und der Teil der entsprechenden Aufwendungen, der bislang über staatliche Zuwendungen finanziert worden ist, ist nunmehr durch **IRPEF-Zuschläge** abzudecken, wodurch auch die politische Verantwortung der Verwalter gestärkt werden sollte.

Das EG 42/2009 findet **überwiegend nur auf die Regionen mit Normalstatut Anwendung**. Einzig und allein die Bestimmungen in den Artikeln 15, 22 und 27 gelten auch für die Regionen mit Sonderstatut. Dabei ist insbesondere **Art. 27** hervorzuheben, wonach auch die Regionen mit Sonderstatut zu **Finanzausgleich** und **Solidarität** sowie dem **„internen Stabilitätspakt"** verpflichtet seien, wobei die jeweiligen Kriterien und Verfahren mit Durchführungsbestimmungen zu den jeweiligen Statuten zu definieren seien. Zwischen dem Zentralstaat und den Regionen mit Sonderstatut sind somit jeweils **bilaterale Abkommen** zu schließen, in deren Rahmen auf die finanzielle Ausstattung der jeweiligen Region, auf ihre Besonderheiten und auf ihre Entwicklungsperspektiven Bezug zu nehmen ist.[224]

Während für die Regionen mit Normalstatut bereits mehrere Durchführungsdekrete zum EG 42/2009 ergangen sind, wurden mit den Regionen jeweils die erwähnten bilateralen Abkommen geschlossen, die durchwegs die Finanzautonomie der jeweiligen Regionen stärkten und gleichzeitig die Solidarverpflichtungen der jeweiligen Region konkretisierten. Insgesamt hatten die **Regionen mit Sonderstatut** auf dieser Grundlage durchgehend **Einnahmeneinbußen** zu erleiden, doch wurden **gleichzeitig auch ihre autonomen Kompetenzen gefestigt**. Die Finanzkrise des Zentralstaates hat damit im Endergebnis den Dezentralisierungs- und Föderalisierungsprozess beschleunigt.

5.3 Das „Mailänder Abkommen", das Finanzabkommen v. Oktober 2014 und die aktuelle Situation der Südtiroler Finanzautonomie

Das bilaterale Abkommen, das mit den Provinzen Bozen und Trient im November 2009 auf der Grundlage von Art. 27 des EG 42/2009 geschlossen worden ist, trägt die Bezeichnung **„Mailänder Abkommen"**. Durch dieses Abkommen sollte die **Südtiroler Finanzautonomie** in vielerlei Hinsicht **gestärkt werden**: So **verbleiben** nun bei nahezu allen in Südtirol eingehobenen Steuern (bzw. der Steuern, die sich auf das Territorium der Provinz Bozen beziehen) **9/10** im Lande.[225] Zudem wurden die Zuwendungen für die Übernahme bestimmter staatlicher Aufgaben erhöht (so für Schule, Straßen und Motorisierung). Andererseits wurden aber auch bestimmte Zuwendungen gestrichen, das Land Südtirol verpflichtete sich, neue Aufgaben ohne staatlichen Ausgleich zu übernehmen (Finanzierung des Konservatoriums „Monteverdi", der Rundfunkanstalt RAI Südtirol, der Bibliothek der Universität Bozen u.a.) und Zuwendungen zugunsten von benachteiligten Gemeinden in Grenzregionen zu tätigen. **Per Saldo verlor die Provinz Bozen 434 Mio €**, die Provinz Trient 100 Mio € und dennoch wurde das Mailändern Abkommen grundsätzlich als **Errungenschaft** gesehen, da die Südtiroler Finanzautonomie damit als abgesichert betrachtet worden ist und gleichzeitig die unausweichlichen Pflichten der Solidarität in einem erträglichen Rahmen konkretisiert werden konnten.[226]

---

[224] Vgl. auch Baldi, 2012, 267.

[225] Bei der Steuer auf die elektrische Energie sind es 10/10, bei der MwSt 7/10. Hinzugekommen ist die Beteiligung an den Abgaben auf Heizöl, auf Versicherungen und Glücksspiele, der Sanitätszuschlag auf Autoversicherungen, die Mehrwertsteuer auf Importe, die Gesellschaftsteuer IRES und die Steuer auf Finanzgewinne. Noch ausgeprägter ist allerdings die Finanzautonomie des Aostatals: Dieses darf einen Großteil der betreffenden Steuern zu 100% behalten.

[226] Vgl. zum Ganzen Baldi, 2012, 272 sowie Domorenok, 2012, 63 ff.

Tatsächlich **hielt sich die Zentralregierung** aber **nicht an dieses Abkommen** und behielt 800 Mio € ein, wobei häufig mit dem außergewöhnlichen Finanzbedarf des Gesamtstaates aufgrund der Wirtschafts- und Finanzkrise argumentiert wurde. Die Beschneidung der Finanzautonomie wurde deshalb von der Südtiroler Landesregierung vor dem Verfassungsgerichtshof angefochten. **Im Oktober 2014** konnte schließlich ein **neues Abkommen mit Rom** erzielt werden, das zwar auf dem Mailänder Abkommen beruht, auf dessen Grundlage der **Beitrag Südtirols zum Schuldenabbau Italiens** aber **auf 476 Mio € reduziert** wurde. 100 Mio € muss Südtirol für Nachbargemeinden und für die Übernahme neuer Kompetenzen bereit stellen. Außerdem musste Südtirol die vor dem Verfassungsgerichtshof behängenden **Klagen zurücknehmen**. Im Gegenzug wurde das **Steuerüberweisungssystem umgekehrt**: Südtirol überweist den Staatsanteil der Steuern nach Rom, während in der Vergangenheit der Gesamtbetrag zuerst nach Rom geflossen ist und Südtirol in der Folge (und regelmäßig mit großer Verspätung) seinen Anteil aus Rom überwiesen erhalten hat. Zudem wurde dieses Finanzabkommen durch einen **Briefwechsel** zwischen Rom und Wien **völkerrechtlich abgesichert**, was für eine Finanzautonomie international ein Novum darstellt.

Was die Einführung **eigener Steuern** ***(tributi propri)*** anbelangt, so hätte das Land Südtirol seit 1989 die konkrete Möglichkeit dazu (Art. 65 des Südtiroler Autonomiestatuts), doch ist diese Befugnis an die Bedingung gebunden, dass gleichzeitig die Prinzipien des italienischen Steuersystems und die jeweiligen Kompetenzen beachtet werden.[227] Aufgrund dieser Restriktionen wird die Finanzautonomie deshalb in diesem Bereich im Wesentlichen durch sog. **„abgeleitete eigene Steuern“** ***(tributi propri derivati)*** umgesetzt. Dabei handelt es sich um **staatliche Steuern**, die **auf Landesebene** in Bezug auf den Steuertarif oder die Einführung von Befreiungen und Steuerabsetzbeträgen **adaptiert** werden können.[228] Besonders ins Gewicht fallen dabei die **Kfz-Steuer** sowie die **Landesregelungen zur IRAP und zum Einkommensteuerzuschlag** (IRPEF-Zuschlag). Auf dieser Grundlage beginnt die Landesregierung nun, Ansätze für eine **eigene Sozial- und Wirtschaftspolitik über das steuerrechtliche Instrumentarium** zu betreiben (Steuerbefreiungen bzw. -begünstigungen für Einkommensschwache, Senkung der IRAP-Belastung).

6. Die Charta der Steuerpflichtigen (Statuto del contribuente, ChdS)

Literatur: Carlizzi/Genovese/Nania, La riforma del processo tributario e dello statuto del contribuente, 2024; Stufano, Riforma dello Statuto del contribuente, 2024

[227] Vgl. Pellegrini, Le finanze della Provincia autonoma di Bolzano, in: Marko et al. (Hrsg.), L'ordinamento speciale della provincia autonoma di Bolzano, 2001, 498 (510 ff.) sowie Demorenok, 2012, 76.

[228] Vgl. Demorenok, 2012, 76.

Mit der Charta der Steuerpflichtigen (G 212/2000) wurde im Jahr 2000 ein Gesetz verabschiedet, das grundlegende Rechte der Steuerpflichtigen verankert und einen „Allgemeinen Teil" des italienischen Steuerrechts vorwegnimmt.

Im Stufenbau der Rechtsordnung kommt diesem Gesetz der Rang eines ordentlichen Gesetzes zu; es stellt somit kein Verfassungsgesetz dar. Abgeändert werden kann es aber nur durch explizite Bestimmungen und nicht durch Sonderbestimmungen (Art. 1 Abs. 1 ChdS: „selbstbestärkende Bestimmung", *„clausola autorafforzativa"*).

Auf der Grundlage der **Steuerreform 2023 (EV 219/2023)** wurde die ChdS weiter ausgebaut, ihr Schutzcharakter weiter bestärkt.

Auf die ChdS wird in diesem Buch wiederholt Bezug zu nehmen sein; hier soll ein erster **zusammenfassender Überblick** geboten werden.

Laut Art. 1 stellen die Bestimmungen der ChdS allgemeine Prinzipien der Steuerrechtsordnung und Auslegungsgrundsätze dar, die für die Steuerpflichtigen i.w.S. (*„tutti i soggetti del rapporto tributario"*) dar.

Sie ergehen in Umsetzung der Verfassung sowie der Prinzipien des Unionsrechts und der Europäischen Menschenrechtskonvention.

Sie binden den Staat insgesamt sowie die territorialen Körperschaften im Rahmen ihrer Zuständigkeiten. Den staatlichen Verwaltungen wird das Recht auf Gehör (*„garanzia del contradditorio"),* das Recht auf Zugang zu den Steuerakten, der Vertrauensschutz, das Verbot des *ne bis in idem*, das Verhältnismäßigkeitsprinzip sowie die Rücknahme von unberechtigten Steuerforderungn („autotutela") vorgegeben.

Für steuerrechtliche Bestimmungen gilt ein Analogieverbot (Art. 4-bis) und ein Rückwirkungsverbot (Art. 3 Abs. 1). Für gesetzliche Vermutungen gilt ebenfalls keine rückwirkende Anwendung. Bei periodisch wiederkehrenden Abgaben gelten Neuerungen nur für die Zukunft (Art. 3 Abs. 1).

Für die Steuerverwaltung gelten umfassende Informationspflichten gegenüber dem Steuerpflichtigen (Art. 6); dem Anspruch auf rechtliches Gehör *(principio del contradditorio)*, der, mit wenigen Ausnahmen, umfassend zu gewähren ist, ist nun eine eigene Bestimmung gewidmet (Art. 6-bis). Ebenso wurde die Begründungspflicht erweitert (Art. 7).

Akte, Dokumente und Buchhaltungsunterlagen sind 10 Jahre aufzubewahren. Nach Ablauf dieser Frist kann sich die Steuerbehörde nicht mehr darauf berufen, auch wenn diese noch vorliegen (Art. 8 Abs. 5).

Das „Ne-Bis-In-Idem"-Prinzip wird durch Art. 9-bis auch auf Ermittlungen der Steuerbehörde ausgedehnt: Der Steuerpflichtige hat grundsätzlich das Recht, dass Ermittlungen pro Steuer und Steuerperiode nur einmal durchgeführt werden.

Die Steuerbehörde kann im Rahmen von Ermittlungen auf Datenbanken anderer Behörden Zugriff nehmen, doch hat sie diesbezüglich Datenschutz zu gewährleisten (Art. 9-ter).

Waren bislang bereits Vertrauensschutz sowie der Schutz des guten Glaubens durch Art. 10 gewährleistet, so wird nun in Art. 10-bis auch noch explizit auf den Verhältnismäßigkeitsgrundsatz Bezug genommen, der die Steuerbehörde bei den Ermittlungen sowie bei der Verhängung von Strafen leiten soll.

Neu geregelt wird auch die einseitige Rücknahme von Steuerforderungen *(„autotutela“)*, die nun – anders als in der Vergangenheit – in vielen Fällen verpflichtend vorgesehen ist (Art. 10-quater).

Der Finanzverwaltung werden umfassende Auskunfts- und Informationspflichten auferlegt, durch Rundschreiben (circolari), Rechtsberatung (für Gewerkschaften, Interessenvertretungen, Kammern, öffentliche und private Körperschaften, Art. 10-octies), vereinfachte Auskunftsverfahren mit Zugang zu Datenbanken für Steuerpflichtige (Art. 10-nonies) und die – nunmehr kostenpflichtigen – Auskunftsverfahren *(„interpelli“*, Art. 11).

Die bereits in der Vergangenheit gewährleisteten Rechte und Garantien der Steuerpflichtigen im steuerlichen Ermittlungsverfahren bestehen weitgehend unverändert fort (Art. 12).

An die Stelle der lokalen Garanten der Steuerpflichtigen tritt nun ein nationaler Garant der Steuerpflichtigen, dem die Rolle eines Ombudsmans in Steuerfragen zukommt, dessen Aufgaben und Kompetenzen im Vergleich zu den früheren Garanten aber nicht erweitert worden sind (Art. 13).

7. Die Organisation der Finanzverwaltung

An der Spitze der Finanzverwaltung steht das **Ministerium für Wirtschaft und Finanzen *(Ministero dell'economia e delle finanze)***.

Dieses Ministerium besteht aus vier Abteilungen *(dipartimenti)*:

– Finanzen *(finanze)*

– Schatzwesen *(tesoro)*

– Staatliches Rechnungswesen *(Ragioneria generale dello Stato – RGS)*

– Allgemeine Verwaltung, des Personals und der Dienste *(Amministrazione generale, del personale e dei servizi)*.

Der Minister selbst übt eine Ausrichtungs- und Koordinierungsfunktion auf der Grundlage des wirtschaftlich-finanziellen Programmierungsdokuments *(documento di programmazione economic-finanziaro)* aus.[229]

Die verwaltungstechnische Arbeit im steuerrechtlichen Bereich wird im Ministerium von der Abteilung für Finanzen sowie von einer Dienststelle, der Zentralen Steuerkartei *(Anagrafe Tributaria)*, verrichtet.[230] Die Zentrale Steuerkartei stellt eine Datenbank dar, in der für jeden Steuerpflichtigen, geordnet nach der Steuernummer, eine Vielzahl an steuerrechtlich relevanten Informationen gesammelt

[229] Vgl. Puri, I soggetti, in: Fantozzi (Hrsg.), DT, 2012, 417 (419).

[230] Ibid.

werden.[231] Diese Datenbank stellt ein wichtiges Instrument zur Bekämpfung der Steuerhinterziehung dar.

Auf der operativen Ebene sind seit 1999 die sog. **Finanzagenturen** ***(agenzie fiscali)*** tätig, die über eine weit reichende Autonomie verfügen und mit welchen der Wirtschafts- und Finanzminister jährlich vertraglich die Aufgaben, die konkreten Ziele und Parameter sowie die zur Verfügung stehenden Ressourcen festlegt.

Die Finanzagenturen werden unterschieden in:

- **Einnahmeagenturen** ***(agenzie delle entrate)***
- Agenturen der Zölle und der Monopole *(agenzie delle dogane e dei monopoli)*
- Agenturen der Domänenverwaltung *(agenzie del demanio)*: Diese Agenturen verwalten die staatlichen Immobilien.
- Seit 2016 gibt es auch eine Agentur für die Steuereinhebung (Agenzia delle entrate riscossione – AdER).

Von zentraler Bedeutung für das Steuerwesen sind die Einnahmeagenturen. Diese stellen den unmittelbaren Ansprechpartner für die Steuerpflichtigen bei der Erfüllung ihrer Pflichten dar. Aufgabe der Einnahmeagenturen ist nicht die Maximierung der Steuereinnahmen, sondern die Umsetzung der verfassungsrechtlich vorgegeben Verpflichtungen im Abgabenbereich. Dabei bekämpfen die Einnahmeagenturen Verstöße gegen die steuerrechtlichen Pflichten (im Besonderen Steuerhinterziehung); sie unterstützen den Steuerpflichten aber auch bei der Erfüllung seiner Pflichten. Auf regionaler Ebene operieren die **Regionalen Direktionen der Einnahmenämter** ***(Direzioni Regionali delle Entrate)***, die eine **koordinierende Rolle** gegenüber den Einnahmenämtern ausüben.

Eine Besonderheit der italienischen Steuerverwaltung ist in der **Finanzwache** ***(Guardia di Finanza)*** zu sehen, einer militärischen Einrichtung, die ursprünglich für Grenzkontrollen zuständig war. Gegenwärtig nimmt sie unter der Leitung des Wirtschafts- und Finanzministeriums umfassende Aufgaben im Bereich der Steuerkontrollen und der Wirtschaftspolizei wahr.[232]

V. Die Steuerfeststellung *(accertamento)* – Steuerverwaltungsrecht

Literatur: Mercatali, L'accertamento delle imposte dirette, 1980; La Rosa, Accertamento tributario, in: Digesto delle Disc.Privat. – Sez.Com., Bd. I, 1987, 1-18; Fantozzi, Accertamento tributario, in: Enc.Giur.Trecc., Bd. I, 1988; Tinelli, L'accertamento sintetico del reddito complessivo nel sistema dell'IRPEF, 1993; Gentile, Manuale dell'accertamento dei redditi, 1994; Di Pietro (Hrsg.), L'accertamento tributario, 1994; La Rosa, L'amministrazione finanziaria, 1995; Di Staso/Ingrao, L'accertamento tributario ed i controlli sul reddito d'impresa, 1996;

[231] Ibid.

[232] Vgl. Puri, in: Fantozzi (Hrsg.), DT, 2012, 421.

G. Gallo/S. Gallo, Le visite fiscali, 1998; Piccioli, L'accertamento tributario, 1998; Tesauro, Istituzioni di diritto tributario, Bd. I, 1998, S. 127-268; Fantozzi, Diritto tributario, 1998, S. 193-470; Gaffuri, Lezioni di diritto tributario – Parte Generale, 1999, 65; Russo, Manuale di diritto tributario, 1999, S. 209-403; Santamaria, Lineamenti di diritto tributario, 1999, S. 89-241; Falsitta, Manuale di diritto tributario, 1999, S. 375-549; Lupi, Manuale professionale di diritto tributario, 1999, S. 213-478; Lupi, Diritto tributario – Parte generale, 2000; 213-478; D'Ayala Valva et al. (Hrsg.), L'accertamento in materia di imposte dirette e indirette dopo la „Riforma Visco", 2000; Fantozzi, (Hrsg.), Diritto tributario, 2013; Melis, Lezioni di diritto tributario, 2013; Falsitta, Corso istituzionale di diritto tributario, 2014; Uricchio (Hrsg.), L'accertamento tributario, 2014; Falsitta, MDT – PG, 2020; Tesauro, IDT – PG, 2020; Loconte, MDT, 2020; Carinci/Tassani, MDT, 2021; Iorio, Accertamento e riscossioni, 2021

1. Einleitung

In den dem „Allgemeinen Teil" des italienischen Steuerrechts gewidmeten Lehrbüchern nimmt die Steuerfeststellung regelmäßig eine zentrale Rolle ein. Dies ist zum einen auf die **Praxisrelevanz** und auch auf die **besondere Komplexität** dieses Sachgebietes zurückzuführen, zum anderen aber auch auf seine Eignung, darauf aufbauend **prinzipielle Überlegungen zur Natur des Steuerrechts** anzustellen bzw. diesen Bereich mit einem „theoretischen Unterbau" auszustatten, dessen Fehlen z.T. auf akademischem Boden bemängelt worden ist. Die Ergebnisse dieser Bemühungen bieten folglich ein differenziertes Bild. Ausführungen, die von großer praktischer Bedeutung sind bzw. einen guten Einblick in die Natur des italienischen Steuersystems bieten, stehen neben umfangreichen spekulativen Abhandlungen über die Rechtsnatur der Steuerfeststellung, denen kaum konkrete Bedeutung zugemessen werden kann. Auf den folgenden Seiten wird versucht, das Schwergewicht auf die praxisrelevanten Aspekte dieser Thematik zu legen. Gleichzeitig sollen aber auch weiterführende dogmatische Gesichtspunkte nicht unberücksichtigt bleiben und – angesichts des Stellenwertes in der italienischen Literatur – auch die Grundlinien der einschlägigen wissenschaftlichen Diskussionen aufgezeigt werden.

Als „Vorwarnung" seien zwei Überlegungen vorausgeschickt:

– Die verschiedenen **Qualifizierungen** der Normen zur Steuerfeststellung sind sehr **stark zeitbezogen**. Angesichts kontinuierlicher Novellierungen der einschlägigen Normen kann für keine der darzustellenden Positionen der Anspruch einer dauerhaften Gültigkeit erhoben werden.

– Die verschiedenen Extrempositionen gewinnen einen konkreten Erklärungswert erst über ihre Zusammenschau. Mit anderen Worten: Das System der Steuerfeststellung ist äußerst komplexer Natur und über vereinfachende Klassifizierungen können nur einzelne Aspekte – diese aber häufig sehr prägnant – erklärt werden.

2. Die Definition der Steuerfeststellung

a) Die Reichweite der Definition

Zur Steuerfeststellung existieren breitere und engere Definitionen. Nach der **weitesten Definition** beginnt die Steuerfeststellung bei der Normauslegung und führt über die Ermittlung der Steuerbemessungsgrundlage, die Anwendung des Steuertarifs, die Einhebung der Steuern, eventuelle Steuerkontrollen und amtswegige Steuerermittlungsverfahren bis hin zum (ebenfalls eventuellen) Steuerprozess. Auf der Grundlage dieses Ansatzes wäre ein beachtlicher Teil des sog. „Allgemeinen Teils" des italienischen Steuerrechts der Steuerfeststellung zuzurechnen. Als anderer Extrempunkt ist die Steuerermittlung **im engeren Sinne** zu erwähnen. Danach werden unter diesem Konzept allein die abschließenden Maßnahmen der Steuerbehörden im Steuerermittlungsverfahren verstanden[233]. Hier wird eine **vermittelnde Position** vertreten. Während einerseits die Auslegung der Steuernorm und der Steuerprozess gesondert abgehandelt werden, sollen andererseits das umfassende Spektrum der möglichen Gestaltungsmaßnahmen durch die Steuerpflichtigen und die Finanzbehörde sowie die weitreichenden Kooperationsrechte und -pflichten zwischen diesen Einheiten Berücksichtigung finden, die letztlich zur definitiven Ermittlung und Begleichung der Steuerschuld führen. In diesem Sinne ist hier u.a. auf die einvernehmliche Steuerfeststellung *(accertamento con adesione)*, auf die Steuereinhebung *(riscossione)*, auf die Rücknahme von Steuerakten *(autotutela)* und auf das steuerrechtliche Auskunftsrecht *(interpello)* einzugehen.

Inhaltlich entspricht die hier behandelte „Steuerfeststellung" somit weitgehend dem **„Steuerverwaltungsrecht"** im deutschen Recht.[234]

b) Die traditionelle Definition der Steuerfeststellung: deklaratorische und konstitutive Theorie

Wenn in der traditionellen Steuerrechtswissenschaft die Steuerfeststellung weitgehend mit den abschließenden Handlungen zur Steuerermittlung (Steuererklärung, Kontrolle der Steuererklärung, eventuelles Steuerprüfverfahren) identifiziert worden ist, so hat die Einengung des Untersuchungsgegenstandes auch die Struktur des wissenschaftlichen Ansatzes präjudiziert. Von zentraler Bedeutung war langehin die Frage, ob der in diesem Sinne verstandenen Steuerfeststellung **deklaratorische** oder **konstitutive** Wirkung beizumessen sei.

---

[233] Vgl. Pollari, Natura, funzione e struttura del procedimento di accertamento, in: D'Ayala Valva et al. (Hrsg.), 6.

[234] Vgl. Starck, in: FS Selmer 2004, 925 (936): „Nach Steuerverwaltungsrecht wird der Steueranspruch ermittelt, festgesetzt und gegebenenfalls vollstreckt."

Es ist erstaunlich, welche **Bedeutung dieser Frage** in der italienischen **Lehrbuchliteratur** beigemessen wurde und nach wie vor wird. Dies gilt umsomehr, als diese Diskussion weitgehend ergebnislos verlaufen ist. Der besondere Stellenwert dieser Diskussion in Italien verlangt ihre Berücksichtigung – zumindest in den Grundsätzen – allerdings auch in der vorliegenden Arbeit.

Nach der **deklaratorischen Theorie** findet die Entstehung der Steuerschuld ihre unmittelbare Grundlage in den einschlägigen Rechtsnormen. Sobald die Tatbestandsvoraussetzungen erfüllt sind, ein konkreter Steuergegenstand identifizierbar ist, wird auch eine entsprechende Steuerschuld begründet. Eine solche Lösung gebiete sich bereits nach Maßgabe des in Art. 23 der Verfassung verankerten Legalitätsprinzips. Zwar lege dieses für die Schaffung von Steuernormen nur einen relativen Gesetzesvorbehalt fest; die die Steuernorm konkretisierenden Maßnahmen dürften aber nie soweit reichen, dass damit die Steuerschuld erst begründet würde. Die Steuernorm schafft subjektive Rechte, die gegenüber dem rechtswidrigen Steuerakt geltend gemacht werden könnten[235]. Die Steuerfeststellung durch die Finanzverwaltung ähnele einem *Feststellungsurteil* im Zivilprozess: Eine bereits bestehende Rechtssituation wird allein in ihrem Inhalt bestätigt und präzisiert[236].

Zu den Vertretern der deklaratorischen Theorie gehören Giannini, Il rapporto giuridico d'imposta, 1937, S. 232 ff., Tesoro, Principi di diritto tributario, 1938, S. 176 ff.; Russo, Manuale di diritto tributario, 1999, S. 113; Santamaria, Lineamenti di diritto tributario – Parte generale, 1999, S. 89 ff.

Es dürfte außer Frage stehen, dass die deklaratorische Theorie in dieser strikten Ausformulierung **keine adäquate Beschreibung der Rechtsrealität** darstellt. Das Vorliegen einer bestimmten Leistungsfähigkeit, zum Ausdruck gebracht durch verschiedene Indikatoren wie bspw. durch ein bestimmtes Einkommen, begründet noch nicht unmittelbar eine Steuerschuld. **Es bedarf** dazu vielmehr **konkretisierender Handlungen** durch den Steuerpflichtigen und/oder durch die Finanzverwaltung, wobei beiden auch ein bestimmtes Ermessen zukommt. Im Übrigen sind die Annahmen der deklaratorischen Theorie auch schwer mit der **Struktur des Steuerprozesses** in Einklang zu bringen: Unmittelbarer Gegenstand des Steuerprozesses ist die im Feststellungsbescheid beschriebene Rechtswirklichkeit. Der Inhalt des Feststellungsbescheides präjudiziert den Gegenstand des Steuerprozesses; die Steuergerichte können den Steuerpflichtigen nicht zu einer im Vergleich zum Feststellungsbescheid höheren Steuerleistung verpflichten, selbst wenn dies nach Maßgabe der bestehenden Steuerbestimmungen gerechtfertigt erscheinen würde.

Hier setzen nun die Vertreter der **konstitutiven Theorie** an. Diese sind der Überzeugung, dass das Vorliegen des Steuertatbestandes zwar konkrete Erklä-

[235] Vgl. Tesauro, 136.
[236] Ibid.

rungspflichten bzw. Steuerermittlungsrechte begründet, die **Steuerschuld als solche komme aber erst über die weiteren Ermittlungshandlungen** zustande.

Tesauro weist in diesem Zusammenhang zu Recht darauf hin, dass eine unterlassene Abgabe der Steuererklärung nicht etwa zur Folge hat, dass die geschuldete Steuer unmittelbar eingehoben werden kann. Vielmehr wird die Steuerzahlpflicht erst infolge des Erlasses eines Ermittlungsbescheides begründet. Ibid., S. 139.

Die Frage, wie diese Position mit dem verfassungsrechtlichen Legalitätsprinzip in Einklang gebracht werden soll, bleibt aber offen.

Als Hauptvertreter der konstitutiven Theorie gelten Allorio, Diritto processuale tributario, 1962; Berliri, Principi di diritto tributario, 1962, Bd. III, S. 277 ff.; Fantozzi, La solidarietà nel diritto tributario, 1968, S. 198 ff.; Tremonti, Imposizione e definitività nel diritto tributario, 1977; Falsitta, Manuale di diritto tributario, 1999.

Letztlich kann nur über einen **vermittelnden Ansatz** eine hinreichend normgetreue Beschreibung der Natur der Steuerfeststellung erreicht werden.

Die Steuerfeststellung ist ein **komplexes Verfahren**, in welchem Steuerpflichtige und Steuerbehörden grundsätzlich, aber mit variierender Intensität, zusammenwirken. Ausgehend vom generellen Auftrag, die gesetzlich vorgegebenen Steuerpflichten näher zu präzisieren und damit einer Aufgabe deklaratorischer Natur nachzukommen, nehmen Steuerpflichtige und Finanzbehörden unterschiedliche Ermessens- und Gestaltungsspielräume wahr, wodurch letztlich konstitutive Wirkungen gezeitigt werden[237]. In welcher Intensität konstitutive und deklaratorische Elemente bei der Steuerfeststellung jeweils zusammenwirken, lässt sich nicht verallgemeinernd festhalten.

Kommt bspw. der Steuerpflichtige seinen Verpflichtungen aus der Einkommensteuer ordnungsgemäß nach, so überwiegen eindeutig die deklaratorischen Elemente. Da davon ausgegangen werden kann, dass die ordnungsgemäße Erfüllung der Erklärungspflichten nach wie vor den Regelfall darstellt[238], ist damit der zentrale Stellenwert des Legalitätsprinzips sichergestellt. Ist dagegen die Steuerfeststellung aufgrund der Unterlassungen bzw. der Hin-

[237] Zahlreich sind die Gestaltungsspielräume des Steuerpflichtigen bspw. im Rahmen der Einkommenbesteuerung. So steht dem Unternehmer die Möglichkeit des Verlustvortrages offen, er kann zwischen verschiedenen Abschreibungs- und Buchhaltungs- bzw. Bilanzierungsmethoden wählen, die sich letztendlich auch auf das steuerbare Ergebnis auswirken. Die Ermessens- und Gestaltungsspielräume der Finanzverwaltung sind zwar weniger weitreichend, können aber dennoch nicht ignoriert werden. Sie sind insbesondere im Bereich der nachträglichen Schätzung der Leistungsfähigkeit auf der Grundlage von Durchschnittswerten und Vermutungen anzutreffen. Vgl. Falsitta, 1999, 199.

[238] Damit soll keineswegs das Phänomen der Steuerhinterziehung geleugnet werden, das aber trotz seiner Dimension wohl nicht als Regel, sondern als Ausnahme von der Regel anzusehen ist. Auch das weitverbreitete Vorkommen von Formfehlern – in der Vergangenheit wurden bei über 90% der Erklärungen Fehler entdeckt – steht zu dieser Aussage nicht in Konflikt. Soweit damit keine Abgabenminderung verbunden ist, sind Formfehler mittlerweile unerheblich.

terziehungshandlungen des Steuerpflichtigen einseitig durch die Finanzverwaltung vorzunehmen (Veranlagung), so überwiegt eindeutig die konstitutive Natur der Steuerfeststellung. Hinsichtlich der Folgen sind Selbsterklärung und Veranlagung durch Feststellungsbescheid allerdings völlig gleichwertig[239].

Nur über die Berücksichtigung des grundsätzlichen Zusammenwirkens beider Aspekte ist aber eine Annäherung an das Wesen der Steuerfeststellung möglich.

c) Die Ausrichtungs- und Koordinierungsbefugnisse im Rahmen der Steuerfeststellung[240]

Die aufgezeigten konstitutiven Elemente der Steuerfeststellung schaffen für Exekutive und Legislative einen **zweifachen Handlungsbedarf**: Zum einen muss die **grundsätzliche Achtung des Legalitätsprinzips** sichergestellt werden, zum anderen muss auf eine über das gesamte Staatsgebiet **kohärente Ausübung** dieser Rechtskonkretisierungsmöglichkeit geachtet werden. Dieser Aufgabe wird über vielfältige legislative und administrative **Ausrichtungs- und Koordinierungsbefugnisse** nachgekommen. Beispielhaft seien in diesem Zusammenhang erwähnt:

– das Ministerialdekret v. 23. Dezember 1982, mit welchem die Kriterien für die Auswahl jener Steuerpflichtigen festgelegt werden, die einer pauschalen Betriebsprüfung zu unterwerfen sind;

– die Rundschreiben des Finanzministers;

– die Ministerialdekrete, mit welchen Koeffizienten, Parameter und Branchenkennzahlen festgelegt werden;

– die Festlegung des Einkommensmaßstabes *„redditometro"*;

– in der Vergangenheit die Gutachtertätigkeit des zentralen Dienstes der Steuerinspektoren (SECIT), gegenwärtig geht vom Auskunftsrecht *(interpello)* eine solche Koordinierungsfunktion aus;

– die Einrichtung eines Garanten der Steuerpflichtigen durch die Charta der Steuerpflichtigen;

– die Bemühungen um eine Koordinierung der Steuerrechtsprechung durch die Einrichtung einer eigenen steuerrechtsprechenden Sektion beim Kassationsgerichtshof.

Insgesamt wird durch all diese Maßnahmen eine **Abschwächung der konstitutiven Elemente** des Steuerfeststellungsverfahrens angestrebt, die damit auch als Bemühungen zur Präzisierung des gesetzlich vorgegebenen Besteuerungsrechtes angesehen werden können. Trotz weitreichender Konkretisierungsbefugnisse durch die Finanzverwaltung ist somit die Achtung des relativen Gesetzesvorbehaltes sichergestellt. Die **hoheitlichen Elemente** im Rahmen der Steuerfeststellung sind **nach wie vor ausgeprägt**, was in der in Deutschland verwendeten Bezeichnung für diese Materie (Steuerverwaltungsrecht) noch deutlicher zum Ausdruck kommt.

---

239 Vgl. Falsitta, 1999, 390.

240 Vgl. zu diesem Punkt auch Falsitta, 1999, 69 ff.

3. Die Mitwirkung des Steuerpflichtigen

a) Einleitung

In allen modernen Rechtsordnungen erfolgt die Steuerfeststellung im Rahmen der Einkommenbesteuerung unter wesentlicher Mitwirkung des Steuerpflichtigen. **Steuerverwaltung ist Massenverwaltung**[241]. Angesichts von Millionen von Steuerpflichtigen, die ihr Einkommen in einer immer komplexeren Volkswirtschaft erzielen, wäre eine individuelle Veranlagung eines jeden einzelnen Steuerpflichtigen durch eine die gesamte dafür erforderliche Vorinformation verarbeitende Finanzverwaltung nicht denkbar. Selbst wenn die dafür nötige Datenverarbeitungskapazität zur Verfügung stünde, so würde die Durchführung dieser Aufgabe einen für einen Rechtsstaat unzumutbaren Eingriff in die Privatsphäre des Einzelnen beinhalten. Die **Mitwirkung des Einzelnen** in der Steuerfeststellung ist damit rechtsstaatliches, die Individualsphäre schützendes Gebot sowie praktische, die Funktionalität der Steuerfeststellung grundlegend sichernde Notwendigkeit.

Während die Mitwirkungspflichten als solche somit nicht zur Diskussion stehen, hat die konkrete Ausgestaltung dieser Pflichten prägenden Charakter für die betreffende Steuerrechtsordnung. Kennzeichnend für die italienische Steuerrechtsordnung waren lange Zeit folgende Eigenschaften:

– eine ausgeprägte Formalisierung der Erklärungspflichten;

– eine strikte Sanktionierung von Verletzungen dieser Formvorschriften;

– der Steuerpflichtige war in der Erfüllung dieser Pflichten weitgehend auf sich allein gestellt; die Möglichkeit der vorbeugenden Kommunikation mit der Finanzverwaltung war praktisch nicht gegeben;

– der Schwerpunkt der Kontrolltätigkeit der Finanzverwaltung lag im formalen Bereich; dementsprechend wurden auch Steuerstrafen überwiegend in diesem Bereich verhängt;

– aufgrund der Komplexität des italienischen Steuerrechts und der erwähnten Bedeutung von Formalismen waren selbst Bezieher geringfügiger Einkommen gezwungen, sich an Steuerberater zu wenden; in der Folge blühte das Steuerberatungswesen auf wie kaum anderswo.

Insgesamt wurden die Mitwirkungspflichten zu einem gewichtigen **Kostenfaktor** für den Steuerpflichtigen, ohne dass von einer wirksamen Steuerfeststellung hätte gesprochen werden können.

Die Erklärungspflichten erreichten zeitweise unzumutbare Ausformungen (so unter Finanzminister Goria im Jahr 1992). Jährlich wiederholten sich Klagen über die Einholung überflüssiger Informationen, über die zu späte Auslieferung der Steuererklärungsformulare, über ihre z.T. widersprüchliche, fehlerhafte Gestalt.

---

[241] Vgl. Seer, in: Tipke/Lang, Steuerrecht, 1998, 788. So auch Fantozzi in ders. (Hrsg.), 2012, 543 für das italienische Steuersystem nach der Steuerreform des Jahres 1971.

Diese Form der Besteuerung wurde vielfach als Schikane empfunden, die einer dem Leistungsfähigkeitsprinzip verschriebenen, partizipativen Demokratie unwürdig erschien. Letztendlich wurde das Versprechen, Verbesserungen im weiten Feld der Steuerfeststellung einzuführen, zu einem Gegenstand des politischen Wettbewerbs zwischen den Parteien, was dann auch zu sichtbaren Änderungen geführt hat. Ein maßgeblicher Teil dieser Verbesserungen wurde in der **„Charta der Steuerpflichtigen“** (ChdS oder auch „Statut der Steuerpflichtigen“, *statuto del contribuente)* festgeschrieben. Hervorzuheben ist dabei einmal **Art. 10** der „Charta der Steuerpflichtigen“, nach welchem Formfehler keine Strafen nach sich ziehen, wenn sie auf eine objektive Rechtsunsicherheit zurückzuführen sind bzw. keine Abgabenminderung bewirkt haben. Zum anderen ist auf das **Auskunftsrecht der Steuerpflichtigen** ***(interpello)*** zu verweisen, durch welches vorab Konflikte mit der Steuerverwaltung vermieden werden sollen[242]. Mit der mit dem EG 111/2023 eingeleiteten Steuerreform wurde der Rechtsschutz für die Steuerpflichtigen durch die ChdS erheblich ausgeweitet.

Trotz dieser Verbesserungen wird der italienische Steuerpflichtige im internationalen Vergleich im Rahmen des Steuerfeststellungsverfahrens wohl unverhältnismäßig stark belastet. Der in jeder modernen Steuerrechtsordnung zu treffende **Ausgleich zwischen Vertrauensvorschuss und Verifikation**[243] hat in Italien noch zu keinem – für beide Seiten – befriedigenden Ergebnis geführt. Die vom früheren Finanzminister Visco als Idealbild propagierte Umwandlung des Steuerrechtsverhältnisses von einem autoritären, hierarchischen Verhältnis zu einer privatwirtschaftlichen, egalitären Beziehung, in deren Rahmen sich Steuerpflichtige und Finanzverwaltung wie Geschäftsleute gegenüberstehen, mag ein begrüßenswertes Fernziel darstellen, das die weitere Rechtsentwicklung positiv beeinflussen kann. Die **OECD** hat im Dokument ***„Study into the Role of Tax Intermediaries“*** aus 2008 eine „verstärkte Beziehung“ ***(„enhanced relationship“)*** zwischen den Finanzverwaltungen und den Steuerpflichtigen ins Auge gefasst, die zu gegenseitigem Vertrauen, Verständnis und Kooperation führen soll.[244] Von einer konkreten Verwirklichung dieser Ziele ist man aber noch weit entfernt, auch wenn kontinuierlich daran gearbeitet wird. So soll als nächster Schritt Millionen italienischer Steuerpflichtiger (Arbeitnehmer und Pensionisten) eine **vorausgefüllte Steuererklärung** übermittelt werden, die sie nur mehr gegebenenfalls ergänzen müssen.

Die Kooperationspflichten des Steuerpflichtigen sind auch sanktionsbewehrt. Wie noch zu zeigen sein wird, kann der Steuerpflichtige, der von der Finanzverwaltung zur Vorlage eines Dokuments aufgefordert worden ist und dieser Aufforderung nicht nachkommt, nachfolgend dieses Dokument – zu seinen Gunsten – nicht mehr vorlegen. Zudem kann die Finanzverwaltung Kooperationsunwilligkeit mit einer Sanktion zwischen € 250 und € 2000 belegen.

---

[242] Vgl. Art. 11 der Charta der Steuerpflichtigen sowie das MD Nr. 209 v. 26.4.2001.

[243] Vgl. dazu Seer, in: Tipke/Lang, Steuerrecht, 1998, 788.

[244] Vgl. auch Hardeck, Kooperative Compliance Programme zwischen Finanzverwaltungen und Unternehmen, in: StuW 2/2013, 156 (160).

Mittlerweile können Unterlagen, die bei der ersten Aussprache nicht vorgelegt wurden, bei der zweiten Aussprache (sanktionslos) präsentiert werden.

Wenn in der Folge nun die Mitwirkungspflichten des Steuerpflichten dargestellt werden, so soll mit den Buchhaltungspflichten begonnen werden, da diese für einen beachtlichen Teil der Steuerpflichtigen die primäre Voraussetzung darstellen, damit den Mitwirkungspflichten nachgekommen werden kann.

b) Die Buchhaltungspflichten im italienischen Steuerrecht

ba) Die Buchhaltungspflichten laut Codice Civile

Allgemein gilt, dass die **Buchhaltungspflichten laut Codice Civile weniger weitreichend** sind **als jene nach Maßgabe des Steuerrechts**. Diese Pflichten sind grundsätzlich für **gewerbliche Unternehmen**, nicht aber für Kleinunternehmen oder für Freiberufler gegeben. Das Steuerrecht knüpft aber an den Vorgaben des Zivilrechts an und verdichtet diese. Die Buchhaltungspflichten laut CC stellen damit auf einen weit engeren Kreis an Subjekten ab als jene laut Steuerrecht.

Da die ordentliche Buchhaltung des Steuerrechts unmittelbar auf den Bestimmungen des Zivilrechts aufbaut, werden die einzelnen, in diesem Zusammenhang zu führenden Bücher im nachfolgenden Punkt dargestellt.

Der Codice Civile enthält eine Reihe von Vorschriften, die eine **korrekte, wahrheitsgemäße Buchführung** sicherstellen sollen (Art. 2219 CC: Verbot von Zwischenräumen, Zwischenzeilen, Eintragungen über den Rand hinaus, Ausradierungen; bei Streichungen muss das durchgestrichene Wort lesbar bleiben). **Im Zeitalter der EDV haben diese Vorkehrungen weitgehend an Bedeutung verloren.** Dies gilt umsomehr als die laufende Buchhaltung auch allein über EDV geführt werden kann; ein Ausdruck ist erst zum Jahresabschluss bzw. im Falle einer Kontrolle nach Aufforderung der Finanzbehörde vorzunehmen (Art. 4 G 489/1994).

Nicht einmal das Gebot der Anfangsvidimierung der Bücher (Art. 2215 CC) konnte vor einem nachträglichen Austausch der Unterlagen schützen. Diese Vidimierung konnte nämlich auch von Notaren vorgenommen werden, wobei die Weiterleitung dieser Informationen an die MwSt-Ämter in der Praxis nicht funktionierte und im Bereich der Einkommensteuer nicht einmal vorgesehen war[245].

---

[245] Vgl. Lupi, Manuale professionale di diritto tributario, 1999, 218. Die Verpflichtung zur Anfangsvidimierung der Bücher ist im Übrigen mit dem sog. 100-Tage-Maßnahmenpaket vom Herbst 2001 abgeschafft worden. Anzumerken bleibt auch, dass in der Vergangenheit sogar eine Verpflichtung zur jährlichen Vidimierung von Tagebuch und Inventarbuch gegeben war. Diese Verpflichtung wurde jedoch 1994 aufgehoben. Weiterhin aufrecht ist die Verpflichtung der Vidimierung und Nummerierung der übrigen laut Zivilrecht vorgeschriebenen Bücher wie etwa der Gesellschaftsbücher. Weiterhin aufrecht ist auch die Verpflichtung, die Geschäftsbücher vor ihrer konkreten Verwendung fortlaufend zu nummerieren.

Die Artikel **2423 ff. CC** regeln die Erstellung des **Jahresabschlusses**, der aus **Bilanz, Gewinn- und Verlustrechnung** sowie aus dem **Anhang** besteht und gleichsam das natürliche Ergebnis der Buchhaltung ist. Sondergesetze beinhalten spezielle Buchhaltungs- und Bilanzierungsvorschriften für bestimmte Wirtschaftsbereiche (bspw. im Banken- und Versicherungssektor).

Nach Maßgabe dieser Bestimmungen würde die Verpflichtung zur Buchhaltung ein begrenztes Phänomen darstellen; tatsächlich handelt es sich aber gerade aufgrund der einschlägigen steuerrechtlichen Normen um ein Massenphänomen mit Millionen von Verpflichteten[246].

Art. **109 Abs. 4** des Einheitstextes für die direkten Steuern (TUIR 1986) bringt über eine spezielle Regelung die wechselseitige Verbundenheit von Handelsbilanz und Steuerbilanz besonders deutlich zum Ausdruck. Danach können Aufwendungen, die in der Gewinn- und Verlustrechnung der Handelsbilanz nicht aufschienen, auch in der Steuerbilanz nicht zur Geltung gebracht werden. Ist allerdings die Abzugsfähigkeit unmittelbar vom Gesetz vorgesehen oder sind Aufwendungen aber unmittelbar mit Ertragskomponenten verbunden, die unabhängig von ihrer Verbuchung dem Unternehmensgewinn zugerechnet wurden, so sind diese bei sicherem und genauem Nachweis abzugsfähig. Diese Bestimmung kommt bspw. für die IAS- oder Oic-Adopter zur Anwendung. Abzugsfähig sind auch Aufwendungen des Vorjahres, die gemäß den geltenden Bestimmungen vorgetragen worden sind sowie die auf der Grundlage gesetzlicher Bestimmungen abzugsfähigen Aufwendungen. Es handelt sich hierbei um das sog. **„umgekehrte Maßgeblichkeitsprinzip“** *(„principio della dipendenza rovesciata“)*[247]. Damit kommt es allerdings zu einer „Verunreinigung der Bilanz“ *(„inquinamento del bilancio“).*

bb) Die Buchhaltungspflichten laut Steuerrecht

bba) Die ordentliche Buchhaltung

Im Rahmen der **ordentlichen Buchhaltung** werden die zivilrechtlichen Vorgaben vollumfänglich verwirklicht. In diesem Zusammenhang sind zu führen:

– das **Tagebuch**: dieses enthält eine chronologische, Tag für Tag vorgenommene Aufzeichnung aller Geschäftsvorfälle (Art. 2215 CC);

– das **Inventarbuch** (Art. 2217 CC);

Das Inventar ist bei Geschäftsbeginn und in der Folge jedes Jahr zu errichten und hat die Aktiven und Passiven zu enthalten, mit welchen das Unternehmen arbeitet, unabhängig davon, ob sie zum Unternehmen gehören oder nicht.

[246] Lupi, Manuale professionale di diritto tributario, 1999, 215.

[247] Von „umgekehrter Maßgeblichkeit“ sprach man deshalb, da die Bewertungskriterien im Steuerrecht idR weit enger gefasst sind als im Handelsrecht. Dies führte dazu, dass in die Handelsbilanz gleich der steuerrechtlich zulässige Ansatz aufgenommen wurde, damit dieser dann auch steuerrechtlich geltend gemacht werden kann. Handelsrechtlich hätte sich häufig aber eher ein anderer Ansatz angeboten („Verunreinigung der Handelsbilanz“).

Das Inventar schließt mit der Bilanz und der Gewinn- und Verlustrechnung, die klar und wahrheitsgemäß die erzielten Gewinne oder erlittenen Verluste auszuweisen hat. Bei den Bewertungen der Bilanz hat sich der Unternehmer an die für die Bilanzen der Aktiengesellschaften festgesetzten Maßstäbe, soweit sie anwendbar sind, zu halten.

Das Inventar ist vom Unternehmer zu unterfertigen und innerhalb von drei Monaten ab Ablauf der Frist zur Vorlage der Einkommensteuererklärung dem Unternehmensregisteramt oder einem Notar zur Abzeichnung vorzulegen.

– „die nach Art und Umfang des Unternehmens erforderlichen Rechnungsunterlagen“ (Art. 2214 CC);

Dazu zählt in erster Linie das sog. **Hauptbuch** *(libro mastro)*. Für die Führung dieses Buches sind keine speziellen Formvorschriften vorgesehen.

– gegebenenfalls die in Art. 2421 CC angeführten Gesellschaftsbücher

Dazu zählen das **Gesellschafterbuch**; das Buch über die von der Gesellschaft ausgegebenen Schuldverschreibungen; das Buch über die Sitzungen und Beschlüsse der **Gesellschafterversammlungen**; das Buch über die Sitzungen und Beschlüsse des Verwaltungsrates; das Buch über die Sitzungen und Beschlüsse des Aufsichtsrates; das Buch über die Sitzungen und Beschlüsse des Vollzugsausschusses, wenn ein solcher besteht; das Buch über die Sitzungen und Beschlüsse der Versammlungen der Schuldverschreibungsinhaber.

Eine Verpflichtung zur ordentlichen Buchführung besteht nur, wenn eine der **folgenden Voraussetzungen** vorliegt:

– es handelt sich um eine **Kapitalgesellschaft** oder um eine öffentliche oder private Körperschaft, die ausschließlich oder hauptsächlich gewerblich tätig ist;

Für diese IRES-pflichtigen Gesellschaften und Körperschaften ist also eine Verpflichtung zur Führung der ordentlichen Buchhaltung unabhängig von der Umsatzschwelle gegeben.

– es handelt sich um ein **Dienstleistungsunternehmen** mit einem Vorjahresumsatz von über **500.000 €**[248];

– alle **anderen gewerblichen Unternehmen** mit einem Vorjahresumsatz über **800.000 €**.

Werden sowohl Dienstleistungen erbracht als auch sonstige gewerbliche Tätigkeiten ausgeübt, so gilt die Schwelle jener Tätigkeit, die vorwiegend ausgeübt wird, soweit die betreffenden Erlöse gesondert erfasst werden. Ist dies nicht der Fall, so gilt die Schwelle von 800.000 Euro.

Die Führung einer **Lagerbuchhaltung** *(scritture ausiliarie di magazzino)* ist erforderlich, wenn die Umsätze und die Endbestände über zwei aufeinanderfolgende

[248] Den früheren 600 Millionen Lire.

Jahre über 5.164,568,99 € bzw. über 1.032.913.80 € liegen. Diese Buchhaltung muss ab dem zweiten Geschäftsjahr geführt werden, ab welchem diese Voraussetzungen erfüllt sind[249].

Aufgehoben wurde die Verpflichtung, ein **Register der abschreibbaren Güter** *(registro dei beni ammortizzabili, registro dei cespiti*) zu führen. Die entsprechenden Eintragungen können nun im Inventarbuch vorgenommen werden (vgl. Art. 2 DPR 695/1996).

Was die Erstellung der Steuerbilanz anbelangt, geschieht diese grundsätzlich ausgehend von der Handelsbilanz über eine sog. Mehr-Weniger-Rechnung. Dazu werden an den verschiedenen Bilanzansätzen jene Korrekturen vorgenommen, die insbesondere durch die unterschiedlichen, im Steuerrecht weit restriktiveren Bilanzierungsvorschriften erforderlich werden

Selbst wenn keine Verpflichtung zur ordentlichen Buchhaltung besteht, so kann eine freiwillige Entscheidung dafür getroffen werden.

Gesondert geregelt sind die Buchhaltungspflichten der **Freiberufler**. Während bis zum 31.12.1996 ein Vorjahresumsatz von mehr als 360 Millionen Lire zur ordentlichen Buchhaltung verpflichtete, verkörpert die **vereinfachte Buchhaltung** nunmehr auf jeden Fall das **Regelregime.** Ebenso wie gewerbliche Unternehmer können aber auch Freiberufler weiterhin für die ordentliche Buchhaltung optieren. Mit dem Reformgesetz 383/2001 ist die Verpflichtung zur Anfangsvidimierung des Tagebuchs, des Inventarbuchs und der für die Einkommensteuer und die MwSt obligatorischen Bücher aufgehoben worden. Weiterhin ist diese Verpflichtung für die in Art. 2421 CC genannten Gesellschaftsbücher sowie für jene Bücher gegeben, für welche Sondervorschriften dies vorsehen. Die Bücher müssen aber vor ihrer Verwendung fortlaufend nummeriert werden. Im Falle einer über EDV geführten Buchhaltung kann die Nummerierung auch parallel zum Ausdruck erfolgen.

Zu steuerlichen Kontrollzwecken hat sich die Vidierungsverpflichtung als völlig unwirksam erwiesen und somit allein eine unmittelbare fiskalische Funktion erfüllt, die freilich auf anderem Wege mit weit weniger Belastungen für den Steuerpflichtigen verwirklicht hätte werden können. Der Entfall der Vidimierungspflicht wird über eine Erhöhung der Stempelsteuer kompensiert. Die **Stempelsteuer** beträgt nunmehr für **natürliche Personen und Personengesellschaften € 32** bzw. **€ 16 für Kapitalgesellschaften** für je 100 Seiten (vor ihrer Verwendung).

Für **Kapitalgesellschaften** findet dagegen eine jährliche Pauschalbesteuerung *(tassa sulle concessioni governative)* in der Höhe von **€ 309,87** (bzw. von € 516,46, wenn das Gesellschaftskapital des Bezugsjahres am 1.1. über € 516.456,90 lag) Anwendung.

Die Nummerierung der Seiten erfolgt durch den Steuerpflichtigen.

[249] Vgl. Art. 1 Abs. 1 DPR 695/1996.

Wie erfolgt die Entrichtung der Stempelsteuer? Nicht mehr durch das Aufkleben einer Stempelmarke, wie in der Vergangenheit, sondern mittels Erlagsschein.

Mit dem DPR 435/2001 ist auch die Verpflichtung zur Führung der MwSt-Register aufgehoben worden. Die MwSt-relevanten Vorfälle können nun innerhalb der üblichen Fristen im Tagebuch verzeichnet werden. Dort können auch die Buchungen vorgenommen werden, die das Register der abschreibbaren Güter betreffen.

Die Buchhaltung sowie die Gesellschaftsbücher können nun auch ausschließlich auf **elektronischem Wege** geführt werden, und zwar auch für die Zwecke des Zivilrechts.

Die Stempelsteuer beträgt **€ 16** (für **Kapitalgesellschaften**) bzw. **€ 32** (für **Personengesellschaften und Einzelunternehmen**) je 2.500 Buchungen.

In diesem Fall entfällt die oben erwähnte Stempelsteuer auf je 100 Seiten, die für die Buchhaltung in Papierform vorgesehen ist.

Ein jederzeitiger Ausdruck in Papierform muss möglich sein.

bbb) Die **vereinfachte Buchhaltung** *(contabilità semplificata)*

Wenn nun nachfolgend die vereinfachte Buchhaltung behandelt wird, so ist vorauszuschicken, dass diese im Vergleich zur ordentlichen Buchhaltung einen geringeren Verlässlichkeitsgrad aufweist. Dementsprechend war die vereinfachte Buchhaltung in der Vergangenheit auch der bevorzugte Anwendungsbereich von Schätzverfahren aufgrund von Durchschnittswerten[250].

In der Durchführung der vereinfachten Buchhaltung ist zwischen unternehmerischer und freiberuflicher Tätigkeit zu unterscheiden.

– **Unternehmerische Tätigkeit**

Anders als im Zivilrecht[251] ergibt sich die Definition des Kleinunternehmers im Steuerrecht im Ausschlusswege: Kleinunternehmer ist, wer die Voraussetzungen für die Definition des ordentlichen Unternehmers nicht erfüllt (also weder in der Form einer Kapitalgesellschaft gegründet worden ist noch die Umsatzschwellen von **€ 800.000** bzw. **€ 500.000** überschreitet).

---

[250] Vgl. Tesauro, IDT – PG, 1999, 150. Es sei aber auch angemerkt, dass das wichtigste Instrument der induktiven Schätzung, die Branchenkennzahlen, nunmehr unabhängig vom gewählten Buchhaltungsregime zur Anwendung kommt.

[251] Vgl. die Definition des Kleinunternehmers in Art. 2083 CC:
„Kleinunternehmer sind Selbstbebauer von Grundstücken, Handwerker, Kleinkaufleute und jene, die eine vorwiegend auf eigener Arbeit und der Arbeit ihrer Familienangehörigen aufgebaute berufliche Tätigkeit ausüben".

Kleinunternehmer sind im Rahmen der vereinfachten Buchhaltung allein zur **Führung der MwSt-Bücher** sowie der anderen gegebenenfalls für die betreffende Tätigkeit vorgeschriebenen Bücher (Lohnbuch, Matrikelbuch, Unfallregisterbuch) verpflichtet.

Auf die Führung des Registers der abschreibbaren Güter kann verzichtet werden, wenn der Unternehmer der Finanzverwaltung auf Anfrage alle erforderlichen Informationen zur Verfügung stellt.

Der Unternehmensertrag errechnet sich grundsätzlich als Differenzbetrag zwischen Erlösen und Aufwendungen, wobei allerdings **seit 2016** das **Kassaprinzip** zur Anwendung kommt. Berücksichtigt werden des Weiteren die Veränderungen der Endbestände, die Abschreibungen, die Veräußerungsgewinne und -verluste sowie die außerordentlichen Aufwände und Erträge.

Die vereinfachte Buchhaltung besteht also im Wesentlichen in bürokratischen Erleichterungen. Darüber hinaus sind im Rahmen dieses Buchhaltungssregimes **bestimmte Aufwendungen nicht abzugsfähig:**

– die finanziellen Abschreibungen auf unentgeltlich abzugebende Güter;
– Rückstellungen (mit Ausnahme der Abfertigungsrückstellungen).

Die Ausgangsrechnungen müssen innerhalb von 15 Tagen registriert werden, die Eingangsrechnungen bis zur Erstellung der Jahresabrechnung.

Die Geschäftsvorfälle, die nicht MwSt-relevant sind (wohl aber für die Einkommensteuer), sind innerhalb von 60 Tagen zu registrieren.

Wenn ein Kleinunternehmer die **Anwendung des Kassaprinzips verhindern** will, muss er **für die doppelte Buchhaltung optieren**, mit **Bindungswirkung von mindestens drei Jahren**.

Daneben bleibt noch das System der mwst-mäßigen Aufzeichnungen *(criterio IVA delle registrazioni)*.

– **Freiberufler**

Wie erwähnt, stellt die vereinfachte Buchhaltung das Regelregime für Freiberufler dar. Freiberufler müssen grundsätzlich das **Inkassoregister**, in welchem die Ein- und Auszahlungen verzeichnet werden, sowie die **MwSt-Register** führen. Alternativ zum Inkassoregister können die Ein- und Auszahlungen sowie die anderen nichtmehrwertsteuerpflichtigen Vorgänge auch in den MwSt-Registern erfasst werden.

Die Verbuchung im Inkassoregister muss innerhalb von 60 Tagen erfolgen. Für die betreffenden Vorfälle gilt diese Frist auch, wenn die Verbuchung in den MwSt-Registern geschieht. Wird dagegen das Inkassoregister geführt, so hat die Verbuchung der Aufwendungen im MwSt-Register der Einkäufe bis zur MwSt-Jahresabrechnung zu erfolgen, die Verbuchung im MwSt-Register der ausgestellten Rechnungen (Honorarnoten) hingegen innerhalb von 15 Tagen.

Gegebenenfalls sind auch die einschlägigen Bücher für das mitarbeitende Personal zu führen.

Im Falle des Verzichts auf das Inkassoregister sind in den MwSt-Registern die für die Berechnung der Einkommensteuer erforderlichen Abgrenzungen vorzunehmen.

Konkret bedeutet dies, dass die bereits in Rechnung gestellten Ein- und Ausgaben am Jahresende abgegrenzt werden müssen, d.h. sie sind damit nicht einkommensteuerrelevant. Umgekehrt müssen später ein- und ausgehende Zahlungen in den MwSt-Registern einkommensteuerrechtlich erfasst werden, auch wenn sie mehrwertsteuerrechtlich nicht mehr relevant sind.

Diese Abgrenzungen sind deshalb erforderlich, da für die Zwecke der MwSt der Zeitpunkt der Fakturierung von zentraler Bedeutung ist, für die Zwecke der Einkommensteuer – für Freiberufler – hingegen der Zahlungsvorgang.

bbc) Weiter vereinfachte Regelungen und Pauschalregelungen

Da die Buchhaltungsvorschriften in Italien selbst dann sehr aufwändig sind, wenn die vereinfachte Buchhaltung zur Anwendung kommt, und die Kleingewerbetreibenden das Rückgrat der italienischen Volkswirtschaft bilden, sind in den letzten Jahrzehnten verschiedenste Versuche unternommen worden, weitere Vereinfachungen einzuführen. Es entstand damit ein kaum mehr überschaubarer Wildwuchs an Regelungen, die wiederum zu Missbrauchssituationen führten.

Die **Regelung der Mindestbesteurer** *(„nuovo regime dei contribuenti minimi"; „minimi")* lief zum 1.1.2016 aus, d.h. eine Option für dieses Regime ist nicht mehr möglich, doch behielt die in der Vergangenheit getroffene Entscheidung für diese Alternative bis zu ihrem Auslaufen ihre Gültigkeit (5 Jahre).

In Kraft geblieben und weiter gewählt werden kann hingegen die **Pauschalregelung für neue unternehmerische oder freiberufliche Tätigkeiten** ***(sog. „forfettario")***.

Insgesamt stehen somit gegenwärtig in Italien grundsätzlich folgende Buchhaltungsregime zur Wahl:

– die ordentliche Buchhaltung *(„contabilità ordinaria")*

– die vereinfachte Buchhaltung *(„contabilità semplificata")*

– die auf fünf Jahre befristete Pauschalregelung für neue unternehmerische oder freiberufliche Tätigkeiten *(„regime sostitutivo per nuove iniziative")*

– die (zeitlich nicht befristete) Pauschalregelung für unternehmerische oder freiberufliche Tätigkeiten, nach Ablauf der fünf Jahren *(regime forfettario)*

Daneben gibt es noch zahlreiche Sonderregelungen für bestimmte Wirtschaftsbereiche, wie z.B. landwirtschaftliche Unternehmen, Urlaub auf dem Bauernhof, Viehzuchtbetriebe und Vereine.

bbd) Die Pauschalregelung für **unternehmerische oder freiberufliche Tätigkeiten**

Eine Pauschalbesteuerung für Einkünfte aus unternehmerischer oder freiberuflicher Tätigkeit ist bis zu einer **Umsatzschwelle von € 85.000** möglich. Auf die Erträge kommt dabei eine besonders vorteilhafte 15%-Pauschalsteuer zur Anwendung. Handelt es sich um eine „neue" Tätigkeit (in den ersten fünf Jahres der Ausübung), so ist die Besteuerung mit 5% nochmals günstiger.

Eine großzügige Pauschalbesteuerungsregelung für neue unternehmerische oder freiberufliche Tätigkeiten wurde bereits mit Art. 13 des Haushaltsrahmengesetzes 2001[252] eingeführt. Diese Regelung wurde in der Zwischenzeit wiederholt abgeändert. Nach den aktuell geltenden Bestimmungen wird derZugang zu dieser Besteuerungsform durch höhere Schwellenwerte erheblich erleichtert.[253]
Damit diese Tätigkeit als „neu" qualifiziert werden kann, ist es erforderlich, dass der Steuerpflichtige **in den letzten drei Jahren keine andere unternehmerische oder freiberufliche Tätigkeit** ausgeübt hat. Zudem ist erforderlich, dass sich die betreffende Tätigkeit **nicht als Fortführung einer früheren selbstständigen oder nichtselbstständigen Tätigkeit** darstellt, wobei hier das gegebenenfalls für die Ausübung einer freiberuflichen Tätigkeit erforderliche Praktikum unberücksichtigt bleibt.

„Neu" ist auch die unternehmerische Tätigkeit, die wirtschaftlich in der **Fortführung einer Tätigkeit eines anderen** besteht.

Schließlich setzt die Anwendung dieser Pauschalregelung auch voraus, dass alle sonstigen sozial- und verwaltungsrechtlichen Vorschriften eingehalten worden sind. Ist dies nicht der Fall, verfällt dieser Anspruch und kommen entsprechende Strafen zur Anwendung.

Die Pauschalbesteurer dürfen Aufwendungen für **Löhne** und geregelte Mitarbeit nur im Ausmaß bis zu **€ 20.000** tätigen.

In der Vergangenheit gab es auch Beschränkungen in Bezug auf das **Nettoanlagevermögen** in der Höhe von **€ 20.000,** doch gelten diese nun nicht mehr.

Das Vorjahreseinkommen aus **nichtselbstständiger Tätigkeit darf € 30.000** (2025: € 35.000) **nicht übersteigen** (außer die betreffende Tätigkeit wurde beendet – dann darf dieses Einkommen auch höher liegen).

In der Vergangenheit gab es, je nach ausgeübter Tätigkeit, unterschiedliche Umsatzschwellen, ab welchen diese Pauschalregelung nicht mehr anwendbar war. Nunmehr gilt eine **einheitliche Schwelle von € 85.000.**
Auf die tatsächlich erzielten Umsätze findet dann ein **Ertragskoeffizient** Anwendung, der dann wiederum **je nach Tätigkeit unterschiedlich hoch** ist, und das Ergebnis ist dann der Besteuerung zu unterwerfen.

Anders als in der Vergangenheit, verfällt der Anspruch auf Anwendung dieser Regelung nicht mehr im laufenden Jahr, wenn die eben erwähnten Schwellen um mehr als 50% überschritten werden, sondern auf jeden Fall nur mehr im Folgejahr. Im ersten Jahr der Anwendung bleibt die Anwendbarkeit der Pauschalregelung auf jeden Fall gewahrt.

---

[252] Vgl. Art. 13 G 388/2000.

[253] Vgl. Art. 1 Abs. 54-89 G 190/2014.

Im Einzelnen kommen folgende Anwendungsschwellen und Ertragskoeffizienten zur Anwendung:

Tätigkeitsbereich	Anwendungsschwelle	Ertragskoeffizient
Lebensmittel- und Getränkeindustrie	85.000	40%
Groß- und Detailhandel	85.000	40%
Wanderhandel von Lebensmitteln und Getränken	85.000	40%
Anderer Wanderhandel	85.000	54%
Baugewerbe	85.000	86%
Makler	85.000	62%
Beherbergungs- und Restaurationsbetriebe	85.000	40%
Freiberufliche Tätigkeit	85.000	78%
Andere wirtschaftliche Tätigkeiten	85.000	67%

Quelle: Guida Pratica Fiscale Frizzera, Testo Unico, 5/2021, 361 (mit Ajournierung durch den Autor).

Die Steuerpflichtigen, die diese Pauschalregelung in Anspruch nehmen, wenden eine **Ersatzsteuer von 5%** auf die Steuerbemessungsgrundlage an. Die Anwendung dieser Regelung ist auf **fünf Jahre befristet**. **Danach** (bzw. wenn oben genannten Bedingungen, was den „neuen" Charakter der Tätigkeit anbelangt, nicht eingehalten wurden) steigt der Steuersatz auf **15%** (Voraussetzung bleibt, dass die genannten Anwendungsschwellen nicht überschritten werden).

Was die **MwSt** anbelangt, so wird diese **nicht angelastet** und es kann auch **kein Vorsteuerabzug** geltend gemacht werden. Im innergemeinschaftlichen Verkehr wird auf Verkäufe keine MwSt angelastet und es besteht kein Anspruch auf Vorsteuerabzeug. Bei innergemeinschaftlichen Käufen ist hingegen ab einer Schwelle von € 10.000 die MwSt anzurechnen. Es besteht eine Verpflichtung zur Ausstellung von Rechnungen bzw. Belegen, aber keine Registrierungspflicht.

Für die Zwecke der Einkommensteuer wird die Steuerbemessungsgrundlage nach Maßgabe der Artikel 79 (Unternehmer) bzw. 50 (Freiberufler) TUIR 1986 ermittelt.

Die betreffenden Pauschalbesteuerer sind nicht verpflichtet, Bücher für die direkten Steuern, die IRAP oder die MwSt zu führen. Es besteht keine Verpflichtung zur Abgabe der MwSt-Jahreserklärung.

Bei ig Lieferungen müssen allerdings im Falle der Überschreitung der Lieferschwelle von € 10.000 die entsprechenden MwSt-Pflichten (Eintragung ins *VAT Information Exchange System – VIES* mit entsprechenden Melde- und Zahlungspflichten, siehe dazu die näheren Ausführungen im „Grundriss des italienischen Steuerrechts" zur MwSt), beachtet werden.

Aufrecht bleibt allein die Verpflichtung, die erhaltenen Dokumente aufzubewahren sowie die bezogenen Entgelte zu registrieren. Darüber hinaus ist hier eine besondere Vergünstigung anwendbar: Diese Kategorie der Pauschalbesteuerer kann für die Erfüllung der steuerrechtlichen Verpflichtungen die Unterstützung des zuständigen Finanzamtes (Einnahmenamt – *Ufficio dell' Agenzia delle Entrate*) in Anspruch nehmen.

Die Gründe für die Einführung einer derart weitreichenden Vorzugsregelung sind zweierlei Natur. Zum einen ist darin eine wirtschaftspolitische Maßnahme zu sehen, durch welche ein Anreiz für neue Existenzgründungen geschaffen werden soll. In der Folge werden davon nicht zuletzt positive arbeitsmarktpolitische Konsequenzen erwartet. Zum anderen wird mit dieser steuerpolitischen Maßnahme auch ein Beitrag zur Bekämpfung der Schwarzarbeit geleistet. Ein Unternehmer oder Freiberufler, der in derart intensiven Kontakt mit der Finanzbehörde tritt, wird schwerlich in der Folge in die Schattenwirtschaft abgleiten.

c) Die Steuererklärung

ca) Die Erklärungspflichten[254]

Laut Art. 1 DPR 600/1973 hat grundsätzlich jeder, der in der Steuerperiode Einnahmen erzielt hat, eine Steuererklärung abzugeben. Dies gilt unabhängig davon, ob auch eine Steuer geschuldet ist.

Für **buchhaltungspflichtige Steuersubjekte** (grundsätzlich Unternehmer und Freiberufler) sind die diesbezüglichen Vorschriften noch restriktiver: Sie haben auf jeden Fall – also auch dann, wenn keine Einnahmen vorliegen – eine Steuererklärung abzugeben. Daneben gibt es verschiedene Fälle der Befreiung von der Steuererklärungspflicht selbst bei Vorliegen von Einnahmen.

Von der **Erklärungspflicht befreit** sind jene **natürliche Personen**, die:[255]

– **kein Einkommen**, steuerbefreite Einkommen oder mit einem definitiven Steuerrückbehalt besteuerte Einkommen bezogen haben;

– **nur Einkünfte aus nichtselbstständiger Tätigkeit (sowie gleichgestellte Einkünfte) und andere Einkünfte bis zum Gesamtbetrag von € 8.000** bezogen haben (soweit die Bezugsdauer mindestens 365 Tage beträgt; für Pensionisten gilt dieselbe Regelung);

– **Pensionseinkünfte** im Ausmaß von nicht mehr als **€ 7.500** und Einkünfte aus Grundvermögen nicht über **€ 185,92** beziehen;

– Einkünfte aus **gelegentlicher selbstständiger Tätigkeit** im Ausmaß bis zu **€ 4.800**;

– Bezüge für die Ausübung von **Freizeitsportaktivitäten** im Ausmaß bis zu **€ 30.658,28** erhalten.[256]

---

[254] Die grundlegenden Bestimmungen zur Steuererklärung finden sich in DPR 600/1973. Zur MwSt-Erklärung vgl. DPR 633/1973, zur IRAP-Erklärung DPR 446/1997. Weitere Bestimmungen finden sich in DPR 322/1998.

[255] Vgl. zu diesen Befreiungstatbeständen Memento Pratico Fiscale, 2016, Rz 14811.

[256] Bis zu € 15.000 sind diese Bezüge steuerbefreit.

– Wurden Einkünfte aus nichtselbstständiger Tätigkeit von mehreren Arbeitgebern ausbezahlt, so entfällt eine Erklärungspflicht dann, wenn der **letzte Arbeitgeber** den anderen Arbeitsverhältnissen Rechnung getragen und den entsprechenden Ausgleich vorgenommen hat.

– Keine Erklärungspflicht ist des Weiteren gegeben, wenn allein Einkünfte aus Gebäuden erzielt worden sind, soweit es sich um die **Hauptwohnung** (eventuell samt Zubehör: Keller, Garage) handelt.

– Die beiden zuletzt genannten Befreiungstatbestände finden auch kumulativ Anwendung (Einkünfte aus nichtselbstständiger Tätigkeit und aus Erstwohnung).

– Werden nur Einkünfte aus Grundvermögen erzielt, so entfällt eine Erklärungspflicht, wenn diese Einkünfte nicht über **€ 500** liegen.

– Werden Einkünfte aus der Hauptwohnung, aus sonstigen Immobilien sowie sonstige Einkünfte erzielt, so entfällt die Erklärungspflicht dann, wenn diese Einkünfte nicht über **€ 185,92** liegen (nach Abzug der für die Hauptwohnung zustehenden Beträge).

– Liegt die effektiv zu entrichtende Steuerschuld (nach Abzug der zustehenden Absetzbeträge) schließlich unter **€ 10,33**, so entfällt ebenfalls die Erklärungspflicht, soweit keine Buchhaltungspflicht vorliegt.

cb) Die Natur der Steuererklärung

Mit der grundlegenden Steuerreform der Jahre 1971/1973 hat die Bedeutung der Steuererklärung erheblich zugenommen. Angesichts der vielfältigen Funktionen, die diesem Dokument zukommen, erscheint seine rechtliche Qualifizierung nicht einfach. Der Theorienstreit, der um diese rechtliche Einstufung entfacht ist, ist im Wesentlichen auch darauf zurückzuführen, dass nach einem einzigen und eindeutigen, die Natur der Steuererklärung vollumfänglich beschreibenden Konzept gesucht worden ist, was jedoch nicht möglich ist. Die Steuererklärung ist sicherlich im zentralen Bereich **Wissenserklärung** *(dichiarazione di scienza),* da ihr – für den Regelfall – die zentralen Informationen für die Steuerfeststellung zu entnehmen sind. Der Steuerpflichtige verfügt grundsätzlich gegenüber der Finanzverwaltung über einen erheblichen Wissensvorsprung in Hinblick auf seine wirtschaftliche Situation. Durch die Weitergabe dieses Wissens an die Finanzverwaltung kann diese eine nachträgliche Formalkontrolle dahingehend vornehmen, ob der Steuerpflichtige seinen Legalpflichten nachgekommen ist. Nur in Ausnahmefällen muss und kann die Finanzverwaltung selbst nach den materiellen Informationen suchen, die der Steuerfeststellung zugrundezulegen sind. Steuerfeststellung auf der Grundlage einer Steuerklärung ist aber nicht mit der Anwendung einer mathematischen Formel auf ein vorgegebenes Zahlenmaterial zu vergleichen. Vielmehr bietet die Abfassung der Steuererklärung auch zahlreiche Gelegenheiten, Gestaltungsspielräume zu nutzen und selbst Forderungen gegenüber der Finanzverwaltung geltend zu machen. Steuererklärungen sind damit **auch Willenserklärungen**[257].

Ein Versuch darüber hinausgehender Klassifikationen erscheint müßig, insbesondere wenn dafür Konzepte aus anderen Rechtssegmenten bemüht werden, die sich nur schwerlich in das

[257] Für die deutsche Steuerrechtslehre vgl. dazu Seer, in: Tipke/Lang, Steuerrecht, 1998, 834.

System des Steuerrechts fügen. So wurde das zivilrechtliche Konzept des Geständnisses herangezogen. (Vgl. dazu Art. 2730 CC: „Das Geständnis ist die Erklärung, die eine Partei über die Wahrheit von Tatumständen abgibt, die für sie ungünstig und für die andere Partei günstig sind.“). Da beide Parteien, Steuerpflichtiger und Finanzverwaltung aber allein bemüht sind, einem verfassungsrechtlichen Auftrag gerecht zu werden, ist das Geständnis als Mechanismus der Wahrheitsfindung in einem Rechtsstreit über verfügbare Rechte zwischen zwei sich paritätisch gegenüberstehenden Parteien wohl nicht ohne weiteres auf das Steuerfeststellungsverfahren übertragbar. *Raffaello Lupi* hat zwei weitere Vorschläge zur Qualifizierung der Steuererklärung vorgebracht: zum einen als „Eingeständnis“ *(ammissione)*[258], zum anderen als „Wertungserklärung“ *(atto di giudizio)*[259]. Das „Eingeständnis“ sei eine Schöpfung der Rechtsprechung und beziehe sich auf Erklärungen der Parteien, die einem Geständnis vergleichbar, aber mit weniger weitreichenden Wirkungen verbunden seien, da sie nicht verfügbare Rechte beträfen. Bei den „Wertungserklärungen“ – ebenfalls ein in der Rechtsanwendung geborener Begriff – handle es sich hingegen um eine rechtstechnische Positionsbeschreibungen, die nicht mit einer Verfügung über Rechtspositionen einhergehe. Beide Qualifizierungsversuche sind durchaus zutreffend. Es bedarf aber einer Abwägung zwischen dem zusätzlichen Informationsgewinn und dem Erklärungswert, den diese Konzepte einerseits liefern und ihrem Beitrag zur Schaffung zusätzlicher Komplexität. Hier wird die Auffassung vertreten, dass über eine Bezugnahme auf die Konzepte der Wissenserklärung und der Willenserklärung die Natur der Steuererklärung hinreichend beschrieben werden kann.

Als Willenserklärungen zu qualifizieren sind[260]:

– die Entscheidung für eines der verschiedenen Buchhaltungssysteme (soweit zulässig);

– die Entscheidung für die gesonderte Besteuerung einzelner Bezüge gemäß Art. 16 TUIR 1986 (z.B. Entschädigung für Geschäftswertverlust);

– die Entscheidung für eine der verschiedenen Optionsmöglickeiten im Bereich der Besteuerung der Kapitaleinkünfte (bspw., in der Vergangenheit, Pauschalbesteuerung der Dividenden oder deren Einbeziehung in die Gesamtbemessungsgrundlage bei nachfolgendem Abzug des Steuerguthabens);

– Der Steuererklärung voraus gehen zahlreiche Wertungen, die in die Buchhaltung einfließen (Bewertung des Umlaufsvermögens, der Endbestände, der Forderungen usw.). Der Spielraum ist hier zwar geringer als im Handelsrecht, dennoch aber von nicht zu unterschätzender Breite.

– Auch hinsichtlich der Abschreibungen besteht ein beachtlicher Gestaltungsspielraum.

– Hinsichtlich der Verwendung der Steuermittel kann der Steuerpflichtige 0,8%, 0,5% bzw. 0,2% des Aufkommens unterschiedlichen Destinataren zuordnen (Kirchen und Religionsgemeinschaften, Entwicklungshilfe, politischen Parteien).

Insgesamt ist also die Steuererklärung **grundsätzlich als Wissenserklärung zu bezeichnen**, die aber – **potentiell – zahlreiche und weitreichende Willenserklärungen** aufweisen kann.

---

[258] Vgl. Manuale Professionale di Diritto Tributario, 1998, 228.
[259] Vgl. DT – PG, 2000, 148.
[260] Vgl. dazu auch Lupi, Manuale Professionale di diritto tributario 1998, 229 ff.

Der Prüfung der Natur der Steuererklärung kommt nicht nur eine ordnende und klassifizierende Funktion zu. Das Ergebnis dieser Untersuchung sollte vielmehr auch zu Rate gezogen werden, wenn es darum geht, die Möglichkeit einer Berichtigung der Steuererklärung zu prüfen. In der Praxis scheint dies aber nicht der Fall zu sein.

cc) Die Berichtigung der Steuererklärung

Ob die Berichtigung einer Steuererklärung zulässig ist, ist eine Fragestellung mit mehreren Facetten, die in der Rechtsprechung und in der Literatur zu einer Vielzahl von Lösungsvorschlägen geführt hat. Angesichts der Bedeutung dieser Thematik – ein Berichtigungsbedarf ist durchaus nicht selten – einerseits und des insgesamt unbefriedigenden Standes der Diskussion andererseits, sei hier ein Systematisierungsversuch der einschlägigen Fragestellungen unternommen.

Die Berichtigung kann in einer Erhöhung oder in einer Verminderung der erklärten Steuerbemessungsgrundlage bestehen. Der erstgenannte Fall bezieht sich auf die sog. „tätige Reue“ *(ravvedimento operoso)* und soll hier nicht näher behandelt werden.

Nur so viel sei erwähnt: Da die Erhöhung der Steuerbemessungsgrundlage aus staatlicher Sicht wünschenswert erscheint, war dieser bemüht, dem Steuerpflichtigen diesbezüglich „goldene Brücken“ zu bauen. Zwar liegt **90 Tage**[261] nach Ablauf der Erklärungsfristen der Tatbestand der **„unterlassenen Steuererklärung“** vor *(dichiarazione omessa)*; die diesbezüglichen Strafen werden aber im Falle einer eventuell nachgereichten Erklärung – und unter der Bedingung, dass die Finanzverwaltung nicht bereits Erhebungen in die Wege geleitet hat reduziert, wobei der Strafnachlass umso höher ist, je zeitnaher die tätige Reue erfolgt.

Hat der **Steuerpflichtige zu viel erklärt bzw. bezahlt** und liegt die Ursache dafür in einem Rechenfehler oder in einem anderen materiellen Fehler, so wäre die Finanzverwaltung eigentlich verpflichtet, diesen im Wege der **„Rücknahme von Steuerakten“** ***(autotutela amministrativa)*** selbst zu beheben. Diese Vorkehrung stellt für den Steuerpflichtigen einen wertvollen, aber keinen hinreichenden Schutz dar. Es stellt sich die Frage, inwieweit er selbst eine Berichtigung der Steuererklärung vornehmen kann. Diese Frage war lange Zeit in Lehre und Rechtsprechung äußerst umstritten und hat zu stark divergierenden Lösungen Anlass gegeben.

Rechtspolitisch wurde die Notwendigkeit, in dieser Frage eine rigide Position zu vertreten, damit begründet, dass damit der definitive Charakter der Steuerfeststellung sichergestellt werden sollte. Eine fortdauernde Berichtigungsmöglichkeit würde die Steuererklärung zu einem bloßen ersten Schritt in einem längeren Dialog zwischen Steuerpflichtigem und Finanzverwaltung herabwürdigen und damit die Sicherheit der Einnahmen gefährden. Vgl. dazu die Urteile Kass. Nr. 9554/1992; 4239/1994, 6835/1994 und 6957/1997. Von der Lehre

---

[261] Die ursprüngliche Frist von 30 Tagen wurde durch Art. 1 Abs. 2 Buchst. g) Nr. 1 des DPR 542 v. 14.10.1999 auf 90 Tage erhöht.

wurde diese Auffassung – und die rechtspolitische Wertung, auf der sie ruht – jedoch überwiegend nicht geteilt[262].

Umgekehrt konnten aber auch gute Argumente für eine möglichst großzügige Zulassung einer nachträglichen Berichtigung der Steuererklärung zugunsten des Steuerpflichtigen vorgebracht werden. Eine solche Situation ist insbesondere dann gegeben, wenn der Steuerpflichtige nur deshalb zu viel erklärt, um der Anwendung der Verwaltungsstrafen zu entgehen, gleichzeitig aber seinen Rechtsstandpunkt wahren möchte[263].

Diese gesamte Problematik wurde im Jahr 2016 einer grundlegenden Neuregelung unterzogen[264].

Danach ist ab 1.1.2017 zwischen:
– **einer Berichtigung innerhalb der Abgabefrist** und
– **einer späteren Berichtigungserklärung**
zu unterscheiden.

Im Falle einer **Berichtigung innerhalb der Abgabefrist** tritt die Berichtigungserklärung an die Stelle der ursprünglichen Erklärung. Die ursprüngliche Erklärung entfaltet keinerlei Wirkung.

Die **spätere Berichtigungserklärung** wird durch die Abgabe einer **neuen Steuererklärung** innerhalb des 31.12. des fünften darauffolgenden Jahres (Frist für Steuerkontrollen) vorgenommen.

Diese Neuregelung bedeutet nun nicht, dass damit jegliche Entscheidung des Steuerpflichtigen innerhalb eines bestimmten Zeitraums revidierbar wäre. Voraussetzung ist das **Vorliegen eines Irrtums**, wobei es sich um einen Rechtsirrtum oder um einen Tatsachenirrtum handeln kann. Auf jeden Fall **unzulässig** ist die **nachträgliche Revision einer Entscheidung**, die der Steuerpflichtigen im Rahmen **mehrerer Alternativen** getroffen hat. Ebenso können spezifische Bestimmungen besondere Regeln für die Berichtigung einzelner Erklärungen vorsehen[265].

Insgesamt kann also festgehalten werden, dass sich das Problem der Berichtigung der Steuererklärung grundsätzlich an der Trennlinie zwischen Elementen der Wissenserklärung (berichtigbar) und der Willenserklärung (nicht berichtigbar) orientiert.

---

[262] Vgl. nur Tesauro, Istituzioni di diritto tributario, 1998, 162.

[263] Vgl. dazu Lupi, DT – PG, 2000, 153 sowie ders., Manuale professionale di diritto tributario, 1999, 238 ff. mit weiteren Ausführungen zu der in der Vergangenheit geltenden Rechtslage.

[264] Vgl. Art. 5 NV 193/2016.

[265] Ibid., 162.

cd) Technische Aspekte der Steuerklärung

Für den Bereich der Einkommensteuern, der IRAP und der MwSt wurden wesentliche Charakteristika der Steuererklärung sowie die Pflichten der Steuersubstitute mit dem DPR 322 v. 22.7.1998 geregelt[266].

Danach sind die Steuererklärungen auf amtlich **vorgegebenen Vordrucken** abzufassen. Eine Verletzung dieser Vorschrift führt zur Nichtigkeit der Erklärung.

Angesichts von Millionen von Steuererklärungen bedeutet dies eine erhebliche Erleichterung der Datenverarbeitung durch die Finanzverwaltung bzw. der vorgeschalteten Einrichtungen, die die Steuererklärungen entgegennehmen (Banken, Post). Das Ausmaß der Formalisierung ist allerdings viel größer als im benachbarten Ausland, bspw. in Österreich.

Die konkrete Gestalt der Vordrucke muss jährlich bis zum 15. Februar im Amtsblatt der Republik veröffentlicht werden[267]. Das Formular kann von der Web-Seite des Finanzministeriums (www.finanze.it) bzw. von jener der Agentur der Einnahmen geladen werden oder in Papierform bei den Gemeinden bezogen werden.[268]

Es gibt zwei Erklärungsformulare: Den **Standardvordruck „Redditi"**, der das UNICO-Formular ab 2017 ablöste, und das Formular 730, das für die Erklärung von Einkünften aus nichtselbstständiger Tätigkeit, aus Pensionen und gleichgestellten Einkünften herangezogen werden kann.

Die Steuererklärung muss **unterfertigt** sein, andernfalls gilt sie grundsätzlich als nichtig, mit all den damit verbundenen Konsequenzen. Da die Steuererklärung überwiegend Wissenserklärung ist und damit deklaratorische Natur aufweist, ergibt sich diese Konsequenz nicht automatisch aus der Rechtsordnung[269], sondern ist eher als Sanktion zu werten. In der weit überwiegenden Zahl der Fälle ist das Fehlen der Unterschrift auf eine Unachtsamkeit zurückzuführen, weshalb diese Sanktion als unangemessen erscheint. Dementsprechend ist nunmehr eine Heilung der Nichtigkeit für den Fall vorgesehen, dass der Steuerpflichtige innerhalb von 30 Tagen nach Aufforderung durch das Finanzamt die Steuererklärung unterfertigt[270].

---

[266] Diese Ermächtigungsverordnung ist auf der Grundlage der Ermächtigungsbestimmung in Art. 3 Abs. 134-135 des G 662/1996 ergangen. Weitere Ergänzungen erfolgten durch das DPR 435/2001. Siehe dazu auch das Rundschreiben des Einnahmenamtes v. 25.1.2002 Nr. 6/E.

[267] Für Gesellschaften und Körperschaften mit einem vom Kalenderjahr abweichenden Geschäftsjahr ist der Vordruck jenes Jahres heranzuziehen, in dem das Geschäftsjahr schließt. Konkret bedeutet dies, dass bei einem Geschäftsjahr, das vor dem 31. Dezember schließt, stets der Vordruck des betreffenden Jahres zu verwenden ist.

[268] Die Vordrucke für die MwSt-Erklärungen, jene der Steuersubstitute, für die Lohnsteuerbestätigung CU sowie das Formular 730 (vereinfachte Erklärung) werden jährlich innerhalb 15. Januar veröffentlicht.

[269] So aber Falsitta, MDT – PG, 1999, 413, der eine nicht unterschriebene Steuererklärung nicht nur als nichtig, sondern als nicht existent qualifizierte.

[270] Vgl. Art. 1 DPR 322 v. 22.7.1998. Die Finanzbehörde ist verpflichtet, diese Aufforderung vorzunehmen.

Diese Regel betrifft an und für sich nur die Einkommensteuer und die IRAP. Es wird sich zeigen, inwieweit sich in der Praxis eine analoge Anwendung dieser Bestimmung auch für die übrigen Steuern durchsetzt. Letztlich wird aber wohl der Gesetzgeber nicht umhin kommen, analoge Bestimmungen auch für die übrigen Steuern zu schaffen bzw. eine Norm mit breiterem Anwendungsbereich zu schaffen.

Im Sinne der vielfach propagierten und geforderten Steuervereinfachung wurde die Steuererklärung für die Zwecke der **Einkommensteuern**, der **IRAP**, der **MwSt** sowie die **Erklärung der Steuersubstitute** (soweit deren Anzahl nicht mehr als 20 beträgt) in einem einzigen Dokument – genannt **UNICO** (modello unico compensativo) – zusammengefasst. Des Weiteren dient dieser Vordruck auch zur Erklärung der Sozialversicherungsbeiträge.

Seit 2017 muss allerdings die MwSt-Jahreserklärung wiederum gesondert eingebracht werden.

Der UNICO-Vordruck wurde **2017** durch den **„Redditi"-Vordruck** ersetzt, der sich untergliedert in „Redditi PF" *(„persone fisiche")*; „Redditi SP" *(„società di persone e soggetti assimilati")*; „Redditi SC" *(„società ed enti commerciali")* und „Redditi ENC" *(„enti non commerciali")*.

In der neueren Gesetzgebung ist ein eindeutiger Trend feststellbar, die Steuerpflichtigen dazu anzuhalten, die Steuererklärungen auf **elektronischem Wege** (Intranet oder Internet) zu übermitteln, da dadurch die Datenverarbeitung durch die Finanzverwaltung vereinfacht, beschleunigt und kostengünstiger gestaltet wird. Die Verpflichtung zur elektronischen Übermittlung *(trasmissione telematica)* konnte zwar nicht zur allgemeinen Regel erhoben werden, sie gilt aber für:

– alle Kapitalgesellschaften und gewerblichen Körperschaften;

– alle Steuerpflichtigen, die zur Abgabe der MwSt-Jahreserklärung verpflichtet sind.

Die elektronische Übermittlung kann direkt (über „Entratel", das eigene Netz der Finanzverwaltung, nur bei Vorlage des Vordrucks 770, für alle anderen über „fisconline") oder über einen autorisierten Intermediär („Intratel") erfolgen.

Die direkte Übermittlung ist für jene Steuerpflichtigen obligatorisch, die das Formalur Nr. 770 für mehr als 20 Steuersubstituierte übermitteln müssen.

Im Wesentlichen handelt es sich dabei um die Arbeitgeber, die die Lohnsteuerverrechnung ihrer Mitarbeiter vornehmen. Bis zu 20 Erklärungen können in einem Steuererklärungsformular zusammengefasst werden; liegt die Zahl darüber, so sind Einzelerklärungen abzugeben.

Soweit die Einreichung der Steuererklärung in **Papierform** noch zulässig ist (Steuerpflichtige, die an und für sich das Formular 730 abgeben müssten, aber zusätzlich Erklärungen vornehmen möchten, die nur durch das Standard-Formular möglich sind sowie bei Steuererklärungen für Verstorbene)[271], erfolgt diese bei **Postämtern**.

[271] Vgl. Memento Pratico Fiscale 2016-2, Abs. 14.860.

Zu den **autorisierten Intermediären** zählen:

– die Wirtschaftsberater, Buchhaltungsexperten und Arbeitsrechtsberater *(dottori commercialisti, esperti contabili, consulenti del lavoro)*;
– Rechtsanwälte;
– Rechnungsprüfer;
– Unternehmensverbände;
– Vereinigungen von Sprachminderheiten;
– Steuerassistenzstellen (sowohl für Angestellte als auch für Unternehmen);
– Steuerberater;
– Agronomen

In diesen Fällen werden die Daten elektronisch eingelesen und dann an die Finanzverwaltung übermittelt. Der Papiervordruck bleibt bei der Annahmestelle.
Auch diejenigen Steuerpflichtigen, für welche die diesbezügliche Verpflichtung nicht gilt, können die Steuerklärungen auf Antrag per Internet übermitteln.

Der Vorteil dieser Übermittlungsform liegt für den Steuerpflichtigen darin, dass er damit seine Steuerguthaben rascher geltend machen kann, und zwar über die Angabe seines Bankkontos, auf welches der betreffende Betrag elektronisch übermittelt wird[272].

Die in der Vergangenheit übliche händische Vorlage der Steuererklärungen bei den Gemeinden bzw. die postalische Übermittlung an die Finanzämter ist damit nicht mehr zulässig. Eine diesbezügliche Ausnahme gilt nur für die Steuerpflichtigen mit Wohnsitz im Ausland: Diese können ihre Steuererklärung postalisch an das Finanzministerium in Rom schicken.

Was die **Fristen für die Abgabe der Steuererklärung** anbelangt, so ist zu prüfen, ob die Steuererklärung auf elektronischem Wege abgegeben wird oder händisch in Papierform. Bei elektronischer Abgabe ist der **30. November** die Abgabefrist, andernfalls kann die Steuererklärung zwischen dem **2. Mai und dem 30. Juni** abgegeben werden.
Weiters sind folgende Abgabetermine vorgesehen:

– Kapitalgesellschaften und gewerbliche Körperschaften: innerhalb des neunten Monats nach Abschluss des Geschäftsjahres;
– andere IRES-pflichtige Gesellschaften (insbes. die nichtgewerblichen Körperschaften): innerhalb des neunten Monats nach Abschluss des Geschäftsjahres;
– Steuersubstitute: innerhalb 31.7.
– MwSt-Erklärung: innerhalb 30.9.

Die elektronisch übermittelten Erklärungen sind von den Steuerpflichtigen, den Steuersubstituten bzw. den beauftragten Intermediären **bis zum 31. Dezember des fünften darauffolgenden Jahres** – entweder in Papierform oder auf magnetischem Datenträger – aufzubewahren. Für denselben Zeitraum sind auch alle Über-

[272] Vgl. de Luca, Diritto tributario, 2001, 420.

weisungsbelege sowie alle begleitenden Dokumente **aufzubewahren**. Im Falle einer **nichtabgegebenen Steuererklärung** sind alle relevanten Unterlagen **sieben Jahre** aufzubewahren. Diese Fristen entsprechen jenen, die für die Zulässigkeit von Steuerkontrollen vorgesehen sind.

Diese verlängerten Verwirkungsfristen gelten für Steuervergehen, die ab dem 1.1.2016 begangen wurden. Für Vergehen aus der Zeit davor gelten nach wie vor die Fristen von vier bzw. fünf Jahren.

Die Verjährungsfristen für die Durchführung von Steuerkontrollen wurden in der Vergangenheit **verdoppelt**, wenn eine Übertretung vorlag, die zur **Strafanzeige** gemäß 331 cpp **verpflichtete und innerhalb der ordentlichen Verwirkungsfristen auch tatsächlich erfolgte**. Diese Bestimmung wurde allerdings **mit dem Stabilitätsgesetz 2016 mit Wirkung ab 1.1.2016 wieder außer Kraft gesetzt**. Stattdessen wurde die Frist verlängert: Grundsätlich (mit wenigen Ausnahmen) liegt die Verjährung im Strafrecht nun bei **acht Jahren** ab Begehung der straftat.

Nur in einem Ausnahmefall greift noch die **Verdoppelung**: (auf zehn bzw. vierzehn Jahre): wenn sich die Mittel in einem **Steuerparadies** befinden (Art. 12 Abs. 2 NV 78/2009). Diese Regelung erscheint allerdings im Lichte von EuGH Rs. C-788/19 v. 27.1.2022 problematisch.

Aus den obigen Ausführungen dürfte ersichtlich geworden sein, dass die Abfassung der Steuererklärung mit einem bürokratischen Aufwand verbunden ist, der dem Durchschnittsbürger häufig **nicht zumutbar** ist bzw. **unangemessene Beratungskosten** verursacht. Anders als bspw. in Österreich ist es in Italien im Übrigen nicht möglich, die Beratungskosten steuerlich geltend zu machen, soweit es sich nicht um einen Unternehmer oder Freiberufler handelt. Der Staat war deshalb in den letzten Jahren bemüht, den Steuerpflichtigen in diesem Bereich zu entlasten.

Zu diesem Zweck wurde 2024 die **vorausgefüllte Steuererklärung** *(dichiarazione precompilata)* eingeführt. Dabei wird den Beziehern von Einkünften aus nichtselbstständiger Tätigkeit sowie von gleichgestellten Einkünften ein vorausgefülltes Formular 730 online zugänglich gemacht[273], in dem die von den Steuersubstituten und Dritten übermittelten Daten sowie jene aus der Zentralen Steuerkartei bereits enthalten sind. Auch die ärztlichen Aufwendungen werden automatisch erfasst, und zwar über die Einmeldungen der Sanitätseinheiten, Krankenhäuser und Apotheken. Dasselbe gilt für Versicherungsprämien, die Zusatzpensionsversicherungen, die Universitätsgebühren, die Passivzinsen für Darlehen sowie für die Bestattungsspesen.

Dagegen müssen die Kosten für Wiedergewinnungsarbeiten und für die energetische Sanierung sowie die Aufwendungen für private Universitäten in einem Anhang *(foglio informativo)* vom Steuerpflichtigen eigens angeführt werden.

[273] Auch über den Steuersubstituten, über Steuerassistenzstellen oder über den Steuerberater. Zugänglich unter www.agenziaentrate.gov.it.

Schon seit längerem wurden des Weiteren zwischen Steuerpflichtigem und Finanzverwaltung Einrichtungen dazwischengeschaltet, die eine Unterstützungsfunktion bei der Erstellung der Steuererklärungen wahrnehmen sollten, wobei die betreffenden Kosten vom Staat übernommen werden sollten. Zu diesem Zwecke wurde die Einrichtung der Steuerassistenzstellen ***(Centri di Assistenza Fiscale – CAF)*** geschaffen[274].

Die Steuerassistenzstellen, die als Kapitalgesellschaften gegründet werden müssen, können von Arbeitgeber- oder Arbeitnehmervereinigungen bzw. Patronaten einer bestimmten Größenordnung geführt werden.

Unterschieden wird zwischen Steuerassistenzstellen für Nichtselbstständige und Pensionisten und Steuerassistenzstellen für Unternehmer.

Steuerassistenz kann den Nichtselbstständigen auch durch den Arbeitgeber sowie durch Freiberufler gewährt werden.

a) Steuerassistenz zugunsten der Nichtselbstständigen (und gleichgestellten Kategorien)

aa) Steuerassistenz durch den Arbeitgeber

Der Arbeitnehmer, der die Steuerassistenz des Arbeitgebers wahrnehmen möchte (und sofern dieser gegenüber der AdE seine Bereitschaft dazu erklärt hat), muss diesem das **Formular 730** übermitteln. Dieser nimmt eine formale Kontrolle vor und berechnet dann etwaige Guthaben oder Schulden. Das Abrechnungsformular (Formular 730/3) ist dem Arbeitnehmer zu übermitteln. Der Differenzbetrag ist mit den Gehaltszahlungen zu verrechnen.

Die erhaltenen 730-Formulare hat der Arbeitgeber der Finanzverwaltung bis zum 30. Juni zu übermitteln.

ab) An die **Steuerassistenzstellen für Nichtselbstständige und Pensionisten** können sich die Bezieher dieser Einkünfte auch dann wenden, wenn sie Erträge aus Grundbesitz, aus IRES-pflichtigen Unternehmen sowie bestimmte sonstige Einkünfte (insbes. aus gelegentlicher selbstständiger Tätigkeit) erzielen. Liegen dagegen Einkünfte aus selbstständiger Tätigkeit oder aus Unternehmen vor, so kann dieser Dienst nicht mehr in Anspruch genommen werden[275].

Der Steuerpflichtige muss Einkünfte von einem Steuersubstituten (wichtigster Fall: Arbeitgeber) beziehen, der im Laufe des Jahres die Ausgleichszahlungen vornimmt.

[274] Vgl. Art. 78 G 413/91; DPR 395 v. 4.9.1992; MD 494 v. 22.10.1992; EV 490/1998; MD 164 v. 31.5.1999. Vgl. zu den Steuerassistenzstellen de Luca, Diritto tributario, 2001, 429 ff.

[275] Dies gilt nicht für Entgelte aus der Nutzung von gewerblichen Rechten oder Urheberrechten (Art. 49 Abs. 2 lit b) TUIR. Dagegen können Einkünfte aus fortdauernder und geregelter Zusammenarbeit auch über die Steuerassistenzstellen erklärt werden, da diese nunmehr zu den Einkünften aus nichtselbständiger Tätigkeit zählen.

Konkret wird dieser Dienst folgendermaßen ausgeübt: Der Steuerpflichtige bezieht im Monat Februar vom Arbeitgeber bzw. von der Pensionsstelle das sog. CU-Formular[276], aus dem die jeweiligen Bezüge hervorgehen und das als Grundlage für die Abfassung des vereinfachten **Steuererklärungsformulars 730** dient. Dieses Formular hat der Steuerpflicht ausgefüllt bei der Steuerassistenzstelle abzugeben[277], die eine Bestätigung ausstellt und die Steuer berechnet. Das **Ergebnis** dieser Berechnungen wird **dem Steuerpflichtigen** und anschließend der Finanzbehörde **mitgeteilt**, die wiederum auf elektronischem Wege den **Steuersubstituten informiert**, der den eventuell notwendigen **Lohn- bzw. Pensionssteuerausgleich** vornimmt. Den Steuerassistenzstellen steht eine **Vergütung zwischen € 16,90–18.30** (je nach Komplexität der Erklärung) je erstellter Steuererklärung zu, wobei die betreffenden Kosten zu Lasten des Staates gehen.

ac) Steuerassistenz durch Freiberufler

Auch Freiberufler (Wirtschaftsberater, Rechnungsführer/Ragionieri und Arbeitsrechtsberater) können Steuerassistenz leisten.[278] Diese müssen über die entsprechenden technischen Voraussetzungen für die elektronische Übermittlung der Steuererklärungen verfügen und eine Berufshaftpflichtversicherung abschließen. Die Modalitäten der Durchführung der Steuerassistenz und die entsprechende Honorierung entsprechen jenen der Steuerassistenzstellen.

b) Steuerassistenz zugunsten der Unternehmen

An die **Steuerassistenzstellen für Unternehmen**[279], die – wie jene für Nichtselbstständige – als Kapitalgesellschaften zu gründen sind, können sich Einzelunternehmer, Personengesellschaften, deren Gesellschafter und die Mitarbeiter von Familienunternehmen sowie die Ehepartner der Unternehmer und Gesellschafter im gemeinsamen Unternehmen, im Familienunternehmen und in Personenunternehmen wenden[280]. Der Steuerassistenzstelle für Unternehmen kommen (potentiell) weitreichende Aufgaben zu. Die konkrete Reichweite dieser Aufgabe bestimmt sich auf der Grundlage der Vereinbarungen zwischen Steuerpflichtigem und Steuerassistenzstelle. Im Einzelnen können folgende Aufgaben übernommen werden:

- die **Führung der Buchhaltung und die Erstellung der Steuererklärung**;

[276] Diese Bezeichnung ist an die Stelle der früheren Bezeichnungen 101 (nichtselbständige Tätigkeit) und 201 (Pensionsbezüge) bzw. CUD getreten.

[277] Beizulegen ist auch das Formular F30-1, mit welchem der Steuerpflichtige über die Verwendung von 8 Promille (sowie 5 und 2 Promille) seiner Einkommensteuer (bspw. für karitative Zwecke, Unterstützung von Kirchen) verfügen kann.

[278] Vgl. Art. 3 bis Abs. 10, Art. 7 quinquies NV 203/2005 ug G 248/2005). Siehe auch EuGH, Rs. C-451/03, Urteil v. 30.3.2006.

[279] Vgl. MD 494 v. 22.10.1992.

[280] Vgl. Art. 3 MD 494 v. 22.10.1992.

– die Führung des sog. **Steuerkontos**[281];

– die **Erklärung der Übereinstimmung der Steuererklärung mit der Buchhaltung**, den beigelegten Dokumenten und den einschlägigen gesetzlichen Bestimmungen über die vom Gesamteinkommen absetzbaren Aufwendungen und über die Ermittlung der Steuern[282].

Anders als die jene für Nichtselbstständige, sind die Dienste von Steuerassistenzstellen für Unternehmen grundsätzlich **kostenpflichtig**.

c) Die Übereinstimmungserklärung *(visto di conformità)*, die Beglaubigung *(asseverazione)* und die beeidete Erklärung *(certificazione, revisione contabile)*

Die **Übereinstimmungserklärung** ***(visto di conformità)***[283] soll eine weitere Kontrolle der Steuererklärung durch die Finanzverwaltung – zumindest für den Normalfall – erübrigen und diese damit in ihrer Kontrolltätigkeit entlasten.

Die Übereinstimmungserklärung besteht formal in der **Unterfertigung der Steuererklärung** der Assistierten bei gleichzeitiger Angabe seiner Steuernummer.

Inhaltlich besteht die Übereinstimmungserklärung in der **Erklärung der Übereinstimmung** der **Erklärung mit den entsprechenden Unterlagen** bzw. – soweit vorhanden – mit der Buchhaltung und den entsprechenden Buchhaltungsunterlagen.

Vorgenommen wird diese Erklärung durch den Verantwortlichen der Steuerassistenzstelle (sowohl für Unternehmen als auch für Nichtselbstständige) bzw. durch die autorisierten Freiberufler (Wirtschaftsberater, Rechnungsführer/Ragionieri, Arbeitsrechtsberater).

Liegt eine solche Übereinstimmungserklärung vor, so **beschränkt die Finanzverwaltung ihre Kontrolltätigkeit**. Zudem ist diese Erklärung Voraussetzung für die **Verrechnung von Mwst-Guthaben** aus der Jahreserklärung, die **mehr als 5.000 Euro** betragen bzw. die im Falle einer **Rückforderung über € 30.000** liegen.

Eine missbräuchliche Abgabe der genannten Erklärung zieht dementsprechend hohe Strafen nach sich.

Mit der **Beglaubigung** ***(asseverazione)***, die für Steuerpflichtige vorgesehen ist, welche in der Vergangenheit den Branchenkennzahlen *(studi di settore)* unterlagen und nun den Zuverlässigkeitskriterien **ISA**, wird dagegen bestätigt, dass die Steuererklärung auf der Grundlage all jener buchhalterischen und außerbuchhal-

---

[281] Vgl. Art. 4 Abs. 3 MD 494 v. 22.10.1992.

[282] Vgl. Art. 4 Abs. 2 MD 494 v. 22.10.1992.

[283] Die Erklärung der Übereinstimmung kann nur von Wirtschaftsberatern, Rechnungsführer und Arbeitsrechtsberatern mit zumindest dreijähriger Eintragung in den einschlägigen Verzeichnissen abgegeben werden.

terischen Daten und Informationen erstellt worden ist, die der Finanzverwaltung mitgeteilt worden sind und die für die Anwendung der ISA von Relevanz sind.

Die Beglaubigung hat zur Folge, dass eine induktive Nachschätzung nur mehr auf der Grundlage der ISA erfolgen kann und dies auch nur innerhalb des dritten Jahres nach Einreichung der Steuererklärung.[284] Die beglaubigte Steuererklärung verfügt über eine erhöhte Glaubwürdigkeit. Deshalb werden allfällige Guthaben beschleunigt rückerstattet und eine Steuereinhebung bei einem Fehlbetrag erfolgt erst nach dem Urteil erster Instanz.

Die **beeidete Erklärung** ***(certificazione, revisione contabile, „visto pesante“)*** bietet ein **Höchstmaß an Garantie**, dass die Steuererklärung korrekt verfasst worden ist und den einschlägigen steuerrechtlichen Regelungen entspricht.

Eine solche Erklärung kann nur von **Rechnungsrevisoren** abgegeben werden. Dabei muss es sich um Wirtschaftsberater, Rechnungsführer/Ragionieri oder Arbeitsrechtsberater handeln, die seit **mindestens fünf Jahren** in den entsprechenden Verzeichnissen eingetragen sind.

Die beeidete Erklärung kann nur in Bezug auf Erklärungen von Unternehmen abgegeben werden, die die ordentliche Buchhaltung führen.

Voraussetzung ist, dass der betreffende Revisor nicht nur die Steuererklärung erstellt und die **zugrunde liegende Buchhaltung geführt** hat, sondern dass er auch die **Übereinstimmungserklärung** und – falls vorgesehen – die **Beglaubigungserklärung abgegeben** hat.

Der Revisor muss **im Detail prüfen**, ob die **Buchhaltungsvorschriften und die einschlägigen steuerrechtlichen Bestimmungen eingehalten** worden sind.

Für die Finanzverwaltung ist das Vorliegen einer beeideten Erklärung mit zahlreichen Vorteilen verbunden, da die betreffende Erklärung von einem hohen Maß an Glaubwürdigkeit gekennzeichnet ist.

Dementsprechend ist das Vorliegen einer beeideten Erklärung z.T. vorgeschrieben und ansonsten mit erheblichen Vorteilen verbunden (bspw. findet auf solche Steuerpflichtige **keine induktive Steuerfeststellung** Anwendung, die **Kontrollmöglichkeiten sind eingeschränkt** und die Geltendmachung von Guthaben erfolgt in privilegierter Form.

Die Einführung der Einheitssteuererklärung UNICO sowie die elektronische Übermittlung der Erklärungen waren – wie oben geschildert – mit zahlreichen Vorteilen für die Finanzverwaltung verbunden. Aber auch die Position des Steuerpflichtigen hatte sich mit dieser Neuerung erheblich verbessert:

– Zum einen wurden zahlreiche unterschiedliche Abgabetermine zusammengelegt, was eine nicht unwesentliche Vereinfachung für den Steuerpflichtigen bedeutet.

[284] Vgl. Tesauro, IDT – PG, 2011, 224.

– Des Weiteren konnte der Steuerpflichtige eine Aufrechnung der Forderungen und Guthaben über alle im UNICO erklärten Steuern hin vornehmen. Auch mit dem Übergang zum Steuererklärungsformular „Redditi" bestehen diese Vorteile fort; die Aufrechnung erfolgt weiterhin über das Formular F24.

– Schließlich war mit der Einführung der elektronischen Übermittlung der Steuererklärung die Notwendigkeit verbunden, auf die Übermittlung aller Beilagen (z.B. Rechnungen in Bezug auf Sonderausgaben und Absetzbeträge; Belege hinsichtlich der Steuerguthaben) zu verzichten. Die Finanzverwaltung gewährt also dem Steuerpflichtigen einen sehr weitreichenden Vertrauensvorschuss, der sich in einer nicht unbeachtlichen verwaltungstechnischen Vereinfachung konkretisiert. Nunmehr müssen diese Dokumente allein auf Anfrage vorgelegt werden.

Obwohl diese Vorteile durch die Ausgliederung der MwSt-Erklärung (seit 2017) wiederum – partiell – verloren gehen, sind in anderen Bereichen Fortschritte erzielt worden:

– Für natürliche Personen, Personengesellschaften und Vereinigungen ist ab 2017 der 30. Juni Zahlungstermin für die Saldozahlung und die Akontozahlung der ESt wurde vereinheitlicht (zuvor war es der 16. bzw. der 30. Juni);

– Kapitalgesellschaften und andere IRES-pflichtige Körperschaften haben weiterhin innerhalb des 16. des sechsten Monats nach Abschluss des Geschäftsjahres die betreffenden Zahlungen vorzunehmen.

– Die MwSt-Jahreserklärung ist im Jahr 2025 zwischen dem 1. Februar und dem 30. April online einzureichen, während die Saldozahlung für 2024 am 17. März 2025 vorzunehmen war und die Akontozahlung für 2025 bis zum 29. Dezember 2025 vorzunehmen sind.

ca) Spezielle Steuererklärungen

Zwar existieren verschiedene Formen von Steuererklärungen; dem Standard-Vordruck „Redditi" (dem früheren UNICO-Formular) kommt aber ein ganz zentraler Stellenwert bei.

Einzelne, bereits erwähnte Erklärungen haben diesbezüglich eine Ersatz- bzw. Vorbereitungsfunktion, so der sog. CU-Vordruck für Nichtselbstständige und für Pensionisten und der sog. 730-Vordruck, der bei den Steuerassistenzstellen (CAF) eingebracht wird.

Dennoch sollen hier noch andere Erklärungen zumindest eine kurze Erwähnung finden.

In der Vergangenheit hat die MwSt-Jahreserklärung, die zwischen 1. Februar und 15. März einzubringen war, eine große Bedeutung eingenommen. Die zentrale Rolle, die diesem Dokument ursprünglich zugekommen ist, wurde von der Einheitssteuererklärung UNICO übernommen. Auch die Verpflichtung zur Abgabe periodischer Erklärungen ist mit der Steuerperiode 2002 entfallen.

Für das Jahr 2017 (mit Wirkung für das Jahr 2016) wurde die MwSt-Jahreserklärung wieder eingeführt. Sie ist – wie oben erwähnt – zwischen 1. Februar und 30. April einzubringen.

In Zusammenhang mit der Registersteuer ist es schwer, von einer Steuererklärung im eigentlichen Sinne zu sprechen, da eine solche – für den Regelfall – allein implizit in der Vorlage des zu registrierenden Aktes zu sehen ist[285].

In der Vergangenheit hat die Erbschaftsteuererklärung eine relativ große Bedeutung eingenommen. Diese war innerhalb von 6 Monaten nach dem Erbschaftsanfall auf einem amtlich vorgegebenen Formular zu erstellen und hatte detaillierte Angaben zu den Erben (Personalien, Steuernummer, Verwandtschaftsverhältnis zum Erblasser) und zum Erbgut zu enthalten. Im Gefolge der Abschaffung der Erbschaftsteuer wurde der Anwendungsbereich dieser Erklärung auf die Fälle beschränkt, in denen auch Immobilien und andere dingliche Rechte in die Erbmasse fallen. Im Zuge der Wiedereinführung der Erbschaft- und Schenkungsteuer im Jahr 2006 hat auch die betreffende Steuererklärung (die nunmehr innerhalb von zwölf Monaten nach Erbschaftseröffnung zu erfolgen hat) erneut an Relevanz gewonnen.

cb) Der Vorabvergleich (concordato preventivo biennale)

Für Einkünfte aus Unternehmen und aus selbstständiger Tätigkeit, die den ISA unterliegen, besteht nunmehr[286] – unter bestimmten Voraussetzungen – die Möglichkeit eines **zweijährigen Vorabvergleichs für IRPEF und IRAP**. Dabei übermittelt die Finanzverwaltung dem Steuerpflichtigen ein Vergleichsangebot, das der einvernehmlichen Steuerfeststellung nachgebildet ist, aber in Gegensatz zu diesem zukunftsorientiert ist und das auf den der Finanzverwaltung zur Verfügung stehenden Daten beruht. Auf die Bemessungsgrundlage kommt ein reduzierter Steuersatz von **15%** (12% bei ISA zwischen 6 und 8, 10% bei ISA über 8) zur Anwendung. Bei Pauschalbesteurern findet ein Satz von 10% bzw. von 3% (je nachdem, ob der Regelsatz 15% oder 5%) beträgt.

Ausschlussgründe sind u.a. Steuerschulden von mehr als € 5.000, eine Verurteilung wegen Steuerstraftaten und ein Anteil von steuerbefreiten Einkünften von mehr als 40% am Gesamteinkommen.

Bei außergewöhnlichen Ereignissen, die zu einer Reduzierung der Einkünfte um mehr als 50% im Verhältnis zu jenen führen, die Gegenstand des Vergleichs waren, wird der Vergleich unwirksam.

Die Annahme dieses Vorschlags kommt einer Wette gleich: Darüber liegende Einkommen bleiben unbesteuert, während bei einem niedrigeren (tatsächlichen) Einkommen der Vorabvergleich zum Verlustgeschäft wird.

Bei Ablehnung des Vergleichsvorschlags drohen verstärkte Kontrollen. Dennoch blieb der Erfolg dieses Instruments bislang hinter den Erwartungen zurück.

---

[285] Vgl. Tesauro, IDT – PG, 1998, 165. Nur ausnahmsweise liegt eine Steuererklärung im eigentlichen Sinne vor: So bei der Registrierung eines mündlichen Vertrages oder wenn sich nach der Registrierung Vorfälle ereignen, die steuerlich relevant sind und dem Registeramt mitgeteilt werden müssen. Ibid.

[286] Vgl. Art. 6 ff. EV 13/2024.

4. Die Handlungen der Finanzverwaltung im Steuerfeststellungsverfahren

4.1 Einführung

Nach dem – wie hier – breiter definierten Konzept des Steuerfeststellungsverfahrens interagieren Finanzverwaltung und Steuerpflichtige in vielfacher Weise zur Überführung der vorliegenden Elemente der Leistungsfähigkeit in eine konkrete Steuerleistungspflicht, wobei sie unterschiedliche Handlungs- und Wertungsspielräume wahrnehmen. Während im vorhergehenden Abschnitt die Handlungsmöglichkeiten und -pflichten des Steuerpflichtigen dargestellt worden sind, soll nun das Hauptaugenmerk den entsprechenden Maßnahmen der Finanzverwaltung gelten.

Dazu sei Folgendes vorausgeschickt:

– Auch hier stehen wiederum die Einkommensteuern und die MwSt im Mittelpunkt der Betrachtung.

– Die Maßnahmen der Finanzverwaltung im Rahmen der Steuerfeststellung sind für den Bürger weniger augenscheinlich als jene, zu welchen die Steuerpflichtigen selbst angehalten werden. Wenn die Rechtswirklichkeit beschrieben werden soll, so muss sich eine Darstellung dieser Maßnahmen an den einschlägigen Normen orientieren und gleichzeitig die tatsächliche Praxis der Finanzverwaltung berücksichtigen.

– Ein beachtlicher Teil der nachfolgend behandelten Maßnahmen ist allein eventueller Natur. Angesichts von Millionen von Steuerfeststellungsverfahren kann eine detaillierte Kontrolle verständlicherweise nur für einen verschwindend geringen Bruchteil aller Verfahren vorgenommen werden. Die nachfolgenden Ausführungen beschreiben also in all ihren Elementen nicht den Regelfall des Feststellungsverfahrens, sondern eher den Extremfall.

4.2 Die Steuerkontrollen

Literatur: Lupi, Metodi induttivi e presunzioni nell'accertamento tributario, 1988; Perrone, Evoluzione e prospettive dell'accertamento tributario, in: Riv.Dir.Fin 1982, I, 105; Santamaria, Le ispezioni tributarie, 2000; Reggi, Le nuove verifiche tributarie, 2000; Pisani, La disciplina del potere di accesso, in: CorrTrib 40/2001, 2997; A.Palazzolo/C. Palazzolo, Statuto del contribuente – L'attività istruttoria esterna degli uffici impositori, in: fisco 39/2001, 12771; Vitale et al., Le nuove indagini finanziarie, 2013; Costa, L'accertamento sintetico, 2013; *Allena*, Il contrasto all'evasione fiscale: Profili evolutivi, in: DPT 2025, 453

4.2.1 Festsetzung der Steuer und formale Kontrolle der Steuererklärung

Laut **Art. 36-bis** DPR 600/1973 hat die Finanzverwaltung **bis zum Beginn des Abgabetermins für die neue Steuererklärung** die **Festsetzung der Steuern** *(„liquidazione“* oder *„riliquidazione delle imposte“)* vorzunehmen, die nach Maßgabe der alten Steuererklärung geschuldet sind. Zwar ist die Festsetzung bereits durch den Steuerpflichtigen unmittelbar in der Steuererklärung durchzuführen; die Finanzverwaltung übt hier aber eine nachträgliche Kontrolle aus. Diese Kontrolle wird hinsichtlich aller Steuererklärungen vorgenommen. Grundlage sind die der Steuererklärung direkt zu entnehmenden Daten sowie die Informationen, die eventuell bei der **Zentralen Steuerkartei** *(anagrafe tributaria)* vorliegen. Das Finanzamt führt hier also keine weiteren Erhebungen durch, sondern korrigiert nur die gröbsten, evident aufscheinenden Fehler der Steuererklärungen:

– Rechenfehler und andere offenkundige Irrtümer bei der Berechnung der Steuer;

– Fehler bei der Übertragung von Steuerguthaben aus der vorhergehenden Steuererklärung;

– Herabsetzung der Steuerabsetzbeträge, die nach Maßgabe der der Steuererklärung zu entnehmenden Daten nicht oder nicht in diesem Ausmaß gebühren;

– Herabsetzung der nicht im angegebenen Ausmaße zustehenden Steuerabzüge und Steuerguthaben.

Kontrolliert wird weiters, ob die Überweisungen in Einklang mit der Steuererklärung vorgenommen worden sind und ob sie rechtzeitig erfolgt sind.

Werden in diesem Zusammenhang Fehler entdeckt, so wird ein relativ unbürokratisches Verfahren in Gang gesetzt: Das Ergebnis der Kontrollen wird dem Steuerpflichtigen mitgeteilt, der den Fehlbetrag innerhalb von **30 Tagen** zu zahlen hat. Geschieht dies, so werden die anwendbaren Strafen auf **10% reduziert (1/3 von 30%)**; die Neufestsetzung der Steuern durch die Finanzverwaltung wird der Erklärung durch den Steuerpflichtigen gleichgehalten[287]. Der Steuerpflichtige kann in dieser Zeit auch versuchen, sich gegenüber der Finanzverwaltung zu rechtfertigen. Geschieht dies nicht oder in unzureichender Form, so wird der Fehlbetrag – samt Strafen und Zinsen – in die Steuerrollen eingetragen.

Die oben angeführte Frist für die (Neu)Festsetzung der Einkommensteuern (Beginn der Einreichefrist für die neue Steuer) ist eine Ordnungsfrist und keine Fallfrist, d.h. auch spätere Festsetzungsmaßnahmen sind zulässig[288]. Im Vergleich zur Vergangenheit, als diese Frist bis zum 31. Dezember des Folgejahres währte, ist damit eine grundsätzliche Verkürzung der Bearbeitungszeitungen eingetreten, doch arbeiten jetzt die Finanzämter angesichts der Verpflichtung zur elektronischen Übermittlung der Steuererklärungen unter gänzlich verschiedenen Bedingungen.

Ein vergleichbares Festsetzungsverfahren ist nunmehr auch für die MwSt vorgesehen[289].

Im Rahmen der Registersteuer wird die Festsetzung primär vom Registeramt selbst vorgenommen, weshalb dabei auch nicht von einer Neufestsetzung oder von einer Kontrolle der Festsetzung gesprochen werden kann.

Maßnahmen, die die Würdigung rechtlicher Fragestellungen beinhalten, dürfen im Rahmen des Festsetzungsverfahrens nicht ergehen[290]: So kann die Berechnung

---

287 Vgl. Art. 2 EV 462/1997.
288 Vgl. Art. 28 des G 449 v. 27.12.1997.
289 Vgl. Art. 54-bis DPR 633/1972.
290 Vgl. Kass. Nr. 6193 v. 8.7.1996 unter Bezugnahme auf das Urteil cort.Cost. Nr. 430 v. 7.4.1988.

eines Absetzbetrages geprüft werden, nicht aber die Frage, ob dieser Absetzbetrag rechtlich in Anspruch genommen werden darf. Wenn das Kontrollverfahren ein Guthaben zugunsten des Steuerpflichtigen ergeben sollte, so ist auch dieses festzusetzen.

Art. 36-ter regelt dagegen die sog. **formale Kontrolle** der Steuererklärung[291]. Kontrollen dieser Art werden nur stichprobenartig vorgenommen und bestehen in der Aufforderung an den Steuerpflichtigen, einzelne Elemente der Steuererklärung durch Dokumente zu belegen. Hier wird das Vertrauensvorschussprinzip, auf welchem die elektronische Übermittlung der Steuererklärung gründet, durch das Kontrollprinzip ergänzt.

Das Datenmaterial, das Gegenstand der formalen Kontrolle ist, wird also nicht allein aus der Steuererklärung und von der Zentralen Steuerkartei bezogen, sondern unmittelbar vom Steuerpflichtigen über spezifische Anfragen und auch über Quervergleiche mit Steuererklärungen früherer Steuerperioden bzw. anderer Steuerpflichtiger.

Die Leitlinien, welche Steuerpflichtige diesen Kontrollen zu unterziehen sind, werden jährlich vom Finanzminister festgelegt.

Im Einzelnen kann die Finanzverwaltung:

– Steuerrückbehalte, Steuerabsetzbeträge und Steuerabzüge nach Maßgabe der (bspw. beim Steuersubstituten oder beim Steuerpflichtigen) eingeforderten Informationen als teilweise oder gänzlich unzulässig erklären;

– die zustehenden Steuerguthaben nach Maßgabe der eingeholten Dokumentation neu bestimmen;

– den auf der Grundlage des progressiven Steuersatzes geschuldeten Steueraufschlag neu berechnen, wenn der Steuerpflichtige mehrere Erklärungen eingereicht haben sollte (eben um dieser progressiven Besteuerung zu entgehen);

– die Korrektur der materiellen Fehler und der Rechenfehler vornehmen, die sich aus den Erklärungen der Steuersubstitute ergeben.

Die Einholung der für diese Kontrollen erforderlichen Informationen und Dokumente geschieht auf kurzem Wege: schriftlich oder auch telefonisch.

Sollten sich aus diesen formalen Kontrollen zusätzliche Ansprüche der Finanzverwaltung ergeben, so räumt diese dem Steuerpflichtigen eine **Frist von 30 Tagen** für eine Stellungnahme ein bzw. fordert ihn zur Zahlung des betreffenden Betrages auf, wobei die **anwendbaren Strafen auf 20% reduziert** (2/3 von 30%) werden. Unterbleibt eine solche oder ist diese ungenügend, so kann die Finanzverwaltung den Fehlbetrag – samt Zinsen und Strafen – nachfordern[292].

Frist für die Vornahme formaler Kontrollen ist der **31. Dezember des zweiten Jahres nach Einreichung der Steuererklärung**.

---

[291] Dieser Begriff ist unglücklich gewählt, da auch das Festsetzungsverfahren eine formale Kontrolle beinhaltet. Aufgrund seiner breiten Verwendung soll hier aber keine Neuschöpfung an seine Stelle gesetzt werden.

[292] Konkret geschieht dies über die Eintragung dieser Beträge in die Steuerrollen.

4.2.2 Meritorische Kontrollen – Die Bekämpfung der Steuerhinterziehung im eigentlichen Sinne

4.2.2.1 Das Problem der Steuerhinterziehung

Wird über Steuerkontrollen gesprochen, so wird damit regelmäßig in erster Linie auf die meritorischen Kontrollen, d.h. auf die Bekämpfung der Steuerhinterziehung im eigentlichen Sinne abgestellt. Zahlenmäßig wird nur ein vergleichsweise geringer Teil der Steuerpflichtigen Kontrollen dieser Art unterzogen: Es handelt sich gegenwärtig um **1,4% der Steuerpflichtigen**[293]. Angesichts dieser relativ geringen Zahl an Prüfungen stellt sich die Frage ihrer Abschreckungswirkung.

In den Finanzwissenschaften wird das Ausmaß der Steuerhinterziehung als Ergebnis u.a. folgender Einflussfaktoren definiert[294]:

– die angenommene Fairness der Steuergesetze;

– die Haltung der Steuerzahler im Hinblick auf den Staat, insbesondere auch in Hinblick auf die angenommene Wirtschaftlichkeit und Gerechtigkeit der Mittelverwendung;

– grundlegende (steuer)moralische Charakteristika;

– die Schwere der Strafen, die bei nachgewiesener Steuerhinterziehung anfallen;

– die Leichtigkeit, mit der Steuern hinterzogen werden können;

– der monetäre Ertrag, der aus der Steuerhinterziehung zu erwarten ist.

Die konkrete Ausprägung dieser Faktoren in Italien dürfte auf eine sehr intensive Steuerhinterziehung schließen lassen. So wird die italienische Steuergesetzgebung vielfach nicht nur als besonders komplex angesehen, sondern als ausgesprochen diskriminierend gegenüber nichtselbstständig Beschäftigten, wobei auch der besonderen Ausprägung der Leistungsfähigkeit bei Einzelpersonen nur ungenügend Rechnung getragen wird.

Die tatsächlich bestehende Diskriminierung des Faktors Arbeit hängt freilich in erster Linie damit zusammen, dass es sich hierbei um einen immobilen Produktionsfaktor handelt, dessen Ertrag besteuert werden kann, ohne dass – zumindest für den Großteil der Arbeitskräfte – die Gefahr der Abwanderung besteht. Die ungenügende Berücksichtigung der in-

[293] Il Sole – 24 Ore v. 27.6.2025, S. 1, unter Bezugnahme auf einen Bericht des Rechnungshofs (Corte dei Conti). Lupi, Diritto tributario, 2000, 169, erwähnt für frühere Jahre noch 2% - 5% der Steuerpflichtigen. Er führte dabei eine Zahl von 30.000 bis 100.000 kontrollierten Steuerpflichtigen anführt, während die Zahl der detaillierten Betriebsprüfungen bei 30.000 liege. Lupi weist auch darauf hin, dass die in den Medien kolportierten Zahlen irreführend seien: Wenn von mehreren 100.000 überprüften Jahreserklärungen gesprochen wird, so wird damit die Tatsache verschwiegen, dass im Falle einer Betriebsprüfung hinsichtlich einzelner Steuerpflichtiger auch die Steuererklärungen mehrerer Jahre einer Prüfung unterzogen werden können.
Steuerpflichtige mit einem Jahresumsatz ab € 5.164.569 müssen allerdings alle vier Jahre systematisch geprüft werden. Ab € 25.822.845 Jahresumsatz muss die Prüfung im Zweijahres-Abstand erfolgen. Vgl. Art. 42 G 388/2000 sowie Russo/Fransoni/Castaldi, IDT, 2014, 129.

[294] Vgl. dazu Brümmerhoff, Finanzwissenschaft, 2001, 452.

dividuellen Leistungsfähigkeit äußert sich bspw. in der mangelnden Zurkenntnisnahme der Zusatzbelastung durch Familie und Kinder.

Ausgehend von der mangelnden Identifikation breiter Bevölkerungsteile mit der italienischen Gesamtnation[295] war Steuerhinterziehung lange Zeit hin eher ein Kavaliersdelikt als ein gesellschaftlich verpöntes Phänomen. Diese Haltung wurde weiter bestärkt durch die als ineffizient empfundene Verwaltung der öffentlichen Mittel. Selbst in einem Steuersystem, das – wie gezeigt – grundsätzlich dem Leistungsfähigkeitsprinzip als maßgeblichem Ordnungsprinzip verpflichtet ist, sind letztlich zur Sicherung seiner Akzeptanz Äquivalenzgesichtspunkte zu berücksichtigen. Wenn die Steuerpflichtigen den Eindruck gewinnen, die von ihnen entrichteten Steuern werden überwiegend an andere redistribuiert oder – schlimmer noch – sie werden von einer ineffizienten Verwaltung überwiegend selbst konsumiert, so muss dies zu Steuerprotesten führen.

Unter der Geltung des G 516/1982 waren für den Fall einer qualifizierten Steuerhinterziehung zwar schwere strafrechtliche Sanktionen vorgesehen; dadurch aber, dass diese Sanktionen kaum Anwendung gefunden haben, war ihre Abschreckungswirkung gering.

Insgesamt wirkten also zahlreiche Faktoren in die Richtung einer Potenzierung der Steuerhinterziehungsneigung. Nachfolgend sollen die Instrumente und Mechanismen dargestellt werden, mit welchen die Steuerhinterziehung in Italien bekämpft werden soll. Aus den obigen Ausführungen ergibt sich schon jetzt, dass diese Mechanismen nicht allein in Einzelkontrollen bestehen können – und seien diese im jeweiligen Fall auch noch so ausgeprägt. Es musste vielmehr nach Vorkehrungen gesucht werden, welche über breite Gruppen hinweg für den Fall der Abweichung von bestimmten Standards automatisierte Kontrollmechanismen auslösen bzw. zur Vermutung einer Steuerhinterziehung führten. Das Ergebnis waren Regelungen, die einen schwierigen, z.T. unbefriedigend ausgestalteten Balanceakt zwischen Effizienz der Steuereinhebung und Steuergerechtigkeit (bzw. Berücksichtigung der individuellen Leistungsfähigkeit) darstellen.

4.2.2.2 Der Gegenstand der meritorischen Kontrollen

Im Rahmen der meritorischen Kontrollen muss versucht werden, primär jene Steuerpflichtigen zu erfassen, hinsichtlich welcher ein erhöhtes Hinterziehungsrisiko besteht, wobei gleichzeitig aber eine breite Streuung erreicht werden muss, sodass sich kein Steuerpflichtiger von vornherein von einer Kontrolle ausgenommen wähnen kann.

Eine maßgebliche Hilfestellung bei der Entscheidung, welche Steuerpflichtige einer Kontrolle zu unterziehen sind, haben die Kontrollorgane durch Dekrete und

[295] Siehe dazu ausführlich Hilpold, Modernes Minderheitenrecht, 2001. Siehe auch Lupi, Diritto Amministrativo dei Tributi, 2017, 42.

Richtlinien des Finanzministeriums erhalten, die nach Maßgabe des DPR 146/1980 erlassen worden sind[296]. Diese Dekrete und Richtlinien identifizieren Eigenschaften und Verhaltensweisen, die verdächtig erscheinen und auf das Vorliegen von Steuerhinterziehungstatbeständen hinweisen[297]. Im Idealfall könnten mit diesen Kriterien die Datenbanken der Zentralen Steuerkartei *(anagrafe tributaria)* EDV-mäßig durchsucht werden, und als Ergebnis müsste eine Namensliste von potentiellen Steuerhinterziehern vorliegen.

In der Vergangenheit scheiterte die Automatisierung dieses Fahndungssystems als generell anwendbares Prinzip daran, dass die händische Eingabe der Daten aus den Steuererklärungen mehrere Jahre erforderte und die verschiedenen Steuererklärungen zudem nicht zeitgleich als Datensatz zur Verfügung standen. Dieses Problem dürfte aber jetzt mit der generellen Verpflichtung, die Steuererklärungsdaten der Finanzverwaltung (direkt oder indirekt) als elektronische Datensätze zur Verfügung zu stellen, gelöst worden sein.

Auch wenn in Zukunft die KI verstärkt auch in der Steuerfahndung zum Einsatz kommen soll, dürfte es n der Praxis aber wohl noch auf absehbare Zeit einer Feinselektion der vorliegenden Daten durch einzelne Finanzbeamte bedürfen, die eine pragmatische Wertung des gegebenen Steuerhinterziehungspotentials vornehmen[298]. Gerade weil die damit zusammenhängenden Wertungen – zumindest bis zum gegenwärtigen Zeitpunkt - nur bis zu einem bestimmten Punkt standardisierbar sind, muss neben dem „automatisierten" Kontrollverfahren noch die Möglichkeit für die einzelnen Finanzämter fortbestehen, autonom und anlassbezogen Steuerermittlungen durchzuführen, die nach Maßgabe der erwähnten Dekrete und Richtlinien an und für sich nicht geboten wären.

4.2.2.3 Die einzelnen Formen der Steuerfahndung und -ermittlung

Die einzelnen Formen der Steuerfahndung und -ermittlung zur Bekämpfung der Steuerhinterziehung sind für die einzelnen Steuerarten gesondert geregelt.

---

[296] Einen wesentlichen Beitrag bei der Erarbeitung dieser Kriterien leistete in der Vergangenheit das SECIT *(Servizio centrale degli ispettori tributari* – der Zentrale Dienst der Steuerinspektoren), ein Dienst, der aber mittlerweile abgeschafft worden ist.

[297] Dabei handelt es sich um Situationen, die untypisch für eine ordentliche Wirtschaftstätigkeit erscheinen. Beispielsweise ist es unnatürlich, dass ein Unternehmen über längere Zeitperioden nur Verluste erzielt: Die Fortsetzung der betreffenden Tätigkeit wäre für den betreffenden Unternehmer weder rational noch überhaupt finanziell auf Dauer tragbar. Unnatürlich auf der technischen Seite wäre eine Produktionstätigkeit, bei welcher der Input längerfristig in einem krassen Missverhältnis zum Output steht. Die eingesetzten Ressourcen sollten sich nach einem rationalen Erwartungsprofil über mittlere Frist auch in einem entsprechenden Output (samt Mehrwert) widerspiegeln. Insgesamt können hier Kriterien zur Anwendung kommen, die auch der Ermittlung der Branchenkennzahlen zugrunde gelegen haben.

[298] Vgl. zum Ganzen Lupi, DT – PG, 2001, 170 ff. sowie ders., Manuale professionale di diritto tributario, 1998, 280 ff.

Im Bereich der direkten Steuern sind diese Maßnahmen in den Artikeln 31 ff. des DPR 600/1973 geregelt; für die MwSt in den Artikeln 51 ff. des DPR 633/1972; für die Registersteuer in Artikel 35 des G 4/1929; Art 1 und 2 der Königlichen Ermächtigungsverordnung 63/1926; 16, 19 und 20 des Ministerialdekretes v. 16.7.1926 und in Art. 51 Abs. 4 des Einheitstextes für die direkten Steuern (DPR 131/1986); für die Erbschaftsteuer in der Ermächtigungsverordnung 346/1990 (mit zahlreichen Verweisen auf die obengenannten Bestimmungen).

Die Bestimmungen für den Bereich der direkten Steuern sind diesbezüglich aber am ausführlichsten und nehmen Modellcharakter auch für die anderen Steuern ein. Sie sollen deshalb im Detail dargestellt werden, wobei einzelne Verweise auf andere Steuern vorgenommen werden.

Zu den einzelnen Befugnissen:

Das an die Steuerpflichtigen gerichtete Ersuchen um weitere Auskünfte

Dieses kann vielfältige Formen annehmen:

– So können vom Steuerpflichtigen weitere Dokumente eingefordert werden.[299]

– Die Steuerpflichtigen können aufgefordert werden, Fragebögen *(questionari)* auszufüllen, mit welchen die Finanzverwaltung spezifische Fragen klären möchte.[300]

Das gesamte System der Branchenkennzahlen sowie das nachfolgende der ISA konnte nur in Kooperation mit den Steuerpflichtigen entwickelt werden und seine laufende Ajournierung verlangt eine permanente Mitarbeit der Steuerpflichtigen.[301]

– Gemäß Art. 6 Abs. 4 der Charta der Steuerpflichtigen muss die Finanzverwaltung, bevor sie Steuerforderungen aus der Steuerfestsetzung aufgrund von Steuererklärungen in die Steuerrollen einträgt, den Steuerpflichtigen verpflichtend um Auskunft ersuchen, soweit Unklarheiten in Bezug auf relevante Aspekte der Steuererklärung bestehen.[302]

– Verpflichtend vorgesehen ist auch die Anhörung bei einer Feststellung aufgrund des Wohlfahrtsmaßstabes *(redditometro)* sowie bei einer einvernehmlichen Steuerfeststellung.

– Die Aufforderung der Finanzverwaltung an den Steuerpflichtigen, bei der Behörde vorstellig zu werden, hat zwar für beide Seiten erheblichen Aufwand zur

[299] Vgl. Art. 51 Abs. 2 Pkt. 4 DPR 600/1973; Art. 32 Abs. 1 Pkt. 2 DPR 633/1972 und Art. 36-ter DPR 600/1973. Nicht eingefordert werden können Dokumente, über welche die Finanzverwaltung bereits verfügt. Vgl. Art. 6 Abs. 4 der Charta der Steuerpflichtigen.
Unter den von der Finanzverwaltung einforderbaren Dokumenten nehmen die Buchhaltungsunterlagen eine besondere Bedeutung ein.

[300] Vgl. Art. 32 Abs. 1 Pkt. 4 DPR 600/1973; Art. 51 Abs. 2 Pkt. 3 DPR 633/1972.

[301] Vgl. Fantozzi, L'accertamento, in: ders. (Hrsg.), DT, 2012, 545.

[302] Unterbleibt diese Anhörung, so sind die nachfolgenden Bescheide nichtig. Ibid.

Folge, kann aber andererseits sehr wirkungsvoll dazu beitragen, Missverständnisse auf kurzem Wege zu beheben und langwierigen Steuerstreitverfahren vorzubauen. Seit einiger Zeit ist in diesem Bereich deshalb ein Umdenken festzustellen und der direkte Kontakt gewinnt zusehends an Bedeutung. Damit wird auch den Empfehlungen internationaler Institutionen wie bspw. der OECD Rechnung getragen, die zwischen Finanzverwaltung und Steuerpflichtigem eine intensivere Kommunikation *(enhanced relationship)* verlangen.[303]

Diese Pflichten sind **sanktionsbewehrt**:[304]

– In erster Linie kann der Steuerpflichtige, der angeforderte Informationen oder Dokumente nicht vorlegt, diese nachträglich auch nicht zu seinen Gunsten verwenden.

– Die Kooperationsverweigerung autorisiert die Finanzverwaltung, unmittelbar zur induktiven Steuerfeststellung zu schreiten.

– Es kommt eine Verwaltungsstrafe zwischen € 250 und € 2.000 zur Anwendung.

– Die Vorlage gefälschter Dokumente wird schließlich sogar mit pönalen Sanktionen belegt.

– Steuerstrafrechtliche Sanktionen finden schließlich sogar auf die Übermittlung unwahrer Informationen Anwendung, wenn die zugrunde liegenden Handlungen Steuerstraftaten darstellten.

Zur Sicherstellung einer **wirksamen Kooperation** der Steuerpflichtigen werden letzthin nicht allein Sanktionen, sondern auch spezifische **Anreize** eingesetzt. So kommt ab dem 1.2.2021 eine **Lotterie auf Kassenbelege** *(„lotteria degli scontrini“)* zur Anwendung, wenn die Bezahlung bargeldlos auf elektronischem Wege erfolgt. Auf jeden derartigen Einkauf wird pro € 1 ein Los elektronisch zugeteilt, mit periodischen Ziehungen und Preisen die von € 10.000 bis € 5 Mio reichen.

4.2.2.4 Die Kooperationspflichten anderer Einrichtungen der öffentlichen Verwaltung sowie anderer Steuerpflichtiger

Weitreichende Kooperationspflichten bei der Steuerfahndung sind in erster Linie für die verschiedenen Einrichtungen der öffentlichen Verwaltung gegeben. Öffentlich Bedienstete, die institutionell mit Kontroll- oder Aufsichtspflichten betraut sind sowie die Organe der Zivil- und Verwaltungsgerichtsbarkeit, die in Ausübung ihrer Funktionen auf Steuervergehen stoßen, unterliegen der Anzeigepflicht[305]. Neben dieser Verpflichtung zum selbstständigen Aktivwerden besteht aber auch eine Verpflichtung zur Kooperation mit der Finanzverwaltung, die weit über die genannten Kategorien an Bediensteten hinausreicht. Sie betrifft alle öffentlichen Ein-

[303] Ibid., 549.
[304] Vgl. Costa, 2013, 13.
[305] Vgl. Art. 36 DPR 600/1973.

richtungen, öffentlichen Unternehmen, Einrichtungen, die im Bereich der Einhebung oder im Zahlungsverkehr für Dritte tätig werden sowie Finanzunternehmen.

Gewisse Kooperationspflichten bestehen auch für Versicherungsunternehmen. Ausgenommen ist das Zentrale Statistikinstitut ISTAT. Besondere Regelungen gelten für die Kreditunternehmen, deren Kooperationspflichten in Zusammenhang mit der Darstellung der Reichweite des Bankgeheimnisses untersucht werden.

Während die oben genannten Einrichtungen im weitesten Sinne Aufgaben im öffentlichen Interesse wahrnehmen und sich somit schon aus dieser Perspektive eine Kooperationspflicht ableiten lässt, kann die Finanzverwaltung **auch andere Private um Kooperation ersuchen**, wobei diese Möglichkeit aber **nicht sanktionsbewehrt** ist.[306] So kann die Finanzverwaltung bei jedem Privaten die Vorlage von Dokumenten verlangen, die der Steuerfahndung bei Dritten dienen bzw. auch nur entsprechende Informationen einholen.

Art. 32 Abs. 1 Pkt. 8 DPR 600/1973 erwähnt nur die erstgenannte Möglichkeit (Vorlage von Dokumenten), während die einschlägige Bestimmung im MwSt-Dekret (Art. 51 Abs. 2 Nr. 4) auch die Einholung allgemeiner Informationen zulässt. Lupi (Diritto tributario, 2000, S. 175) schließt daraus, dass die diesbezüglichen Befugnisse im MwSt-Bereich weiter reichen. Konkret könne der „Vater der Braut" nur dann um die Rechnung des Restaurants gebeten werden, in dem das Hochzeitsmahl stattgefunden hat, wenn die Finanzverwaltung Erhebungen im MwSt-Bereich durchführt, nicht aber zur Bekämpfung der Steuerhinterziehung im Bereich der direkten Steuern. Ibid. Diese Auffassung kann nicht geteilt werden. Eher ist von einer mangelnden Abstimmung beider Texte auszugehen. Im Übrigen kann davon ausgegangen werden, dass das Recht zur Einholung allgemeiner Informationen nicht unbedingt weiter reicht wie jenes zur Einforderung von Dokumenten.

Im Vergleich zum ordentlichen Verwaltungsverfahren ist das Steuerkontrollverfahren einerseits von weitreichenden Mitwirkungspflichten des Steuerpflichtigen gekennzeichnet[307], andererseits waren die **Mitwirkungsrechte** – zumindest in der Vergangenheit – sehr **eingeschränkt**[308]. Dies ergibt sich z.T. aus der Natur der Sache, da die Wirksamkeit dieser Kontrollen wesentlich vom Überraschungseffekt und von der geheimen Durchführung lebt[309].

[306] Vgl. Marcheselli, MDT – PG, 2024, 144.

[307] Das ordentliche Verwaltungsverfahren kennt nur rudimentäre Pflichten dieser Art.

[308] Vgl. Tesauro, IDT, 2000, 180.

[309] So kann der Steuerpflichtige bis zum Abschluss des Ermittlungsverfahrens nicht in die Verfahrensakten Einblick nehmen. Vgl. dagegen die Regelung für das allgemeine Verwaltungsverfahren in G 241/1990, die durchwirkt ist vom Bestreben, Verwaltung und Bürger in den wechselseitigen Beziehungen auf eine weitgehend egalitäre Basis zu stellen. Das Verhältnis zwischen Finanzverwaltung und Steuerpflichtigen ist dagegen – trotz gegenläufiger Bemühungen – noch weitgehend hierarchisch strukturiert. Gemäß Art. 12 Abs. 7 der Charta der Steuerpflichtigen kann der Steuerpflichtige im Falle von Betriebsprüfungen innerhalb von 60 Tagen nach Übermittlung des abschließenden Prüfprotokolls der Finanzverwaltung Bemerkungen und Anträge übermitteln, die diese zu würdigen hat. Diese Bestimmung kann allerdings nicht analog auf andere Sachverhalte ausgedehnt werden. Vgl. Miceli, L'attività istruttoria tributaria, in: Fantozzi (Hrsg.), DT, 2012, 637. Siehe nun auch Art. 6-bis ChdS.

Im Übrigen war das diesbezügliche Bild in der italienischen Steuerrechtsordnung sehr unausgeglichen: Es gab (und gibt) eine Vielzahl von einzelnen (z.T. sehr weitreichenden) Mitwirkungsrechen, während in anderen, sachlich ähnlich gelagerten Fällen, Kooperationsrechte fehlten. Bspw. waren Mitwirkungsrechte bei den EU-rechtlich harmonisierten Steuern gegeben, bei den nichtharmonisierten (also im Bereich der direkten Steuern) hingegen nicht. Der Kassationsgerichtshof konnte darin 2015 keinen Verstoß gegen eine Rechtsregel erkennen (Kass 24823/25: „kein allgemeines Anhörungsrecht").

Im Jahr **2024** wurde jedoch **mit Art. 6-bis ein allgemeines Anhörungsrecht (*„principio del contradditorio"*)** in die **ChdS** eingefügt.

Danach muss der Annahme von Steuerakten, die autonom vor den Steuergerichten anfechtbar sind, die Übermittlung eines **„provisorischen Steueraktes"** *(„schema diatto")* vorausgehen. Dem Steuerpflichtigen ist dabei eine Frist von mindestens 60 Tagen einzuräumen, innerhalb welcher dieser **„Gegendarstellungen"** *(„controdeduzioni")* übermitteln kann. Die Steuerbehörde kann auf dieser Grundlage vom Erlass des definitiven Steueraktes absehen oder aber diesen bestätigen oder in abgeänderter Form erlassen. In den beiden zuletzt genannten Fällen muss sie aber der Gegendarstellung in der Begründung Rechnung tragen *(„motivazione rafforzata")*.

Ausgenommen von dieser Verpflichtung sind allein die voll- oder teilautomatisierten Steuerakte sowie die Akte der Steuerfestsetzung und der formalen Kontrolle, die mit Dekret des Vizeministers für Wirtschaft und Finanzen v. 24.4.2024 festgelegt worden sind. Dazu zählen bspw. die Steuerrollen und die Steuerzahlkarten, die partiellen Steuerfeststellungen ausschließlich auf der Grundlage von Kreuzvergleichen sowie die Festsetzungsbescheide für die Register und die Hypothekar- und Katastersteuer.

Kritisiert wurde an dieser Regelung, dass damit keine gleichberechtigte Anhörung begründet worden sei, sondern ein Verfahren, bei dem nur mehr ein weitgehend feststehender Steuerakt beanstandet werden könne, weshalb große Ähnlichkeiten zur einvernehmlichen Steuerfeststellung bestünden.[310]

Daneben existieren weiter **zahlreiche gesondert geregelte (und z.T. weiterreichende) Mitwirkungsrechte**, wie bspw. in Bezug auf die Maßnahmen zur Bekämpfung der Steuerumgehung, bei induktiver Nachschätzung des Einkommens, bei der Anwendung des Wohlfahrtsmaßstabes, Nachschätzung von Geschäftsvorfällen mit Bezug auf Steueroasen, Verpflichtung zur Zusendung einer Zahlungsaufforderung *(avviso bonario)* bei einer Steuerfestsetzung oder formalen Steuerkontrolle.[311] Umfassend sind die Mitwirkungsrechte des Steuerpflichtigen im (relativ rezenten) Bereich der *„cooperative compliance"*.[312]

Was die **Mitwirkungspflichten** anbelangt, so sind diese in effizienter Weise sanktionsbewehrt. Nicht nur sind für den Fall der Mitwirkungsverweigerung Geld-

[310] Vgl. Carinici/Tassani, MDT, 2024, 303.
[311] Vgl. Tesauro, IDT – PG, 2024, 187 f.
[312] Siehe S. 184.

strafen vorgesehen[313]. Weit schwerer ins Gewicht fällt die Bestimmung, wonach die Informationen und Unterlagen, die – obschon von der Finanzverwaltung eingefordert – vom Steuerpflichtigen nicht eingemeldet bzw. herausgegeben werden, von diesem später in einem verwaltungsrechtlichen oder gerichtlichen Verfahren auch nicht zu seinen Gunsten geltend gemacht werden können[314].

Diese Regelung ist – wie Lupi (Manuale professionale di diritto tributario, 1999, S. 317 ff.; ders., Diritto tributario, 2000, S. 185 f.) zu Recht aufgezeigt hat, restriktiv zu interpretieren, da andernfalls eine exzessive Verschlechterung der verfahrensrechtlichen Position des Steuerpflichtigen drohen würde. Nur die Verweigerung spezifisch eingeforderter Informationen und Unterlagen zeitigt die erwähnten Folgen. Es ist dagegen keine allgemeine Verpflichtung für den Steuerpflichtigen gegeben, auf eine generelle Frage der Finanzverwaltung hin seine gesamte Position offenzulegen.

4.2.2.5 Die Steuerfahndung im engeren Sinne: die Steuerfahndung in den Räumen (Wohnung, Büro, Betrieb) des Steuerpflichtigen

Literatur: Ferlazzo Natoli/Romeo, La fase istruttoria nell'accertamento tributario: L'accesso, in: BollTrib 17/1998, 1364 ff.; Gaffuri, Appunti sul potere di accesso degli Uffici finanziari, in: RassTrib 2/2000, 523 ff.

Diese Form der Steuerfahndung stellt einen schwerwiegenden Eingriff in die private Sphäre des Steuerpflichtigen dar und bedarf deshalb einer gesonderten Autorisierung und besonderer Behutsamkeit. Unterschieden wird – in Zusammenhang mit der zunehmenden Intensität des Eingriffs – zwischen Zugang *(accesso)*, Inspektion *(ispezione)* und Prüfung *(verifica)*.

Eine isolierte Betrachtung dieser Konzepte macht nur in Ausnahmefällen Sinn. In der Regel folgt einem Zugang eine Inspektion bzw. eine Prüfung.

Eine grundlegende Regelung zur Steuerfahndung im engeren Sinne enthält nun die Charta der Steuerpflichtigen[315]. Laut Art. 12 dieses Dokuments müssen für Kontrollen dieser Art folgende Voraussetzungen erfüllt und Bedingungen beachtet werden:

– Es muss ein effektiver Bedarf einer Kontrolle vor Ort beim Unternehmer oder Freiberufler gegeben sein. Dies heißt, dass die Finanzverwaltung nicht zu diesem Instrument greifen darf, wenn die Möglichkeit besteht, sich die betreffenden Informationen auf anderem Wege zu beschaffen. Die Steuerfahndung stellt somit immer nur einen extremen Behelf darf.

[313] Vgl. Art. 11 EV 471 v. 18.12.1997.
[314] Vgl. Art. 32 Abs. 3 DPR 600/1973; Art. 51 Abs. 4 DPR 633/1972.
[315] Vgl. G 212 v. 27.7.2000.

– Grundsätzlich müssen die Kontrollen innerhalb der Geschäftszeiten erfolgen und haben die Tätigkeit des Unternehmers oder Freiberuflers im geringstmöglichen Maße zu beeinträchtigen.

In Ausnahmesituationen, die entsprechend zu belegen sind, sind freilich auch Kontrollen außerhalb der Geschäftszeiten möglich.

– Besondere Maßnahmen zum Schutz der Steuerpflichtigen sind im Falle einer Prüfung *(verifica)* anzuwenden, da es sich hier um den einscheidendsten Eingriff handelt.

– Zu Beginn der Prüfung hat der Steuerpflichtige Anspruch auf Unterrichtung über die Beweggründe und den Gegenstand der Prüfung. Er muss zudem über seine Rechte während der Prüfung, insbesondere über jenes zur Ernennung eines Steuerbeistandes, der ihn auch vor Gericht vertreten kann, informiert werden.

– Auf Antrag des Steuerpflichtigen hat die Prüfung der Verwaltungs-, Rechnungs- und Buchhaltungsunterlagen im Büro der Steuerfahnder bzw. des Steuerbeistandes zu erfolgen.

– Anmerkungen und Beanstandungen durch den Steuerpflichtigen bzw. durch den Steuerbeistand müssen im Prüfungsprotokoll vermerkt werden.

– Die Steuerprüfung darf **nicht länger als 30 Arbeitstage** dauern, wobei diese Frist in begründeten Fällen außerordentlicher Komplexität durch den zuständigen Amtsvorsteher *(capo ufficio)* um weitere 30 Tage verlängert werden kann. Dabei handelt es sich aber um eine reine Ordnungsfrist, die auch weiter verlängert werden kann.[316] Bei **Unternehmen mit einfacher Buchhaltung und bei Freiberuflern** dürfen sich die Steuerfahnder grundsätzlich nicht länger als **15 Arbeitstage pro Trimester** beim Steuerpflichtigen aufhalten.[317]

Im Falle von Anmerkungen oder Beanstandungen durch den Steuerpflichtigen können die Steuerfahnder aber auch nach Ablauf dieser Fristen entsprechende Überprüfungen vornehmen. Schließlich kann der Amtsvorsteher bei Vorliegen spezieller Gründe weitere Ermittlungen zulassen.

Die Schranke von 30 bzw. 15 Tagen bezieht sich auf effektive Arbeitstage; Wochenenden und Feiertage werde nicht einbezogen.

– Verletzungen dieser Bestimmungen können vom Steuerpflichtigen beim Garanten der Steuerpflichtigen[318] gemeldet werden; eine Nichtigkeit der behördlichen Akte resultiert daraus nicht.[319]

[316] Die Überschreitung dieser Frist führt nicht zur Nichtigkeit der vorgenommenen Maßnahmen. So Kass. Nr. 26732 v. 29.11.2013.

[317] Art. 12 Abs. 5 G 212 v. 27.7.2000.

[318] Zu den Aufgaben und Befugnissen des Garanten der Steuerpflichtigen vgl. Art. 13 der Charta der Steuerpflichtigen.

[319] Das Potential, das in dieser Ombudsman-Institution steckt, wurde bislang wohl nur unzureichend genutzt. Vgl. Falsitta, MDT – PG, 2020, 526, der diese Institution, auch angesichts ihrer schwachen Ausstattung, als „ungeeignet für einen wirksamen Schutz der Rechte der Steuerpflichtigen" bezeichnet hat.

Was die **Durchführung der Betriebsprüfung im Einzelnen** anbelangt, so ist diese in Art. 52 des DPR 633/1972 geregelt, wobei diese Bestimmung nach Maßgabe des Art. 33 Abs. 1 des DPR 600/1973 auch auf die direkten Steuern anwendbar ist.

– Für den **Zugang zu den Räumlichkeiten des Freiberuflers**, der einer Prüfung unterliegt, muss der Freiberufler bzw. eine Vertrauensperson anwesend sein. Der Freiberufler kann auch das **Berufsgeheimnis** einwenden und in diesem Fall können die von der Steuerbehörde eingeforderten Dokumente oder Informationen nur mit Ermächtigung der Staatsanwaltschaft bzw. der nächstgelegenen Gerichtsbehörde eingeholt werden.

– Wird die Steuerfahndung in der **Wohnung des Steuerpflichtigen** vorgenommen, so bedarf es dazu – zusätzlich zur Autorisierung durch den Amtsvorsteher – einer **Ermächtigung der Staatsanwaltschaft**.[320] Diese darf nur bei Vorliegen schwerwiegender Indizien – und niemals bei Vorliegen allein einer anonymen Anzeige[321] – eine solche Fahndung genehmigen[322]. Bei Räumlichkeiten, die sowohl als Wohnung als auch der freiberuflichen bzw. gewerblichen Tätigkeit dienen, ist diese Ermächtigung ebenfalls erforderlich.

– Wird die Steuerfahndung in **anderen Räumlichkeiten** durchgeführt[323], so reicht zwar **grundsätzlich** die **Ermächtigung des Amtsvorstehers** *(capo ufficio)*, doch auch hier gibt es Ausnahmen. Eine **Ermächtigung der Staatsanwaltschaft** ist nämlich dann wiederum erforderlich, wenn der Steuerpflichtige das **Amtsgeheimnis** einwendet, wenn **Leibesvisitationen** vorgenommen werden sollen oder wenn zwangsweise **Umschläge, Taschen, Tresore** u.ä. geöffnet werden sollen.

– Wie bereits oben erwähnt, bedeutet die Weigerung, bestimmte Dokumente herauszugeben oder auch nur die Leugnung ihrer Existenz, dass diese nachfolgend vom Steuerpflichtigen auch nicht mehr zu seinen Gunsten verwendet werden dürfen.

– Nicht geregelt ist die Frage, ob eine Steuerfahndung nur beim Steuerpflichtigen oder auch bei Dritten vorgenommen werden darf. Die in der Literatur vertretene Auffassung, wonach in Ermangelung einer Einschränkung eine solche in den Gesetzestext auch nicht hineininterpretiert werden dürfe, klingt zwar überzeugend; vom Ergebnis her ist diese Auslegung aber unbefriedigend. Es kann nämlich kaum in Abrede gestellt werden, dass Dritte in diesem Zusammenhang eines qualifizierten Schutzes bedürften.

---

[320] Dabei handelt es sich um einen verwaltungsrechtlichen Akt, nicht um einen Hausdurchsuchungsbefehl gemäß Strafrecht. Vgl. Iorio, in: Il Sole – 24 ore v. 29.3.2011.

[321] Vgl. Cicala/Migliaccio, DT, 2014, 90.

[322] Gegenstand der Fahndung sind die Bücher, Rechnungen, Unterlagen und andere Beweiselemente, die eine Steuerhinterziehung belegen können.

[323] Der Begriff der Räumlichkeit ist dabei weit zu interpretieren und umfasst bspw. auch Pkws. Vgl. Gaffuri, DT, 1999, 527.

4.2.3 Das Bankgeheimnis

Literatur: Santacroce, Il segreto bancario e gli accertamenti fiscali dell'Amministrazione finanzaria, RassTrib, Quad. 9, 1993; Cucuzza, Segreto bancario, criminalità organizzata, riciclaggio, evasione fiscale in Italia, 1995; Gianfelici, Il segreto bancario, 1996; Ciccia/Liburdi, Fisco e accertamenti bancari, 1996; Bersani, L'accertamento tributario nella fase di accesso al domicilio del contribuente e di deroga al segreto bancario, 1996; Carestia, Il manuale del segreto bancario, 1999; Steinmair, Bankgeheimnis in Italien – Betrachtungen aus steuerrechtlicher Sicht, in: RIW 4/2000, 280 ff.; Lupi, Manuale giuridico professionale di diritto tributario, 2001, 435; Capolupo, Le novità in materia di segreto bancario, Il fisco 4/2005, 465; Gigliotti/Nastasia, I nuovi accertamenti bancari nei confronti dei professionisti, PratFisc 6/2005, 22; Liuni, L'accertamento bancario, in: Uricchio, L'accertamento tributario, 2014, 241, Asseni, Il segreto bancario, 2021

4.2.3.1 Einführung

Von einem Bankgeheimnis im eigentlichen Sinne kann in Italien heute nicht mehr gesprochen werden. Dies bedeutet aber nicht, dass die Finanzverwaltung uneingeschränkt Einblick in die Bankkonten der Steuerpflichtigen nehmen könnte. Es existieren vielmehr prozedurale Hürden, die die Einsichtnahme an das Vorliegen von Indizien für eine Steuerhinterziehung knüpfen.

Das Institut des Bankgeheimnisses hat in Italien eine abwechslungsreiche Geschichte durchlebt. Bis zu Beginn der 70er Jahre war das Bankgeheimnis – wenngleich nicht explizit geregelt – äußerst weitreichend. Erst mit dem grundlegenden Reformgesetz zur italienischen Steuerrechtsordnung (G 825/1971) wurden erste Einschränkungen dazu eingeführt[324], und zwar im Falle des Vorliegens besonders schwerwiegender Indizien für eine Steuerhinterziehung. Sukzessive – und in Einklang mit den Bemühungen, die ständig gravierender werdende Steuerhinterziehung zu bekämpfen – wurden die Kontrollbefugnisse der Finanzverwaltung weiter ausgedehnt. Die materiellen Voraussetzungen wurden heruntergesetzt und schließlich mit G 413 v. 30.12.1991 gänzlich aufgehoben. Abgesichert wurde diese legislative Entwicklung durch den Verfassungsgerichtshof mit Urteil Nr. 51/1992[325]: Danach wirft die ständige Einschränkung des Bankgeheimnisses keineswegs die Frage der Verfassungskonformität auf, sondern ist Ausdruck einer Regel, die bereits fest in der Rechtsordnung verankert ist.

Mit dem Haushaltsrahmengesetz 2005 wurden die Kontrollbefugnisse der Finanzbehörden bei Banken und sonstigen Finanzinstituten noch erheblich erweitert. Zudem wurden die Verfahren beschleunigt bzw. modernisiert. Seit **2011** sind auch die **Versicherungsgesellschaften** in Bezug auf die bei diesen getätigten Finanzgeschäfte den Kontrollen der Finanzbehörden unterworfen.

Wie nachfolgend zu zeigen sein wird, wird das Bankgeheimnis in Italien nunmehr nicht allein bei Vorliegen eines konkreten Hinterziehungsverdachts in Bezug auf einen bestimmten Steuerpflichtigen durchbrochen, sondern auch präventiv in

[324] Vgl. Art. 10 Abs. 2 dieses Gesetzes.
[325] Vgl. il fisco 10/1992, 2524 ff.

Bezug auf alle Steuerpflichtigen durch umfassende, periodische Meldepflichten aller Finanzinstitute an die Zentrale Steuerkartei *(anagrafe tributaria)*.

Es gibt somit zwei Formen von Kontrollen: die ex-post-Kontrolle bei Vorliegen eines substanziellen Hinterziehungsverdachts und die präventive, systematische Kontrolle. Beide Formen der Kontrolle ergänzen sich wechselseitig.

In den letzten Jahren ist – europaweit – die Frage diskutiert worden, ob **illegal beschaffte Bankdaten** Steuerermittlungen zugrunde gelegt werden können (bezogen inbes. auf die „Liechtenstein“ und die „Panama“-files/papers“). In Italien wurde die Auffassung vertreten, dass das Bankgeheimnis einer Verwendung illegal beschaffter Daten zum Zwecke von Steuerermittlungen nicht entgegenstehe.[326]

4.2.3.2 Die individuelle Kontrolle bei Vorliegen eines substanziellen Hinterziehungsverdachts

Diesbezügliche Kontrollen können von den Finanzbeamten im Rahmen eines eingeleiteten Prüfungsverfahrens vorgenommen werden, wenn ein **„begründeter Verdacht“** und die **Ermächtigung** des örtlich zuständigen Leiters der Regionalen Einnahmeämter bzw. des Generaldirektors der Einnahmenämter *(Direttore centrale accertamento Agenzia delle Entrate)* sowie bei Kontrollen der Finanzwache die Ermächtigung des Gebietskommandanten *(Comandante regionale della Guardia di Finanza)* vorliegt. Der Antrag muss begründet sein, wodurch sichergestellt werden soll, dass materielle Verdachtsmomente gegeben sind, auch wenn diese gesetzlich nicht näher spezifiziert worden sind.

Die Bankkontrollen müssen also von der **Finanzbehörde als notwendig**, von der hierarchisch übergeordneten Instanz als angemessen erachtet werden.

Auskunftsersuchen können an **Banken, Kredit- und Finanzierungsinstitute** und an die **Postverwaltung** sowie an die **Versicherungsgesellschaften** gerichtet werden. Da es aber in Italien ca. 24.000 Einrichtungen dieser Art gibt, liegt das Hauptproblem der Finanzverwaltung bei der Durchführung der Bankkontrollen darin, die Einrichtungen zu bestimmen, bei welchen diese Kontrollen vorgenommen werden sollen:

– Ein pragmatischer Ansatz bestand in der Vergangenheit darin, entsprechende Kontrollen bei den einschlägigen Instituten in der Wohnsitzgemeinde oder in der Gemeinde des Tätigkeitsortes durchzuführen. Es genügte aber, dass der Steuerpflichtige sein Bankkonto in der Nachbargemeinde einrichtete, um diese Kontrollen ins Leere laufen zu lassen.

[326] Vgl. Tesauro, IDT – PG, 2020, 395 unter Verweis auf die Judikatur zur „lista Falciani“ sowie zur „lista Vaduz“. Begründet wurde dies u.a. damit, dass das Bankgeheimnis in Italien nicht im Verfassungsrang stehe und die italienischen Behörden nicht an der Rechtsverletzung beteiligt gewesen seien. Vgl. Falsitta, MDT – PG, 2020, 530.

– Ein nächster Versuch, dieses Problem in den Griff zu bekommen, bestand darin, die Steuerpflichtigen zu verpflichten, auf Anfrage die Kreditinstitute bekanntzugeben, bei welchen sie Konten unterhielten. An eine eventuelle Falscherklärung konnten aber keine strafrechtlichen Sanktionen geknüpft werden, da dies einer Verpflichtung zur Selbstanzeige gleichgekommen wäre. Was die verwaltungsrechtliche Sanktion anbelangte, so zahlte es sich für den Steuerpflichtigen, der Steuern in größerem Umfang hinterzog, aus, diese in Kauf zu nehmen.

– Die Ideallösung in ermittlungstechnischer Hinsicht bestünde in der Einführung eines zentralen Zugriffsmechanismus, durch welchen die Finanzverwaltung auf elektronischem Wege in die Konten der Steuerpflichtigen Einblick nehmen könnte. Eine solche Vorkehrung wäre aber rechtlich durch das DPR 600/1973 nicht mehr gedeckt und wohl auch politisch nicht durchsetzbar. Ersatzweise wurde deshalb eine zentrale Kontendatenbank *(anagrafe dei conti correnti e dei depositi)* eingerichtet[327]. Damit gelangt die Finanzbehörde über den Namen des Steuerpflichtigen zwar sehr rasch zu den von diesem eingerichteten Konten. Der Inhalt dieser Konten kann aber nur über das oben beschriebene Verfahren in Erfahrung gebracht werden[328].

Der **Steuerpflichtige** muss einerseits vom Bankinstitut über die **Kontrollen informiert** werden.[329] Unterbleibt die Benachrichtigung, so wird dadurch aber die Kontrolle keineswegs nichtig[330]. Eine **Anhörung** des Steuerpflichtigen ist **möglich**, aber **nicht verpflichtend** vorgesehen.

Mit dem HRG 2005 wurden die Kontrollbefugnisse der Finanzbehörden weiter ausgedehnt. Nunmehr umfasst die Informationspflicht der Bankinstitute nicht mehr allein die über Konten laufenden Zahlungen, sondern **alle laufenden** bzw. die vor nicht mehr als fünf Jahren **abgeschlossenen Geschäftsvorfälle** mit dem Institut.

Damit fallen nunmehr bspw. auch die Anschaffung von Depotscheinen oder **Kassageschäfte am Schalter**, die kein Konto berühren (z.B. Devisentausch), Operationen mit Abschlussbüchern und Bürgschaften unter die Informationspflicht. Auch die strategische Beratung sowie die Investmentberatung wurde dazugerechnet[331]. Diese erweiterte Auskunftspflicht greift ab dem 1. Juli 2005.

Das Bankinstitut hat nur mehr **30 Tage Zeit**, um die gewünschten Informationen – auf elektronischem Wege – zu liefern. Eine einmalige Verlängerung um weitere 20 Tage auf Antrag des Bankinstituts ist möglich[332]. Ab 1. Juli 2005 werden die Auskunftsersuchen **ausschließlich auf elektronischem Wege übermittelt** und auf diesem Wege hat auch die Auskunft zu erfolgen.

[327] Eine erste Rechtsgrundlage dafür wurde mit dem HRG 1992 geschaffen.

[328] Vgl. das MD v. 4.8.2000.

[329] Dies muss unverzüglich, u.U. auch telephonisch, geschehen.

[330] Vgl. Lupi, DT – PG, 2001, 467.

[331] Vgl. Capolupo, Le novità, 2005, 467.

[332] In der Vergangenheit standen dafür 60 Tage zur Verfügung, mit der Möglichkeit einer Verlängerung auf um weitere 30 Tage. Die Maximaldauer wurde damit von 90 Tagen auf 60 Tage reduziert.

Die Finanzverwaltung ist zwar verpflichtet, einen Dialog mit dem Steuerpflichtigen herzustellen. Sie befindet sich dabei aber in einer äußerst privilegierten Position. Gegenüber Unternehmen und seit 1. Juli 2005 eingeschränkt auch gegenüber Freiberuflern gelten nämlich folgende Vermutungen:

– Gelingt dem Steuerpflichtigen nicht der Nachweis, dass **Zugänge** entweder bei der Ermittlung des steuerbaren Einkommens berücksichtigt worden sind oder in diesem Zusammenhang irrelevant sind, so gelten diese als nachzuversteuernde **Erträge**.

– Dasselbe gilt für **Abflüsse**, soweit der Steuerpflichtige nicht den Begünstigten nennen kann und diese nicht aus der Steuererklärung hervorgehen und unter der Bedingung, dass der Betrag mehr als € 1.000 täglich und € 5.000 monatlich ausmacht.

Die erstgenannte Vermutung gilt für alle Steuerpflichtigen, die zweitgenannte nur für Unternehmer.

Ursprünglich wurde diese Vermutung auch auf Freiberufler angewandt. Mit Urteil des Verfassungsgerichtshofs Nr. 228 v. 2.10.2014 wurde diese Vermutung – soweit sie Freiberufler betraf – für verfassungswidrig erklärt. Für in der Buchhaltung nicht belegte Zuflüsse gilt allerdings nach wie vor auch für Freiberufler die Vermutung, dass es sich hierbei um nachzubesteuernde Schwarzzahlungen handelt (vgl. Kass. Nr. 18.065 v. 14.9.2016)

Während die erste Annahme durchaus nachzuvollziehen ist, muss die zweitgenannte Vermutung auf den ersten Blick auf Verwunderung stoßen. Hinter dieser Vermutung steckt aber die Annahme, dass diese Abflüsse **Mittel** betreffen, die wiederum **schwarz zugeflossen** sind. Diese Vermutung wurde vielfach kritisiert, da sie gleich zu einer zweifachen Zurechnung einer nicht vorliegenden Ertragskomponente führen könne: ein Kostenelement könnte plötzlich zu einem Ertragselement werden. Gesichert ist allein, dass die Finanzverwaltung damit in eine äußerst bequeme Lage versetzt wird, während der ehrliche Steuerpflichtige, dem der Nachweis für Kontenbewegungen nicht gelingt, die möglicherweise Jahre zurückliegen, für seine Vergesslichkeit oder Unachtsamkeit u.U. teuer bezahlen muss. Andererseits ist die Rigidität dieser Regel aber auch Konsequenz der vielfältigen Unzulänglichkeiten, mit denen die Finanzverwaltung in der analytischen Steuerermittlung konfrontiert ist.

Häufig wurden die betreffenden Behebungen zur Finanzierung privater Aufwendungen getätigt. Gelingt dem Steuerpflichtigen nicht der Verwendungsnachweis, so kann er sich in Bezug auf diese Vermutung nicht damit rechtfertigen, dass die erklärten Beträge über den getätigten Aufwendungen liegen.[333]

Der Verfassungsgerichtshof hat aber festgestellt, dass die Finanzbehörde jeweils auch die zurechenbaren Kosten berücksichtigen muss. Urteil Nr. 225 v. 8.6.2005.

[333] Vgl. Falcone/Iorio, in: Il Sole – 24 Ore v. 13.6.2011, 45.

Gegenüber **Privaten** können die Ergebnisse der Bankkontrollen für die **analytische Steuerfeststellung** sowie für eine **Gesamtschätzung ihrer Leistungsfähigkeit** verwendet werden.

Auch in **Konten Dritter** kann im Rahmen dieser Ermittlungen Einblick genommen werden, wenn belegt wird, dass diese eigentlich dem betreffenden Steuerpflichtigen zuzurechnen sind. Ein solcher Nachweis (der auch nur auf Indizien beruhen kann) wird insbesondere gegenüber Familienangehörigen und Gesellschaftern ohne weiteres zu führen sein.[334]

4.2.3.3 Die systematischen Kontrollen bei allen Steuerpflichtigen

Ein letzter bedeutender Schritt zur definitiven Aufhebung des Bankgeheimnisses wurde im Jahr 2011 mit der Einführung von **Massenkontrollen** gesetzt.[335] Nach einem Umsetzungsprozess von einem Jahrzehnt beginnt dieser Mechanismus nun zu greifen. Danach haben nun die Finanzintermediäre (Banken, Post, Investmentgesellschaften und andere Finanzintermediäre) der Finanzverwaltung (konkret der **Zentralen Steuerkartei** – *anagrafe tributaria*) regelmäßig Übersichten über alle italienischen Konten einzumelden. Italienischen Bank- und Kreditinstitute haben in Bezug auf jedes Konto folgende fünf Informationen einzumelden:

- den Endbestand des Vorjahres;
- den Endbestand des letzten Jahres;
- den Gesamtbetrag der Gutschriften *(accrediti)* im letzten Jahr;
- den Gesamtbetrag der Lastschriften *(addebiti)* im letzten Jahr und
- den durchschnittlichen jährlichen Kontostand.

Die dadurch geschaffenen Datenbanken werden elektronisch ausgewertet und es werden **spezielle Listen** von Steuerpflichtigen mit erhöhtem Hinterziehungspotential *(„liste selettive di contribuenti di maggior rischio evasione")* erstellt. Diese Listen schaffen noch keinen Kontrollautomatismus, d.h. wer auf dieser Liste landet, wird noch nicht automatisch einer detaillierten Kontrolle unterzogen. Eine individuelle Kontrolle und die Anforderung von Einzeldaten in Bezug auf einen bestimmten Steuerpflichtigen bedürfen immer noch einer separaten Autorisierung. Die speziellen Listen können aber Ausgangspunkt für weitere Kontrollmaßnahmen darstellen und ergänzend zum Einkommensmaßstab *(redditometro)* zur Anwendung kommen. Die systematische Übermittlung der Kontensalden führt auf jeden Fall zu einer Dynamisierung der Kontrollen und zu einer enormen Er-

---

[334] Für die Vermutung des Vorliegens einer besonderen Nahebeziehung gegenüber Ehegatten, Verwandten oder Verwaltern, die ohne weiteres eine Kontrolle (auch) bei diesen Dritten rechtfertigt, siehe Kass. 21.318 v. 23.6.–15.10.2010.
Dabei ist für die Kontrollmaßnahme selbst der betreffende Nachweis noch nicht zu erbringen, sondern erst für die nachfolgende Zurechnung der Bestände zu einem anderen Steuerpflichtigen. Vgl. Kass. Nr. 12624/2012.

[335] Vgl. Art. 11 NV 201/2011 *(„decreto salva Italia")*.

weiterung der der Finanzverwaltung zur Verfügung stehenden Datenmengen. Die Finanzintermediäre müssen in Zukunft jährlich in Bezug auf alle Finanzbeziehungen (Kontokorrent, Wertpapierkonto, Festgeldkonto/*conto deposito a risparmio*, Bankschließfächer, Kreditkarten und Bankomatkarten, Finanzprodukte von Versicherungsgesellschaften, Goldbestände) die oben angeführten Informationen (nicht hingegen die einzelnen Kontenbewegungen) einmelden. Die Meldung hat jeweils bis zum 20. April (für das vorhergehende Kalenderjahr) zu erfolgen. In Bezug auf die Bankschließfächer ist die Zahl der Zugänge zu melden.

Die Zentrale Steuerkartei hat damit einen enormen Bedeutungszuwachs erfahren. Unklar ist aber noch, ob es gelingen wird, diese enorme Datenmenge effizient zu verwalten und zu analysieren.

Von dieser Meldepflicht betroffen sind gegenwärtig über 40 Millionen Konten. Im Vergleich dazu wurden in den letzten Jahren jährlich etwas mehr als 10.000 Einzelprüfungen bei Bank- und Kreditinstituten vorgenommen. Für die Auswertung dieser Daten ist in Zukunft auch der Einsatz von künstlicher Intelligenz (KI) geplant.[336]

4.2.3.4 Eine Gesamtbewertung

Wurde der Steuerhinterziehung mit der weitgehenden Aufhebung des Bankgeheimnisses ein entscheidender Schlag versetzt? Wohl kaum. Die Wirksamkeit dieses Instruments wurde aber erhöht. In der Vergangenheit wurden Kontrollen dieser Art überwiegend gegen sog. „vollständige Steuerhinterzieher“ *(„evasori totali“)* sowie in Fällen einer absolut unzuverlässigen Buchhaltung eingesetzt, wodurch aber allein Randgruppen mit relativ bescheidener Leistungsfähigkeit erfasst wurden[337]. Die Beschleunigung des Verfahrens und die Erweiterung der Auskunftspflichten sollen dieses Instrument nun aber auch gegenüber Unternehmern und Freiberuflern mittlerer und größerer Leistungsfähigkeit wirksam werden lassen[338]. Nach wie vor gibt es zahlreiche Möglichkeiten, diesen Kontrollmechanismus zu umgehen.

– So kann der Steuerpflichtige versuchen, **Bargeschäfte** zu tätigen. Er muss in diesem Zusammenhang aber nicht nur die Bargeldschranke von € 5.000[339] beachten, sondern auch zusehen, dass er damit nicht gegen die Bestimmungen über die Bekämpfung der Geldwäsche verstößt. Weiters ist – wie oben ausgeführt – zu berücksichtigen, dass die auskunftspflichtigen Finanzinstitute ab 2005 auch über jene Transaktionen rechenschaftpflichtig sind, die außerhalb eines Kontos abgewickelt werden *(operazioni „fuori conto“ o per cassa)*.

---

336 Il Sole – 24 Ore v. 26.4.2021, 4.

337 Vgl. Capolupo, Le novità, 2005, 466.

338 Ibid.

339 Seit 1.1.2022. Für Ausländer ohne Wohnsitz in Italien liegt die Bargeldschranke für Ausgaben zu touristischen Zwecken bei € 15.000 (mit Meldepflicht an die AdE).

– Er konnte – in der Vergangenheit – **Inhabersparbücher** anlegen (deren Betrag aber unter 1.000 € liegen musste).[340] Ab dem 4. Juli 2017 war dies aber nicht mehr möglich und die bestehenden Sparbücher dieser Art mussten bis spätestens 31.12.2018 aufgelöst werden.

– Schließlich kann er versuchen, über **Strohmänner** zu agieren (soweit er die damit verbundene Kontrollproblematik in den Griff kriegen kann)[341].

Partiell wieder eingeführt wurde das Bankgeheimnis mit dem steuerlichen Schutzschild *(scudo fiscale)*. Die in Wahrnehmung dieser Regelung (G 350/2001, verlängert mit Abänderungen durch das HRG 2003) repatriierten Mittel werden auf separaten Konten deponiert, die grundsätzlich einer Einsichtnahme durch die Finanzverwaltung entzogen sind.

Rechtsvergleichend betrachtet zählt das **italienische Bankgeheimnis** gegenüber den Steuerbehörden also zu den **schwächsten in Europa**. Italien reiht sich immer mehr in die Gruppe jener Staaten ein, die Kontrollen bei Bankinstituten als **Instrument zur systematischen Bekämpfung der Steuerhinterziehung** verwenden (wie dies in Deutschland oder den USA der Fall ist).

4.3 Die Rolle der Vermutungen (presunzioni) im Rahmen der Steuerfeststellung

Es wurde schon mehrfach aufgezeigt, dass Vermutungen im Rahmen der Steuerfeststellung in Italien eine bedeutende Rolle spielen. Dies gilt für Kontrollverfahren generell und für Bankkontrollen im Speziellen.

Laut Art. 2727 CC sind Vermutungen „Folgerungen, die das Gesetz oder Gericht aus einem bekannten Tatumstand zieht, um zu einem unbekannten Tatumstand zu gelangen“.

Im erstgenannten Fall liegen gesetzliche Vermutungen *(presunzioni legali)* vor, im zweitgenannten einfache Vermutungen *(presunzioni semplici)*.

Die gesetzlichen Vermutungen werden wiederum unterteilt in widerlegbare Vermutungen *(presunzioni relative, iuris tantum)* und nicht widerlegbare Vermutungen *(presunzioni assolute, iuris et de iure)*.

Gemäß Art. 2727 bleiben einfache Vermutungen der sorgfältigen Würdigung des Gerichts überlassen, das nur „schwerwiegende, genau bestimmte und miteinander in Einklang stehende Elemente“ *(„elementi gravi, precisi e concordanti“)* berücksichtigen darf.

Bereits gezeigt wurde, dass nicht widerlegbare Vermutungen mit dem Leistungsfähigkeitsprinzip gemäß Art. 53 der Verfassung nicht vereinbar sind. Darüber hinaus beruht die italienische Steuerrechtsordnung in vielen Bereichen auf Vermutungen. Sie führen zu einer Beweislastumkehr *(inversione dell'onere della prova)*.

---

[340] Möglich war aber der Besitz von mehreren Inhabersparbüchern, soweit einzeln die wurde.

[341] Vgl. Lupi, DT – PG, 2001, 438.

Häufig wird dabei aber auch parallel die Möglichkeit zur Erbringung des Gegenbeweises eingeschränkt. Damit nähert sich die widerlegbare Vermutung der *probatio diabolica* an.[342]

4.4 Die Mitwirkung der Gemeinden bei den Steuerkontrollen und bei der Steuerfahndung

Literatur: Tesauro, La partecipazione del comune all'accertamento dei tributi erariali, in: Finloc 1982, 717; Antico, Accertamento Fiscale da Parte dei Comuni, in: SettFisc 35/2011, 33

Nach Maßgabe der Steuerreform der Jahre 1971–1973 hätten die Gemeinden bei der Steuerfeststellung eine wichtige Funktion einnehmen sollen[343]. Dieses Vorhaben erschien durchaus sinnvoll; ist es doch das engere Lebens- und Wirkungsumfeld des Steuerpflichtigen, wo eine größere Diskrepanz zwischen erklärter und gelebter Leistungsfähigkeit am raschesten ins Auge sticht. **Verabsäumt wurde aber lange Zeit, Anreize für die Gemeinden** – etwa in Form einer Beteiligung am Steueraufkommen – zu schaffen, damit diese ihre Mitwirkungsmöglichkeiten auch tatsächlich wahrnehmen.

Vor der Einführung der Verpflichtung zur Einreichung der Steuererklärung auf elektronischem Datensatz war diese bekanntlich entweder postalisch den Steuerdienstzentren zu übermitteln oder bei den Gemeindeämtern händisch zu übergeben. Den Gemeinden verblieb eines der drei vorzulegenden Steuererklärungsexemplare, das auch dazu hätte verwendet werden können, als Ausgangspunkt für eigene Steuerermittlungen zu dienen. Die Ergebnisse dieser Ermittlungen hätten den Finanzämtern mitgeteilt werden können. Ermittlungen dieser Art sind aber praktisch nicht vorgenommen worden und mit der Änderung der Abgabeformalitäten für die Steuererklärung verfügen die Gemeinden auch über keinen Vergleichsmaßstab mehr.

Im Jahr **2005** wurde in diesem Bereich eine **grundlegende Kehrtwende** eingeleitet: Nunmehr war vorgesehen, die Gemeinde zu 30% **am zusätzlichen Steueraufkommen** zu beteiligen, das durch ihre Mithilfe bei der Bekämpfung der Steuerhinterziehung eingenommen werden konnte. Sie ist zuerst auf **50%** erhöht worden (dauerhaft)[344] und in den darauffolgenden Jahren – auf provisorischer Basis – stets auf **100%** dieses zusätzlichen Aufkommens. Auch dieser Anreiz hat auf der praktischen Ebene den Großteil der Gemeindeverwaltungen nicht dazu bewegen

[342] Vgl. Falsitta, CDT, 2014, 340, der auf die Regelung zu den Scheingesellschaften *(„società non operative", „di comodo")* verweist, deren Vorgaben nur schwer zu widerlegen sind (es werden „objektive Gegebenheiten" gefordert, die die Erreichung der gesetzlichen Schätzwert verunmöglichten).

[343] Vgl. Art. 44 DPR 600/1973.

[344] Art. 3 Abs. 10 EV 33 v. 14.3.2011.

können, aktiv an der Steuerfeststellung mitzuwirken. Dies war nur bei 3,5% der Gemeinen – überwiegend in Norditalien – der Fall.[345]

Ein konkreter Beitrag der Gemeinden bei der Steuerfahndung wird insbesondere im Bereich der **Immobiliarerträge** („Schwarzvermietung“, aber auch rechtswidrige Bauführung), bei einer Scheinverlegung des Wohnsitzes ins Ausland oder bei der **Ausübung einer unternehmerischen oder freiberuflichen Tätigkeit ohne MwSt-Position** möglich sein. Auch die **Wohlstandsindikatoren** sind auf Gemeindeebene besser bekannt. Unterstützt wird die Gemeinde bei der Steuerfahndung durch die **Steuerbeiräte** *(Consigli tributari)*. Die Gemeindeverwaltung erhält Zugang zu den Steuerdatenbanken und kann die Daten verknüpfen (bspw. schon bei der Ausstellung eines Strafmandats für Falschparken, wenn es sich um ein Luxusfahrzeug handelt).

5. Die einzelnen Formen der Steuerfeststellung, der Feststellungsbescheid

a) Vorbemerkung

Wie bereits oben angemerkt, fehlt in Italien ein einheitliches Steuerfeststellungsverfahren. Dementsprechend werden hier die verschiedenen Formen der Steuerfeststellung für die wichtigsten Steuern, die direkten Steuern sowie die MwSt in den Mittelpunkt der Betrachtung gerückt. Einige generelle Prinzipien, die unabhängig von der jeweils festzustellenden Steuer Anwendung finden, sind allerdings von der Charta der Steuerpflichtigen ableitbar.

Das Feststellungsverfahren führt zur Ausstellung eines Feststellungsbescheides. Dabei handelt es sich grundsätzlich um einen verwaltungsrechtlichen Akt, dem aber derart viele Besonderheiten eigen sind, dass die allgemeinen Prinzipien des Verwaltungsrechts darauf nur begrenzt anwendbar sind[346].

Weiters ist darauf hinzuweisen, dass die italienische Rechts- und Verwaltungspraxis je nach spezifischer Situation unterschiedliche Bezeichnungen für den Fb kennt. So wird im Bereich der **MwSt** der Ausdruck ***„avviso di accertamento di valore“*** für jenen Akt verwendet, der der Festlegung der Steuerbemessungsgrundlage dient, während die Feststellung der abzuführenden Steuer mit dem ***„avviso di liquidazione“*** erfolgt. Zielt der Fb im Rahmen der direkten Steuern auf die Korrektur einer Steuererklärung, so wird von ***„accertamento di rettifica“*** gesprochen, während bei völligem Fehlen einer Steuererklärung eine amtswegige Festsetzung von Steuerbemessungsgrundlage und Steuer, also ein ***„accertamento d'ufficio“*** erfolgt. Für die MwSt fehlt eine entsprechende terminologische Unterscheidung.

[345] https://www.adnkronos.com/fisco-csel-solo-3-5-comuni-collabora-per-contrasto-a-evasione_empeUad12tazTb30PZOZ7?refresh_ce.

[346] Vgl. Tesauro, IDT, 2000, 185 ff.

Nachfolgend soll grundsätzlich der im Deutschen einheitliche Ausdruck „Feststellungsbescheid“ verwendet werden[347].

Unterschieden wird weiters zwischen **„analytischer“**, **„induktiver“** und **„synthetischer“** Steuerfeststellung. Diese Begriffe werden nachfolgend erläutert.

Bei den hier verwendeten Begriffen handelt es sich im Deutschen um Wortschöpfungen, um eingedeutschte Lehnwörter, die im deutschen Sprachraum (außerhalb Südtirols) keine Verwendung finden. Diese Entscheidung ist bewusst getroffen worden, da es wenig Sinn machen würde, nach ungefähren Entsprechungen in Rechtsordnungen des deutschen Sprachraums zu suchen, die zusätzliche Verwirrung in dieser ohnehin komplexen Materie schaffen. Diese Wortschöpfungen führen im Gegenteil unmittelbar zum italienischen Äquivalent und erleichtern somit das eventuelle Studium der – nur in italienischer Sprache vorhandenen – Rechtsnorm.

Im Übrigen haben diese Bezeichnungen auch im Italienischen eine ganz eigenständige Bedeutung: So darf der Ausdruck „induktiv“ nicht als Gegensatzbegriff zu „deduktiv“ verstanden werden, sondern es handelt sich hier, wie Lupi schreibt, um eine Feststellung auf der Grundlage von Vermutungen, die oft nur eine geringe Überzeugungskraft aufweisen.[348]

Der Feststellungsbescheid ist (seit 1.10.2011) auch **unmittelbar Vollstreckungstitel.**

Der Feststellungsbescheid ist somit mittlerweile multifunktional: Er dient der Besteuerung, es handelt sich um einen Vollstreckungstitel *(titolo esecutivo)* und er enthält bereits den Zahlungsbefehl *(precetto)*. Auf dieser Grundlage wurde der Feststellungsbescheid auch als ein *atto impoesattivo* bezeichnet.[349]

Er muss die Aufforderung zur Bezahlung der Steuerschuld innerhalb von **60 Tagen** ab Zustellung enthalten. Innerhalb dieser Frist kann der Steuerpflichtige entweder die Schuld begleichen oder Rekurs bei den Steuergerichten einreichen. Im Falle eines Antrags auf einvernehmliche Steuerfeststellung verlängert sich diese Frist um weitere 90 Tage. Nach **weiteren 30 Tagen** (in Dringlichkeitsfällen auch früher) schreiten die Einhebungsagenten zur **Vollstreckung**.

Der Fb muss **in der Sache** sowie **rechtlich begründet** sein, und der Steuerpflichtige hat sich im Falle einer Rekurseinbringung auf diese Ausführungen zu beziehen. Die unzureichende Begründungsdichte ist häufig Anfechtungsgrund, wobei immer wieder die Frage zu klären ist, ob dabei auch ein **Begründungsverweis**

[347] Die erwähnte Unterscheidung ist insgesamt wenig aussagekräftig; der Feststellungsbescheid hat immer dieselbe Rechtsnatur. Unterschiedlich sind jedoch – wie nachfolgend zu zeigen sein wird – die Voraussetzungen, unter welchen die jeweiligen Feststellungsbescheide erlassen werden können.

[348] Vgl. Lupi, DT – PG, 2005, 170.

[349] Vgl. dazu Falsitta, CDT, 2014, 296 f. unter Verweis auf Glendi.

(motivazione per relationem) auf andere Akte zulässig ist. Grundsätzlich gilt dabei Folgendes:[350]

– Erfolgt ein solcher Begründungsverweis, so ist das betreffende Dokument, auf welches sich der Verweis bezieht, beizulegen bzw. sind die wesentlichen Elemente dieses Dokuments wiederzugeben, mit gesonderter Begründung, weshalb diese als gegeben und begründet erachtet werden.

– Eine Ausnahme gilt nur für den Fall, dass das betreffende Dokument dem Steuerpflichtigen bereits zugestellt worden ist.

Eine **nachträgliche Abänderung** des vorgehaltenen Sachverhalts bzw. der angeführten Beweismittel ist **nicht möglich**, sondern kann nur über einen neuen Feststellungsbescheid erfolgen.[351]

Die **Zustellung** *(notificazione)* des Fb erfolgt auf elektronischem Wege durch eine zertifizierte Mail („PEC") oder postalisch durch den Gemeindeboten *(messo comunale)* am Steuerwohnsitz des Steuerpflichtigen bzw. durch Aushang bei der Gemeinde, wenn Angaben über den Wohnsitz fehlen.

b) Die Steuerfeststellung bei Unternehmen und Selbstständigen[352]: die analytische und die induktive Steuerfeststellung

Sowohl für den Bereich der direkten Steuern als auch für jenen der MwSt ist für Unternehmen und Selbstständige eine analytische und eine induktive Steuerfeststellung vorgesehen. Für die direkten Steuern findet sich die entsprechende Regelung in Artikel 39 des DPR 600/1973, für die MwSt in den Artikeln 54 und 55 des DPR 633/1972.

Nachfolgend soll allein die für die direkten Steuern geltende Regelung dargestellt werden, da jene für die MwSt weitgehend deckungsgleich ist.

– Die analytische Steuerfeststellung

Als „analytisch" wird die Steuerfeststellung dann bezeichnet, wenn die Buchhaltung als Grundlage dazu dient. Trotz Vorliegens eines vermuteten Steuerhinterziehungstatbestandes wird also die Buchhaltung als hinreichend verlässlich angesehen, um darauf aufbauend und unter Vornahme der notwendigen Korrekturen zu einer Steuerbemessungsgrundlage zu gelangen, die der effektiven Leistungsfähigkeit entspricht. Eine analytische Steuerfeststellung kann von Steuerfahndungsmaßnahmen äußerst unterschiedlicher Intensität ausgehen.

---

350 Vgl. Art. 7 G 212/2000.

351 Art. 7 Abs. 1-bis G 212/2000.

352 Das auf die direkten Steuern anwendbare DPR 600/1973 nimmt in Art. 39 primär auf die Einkünfte aus Unternehmen Bezug; in Art. 39 Abs. 3 wird diese Regelung aber auch auf die Einkünfte aus selbständiger Tätigkeit ausgedehnt.

Art. 39 Abs. 1 DPR 600/1973 nennt folgende Fälle, in welchen eine analytische Steuerfeststellung zulässig ist:

– wenn die Steuererklärung nicht dem Inhalt des Jahresabschlusses entspricht;

– wenn die Bestimmungen über die Unternehmenseinkünfte laut Einheitstext für die direkten Steuern (TUIR) 1986 verletzt worden sind;

– wenn aus den von der Finanzverwaltung im Rahmen der Steuerfahndung verfassten Protokollen bzw. übermittelten Fragebögen in direkter und sicherer Form die Unvollständigkeit, Fehlerhaftigkeit oder Wahrheitswidrigkeit der Steuererklärung *(incompletezza, erroneità o falsità della dichiarazione)* hervorgeht;

– wenn die Unvollständigkeit, Fehlerhaftigkeit oder Wahrheitswidrigkeit der Steuererklärung über die Steuerfahndung im engeren Sinne (über die Betriebsprüfung) festgestellt worden ist oder wenn sich diese aus den eingeholten Unterlagen, Rechnungen und Informationen ergibt. Es genügt das Vorliegen einfacher Vermutungen, soweit diese schwerwiegend, genau und übereinstimmend sind.

Zusammenfassend kann gesagt werden, dass eine analytische Steuerfeststellung also immer dann zulässig ist, wenn die Finanzverwaltung über die Steuerfahndung im engeren und weiteren Sinne zum Ergebnis gelangt, dass ein Hinterziehungstatbestand vorliegt und die Buchhaltung eine ausreichende Grundlage darstellt, diesen Tatbestand festzustellen. Je nach Form der Steuerfahndung variiert allein die Strenge des geforderten Nachweises.

Soweit die analytische Steuerfeststellung auf der Grundlage von Vermutungen erfolgt, spricht man auch von **analytisch-induktiver Besteuerung**, da hier die Bedeutung der Buchhaltungsunterlagen eingeschränkt, wenn auch nicht völlig relativiert wird.

Sondergesetze haben das Anwendungsfeld der analytisch-induktiven Steuerfeststellung weiter ausgedehnt bzw. näher konkretisiert. So kann eine analytisch-induktive Steuerfeststellung auch dann vorgenommen werden, wenn die unternehmerische bzw. freiberufliche Tätigkeit – bspw. in der offiziellen Preisgestaltung – größere Abweichungen von Durchschnittswerten aufweist, die sich über die Marktbeobachtung – viel häufiger aber aus einer Bezugnahme auf die ISA – ergeben[353].

– Die induktive Steuerfeststellung

Literatur: Magistro, Accertamento induttivo per i soggetti tenuti agli obblighi contabili, in: Corriere Tributario 35/2001, 2639

Die induktive Steuerfeststellung ist in Artikel 39 Abs. 2 DPR 600/1973 sowie in Artikel 55 DPR 633/1972 geregelt. Sie kommt dann zur Anwendung, wenn die Buchhaltungs- oder Erklärungsdokumente fehlen oder derart unglaubwürdig sind,

[353] In der Vergangenheit galt dies für die Branchenkennzahlen. Vgl. Art. 62-sexies G Nr. 427 v. 29.10.1993. Vgl. zum Ganzen Tesauro, IDT – PG 2000, 205.

dass sie als Ausgangspunkt für eine Steuerfeststellung teilweise oder gänzlich ausscheiden. Hier ist die Finanzverwaltung damit maßgeblich auf Vermutungen und Schätzungen angewiesen.

Die Bedeutung der induktiven Nachschätzung als Instrument der Steuerfahndung wurde im Rundschreiben der Finanzwache v. 19. November 2014 betont.

Im Einzelnen kann eine induktive Steuerfeststellung in folgenden Fällen vorgenommen werden:

– Wenn der Steuerpflichtige überhaupt keine Steuererklärung abgegeben hat bzw. keine Einkünfte aus Unternehmen (oder aus freiberuflicher Tätigkeit) erklärt hat.

Der erste Fall bezieht sich in erster Linie auf die – in den Medien stets zu Schlagzeilen führende – Situation des „vollständigen Steuerhinterziehers" *(evasore totale)*, der typischerweise die Schattenwirtschaft verkörpert.[354] Das völlige Untertauchen in die Schattenwirtschaft erweist sich aber als zusehends schwieriger, da jeder Wirtschaftstreibende an Informationsnetzwerken (bspw. jenen der Sozialversicherung) hängt, auf welche die Finanzverwaltung in direkter oder indirekter Form auch Zugriff hat. Hier handelt es sich also in der Regel um Kleinstunternehmen oder um gewerbliche Aktivitäten, die unmittelbar im kriminellen Umfeld angesiedelt sind. Insbesondere in der weiter zurück liegenden Vergangenheit waren häufiger Fälle festzustellen, in denen Steuerpflichtige aufgrund fahrlässigen Verhaltens als „vollständige Steuerhinterzieher" qualifiziert worden sind, was eine induktive Steuerfeststellung zur Folge hatte. Die betreffenden Fälle (Abgabe der Steuererklärung 90 Tage nach der Abgabefrist; fehlende Unterfertigung der Steuererklärung) haben aber mittlerweile an Relevanz verloren. Dies ist in erster Linie auf den Umstand zurückzuführen, dass Gewerbetreibende ohnehin kaum mehr in der Lage sind, Steuererklärungen selbst auszufüllen, weshalb der jeweilige Steuerbeistand auf die Einhaltung der betreffenden Formalerfordernisse achten wird. Zum anderen kann – wie oben erwähnt – die Unterschrift nunmehr auch nachträglich, nach Aufforderung durch die Finanzverwaltung, angebracht werden.

Der zweitgenannte Fall bezieht sich auf jene Steuerpflichtigen, die in einer Scheinlegalität leben, indem sie gegenüber der Steuerverwaltung den Eindruck erwecken, ordnungsgemäß ihren Pflichten nachzukommen, tatsächlich aber die Unternehmenseinkünfte (bzw. die Einkünfte aus freiberuflicher Tätigkeit) verheimlichen. Auch hier gilt, dass diese Einkünfte – soweit sie nicht krimineller Natur sind – häufig von bescheidener Größenordnung sind, da andernfalls die gewerbliche Tätigkeit an sich kaum mehr zu verheimlichen ist.

Raffaello Lupi hat in diesem Zusammenhang eine Unterscheidung vorgenommen zwischen Kleinunternehmern, die unmittelbar mit Konsumenten Geschäfte tätigen und großen, bürokratisch organisierten Unternehmen. Während die erste Kategorie relativ problemlos im Schatten operieren kann, wird dies für die zweitgenannte Gruppe über verschiedenste Mechanismen erschwert. So verfügen diese im eigenen wirtschaftlichen Interesse über Aufzeichnungen (Buchhaltungsunterlagen), die gegebenenfalls der Finanzverwaltung in die Hände fallen können. Darüber hinaus besteht die Gefahr der Illoyalität einzelner Mitarbeiter, die zu einer Anzeige führen kann. Schließlich kooperieren diese Unternehmen im Regelfall nicht allein mit Endabnehmern, was im Normalfall die Notwendigkeit zur Folge hat, Rechnungen auszustellen.

[354] Vgl. zu diesen Überlegungen grundlegend R. Lupi, DT – PG, 1999, 216 ff.

– Wenn der Unternehmer (bzw. Freiberufler) einzelnen Erklärungspflichten nicht oder nur in unzureichender Form nachkommt.

Hier bewegt sich der Unternehmer (bzw. Freiberufler) durchaus im Lichte der Öffentlichkeit; er kommt aber bestimmten Pflichten nicht nach, die der Steuergesetzgeber als handfestes Indiz für eine Steuerhinterziehung erachtet hat. Zu diesen Regelverstößen zählen:

- das Fehlen eines im Rahmen der Buchhaltung verpflichtend vorgesehenen Buches[355];
- die Nichtbeachtung einer Aufforderung der Finanzverwaltung zur Erteilung weiterer Auskünfte gemäß Art. 32 Abs. 1 Pkt. 3 und 4 (Vorlage bestimmter Dokumente, Beantwortung von Fragebögen)[356];
- das Vorliegen schwerwiegender, wiederholter und zahlreicher Regelverstöße bei der Führung der Buchhaltung, sodass diese insgesamt als unglaubwürdig erscheinen muss;

Ausschlaggebend ist hier also nicht der Regelverstoß an sich, sondern seine Eignung, der Buchhaltung jeglichen Überzeugungswert zu nehmen. Dabei kann es sich um Regelverstöße formaler oder inhaltlicher Art (absichtliche Falschverbuchungen) handeln. Ausgangspunkt ist in der Regel eine analytische Steuerfeststellung aufgrund einzelner Normverletzungen, die sich im Zuge der Ermittlungen aber als derart schwerwiegend und weitreichend erweisen, dass ein Übergang zu einer induktiven Veranlagung gerechtfertigt erscheint.

– In der Vergangenheit hat die Nichtbeachtung der Bestimmungen über die Branchenkennzahlen (unterlassene Vorlage der Daten, Nennung von nicht gegebenen Ausschlussgründen, wahrheitswidrige Erklärung), soweit die Abweichung mehr als 15% bzw. mehr als € 50.000 ausmachte, die Möglichkeit eröffnet, unmittelbar Kontrollen durchzuführen und Nachschätzungen vorzunehmen.[357] Das Kriterium der aktuell geltenden Zuverlässigkeitskennzahlen ist anders strukturiert: Einmal führt ein Wert zwischen 6 und 7,99 grundsätzlich nicht mehr zu Kontrollen und zum anderen kann ein darunter liegender Wert ohnehin vom Steuerpflichtigen autonom angepasst werden.[358]

Sind diese Voraussetzungen für eine induktive Steuerfeststellung gegeben, so kann die Finanzverwaltung gemäß Art. 41 DPR 600/1973 versuchen, aufgrund von (einfachen) Vermutungen, Schätzungen und der Heranziehung von Vergleichswerten die Steuerbemessungsgrundlage und – darauf aufbauend – die Steuerschuld zu be-

[355] Allein für den Bereich der direkten Steuern gilt, dass das Fehlen eines solchen Buches auch aufgrund höherer Gewalt die Finanzverwaltung zu einer induktiven Steuerfeststellung berechtigt.

[356] Für den Bereich der MwSt ist keine vergleichbare Regelung gegeben. Zu beachten ist, dass die unterlassene Beantwortung der zugesandten Fragebögen nicht nur einen Rückgriff auf die induktive Steuerfeststellung erlaubt, sondern auch die Anwendung von Verwaltungsstrafen in der Höhe von € 250 bis € 2.000 ermöglicht. Vgl. Art. 11 Abs. 1 lit b) EV 471/1997.

[357] Vgl. Melis, LDT, 2013, 360.

[358] Melis, MDT, 2021, 363.

stimmen.[359] In diesem Bemühen ist die Finanzverwaltung – und dies muss nicht länger betont werden – aber nur Partei. Nimmt der Steuerpflichtige das Ergebnis dieser Vermutungen nicht widerspruchslos hin, so wird dieser Streit vor den Steuergerichten abzuwickeln sein, vor welchen Finanzverwaltung und Steuerpflichtiger grundsätzlich eine gleichberechtigte Position einnehmen. Eine gewisse Bevorzugung genießt die Finanzverwaltung hier nur in dem Sinne, dass die von ihr anzuwendenden Vermutungen nicht mehr den strengen Anforderungen genügen müssen, die für die analytische Steuerfeststellung gelten (Nachweis schwerwiegender, genauer und übereinstimmender Elemente). Jede Partei hat aber ihr Vorbringen zu beweisen, wobei die entscheidende Frage die Überzeugungskraft der Vermutungen der Finanzverwaltung darstellt. Als Faustregel kann dabei gelten, dass der Nachweis von Formverletzungen nicht genügt, um allein daraus schon auf das konkrete Ausmaß der Steuerhinterziehung zu schließen.

Grundsätzlich müssen also die von der Finanzverwaltung aufgestellten Vermutungen auf objektiven Elementen beruhen und sachlich nachvollziehbar sein. Auch hierin zeigt sich, dass die analytische Steuerfeststellung gegenüber der synthetischen Vorrang genießt.[360]

Was die Beweislastproblematik im Rahmen der induktiven Steuerfeststellung anbelangt, so können drei Schwellen unterschieden werden:[361]

– Der Rückgriff auf die induktive Steuerfeststellung setzt den Nachweis eines qualifizierten Regelverstoßes voraus.

– Ist der Zugang zu diesem Feststellungsverfahren einmal eröffnet, so kann die Finanzverwaltung ihre Vermutungen auf der Grundlage unterschiedlichster Daten und Informationen anstellen (bspw. Erklärungen von Dritten, Daten, die im Rahmen von Steuerermittlungen bei anderen Steuerpflichtigen eingeholt worden sind, Ermittlungen bei Banken usw.), auch wenn die strengen Voraussetzungen für eine analytische Steuerfeststellung nicht vorliegen.

– Vor den Steuergerichten erfährt der Steuerpflichtige dann wieder einen verstärkten Schutz, da hier das Vorbringen der Finanzverwaltung hinreichend untermauert sein muss.

Für die Steuergerichte besteht aber häufig ein breiter Spielraum zur Wahrheitsfindung, in dessen Rahmen der Gesamteindruck maßgeblich zum Tragen kommt, den die wirtschaftliche Gebarung des Steuerpflichtigen insgesamt hinterlässt.[362] Dass diese Rechtsprechung dann nicht immer auf ungeteilte Zustimmung stößt, liegt in der Natur der Sache.

---

359 Einkünfte aus Grundvermögen sind hingegen – soweit anwendbar –nach Maßgabe von Katasterwerten zu bestimmen. Vgl. Uricchio, 2025, 219.

360 Vgl. Rossi, in: Fantozzi (Hrsg.), DT, 2013, 675 (698).

361 Vgl. dazu ausführlich Lupi, Manuale giuridico professionale di diritto tributario, 2001, 459 ff.

362 Diese de-facto-Bevorzugung einer Partei, also der Finanzbehörde, wurde immer wieder kritisiert, vom Verfassungsgerichtshof aber unter Hinweis auf die Notwendigkeit, das „Allgemeininteresse an einer wirksamen Steuereinhebung" zu schützen, verteidigt. Vgl. Iacobellis, L'accertamento d'ufficio, in: Uricchio (Hrsg.), L'accertamento tributario, 2014, 207 (215).

Ein häufig zitiertes Beispiel ist jenes der induktiven Steuerfeststellung bei Gastwirten nach Maßgabe der Anzahl der Tischtücher, die zur Wäscherei gegeben werden.

Bei Handelsunternehmen, die im Wiederverkauf tätig sind, wird in erster Linie eine Aufschlagskalkulation *(percentuali di ricarico)* vorgenommen, d.h. die Differenz zwischen Wareneinkauf und Lagerbestandserhöhung gilt als verkauft und auf den Einkaufspreis wird ein Aufschlag vorgenommen, der handelsüblich erscheint. Dieses Schätzverfahren darf sich aber nicht auf einige wenige Produkte beziehen, sondern muss einen repräsentativen Teil der Wirtschaftsgebarung umfassen[363].

Am schwierigsten gestaltet sich die Standardisierung der Ermittlungen bei Kleinunternehmen, deren Produktionsleistung nicht in einer Produktveredelung in einer Wertekette besteht, sondern maßgeblich in einer Arbeitsleistung des Unternehmers. Man denke nur an die Tätigkeiten des Frisörs, des Barbetreibers, des Installateurs, des Fahrradmechanikers usw., die eine große Vielfalt aufweisen und die in der Leistungserbringung kaum vergleichbar sind. Hier kann der Unternehmer versuchen, durch Schwarzeinkäufe der für seine Tätigkeit benötigten Vorleistungen (je nach Tätigkeit Cremen, Shampoos, Kaffee, Ersatzteile, Klebestoffe usw.), der Finanzverwaltung die notwendigen Anhaltspunkte für Schätzungen zu nehmen. Gleichzeitig schafft er damit aber eine Rechtfertigung für eine induktive Veranlagung. Dasselbe gilt für den Fall, dass er sich nichtangemeldeter Mitarbeiter bedient. Häufig wird auch ein Vergleich zwischen Finanzflüssen und Steuerbuchhaltung vorgenommen.[364]

Bei Vorliegen einer „Negativkasse" (höhere Barausgaben als -einnahmen) kommt es zur Beweislastumkehr: Der Steuerpflichtige muss entweder einen Buchungsfehler nachweisen oder das Vorliegen von nicht steuerpflichtigen Einnahmen.[365]

Raffaelo Lupi hat allerdings ein sehr kritisches Bild der Beweislastsituation im italienischen Steuerrecht gezeichnet: Die Gerichte seien eher geneigt, den Finanzämtern zu glauben, als den Steuerpflichtigen (und am wenigsten glaubwürdig seien die Betriebe). Obwohl Partei im Streitverfahren, werde in den Finanzbehörden oft zu sehr die – über jeden Verdacht der Parteilichkeit erhabene – öffentliche Behörde gesehen.[366]

– Exkurs: Die Zuverlässigkeitskennzahlen (Indici sintetici di affidabilità – ISA)

Von den „Koeffizienten" über die Branchenkennzahlen *(studi di settore)* zu den ISA *(indici sintetici di affidabilità)*

Literatur: Tosi, Le predeterminazione normative nell'imposizione reddituale, 1999; Il Fisco, Gli Studi di Settore – primi risultati e prospettive, Beilage zu: il fisco 34 v. 24.9.2001 mit Beiträgen von Longobardi, Brunello, Vitaletti, d'Amati, Uricchio u.a.

---

[363] Vgl. Silingardi, I presupposti che legittimano l'accertamento induttivo del reddito d'impresa, in: CorrTrib 38/2001, 2854 ff. mwN.

[364] Zu diesen und anderen Beispielen vgl. Lupi, Manuale professionale di diritto tributario, 1999, 422 sowie ders., DT – PG, 2006, 181.

[365] Vgl. Melis, LDT, 2013, 360.

[366] Vgl. Lupi, ComDT, 2014, 163.

Die gesamte Gesetzgebung zur Steuerfeststellung, so wie sie durch das Reformgesetz Nr. 825/1971 grundgelegt worden ist, beruht auf dem Gedanken, dass **detaillierte, zwingende Buchhaltungsvorschriften eine realitätsnahe Beschreibung der Leistungsfähigkeit** der einzelnen Steuerpflichtigen ermöglichen. Jeder Nachweis einer fortbestehenden Steuerhinterziehung musste auf der Grundlage dieser Vorgabe zu einer weiteren Verschärfung der Buchhaltungsvorschriften führen. Gleichzeitig mussten besondere Buchhaltungsvorschriften für jene Steuerpflichtige geschaffen werden, bei welchen der bescheidene Umfang der Wirtschaftstätigkeit eine Beschränkung der bürokratischen Lasten verlangte. Dieses Konzept hat sich schon in den ersten zehn Jahren der Anwendung der Steuerreform 1974–1984 als nicht praktikabel erwiesen, was sich an der ständig steigenden Steuerhinterziehung äußerte. Diese Entwicklung war auch gesellschaftspolitisch bedenklich, da über die statistische Auswertung der Steuererklärungen nachgewiesen werden konnte, dass eine Vielzahl von Berufskategorien, die gemeinhin als Urheber einer beachtlichen Wirtschaftsleistung gelten, Einkommen erklärt haben, die als völlig unglaubwürdig anzusehen sind[367].

Ein erster Schritt zur Abkehr von diesem Ansatz wurde mit der sog. Visentini-ter-Reform gesetzt[368], wobei für Kleinunternehmer mit vereinfachter Buchhaltung sowie für Selbstständige die vom Umsatz abzugsfähigen Kosten pauschaliert worden sind. Dabei wurde zwar zwischen verschiedenen Tätigkeitsbereichen, der Größe des Unternehmens, Lage, Anzahl an Beschäftigten usw. differenziert; insgesamt handelte es sich hier aber um ein sehr rohes Instrument, das in seiner Essenz nicht mehr war als der Beleg dafür, dass die Finanzverwaltung nicht imstande war, eine breitenwirksame Steuerkontrolle durchzuführen.

Ansätze für ein echtes Schätzverfahren mit Beweislastumkehr wurden mit der Festlegung der sog. **Schätzkoeffizienten** *(coefficienti presuntivi)* geschaffen[369]. Dabei wurde das Finanzministerium mit der Ausarbeitung von mathematischen Schätzverfahren betraut, wobei unter Zugrundelegung einer Vielzahl an Faktoren (Art der Tätigkeit, Lage des Betriebes, Umfang der Tätigkeit, Einsatz von Vorleistungen, Anzahl der Mitarbeiter, gezahlte Entlohnungen usw.) eine Neuberechnung des Ertrages vorgenommen werden konnte, der dem Steuerpflichtigen auch in Widerspruch zu seinen Buchhaltungsunterlagen und unabhängig von den Vorgaben des Art. 39 des DPR 600/1973 zugerechnet werden konnte. Ergänzt wurde dieses Verfahren durch das Konzept des sog. „direkten Arbeitsbeitrages“ *(contributo diretto lavorativo)* des Unternehmers oder Freiberuflers[370]. Laut diesem Konzept wurde dem Unternehmer (bzw. Freiberufler) ein Unternehmerlohn (als Teil des Gewinns) unterstellt, der nicht niedriger sein durfte als die Entlohnung seiner Mitarbeiter. Da-

[367] Eine solche Statistik ist in Lupi, DT – PG, 2000, 227, Fn 66 veröffentlicht worden und zeigt Durchschnittseinkommen bspw. von Juwelieren, Restaurantbesitzern, Sportartikelhändlern, die am oder unter dem Existenzminimum liegen.

[368] Vgl. NV 853 v. 19.12.1984 ug G 17 v. 17.2.1985.

[369] Vgl. Art. 11 der NV 69/1989 ug G 154/1989 ag G 413/1991.

[370] Eingeführt mit Dekret des Ministerpräsidenten (dpcm) v. 25.10.1991.

mit wurde der breiten Kritik an den Ergebnissen der statistischen Auswertung der Steuererklärungen vergangener Jahre Rechnung getragen, die sich auf die Tatsache bezog, dass Unternehmer und Selbstständige in zahlreichen Berufssparten laut Steuererklärung weniger verdienten als sie ihren Mitarbeitern an Entlohnung entrichten mussten.

Das Ergebnis aus der Anwendung dieser Schätzmethode war rechtlich nicht mehr als eine Vermutung; dem Steuerpflichtigen fiel aber die eventuelle Aufgabe zu, diese Vermutung zu widerlegen. Dieser Gegenbeweis war nicht leicht zu erbringen: So konnte der Steuerpflichtige zwar nachweisen, dass er sich in der betrachteten Steuerperiode in einer außerordentlichen Situation befunden hatte (bspw. wegen Krankheit, Ereignissen höherer Gewalt, einer regionalen Krise im betreffenden Sektor). Weit schwieriger war es dagegen für den Steuerpflichtigen, den Nachweis zu erbringen, dass die Ergebnisse dieser Schätzmechanismen auf ihn grundsätzlich nicht anwendbar waren.

Der Steuerpflichtige konnte vor den Steuergerichten zwar diesbezüglich argumentieren. Im Endeffekt hatte die von der Finanzverwaltung vorgenommene Schätzung aber die Vermutung der Richtigkeit für sich, ohne dass damit eine unwiderlegbare (und damit verfassungswidrige) Vermutung geschaffen worden wäre.

Vor dem Erlass des Feststellungsbescheides hatte die Finanzverwaltung den Steuerpflichtigen aber um Auskunft über den Grund der Abweichungen zwischen Steuererklärung und Schätzbetrag zu ersuchen. Alle vom Steuerpflichtigen dabei nicht vorgebrachten Gründe konnten in einem späteren Streitverfahren ebenfalls nicht mehr geltend gemacht werden.

Das System der Schätzkoeffizienten erfuhr eine Fort- (und Fehl)entwicklung über die Einführung der sog. *Minimum Tax*. Dabei handelte es sich – anders als die Bezeichnung vermuten lassen würde – nicht um eine eigenständige Steuer, sondern um ein Feststellungsverfahren, das wiederum auf dem Konzept der „direkten Arbeitsleistung" beruhte und dem

– natürliche Personen, die eine Unternehmenstätigkeit oder eine freiberufliche Tätigkeit ausübten sowie

– Personengesellschaften unterlagen,

soweit eine Einkommensschwelle von 360 Millionen Lire (bei Freiberuflern und Dienstleistungsunternehmen) bzw. 1 Milliarde Lire (für alle übrigen Unternehmen) nicht überschritten wurde. Körperschaftsteuerpflichtige Unternehmen waren grundsätzlich von der Anwendung der *„Minimum Tax"* ausgeschlossen.

Das der „direkten Arbeitsleistung" des Unternehmers bzw. Freiberuflers, der mitarbeitenden Familienangehörigen bzw. Gesellschafter entsprechende Einkommen[371] wurde wiederum nach Gewerbebereichen bzw. nach dem für die Ausübung des jeweiligen Berufs erforderlichen Berufstitel differenziert. Weitere Anpassun-

[371] Ibid.

gen wurden nach Maßgabe des Ortes der Tätigkeitsausübung[372] bzw. der subjektiven Situation des Steuerpflichtigen[373] vorgenommen.

Lag kein Befreiungsgrund[374] vor, so hatte die Erklärung eines niedrigeren Einkommens automatisch eine Nachversteuerung zur Folge, wobei 40% Strafe und 9% Zinsen pro Jahr dazuzurechnen waren.

Ein Gegenbeweis war zwar zulässig, doch in derart engen Grenzen, dass die Frage der Übereinstimmung dieser Regelung mit Art. 53 der Verfassung aufgeworfen wurde. Schon für das Jahr 1993 wurden die Gegenbeweismöglichkeiten weiter ausgedehnt; im Jahr 1994 diente die Regelung zur *„Minimum Tax"* nur mehr als nichtbindendes Instrument zur Feststellung einer Diskrepanz zwischen erklärten Beträgen und Branchendurchschnitt. Insgesamt stellte die *Minimum Tax* – trotz (oder gerade aufgrund) der vielen mathematischen Formeln, auf welchen sie beruhte – einen Irrweg dar, da selbst Steuerrechtsexperten nicht überzeugt waren, dass dieser vom Finanzministerium geschaffene Automatismus die Leistungsfähigkeit der Steuerpflichtigen adäquat widerspiegeln konnte. Dies heißt aber nicht, dass die Einführung der *Minimum Tax* ohne konkrete Wirkung geblieben wäre:

– Sie führte zweifelsohne zu einer Erhöhung des Steueraufkommens, da ein beachtlicher Teil der Steuerpflichtigen nun zur Überzeugung gelangen musste, Steuerhinterziehung sei zwecklos, wenn ohnehin ein bestimmtes Einkommen unterstellt wird.

– Die Minimum Tax war für viele Steuerpflichtige der letzte und definitive Ausdruck eines ungerechten, wirklichkeitsfremden Steuersystems, das das verfassungsrechtliche Gebot zur Besteuerung nach Leistungsfähigkeit einfach ignorierte.

Mit den im Jahr 1995 eingeführten **„Parametern"** *(parametri)*[375] wurde versucht, ein detaillierteres, realitätsnäheres Bild der einzelnen Branchen zu bieten, wobei auf den Erfahrungen aufgebaut wurde, die mit den Koeffizienten gemacht worden waren. Der höhere Anspruch, der mit diesem Verfahren vertreten wurde, äußerte sich schon in technischer Hinsicht: Erstmals mussten sich die Steuerpflichtigen eines Software-Programms bedienen, um die Steuerbemessungsgrundlage zu errechnen, die von der Finanzverwaltung als angemessen erachtet wurde. Auch

[372] So war für Tätigkeiten, die in Gemeinden mit mehr als 100.000 Einwohnern ausgeübt wurden, eine Erhöhung des Ertrages um 10% vorgesehen gewesen, während die Erträge bspw. um 40% reduziert wurden, wenn die Tätigkeit in einer Gemeinde mit weniger als 5.000 Einwohnern ausgeübt wurde.

[373] Bspw. wurde für jene Steuerpflichtigen, die älter als 65 Jahre oder jünger als 30 Jahre waren, der Ertrag um 20% reduziert.

[374] Zu den Befreiungsgründen zählten bspw. für Einzelunternehmer ein Alter über 60 Jahre bzw. unter 26 Jahre; eine Invalidität über 40% oder eine Tätigkeit in Gemeinden mit weniger als 1.000 Einwohnern. Für Freiberufler galten bspw. folgende Befreiungsgründe: ein Alter über 70 Jahre, eine Invalidität von über 40% oder die Ausübung der Tätigkeit in einfachen und minderwertigen Räumen sowie die Nutzung von leistungsschwachen Anlagegütern. Zu all diesen Ausnahmen vgl. Hilpold, Neuerungen des italienischen Steuerrechts – Erste Entwicklungstendenzen zu einer Vereinfachung des Steuersystems, in: Jahrbuch für Italienisches Recht, Bd. 9, 1996, 125.

[375] Vgl. Art. 3 G 549/1995.

die Parameter waren aber nur als Übergang gedacht: Am Ende dieser Entwicklung sollten die **Branchenkennzahlen** *(studi di settore)* stehen, die ein derart fundiertes Bild der einzelnen Wirtschaftsbereiche geben sollten, dass ein Großteil der Steuerpflichtigen seine spezifische Situation darin wiederfinden sollte. Ein solcher Ansatz bedurfte freilich ausgiebiger empirischer Studien und der Verarbeitung einer Unmenge an Datenmaterial, weshalb seine Einführung nur schrittweise erfolgen sollte und den Parametern eine Fortgeltung weit über 1995 hinaus beschert wurde. Im Laufe der darauffolgenden Jahre wurden Branchenkennzahlen für 200 Bereiche erarbeitet, wobei über 4 Millionen Steuerpflichtige erfasst wurden. Die Kennzahlen einer jeden Branche werden zumindest alle vier Jahre einer Überprüfung unterzogen.

Die Branchenkennzahlen beruhten auf **ausländischen Vorbildern** (insbesondere aus **Israel** und **Frankreich**). Im Gegensatz zu den Koeffizienten bestanden die Branchenkennzahlen nicht mehr aus numerischen Koeffizienten, die auf Aufwands- und Ertragsgrößen anzuwenden waren, sondern aus **multivariaten Verfahren**, die unter Einbeziehung längerer statistischer Reihen, einer individuellen Einstufung aller 8.000 italienischen Gemeinden und unter Berücksichtigung von Bilanzanalyseverfahren, wie sie für einen beachtlichen Teil der Unternehmen ohnehin bereits zur Realität gehören, ein detailliertes, individuell differenziertes Bild ergaben.

Die Daten, die den Branchenkennzahlen zugrunde lagen, waren buchhalterischer und außerbuchhalterischer Natur. Die buchhalterischen Daten wurden den Steuererklärungen vergangener Jahre entnommen, die außerbuchhalterischen wurden über die Zusendung von Fragebögen eingeholt.

Auf der Grundlage dieser Daten wurden die Steuerpflichtigen, die den Branchenkennzahlen unterlagen, einer Referenzgruppe ***(cluster)*** zugeordnet. Die Anwendung der Branchenkennzahlen ergab ein **Vertrauensintervall *(intervallo di confidenza)*** mit Mindesterlösen oder Vergütungen *(ricavi minimi)* und punktuell erwarteten Erlösen oder Vergütungen *(ricavi puntuali)*.

Die Erklärung von Werten innerhalb des Vertrauensintervalls war grundsätzlich korrekt, doch konnte die Finanzverwaltung, wenn die angeführten Werte unter den punktuell erwarteten Erlösen oder Vergütungen lagen, eine gesonderte Rechtfertigung verlangen und gegebenenfalls, wenn die Rechtfertigung nicht überzeugte, auch eine Nachschätzung vornehmen.

Die Branchenkennzahlen erfüllten vielfältige **Funktionen**:[376]

– Eine **Feststellungsfunktion**. Die Branchenkennzahlen stellten – wie gezeigt – ein induktives Schätzverfahren dar, das widerlegbare Vermutungen in Bezug auf die Angemessenheit *(„congruità")* der erklärten Beträge begründet. Der Gegenbeweis war möglich. Der Steuerpflichtige war verpflichtend anzuhören.

[376] Vgl. dazu Summa Fiscale 2010, Rn 29020.

– Eine **Auswahlfunktion**. Über die Branchenkennzahlen wurden **Kohärenzintervalle** bestimmt *(„coerenza")*. Wirtschaftliche Kennzahlen identifizieren Mindest- und Höchstwerte, die üblicherweise in den einzelnen Branchen erzielt werden. War diese Kohärenz nicht gegeben, so waren auch schon die Bereiche identifiziert, die einer weiteren Kontrolle zu unterziehen waren. Diese Kontrolle erfolgten unabhängig davon, ob der erklärte Betrag insgesamt angemessen erschien. Es konnte ein Feststellungsverfahren eingeleitet werden, das dann auf anderweitigen Instrumenten beruhte, also nicht mehr auf den Branchenkennzahlen.

War die Kohärenz nicht gegeben, so konnte dies darauf hindeuten, dass die Buchhaltungswerte in der Form angepasst wurden, dass ein angemessenes Ergebnis gemäß den Branchenkennzahlen resultierte *(„strumentalizzazione degli studi di settore")*. Die Kohärenzprüfung stellte damit ein Instrument zur Missbrauchsvorbeugung dar.

– Eine **Hilfestellung in der Unternehmensführung**. Da sich die Branchenkennzahlen auf Durchschnittswerte bezogen hatten und auf ökonomischen Kennzahlen beruhten, die üblicherweise in der betreffenden Branche erreicht wurden, konnen die Branchenkennzahlen dem Unternehmer selbst eine Hilfestellung für die Kontrolle seines Unternehmens bieten.

Auch zur Anwendung der Branchenkennzahlen war eine **eigene Software (GERICO)** entwickelt worden, die den Steuerpflichtigen zur Verfügung gestellt wurde und auf deren Grundlage diese selbst die Berechnung der angemessenen Werte vornehmen konnten. Damit wurde sichergestellt, dass die Steuerpflichtigen bereits im Vorfeld die Daten ihrer Buchhaltung (und im Gefolge jene ihrer Steuererklärung) an die durch die Einführung der Branchenkennzahlen gesetzten Vorgaben anpassen konnten.

Die Ergebnisse aus der Anwendung dieses Verfahrens waren nicht unwiderlegbar; es handelte sich dabei zuerst einmal um reine **einfache Vermutungen**. Auf dieser Grundlage musste die Finanzverwaltung weitere Erhebungen anstellen und insbesondere den **Steuerpflichtigen anhören** *(contradditorio)*. Die Ergebnisse dieser Anhörung flossen dann in die abschließenden Überlegungen der Finanzverwaltung ein. Sollte ein **Feststellungsbescheid** erlassen werden, so hatte dieser die Vermutung der Richtigkeit für sich, da der betreffende Bescheid dann auf Indizien aufbaute, die als „schwerwiegend, genau und übereinstimmend" angesehen werden. Es kam zur Beweislastumkehr. Was die Reichweite des möglichen Gegenbeweises anbelangte, so war diese – insbesondere in den ersten Jahren nach der Einführung der Branchenkennzahlen – beschränkt. Rechtlich waren die zulässigen Formen des Gegenbeweises nicht näher präzisiert, überwiegend wurde aber folgende Auffassung vertreten: Während es nicht möglich war aufzuzeigen, dass die in den Branchenkennzahlen zum Ausdruck kommenden Vermutungen abstrakt unzutreffend waren, konnte sehr wohl gezeigt werden, dass diese auf die konkrete Situation des Steuerpflichtigen keine Anwendung finden konnten, da sie – insbesondere aufgrund außerordentlicher Ereignisse – nicht dem in den Branchenstudien definierten Bild entsprachen. Die Möglichkeit des Gegenbeweises wurde sukzessive weiter interpretiert.

Ergebnis der Anhörung konnte auch eine **einvernehmliche Steuerfeststellung** sein.

Unterblieb dagegen die Anhörung, dann war die Steuerfeststellung auf der Grundlage der Branchenkennzahlen mangelhaft.[377]

Wer konnte nun auf der Grundlage der Branchenkennzahlen induktiv veranlagt werden?

– Die Entscheidung für die ordentliche Buchhaltung hatte – anders als für die induktiven Schätzverfahren der Vergangenheit – keine Auswirkungen auf die Anwendbarkeit der Branchenkennzahlen. Diese waren auf Unternehmer und Freiberufler mit einfacher oder ordentlicher Buchhaltung gleichermaßen anwendbar.

Keine Anwendung fanden die Branchenkennzahlen auf Steuerpflichtige, die:

– Erlöse oder Vergütungen **über 7.500.000 Euro** erklärten;

– ihre **Tätigkeit innerhalb der Steuerperiode begannen, änderten oder beendeten**;

– in der Steuerperiode **keine gewöhnliche Geschäftstätigkeit** ausübten.

Zudem fanden die Branchenkennzahlen auch keine Anwendung auf Pauschalbesteurer[378] sowie auf Haustürgeschäfte.

Theoretisch galt die Schwelle von € 7,5 Millionen Umsatz seit 1.1.2007. Tatsächlich wurden dazu aber keine Umsetzungsnormen erlassen, weshalb de facto weiter die alte Schwelle von € 5.164.569 in Kraft blieb. Bei einem Umsatz zwischen € 5.164.569 und € 7.500.000 waren aber dennoch die entsprechenden Formulare auszufüllen, wenngleich die Branchenkennzahlen keine Anwendung fanden. Bei einem Umsatz über € 7.500.000 entfiel auch die Erklärungspflicht.

Außer durch die beschriebenen inhaltlichen Verbesserungen zeichnete sich die Regelung zu den Branchenkennzahlen gegenüber jener zu den Koeffizienten und den Parametern also durch folgende Neuerung aus: Weder die „Flucht" in die ordentliche Buchhaltung noch deren pflichtgemäße Anwendung schützten vor diesen Schätzverfahren. Damit hatte sich die Steuergesetzgebung einen weiteren Schritt von dem Grundgedanken entfernt, der für die Steuerreform des Jahres 1971 prägend gewesen ist: Die ordentliche Buchhaltung konnte nicht mehr die Vermutung der absoluten Richtigkeit für sich beanspruchen. Der Gesetzgeber hatte damit der Tatsache Rechnung getragen, dass selbst bei Einhaltung aller Formalvorschriften immer noch Spielraum für Steuerhinterziehung blieb.

[377] Die automatische Veranlagung allein auf der Grundlage der Branchenkennzahlen wurde vom Kassationsgerichtshof für rechtswidrig erklärt (Kass Nr. 18607 v. 29.10.2012).

[378] Betroffen davon waren die sog. Mindestbesteurer, nicht hingegen die neuen unternehmerischen oder selbstständigen Tätigkeiten.

Eine weitere Regelung schränkte aber die Tragweite dieser Neuerung wieder ein:

Ergab sich eine **Diskrepanz** zwischen Buchhaltungsergebnissen und den Branchenkennzahlen, so konnte **im ersten Jahr** der Anwendung neuer oder abgeänderter Branchenkennzahlen eine Anpassung **ohne Verpflichtung zur Zahlung einer Zusatzsteuer** erfolgen. Danach war eine **Zusatzabgabe von 3%** auf den Differenzbetrag zu entrichten, **wenn die Abweichung mehr als 10%** ausmachte.

Diese Zusatzabgabe war auf den gesamten Differenzbetrag zu entrichten; es gab also keine Freigrenze in der Höhe von 10%.

In Bezug auf die Anpassung an die Branchenkennzahlen hatte der Steuerpflichtige zwei Möglichkeiten: Er konnte eine **punktuelle Anpassung** vornehmen. In diesem Fall wurde keine Nachprüfung auf der Grundlage einfacher Vermutungen mehr erfolgen. Er konnte aber auch einen **geringeren Wert** auf der Grundlage eines sog. **Konfidenzintervalls** heranziehen, musste aber diese Entscheidung begründen, da anderenfalls eine Nachschätzung auf der Grundlage der (punktuellen) Branchenkennzahlen erfolgen konnte.

Es bestand **keine Verpflichtung zur spontanen Anpassung**. Unterblieb die Anpassung, so hatte dies keine automatische Kontrolle zur Folge. Eine betreffende Kontrolle wurde aber möglich bzw. wahrscheinlich.

Erfolgte tatsächlich eine Kontrolle, so wurde der Steuerpflichtige angehört und konnte dabei die betreffende Vermutung mit jedem Mittel widerlegen. Der Gegenbeweis musste nicht dokumentarischer Natur sein, sondern konnte wiederum auf Vermutungen – mit entsprechender Überzeugungskraft – beruhen.

Bei der **Ausübung mehrerer Tätigkeiten** wurden die Branchenkennzahlen auf der Grundlage einer gesonderten Abrechnung der Erlöse für die einzelnen Tätigkeiten angewandt. Wurde über die **Nebentätigkeiten nicht mehr als 30% der Erlöse** erzielt, so wurden die Branchenkennzahlen ohne weiteres auf die Erlöse der Haupttätigkeit angewandt. Waren die Erlöse der Nebentätigkeiten dagegen höher, so konnten die Branchenkennzahlen allein dazu verwendet werden, ein erstes Indiz für die Durchführung weiterer Kontrollen nach Maßgabe der traditionellen Kontrollverfahren zu schaffen.

Die Beweiskraft der Branchenkennzahlen wurde, wie oben erwähnt, durch die Rechtsprechung zusehends stärker relativiert und schließlich konnte dieses Instrument nur mehr eine einfache Vermutung mit Beweislastumkehr generieren.
Die Kritik an den Branchenkennzahlen war vielfältig:

Trotz stetig abnehmender Bestandskraft im streitigen Verfahren wurde dieses Instrument von vielen Steuerpflichtigen als belastend empfunden, sowohl was seine konkrete technische Anwendung anbelangte als auch in Hinblick auf die häufig auftretende Erstvermutung von Unregelmäßigkeiten. Obwohl von Expertenseite die weitgehende Treffsicherheit der Branchenkennzahlen vielfach bestätigt worden ist, wurde auch Kritik laut, dass dieses Instrument zu mechanistisch sei: Ein mathematisch-technisches Verfahren könne den Umständen des Einzelfalles nicht immer hinreichend Rechnung tragen.

Die Hauptkritik war aber auf einen grundlegenden Paradigmenwechsel zurückzuführen: Das Verhältnis zwischen Finanzverwaltung und Steuerpflichtigen sollte nicht mehr von autoritärer Zwangsausübung geprägt sein, sondern von mehr oder minder freiwilliger „Compliance"; allenfalls „sanfter Druck" sollte ausgeübt werden. Hier setzen die „ISA" an, die sich das mit den Branchenkennzahlen erworbene technische Wissen zunutze machen, dieses weiter fortentwickeln und den Steuerpflichtigen dazu bewegen sollen, spontan seinen Verpflichtungen nachzukommen.

Die Einführung der Zulässigkeitskennzahlen ISA *(indici sintetici di affidabilità)*[379]

Literatur: Ingrao, Prime considerazioni sul ruolo degli indicatori di affidabilità nel rapporto Fisco-contribuente, RDT, 2/2019, 189; Cortesi et al., Dagli studi di settore agli ISA, PFP 41/2021, 2; Balzanelli/Valcarenghi, ISA: le regole per ottenere il regime premiale per l'annualita' 2020, il fisco 22/2021, 2107

Die ISA finden seit 2018 Anwendung auf MwSt-Pflichtige mit Ausnahmen folgender Steuerpflichtiger:

- Beginn einer neuen Tätigkeit oder Beendigung einer bestehenden Tätigkeit in der betreffenden Steuerperiode, Wahl eines steuerlichen Sonderregimes, Umsätze über € 5.164.569;
- Steuerpflichtige, die mehr als eine Tätigkeit ausüben, welche nicht unter dieselben ISA fallen, wenn die Erlöse aus der Tätigkeit, die nicht zur Haupttätigkeit zählen, mehr als 30% der Gesamterlöse ausmachen;
- für Non-Profit-Einrichtungen und Genossenschaften

Die Zuverlässigkeitkennzahlen ISA werden als arithmetisches Mittel von zwei Arten von Indikatoren errechnet:

- den **Zuverlässigkeitsindikatoren *(indicatori di affidabilità*)**
- den **Unregelmäßigkeitsindikatoren *(indicatori di anomalia)***

Zu den Zuverlässigkriterien zählen die Erlöse pro Mitarbeiter, der Mehrwert pro Mitarbeiter, der Gewinn pro Mitarbeiter und die Warenumschlagshäufigkeit *(durata e decumulo delle scorte)*. Je höher diese Werte sind (gemessen an bestimmten Richtwerten), desto höher sind die vergebenen Punkte.

Die Unregelmäßigkeitsindikatoren beziehen sich auf die Kosten der produzierten Waren oder von Dienstleistungen (so sind bspw. Kosten gleich Null ein Unregelmäßigkeitsindikator) bzw. beziehen sich auf das Verhältnis von Anfangs- und

[379] Art. 9-bis NV 50/2017 ug G 96/2017.

Endbeständen, die bezahlten Arbeitstage pro Mitarbeiter, den Deckungsbeitrag pro Mitarbeiter, die Arbeitsleistung durch Externe: Auch hierzu werden jeweils Richtwerte vorgegeben, die im Falle ihrer Verletzung Unregelmäßigkeiten indizieren. Die Unregelmäßigkeitsindikatoren verringern den Wert der Zuverlässigkeitsindikatoren, z.T. über eine Spanne von 1–5, z.T. bei besonders schwerwiegenden Sachverhalten (negatives EBITDA) durch den Wert 1.[380]

Die auf dieser Grundlage errechneten Zuverlässigkeitskennzahlen ISA können von **1–10** reichen, wobei 1 eine sehr geringe Zuverlässigkeit indiziert, 10 eine sehr hohe.

In Abhängigkeit von der Höhe dieser Kennzahl kann der Steuerpflichtige in den Genuss unterschiedlicher **Vergünstigungen** kommen:[381]

- ISA zwischen 9 und 10:
  In diesem Fall kommt die Regelung zu den untätigen Gesellschaften nicht zur Anwendung und auch nicht der Wohlfahrtsmaßstab *redditometro.*
- ISA von mindestens 8,5:
  Ausnahme von Steuerfeststellung aufgrund einfacher Vermutungen gemäß Art 39 Abs 1 lit d DPR 600/1973 und Art 54 Abs 2 DPR 633/1972
- ISA von mindestens 8:
  Ausnahme vom Erfordernis der Übereinstimmungserklärung *(visto di conformità)* bei der Verrechnung MwSt-Guthaben bis € 50.000 und direkten Steuern bis € 20.000
  Ausnahme vom Erfordernis der Übereinstimmungserklärung bei der Rückforderung von MwSt-Guthaben in Höhe von bis zu € 50.000

Verkürzung der Verwirkungsfristen (*termine di decadenza*) für die Steuerfeststellung um ein Jahr.

Das Instrument der ISA soll die **Steuerpflichtigen dazu bewegen, freiwillige Anpassungen vorzunehmen**, um einerseits in den Genuss der genannten Vergünstigungen zu kommen und andererseits die Gefahr einer Steuerkontrolle auszuschließen. Niedrige ISA-Werte führen zwar – anders als in der Vergangenheit Abweichungen von den Branchenkennzahlen – nicht automatisch zu Feststellungsverfahren, doch können sie Anhaltspunkte für die Vorauswahl der betreffenden Steuerpflichtigen für Nachprüfungen liefern.

Die ISA-Berechnungen stehen dem Steuerpflichtigen bereits vor der Erstellung der Steuererklärung zur Verfügung und zielen deshalb nicht auf eine Anpassung von bereits errechneten Werten, sondern auf die antizipative Einhaltung der steuerrechtlichen Verpflichtungen.[382]

---

380 Vgl. Melis, MDT, 2021, 362.
381 Vgl. Cortesi, 2021, 11.
382 Vgl. Carinci/Tassani, MDT 2021, 383.

Die Werte, die den ISA-Berechnungen zugrunde gelegt werden, werden überwiegend den Steuererklärungen der Steuerpflichtigen der **letzten acht Jahre** – aber auch aus den der Finanzverwaltung zur Verfügung stehenden Datenbanken – entnommen. Sie berücksichtigen damit eine viel größere Zeitspanne als die Branchenkennzahlen der Vergangenheit. Sie sollten – nach den Vorstellungen des Gesetzgebers – zudem von den Unternehmern und Freiberuflern zum Zwecke der **Vornahme betriebswirtschaftlicher Berechnungen** Anwendung finden – ein Aspekt, der wohl noch zu wenig Beachtung findet.

Im Jahr 2018 erging ein Urteil des EuGH zur Frage der Zulässigkeit einer Nachbesteuerung auf der Grundlage induktiver Verfahren, konkret damals noch bezogen auf die Branchenkennzahlen und betreffend die MwSt:[383] Danach ist eine solche Nachbesteuerung bei gravierenden Divergenzen zwischen den erklärten und den geschätzten Einnahmen zulässig. Voraussetzung ist die Wahrung wirksamer Verteidigungsrechte des Steuerpflichtigen unter Beachtung der Grundsätze der steuerlichen Neutralität und der Verhältnismäßigkeit.[384]

Soweit eine Tätigkeit unter die anerkannten ISA-Kategorien fällt, ist die Abgabe der ISA-Erklärung (zu erstellen auf der Grundlage der Software „il tuo ISA“) verpflichtend.

Bei Unterlassung oder fehlerhafter Abgabe kommen die in Art. 8 EV 471/1997 vorgesehenen Sanktionen zur Anwendung.

c) Die Steuerfahndung gegenüber sonstigen Steuerpflichtigen, die synthetische Steuerfeststellung

Literatur: Tesauro, L'accertamento sintetico del reddito ed il redditometro, in: BollTrib 1986, 952; Tosi, Condizioni e limiti dell'efficacia probatoria del redditometro, in: RassTrib 1989, I, 417; Marongiu, Il nuovo accertamento sintetico e reddito metrico, in: Glendi/Uckmar (Hrsg.), La concentrazione della riscossione nell'accertamento, 2011, 217; *Conigliaro*, La parabola del redditometro, alla ricerca del decreto perduto, in: fisco 26/2024, 2433; *Ferranti*, Accertamento sintetico sempre più "residuale", ma resta importante per la lotta all'evasione, in: fisco 34/2024, 3119

Naturgemäß konzentriert sich die Steuerfahndung auf die Einkünfte aus Unternehmen und aus selbstständiger Tätigkeit (Freiberufler). In diesen Bereichen gibt es die größten Gestaltungsspielräume und damit das größte Steuerhinterziehungspotential. Auch außerhalb davon ist jedoch eine Steuerhinterziehung möglich und damit eine Steuerfahndung notwendig. Die analytische Steuerfeststellung gegenüber „Privaten“, d.h. die Kontrolle einzelner Einkommensbestandteile, folgt grundsätzlich den allgemeinen Regeln, die in Zusammenhang mit der Steuerfahndung gegenüber Unternehmern dargestellt wurden, wenngleich bei der praktischen

[383] Siehe Rs. C-648/16, Fortunata Silvia Fontana, Urteil v. 21.11.2018, ECLI:EU:C:2018:932,
[384] Diese Grundsätze können auch auf die ISA übertragen werden. So Carinci/Tassani, MDT 2021, 284.

Durchführung dieser Maßnahmen einem wichtigen Unterschied Rechnung zu tragen ist, nämlich dem Fehlen einer Buchhaltung.
Grundlegend verschieden geregelt ist jedoch die induktive Steuerfeststellung gegenüber „Privaten", die die Bezeichnung **„synthetische Steuerfeststellung"** trägt[385].

Auf eine synthetische Steuerfeststellung wird dann Rückgriff genommen, wenn sich eine offensichtliche Diskrepanz zwischen der Leistungsfähigkeit des Steuerpflichtigen und dem Inhalt seiner Steuererklärung zeigt.

ca) Die allgemeine synthetische Steuerfeststellung *(„accertamento sintetico puro",* Art. 38 Abs. 4 – 8 DPR 600/1973)

Die Finanzbehörden können grundsätzlich eine synthetische Steuerfeststellung vornehmen, wenn sich eine erhebliche (zum Ausmaß siehe unten cb)) **Diskrepanz zwischen den Ausgaben und Investitionen des Steuerpflichtigen und seinem erklärten Einkommen** ergibt, bspw. bei **Investitonen in Immobilien** oder aus den Daten, die der Finanzverwaltung zur Verfügung stehen.

In der Vergangenheit bediente sich die Finanzverwaltung diesbezüglich der Rechnungsliste („spesometro"), die ihr von MwSt-Pflichtigen zu übermitteln war. Seit der Einführung der obligatorischen **elektronischen Rechnung** („fatturazione elettronica") im Jahr 2019 verfügt die Finanzverwaltung unmittelbar über diese Daten. Während Feststellungsverfahren dieser Art international weit verbreitet sind, ist der nachfolgend zu behandelnde „Wohlfahrtsmaßstab" eine italienische Besonderheit.

cb) Das spezifische synthetische Steuerfeststellungsverfahren auf der Grundlage des sog. „Wohlfahrtsmaßstabes" *(redditometro,* Art. 38 Abs. 5 DPR 600/1973*)*

Der Wohlfahrtsmaßstab dient der **induktiven Schätzung der Leistungsfähigkeit natürlicher Personen**. Hat man in der Vergangenheit dazu 9 Vermögenskategorien herangezogen (Autos, Motorräder mit mehr als 250 ccm, Camper, Erst- und Zweitwohnungen, die Anstellung von Haushaltshilfen, der Abschluss von Versicherungen[386], die Verfügbarkeit über Boote, Pferde und Flugzeuge)[387], so ist in der Folge

---

[385] Anders als im Rahmen der Steuerfeststellung bei Unternehmern und Selbständigen ist hier – seit dem Inkrafttreten des G 413/1991 – keine Hierarchie zwischen analytischer und synthetischer Steuerfeststellung in dem Sinne gegeben, dass nur die Zwecklosigkeit einer analytischen Steuerfeststellung den Zugang zur weiterreichenden Form der Steuerfeststellung eröffnen würde. Dies hängt damit zusammen, dass bei Unternehmern und Freiberuflern die Buchhaltung im Mittelpunkt der Steuerfeststellung steht und nur die Unzuverlässigkeit dieser Aufzeichnungen eine induktive Schätzung ermöglicht. Bei „Privaten" entfällt hingegen dieser Anknüpfungspunkt, da keine Buchhaltungspflicht gegeben ist.

[386] Ausgenommen sind aber Haftpflichtversicherungen, Feuer-, Unfall- und Diebstahlversicherungen, Lebensversicherungen und Krankenversicherungen.

[387] Diese ursprüngliche Form des Wohlfahrtsmaßstabes wurde in der Literatur als „strukturell absurd und unangemessen" bezeichnet. Vgl. Falsitta, MDT – PG, 2020, 447.

die Zahl der einzubeziehenden Indikatoren, die als Ausdruck von Leistungsfähigkeit angesehen werden können, erheblich erweitert worden. So enthält nun Art. 38 Abs. 5 DPR 600/1973 folgende Bestimmung:

„La determinazione sintetica può essere altresì fondata sul contenuto induttivo di elementi indicativi di capacità contributiva individuato mediante l'analisi di campioni significativi di contribuenti, differenziati anche in funzione del nucleo familiare e dell'area territoriale di appartenenza, con decreto del Ministero dell'Economia e delle Finanze da pubblicare nella Gazzetta Ufficiale con periodicità biennale."[388]

Ziel ist es, möglichst umfassend die vom Steuerpflichtigen im Jahresablauf getätigten Aufwendungen zu erfassen und diese seinem erklärten Einkommen gegenüber zu stellen.

Die diesbezügliche Spezifizierung erfolgte zuerst mit MD 24.12.2012, aktuell mit MD 7. Mai 2024.

Folgende Vorgangsweise wurde dabei gewählt:

– Es sollte eine **breite Palette an Indikatoren** für individuelle Leistungsfähigkeit ermittelt werden.

– Grundlage dafür sollten **umfassende Einkommensanalysen** sein, wobei die einzelnen untersuchten **Gruppen auch nach Familiengröße und Ansässigkeitsort differenziert** werden.

– Den betreffenden Indikatoren werden **bestimmte Einkommenswerte zugerechnet**.

– **Vermögenszuwächse** werden **unmittelbar dem Jahr ihrer Realisierung zugerechnet** und nicht auf fünf Jahre rückwirkend verteilt.

– Weicht der dadurch errechnete Wert auch nur für eine Steuerperiode um **mehr als 20%** (in der Vergangenheit 25%) vom erklärten Einkommen ab und beträgt dieser zumindest das **Zehnfache der Jahressozialrente** *(assegno sociale annuo* – ca. € 7.000), so erfolgt eine Nachschätzung des Einkommens, wobei nur der über diese Schwelle hinausreichende Betrag nachzubesteuern ist.

– Der **Steuerpflichtige ist verpflichtend anzuhören**, und es ist ein Verfahren auf einvernehmliche Steuerfeststellung einzuleiten.

– Gleich wie im Rahmen der allgemeinen synthetischen Steuerfeststellung ist ein **umfassender Gegenbeweis zulässig**, wonach das zugrunde liegende Einkommen nicht der Steuerbemessungsgrundlage unterliegt.

– Die verschiedenen Wohlfahrtsindikatoren

Der Wohlfahrtsmaßstab beruht auf Indikatoren aus folgenden **„Makrobereichen"** (siehe MD 7.5.2024):

[388] In der Fassung der NV 78/2010.

1. Verbrauch (Lebensmittel, Getränke, Kleidung, Schuhe, Wohnung, Brennstoffe und Energie, Möbel, Haushaltsgeräte, Gesundheit, Verkehr, Telekommunikation, Bildung (bspw. Sprachkurse, Privatschulen, Universitäten, auch im Ausland), Freizeit, Kultur und Spiele, andere Güter und Dienstleistungen).
2. Investitionen (in Immobilien und beweglichen Sachen)
3. Ersparnisse
4. Transfers (bspw. Steuern oder Unterhaltszahlungen an geschiedenen oder getrennten Ehegatten).

Zentrale Bedeutung kommt der Familie zu. So wird der Wohlfahrtsmaßstab über 11 Standardfamilien differenziert, und zudem werden die unterschiedlichen Lebenshaltungskosten in Nord-, Mittel- und Süditalien (insgesamt 5 unterschiedliche Teiltterritorien) berücksichtigt. In diesem Sinne ähnelt diese Differenzierung jener, die im Rahmen der Branchenkennzahlen vorgenommen worden ist.

Die Daten werden den Datenbanken des Statistikinstituts ISTAT (insbesondere, wenn keine spezifischen Daten des Steuerpflichtigen in der Steuerkartei vorliegen), der Zentralen Steuerkartei, des Immobilienmarktbeobachtungszentrums *(Osservatorio del Mercato Immobiliare)* und den Branchenanalysen entnommen.[389]

Der Wohlfahrtsmaßstab begründet nur eine einfache Vermutung; ein Gegenbeweis ist zulässig[390]. Der Steuerpflichtige kann Folgendes vorbringen:

– eine Fehlberechnung;

– den Umstand, dass die betreffenden Vermögenswerte über nichtsteuerpflichtige Zuwendungen (bspw. Schenkungen), quellenbesteuerte, gesondert besteuerte Einkommen oder über die Auflösung von Ersparnissen erworben worden sind. Auch verschiedene andere Formen der Rechtfertigung sind denkbar (z.B. die Erzielung von landwirtschaftlichen Einkommen, die auf der Ebene der Einkommensteuer über die Katasterbesteuerung nur zu einem geringen Teil erfasst werden).

Soweit auf in der Vergangenheit akkumuliertes Vermögen verwiesen wird, genügt nicht der abstrakte Nachweis der Verfügbarkeit von entsprechendem Vermögen, sondern es muss bewiesen werden, dass dieses Vermögen auch tatsächlich für die betreffenden Aufwendungen Verwendung gefunden hat.[391]

Entscheidend ist die Verfügbarkeit, nicht das Eigentum. Wenn bspw. der Vater seinem Sohn eine Luxuswohnung zur Verfügung stellt und der Sohn auch für die Betriebskosten aufzukommen hat, so wird die Wohnung auch als Ausdruck seiner Leistungsfähigkeit angesehen.

---

[389] Vgl. Cerato/Zappi, 2013, 74.

[390] Die Steuerbehörde muss aber keine zusätzlichen Beweise vorbringen. Die Ergebnisse des Wohlfahrtsmaßstabes sind ausreichend, um dem Steuerpflichtigen ein bestimmtes Zusatzeinkommen zuzuschreiben (Kass. 10350 v. 5.3.2003–1.7.2003).

[391] Vgl. Bongi, in: Italia Oggi v. 17.1.2011, 5.

Auf Nichtansässige, die in Italien steuerpflichtig werden, kann der Wohlfahrtsmaßstab nicht angewandt werden, da weder eine wirksame Kontrollmöglichkeit gegeben ist noch eine Vergleichbarkeit der Vermögenswerte gewährleistet ist.

Von dem auf diesem Wege ermittelten Einkommen können die tatsächlich getätigten Sonderausgaben abgezogen werden. Die Steuerpflichtigen können mit Hilfe einer bestimmten Software („*ReddiTest*") unter Eingabe der im letzten Jahr getätigten Aufwendungen selbstständig prüfen, ob ihre Steuererklärung dem nach Maßgabe des Wohlfahrtsmaßstabs vermuteten Einkommen entspricht.

Die Anwendung des Wohlfahrtsmaßstabes wurde **2018 ausgesetzt** und erst **2024 wieder aktiviert.**

Zuerst wurden **Datenschutzprobleme** festgestellt, dann die **Sinnhaftigkeit** der Indikatoren in Zweifel gezogen. Mit Art. 5 der EV 108/2024 wurde eine weitere Bedingung für die Anwendbarkeit des Wohlfahrtsmaßstabes eingeführt: Die Differenz zwischen (synthetisch) festgestelltem und erklärten Einkommen muss nicht nur 20% ausmachen, sondern auch mindestens das Zehnfache der Sozialrente („*assegno sociale*", wird alle zwei Jahre an die Teuerungsrate angepasst und liegt gegenwärtig bei ca € 7.000). Insgesamt müsste die Abweichung somit zumindest ca. € 70.000 ausmachen. Wurde in der Vergangenheit ein synthetisches Einkommen von € 25.000 festgestellt, während das erklärte Einkommen bei € 20.000 lag, so konnte eine Steuerfeststellung auf der Grundlage des Wohlfahrtsmaßstabes erfolgen – nun hingegen nicht mehr.

Laut Rechnungshof hat es in der Vergangenheit nur wenige hundert synethetische Feststellungsverfahren pro Jahr gegeben; ca. 20% erbrachten kein Ergebnis; das durchschnittlich feststellte Mehreinkommen war gering (knapp über € 5.000). Die Regierung Meloni hat offen ihre Ablehnung gegenüber diesem – sehr unbeliebten - Instrument gezeigt und angekündigt, sich auch bedeutende Fälle von Steuerhinterziehung zu konzentrieren.[392] Generell wurde die Frage gestellt, ob solche Feststellungsverfahren, die auf statistische Daten abstellen, im Zeitalter der KI noch zeitgemäß seien.[393] Tatsächlich hat die aktuelle Regierung erklärt, die Steuerfeststellung und die **Bekämpfung der Steuerhinterziehung in Zukunft primär mit Instrumenten der KI** zu führen. Tatsächlich wird mittlerweile häufiger von ***„evasometro"*** (statt von „redditometro" – ein Begriff, der ohnehin nie in Rechtstexten Verwendung findet) gesprochen. Die Instrumente und die Verfahren der synethetischen Steuerfeststellung werden damit eine grundlegende Änderung erfahren, aber die Grundidee, die damit verfolgt wird, bleibt aufrecht.[394]

[392] Vgl. Ferranti, 2024, 3120.
[393] Vgl. Conigliaro, 2024, 2439.
[394] Vgl. Grossmann, SWZ v.7.6.2024

d) Die partielle Steuerfeststellung *(accertamento parziale)* und die integrierende Steuerfeststellung *(accertamento integrativo)*

Grundsätzlich ist der Feststellungsbescheid ein abschließender Akt, der nachträglich keine neue Wertung des überprüften Sachverhalts durch die Finanzverwaltung zulässt. Nur wenn innerhalb der Feststellungsfristen neue Elemente zutage treten, können ergänzende oder modifizierende Feststellungsbescheide ausgestellt werden[395]. Damit ist auch grundsätzlich eine partielle Steuerfeststellung ausgeschlossen. Es gibt aber Ausnahmen zu dieser Regel: Wird ein Steuerhinterziehungstatbestand[396] von der Zentralen Steuerkartei *(anagrafe tributaria)*, von öffentlichen Einrichtungen oder von der Finanzwache eingemeldet, so kann die Finanzbehörde einen partiellen Feststellungsbescheid ausstellen.

Da die Position des Steuerpflichtigen im Rahmen einer partiellen Steuerfeststellung nicht definitiv geklärt worden ist und somit die Gefahr nachfolgender widersprechender Feststellungsbescheide besteht, sollte von diesem Institut behutsam Gebrauch gemacht werden. Tatsächlich ist aber ein exzessiver Rückgriff darauf festzustellen.

Während die partielle Steuerfeststellung dem eigentlichen, ordentlichen Feststellungsbescheid vorangeht, stellt die integrierende Steuerfeststellung einen nachfolgenden Akt dar, der voraussetzt, dass ein umfassendes Feststellungsverfahren bereits abgewickelt worden ist. Eine integrierende Steuerfeststellung ist nur bei Bekanntwerden neuer Tatsachen zulässig und darf sich nicht in der Neubewertung bereits bekannter Tatsachen erschöpfen. Auf jeden Fall müssen die Feststellungsfristen beachtet werden.

6. Alternativen zum Steuerstreitverfahren

In den letzten Jahren ist eine immer größere Zahl von Alternativen zum Steuerstreitverfahren entwickelt worden, die eine streitige Klärung eines Disputs in Steuerfragen erübrigen sollen. Dabei erhält der Steuerpflichtige die Möglichkeit, bei unverzüglicher Begleichung der Steuerforderung eine z.T. sehr großzügige Reduzierung der Verwaltungsstrafen zu erfahren. Für die Finanzbehörde ist diese Regelung ebenfalls mit großen Vorteilen verbunden, denn damit wird ein langwieriges und kostspieliges Verfahren mit ungewissem Ausgang vermieden. Durch die Ausweitung des Anwendungsbereichs der tätigen Reue *(ravvedimento operoso)* wurden allerdings einige Instrumente wieder überflüssig, weshalb nun folgende Verfahren zur Verfügung stehen:

---

[395] Vgl. Art. 43 DPR 600/1973.

[396] Ein solcher Hinterziehungstatbestand muss nicht in einer Verheimlichung einer Einnahme bestehen, sondern kann sich auch auf die Anführung nichtzustehender Absetzbeträge beziehen.

– die Zustimmung zum Vorhaltungsprotokoll *(adesione ai verbali di constatazione – p.v.c.)*
– die einvernehmliche Steuerfeststellung *(accertamento con adesione)*
– die sofortige Begleichung der Steuerforderung *(acquiescenza)*
– der gerichtliche Vergleich *(conciliazione)*.

6.1 Die Zustimmung zum Vorhaltungsprotokoll *(adesione ai verbali di constatazione – p.v.c.)* [397]

Diese Zustimmung muss schriftlich **innerhalb von 30 Tagen** nach der Zustellung des Protokolls in Bezug auf alle im Vorhaltungsprotokoll genannten Steuern und Vorhaltungen (bei allen zuständigen Ämtern, sollten mehrere betroffen sein) erfolgen (eventuell auch unter Vorbehalt der Behebung offensichtlicher Fehler). Für den Steuerpflichtigen sind damit erhebliche Vorteile verbunden: Die Regelstrafe bei einer einvernehmlichen Steuerfeststellung von einem Drittel des Minimums (dieses Kriterium galt in der Vergangenheit auch für die Zustimmung zum Vorhaltungsprotokoll) wird dabei nochmals um 50% vermindert, also auf **1/6 des Minimums.**

Innerhalb von 60 Tagen erhält der Steuerpflichtige dann den definitiven Steuerbescheid; die Zahlung des geschuldeten Betrages hat innerhalb von weiteren 20 Tagen (eine Ratenzahlung kann beantragt werden) erfolgen.

6.2 Die einvernehmliche Steuerfeststellung *(accertamento con adesione, concordato)*

Literatur: Gallo, Ancora sul neoconcordato e sulla conciliazione giudiziale, in: RassTrib 1994, 1493 ff.; La Rosa, Concordato, conciliazione e flessibilità dell'amministrazione finanziaria, in: Dirprattrib, I, 1995, 1095 ff.; Moschetti, Le possibilità di accordo tra Amministrazione finanziaria e contribuente nell'ordinamento italiano, in: fisco 22/1995, 5331 ff.; Miele/Russo, Il nuovo accertamento con adesione, in: Inserto del CorrTrib 31/1997, 3; Battistoni Ferrara, Accertamento con adesione, in: Enciclopedia del Diritto, Agg. II, 1998, 22; Stipo, L'accertamento con adesione del contribuente ex D.Lgs. 19 giugno 1997, n. 218, nel quadro generale delle obbligazioni di diritto pubblico e il problema della natura giuridica, in: RassTrib 5/1998, 1231; Hilpold, Die einvernehmliche Beilegung von Steuerstreitfällen in Italien: Streitschlichtung und Vergleich, in: StuW 2/1999, 183; Fansoni, Osservazioni sui rapporti fra conciliazione giudiziale ed accertamento con adesione, in: RassTrib 6/2000, 1803; Ambrosi/Iorio, Procedimento di adesione: dopo oltre 20 anni, ancora dubbi su procedura ed effetti, in: il fisco 1/2021, 7

Die **einvernehmliche Steuerfeststellung** bzw. der Steuervergleich hat in Italien eine **lange Tradition**. Angesichts der unzureichenden Effizienz der Finanzverwaltung wurde darin ein pragmatisches Instrument gesehen, zu einer konsensualen

[397] Diese mit Art. 5bis EV 218/1997 eingeführte Regelung wurde 2015 außer Kraft gesetzt und 2024 mit der Bestimmung in art. 5-quater EV 218/1997 wieder eingeführt.

Festlegung der Steuerschuld zu gelangen[398]. Diesem Vorteil stand allerdings eine gewisse Korruptionsanfälligkeit dieses Systems als Nachteil gegenüber. Mit dem Reformgesetz Nr. 825 aus 1971 wurde dagegen das ambitionierte Ziel verfolgt, die italienische Steuerrechtsordnung auf eine grundlegend neue Basis zu stellen, wobei moderne Buchhaltungs- und Steuerfeststellungsmethoden zu einer lückenlosen, exakten Ermittlung der Leistungsfähigkeit des Steuerpflichtigen führen sollten. In diesem System gab es keinen Raum (und auch keinen Bedarf) mehr für konsensuale Elemente zur Steuerfeststellung. Demgemäß wurde der **Steuervergleich im Jahr 1971 weitgehend abgeschafft**.

Ansätze für einen Steuervergleich überlebten im Bereich der Register- und Erbschaftsteuer. Diese wurden aber im Jahr 1986 definitiv außer Kraft gesetzt.

Damit war keine Kommunikationsmöglichkeit zwischen Finanzverwaltung und Steuerpflichtigem mehr gegeben. Allfällige Beanstandungen des Steuerpflichtigen an dem von der Finanzverwaltung erzielten Ermittlungsergebnis sollten im Rahmen eines Steuerprozesses vorgebracht werden. Nachdem sich aber der Reformansatz des Jahres 1971 in vielen Bereichen als unrealistisch erwiesen hatte, die **Steuerhinterziehung kontinuierlich zunahm** und die (damaligen) **Steuerkommissionen mit einer Flut an Rekursen** überladen wurden, der man nur mehr über pauschale Steuer- und Strafnachlässe *(condoni)* Herr werden konnte, machte sich das Fehlen eines sog. **„administrativen Filters“** *(filtro amministrativo)* schmerzlich bemerkbar. Mehr und mehr machte sich die Überzeugung breit, dass die Schaffung einer expliziten Dialogmöglichkeit zwischen Finanzverwaltung und Steuerpflichtigem nicht nur die – volkswirtschaftlich kostspielige – Konfliktualität im Steuerbereich reduzieren würde, sondern letztlich auch im Dienste einer wirkungsvollen Steuerermittlung und -einhebung stünde. Im Jahr 1994 wurde deshalb ein erster Versuch unternommen, das alte Institut des Steuervergleichs bzw. der einvernehmlichen Steuerfeststellung zu neuem Leben zu erwecken[399]. Seine definitive Form hat die einvernehmliche Steuerfeststellung mit der **EV 218 v. 19.6.1997** erlangt[400].

Mit der Neueinführung dieses Instituts sind sogleich wieder alte Zweifel an seiner Verfassungskonformität – insbesondere unter Bezugnahme auf das Leistungsfähigkeitsprinzip und auf das Prinzip der **Unverfügbarkeit der Steuerforderung** *(indisponibilità della pretesa tributaria)* – laut geworden. Mit dem zuletzt genannten Prinzip wird häufig der Tatsache Ausdruck zu geben versucht, dass die Finanzverwaltung nicht befugt ist, auf Steuerforderungen zu verzichten. Diese Vorgabe ist einmal auf das Prinzip ordnungsgemäßer Verwaltung (Art. 97 der Verfassung), zum anderen auf das Leistungsfähigkeitsprinzip (Art. 53 der Verfassung) rückführbar. Tatsächlich wurden mit diesem Prinzip aber

398 Vgl. dazu insbesondere Art. 81 des KD Nr. 560 v. 11.7.1907 (Steuer auf den Immobiliarertrag) sowie Art. 34 des ET der direkten Steuern 1958.

399 Vgl. NV 452/1994; NV 538/1994; NV 630/1994; NV 564/1994 ug G 656/1994.

400 Diese EV erging auf der Grundlage des EG 662/1996 (Visco-Reform).

Verfassungsnormen allzu formalistisch gedeutet, wodurch letztlich weder dem Sinn und Zweck dieser Normen noch den unmittelbaren Interessen der Finanzverwaltung Rechnung getragen wurde. Während des Feststellungsverfahrens liegen nämlich noch keine zweifelsfrei feststehenden Steuerschulden, sondern allein mehr oder weniger präzisierte Steuerforderungen vor. Die Mitwirkung des Steuerpflichtigen im Rahmen der einvernehmlichen Steuerfeststellung dient der Klärung dieser Ansprüche. Dieser Klärungsprozess ist notwendigerweise mit Konzessionen der Finanzverwaltung verbunden, doch darf darin kein Verzicht zu Lasten des Staates gesehen werden. Es handelt sich vielmehr um eine Rückstufung von Forderungen, deren Verwirklichungspotential unsicher erscheint, zum Zwecke einer Erhöhung der Realisierungschancen desjenigen Teils der Forderungen, dessen sachliche Rechtfertigung gefestigter erscheint. Damit ist freilich die Preisgabe der – illusorischen – Vorstellung verbunden, Steuerforderungen seien mit mathematischer Sicherheit begründ- und einhebbar. Diese Philosophie scheint hingegen der Steuerreform des Jahres 1971 zugrunde gelegen zu haben[401].

Die einvernehmliche Steuerfeststellung ist im italienischen Steuerrecht **generell anwendbar, und zwar für alle Steuern, hinsichtlich welcher Beurteilungsspielräume** im Feststellungsverfahren **gegeben sind**. Die im Bereich der direkten Steuern vorgenommene einvernehmliche Steuerfeststellung wirkt auch für die MwSt[402].
Mit der 2023 eingeleiteten Steuerreform (konkret mit EV 13/2024) und im Besonderen mit der Einführung eines allgemeinen antizipativen Anhörungsrechts *(contraddittorio preventivo*, Art. 6-bis ChdS) hat sich die Gestalt der einvernehmlichen Steuerfeststellung grundlegend geändert. Wie zu zeigen sein wird, unterscheidet sich der Verfahrensgang nun erheblich, je nachdem, ob ein Steuerbescheid mit verpflichtendem Anhörungsrecht *(obbligo generalizzato di contraddittorio preventivo)* vorgesehen ist oder nicht. Das verpflichtende Anhörungsrecht besteht – wie gezeigt – in Bezug auf alle autonom anfechtbaren Steuerakte, mit Ausnahme der teil- oder vollautomatisiert erstellten Akte sowie der Festsetzungsbescheide und der formalen Kontrollbescheide.

Die **Initiative** kann sowohl von der **Finanzverwaltung** als auch vom Steuerpflichtigen ausgehen.

– Im erstgenannten Fall ersucht die Finanzverwaltung den Steuerpflichtigen, zu einem bestimmten Zeitpunkt zu erscheinen und führt in der Einladung auch die Steuerperioden an, für welche ein Vergleich angestrebt werden kann. Diese Initi-

[401] Dieser breite Anwendungsbereich der einvernehmlichen Steuerfeststellung war in den Notverordnungen des Jahres 1994, mit welchen dieses Institut wieder eingeführt wurde, noch nicht enthalten. Vielmehr sollte dieses Verfahren allein auf jene Fälle einer Steuerfeststellung beschränkt bleiben, in deren Rahmen die Finanzverwaltung einen Beurteilungsspielraum genutzt hat, nicht aber in Zusammenhang mit Rechtsfragen. Zu Recht wurde dieses Kriterium aufgegeben, da dies eine unnötige und schwer umsetzbare Einschränkung der Befugnisse der Finanzverwaltung bedeutet hätte und allein Ausdruck von Misstrauen gegenüber diesem Instrument (und letztlich gegenüber der Finanzverwaltung) war.

[402] Auf die dadurch erhöhte Bemessungsgrundlage wird ein durchschnittlicher MwSt-Satz angewandt.

ative kann auch dann gesetzt werden, wenn kein Steuerakt mit verpflichtendem Anhörungsrecht vorliegt Erscheint der Steuerpflichtige zu diesem Zeitpunkt nicht und ersucht er auch nicht um eine Terminverschiebung, so kann er hinsichtlich des nachfolgenden Feststellungsbescheids auch keinen eigenen Antrag auf einvernehmliche Steuerfeststellung einbringen.

– Auch der **Steuerpflichtige kann die diesbezügliche Initiative** (auch per zertifizierter E-Mail **„PEC"**) **ergreifen**, und zwar in folgenden Fällen.

a) Wenn eine **Steuerfahndung** (mit Zugang, Inspektion oder Betriebsprüfung) stattgefunden hat.

b) Wenn ein **Steuerakt ohne verpflichtendes Anhörungsrecht** zugestellt worden ist. In diesem Fall ist die einvernehmliche Steuerfeststellung innerhalb von 60 Tagen zu betragen. Sie verlängert die Anfechtungsfrist um weitere 90 Tage.

c) Wenn ein **Steuerakt mit verpflichtendem Anhörungsrecht** ergehen soll, wird vorab ein „provisorischer Steuerakt" ***(„schema diatto")*** übermittelt. Der Steuerpflichtige kann dann **innerhalb von 30 Tagen** eine einvernehmliche Steuerfeststellung beantragen. Das Steueramt übermittelt dem Steuerpflichtigen daraufhin innerhalb von 15 Tagen eine Einladung mit allen Angaben zur geltend gemachten Steuerforderung. Gelingt eine einvernehmliche Steuerfeststellung nicht, so erhält der Steuerpflichtige einen Feststellungsbescheid, in Bezug auf welchen kein weiterer Antrag auf einvernehmliche Steuerfeststellung eingebracht werden kann (kein „doppeltes Anhörungsrecht"). **Lehnt der Steuerpflichtige** eine einvernehmliche Steuerfeststellung in dieser Phase ab, so verfällt diese Möglichkeit definitiv: Der Steuerpflichtige erhält einen **Feststellungsbescheid übermittelt** und kann dagegen innerhalb von 60 Tagen Rekurs einbringen.

d) Der Steuerpflichtige kann in Bezug auf den „provisorischen Steuerakt" („schema dell'atto") aber auch **innerhalb von 60 Tagen eine Gegendarstellung** *(controdeduzioni difensive)* einbringen. Das Steueramt muss diese Gegendarstellung berücksichtigen und die Steuerforderung entweder zurücknehmen oder abändern oder, wenn sie daran festhalten will, in der (neuen) Begründung auf die Gegendarstellung Bezug nehmen *(„motivazione rafforzata")*. Diesbezüglich kann der Steuerpflichtige **innerhalb von 15 Tagen** einen Antrag auf einvernehmliche Steuerfeststellung einbringen. Die Rekursfrist erstreckt sich um weitere 30 Tage.[403]

Gelingt der Einigungsversuch nicht, so wird ein Feststellungsbescheid der Finanzverwaltung folgen.[404] Denkbar ist aber auch, dass der Steuerpflichtige die Fi-

[403] Vgl. Art. 6 Abs. 2-bis und 2-quater, EV 218/1997.

[404] In der Begründung der Ablehnung muss die Finanzverwaltung spezifisch auf die vom Steuerpflichtigen vorgetragenen Argumente eingehen *(„motivazione rafforzata")*.

nanzverwaltung davon überzeugen kann, dass die vorgebrachte Steuerforderung zur Gänze ungerechtfertigt ist. In diesem Fall wird das Verfahren eingestellt.

Im Regelfall wird aber eine einvernehmliche Steuerfeststellung Ergebnis des Gesprächs sein. Gelingt eine solche Einigung, so wird ein diesbezügliches Protokoll angefertigt und von beiden Parteien unterfertigt. Der Steuerpflichtige muss innerhalb von 20 Tagen nach Anfertigung dieses Protokolls die einvernehmlich festgelegte Steuerschuld begleichen[405]. Innerhalb von weiteren 10 Tagen muss er der Finanzverwaltung den Überweisungsbeleg vorlegen. Er erhält daraufhin das Protokoll ausgehändigt.

Es kann auch eine Ratenzahlung vereinbart werden: 8 trimestrale Raten gleicher Höhe, wenn der Betrag nicht über € 50.000 liegt; 16 trimestrale Raten gleicher Höhe, wenn der Betrag darüber liegt.

Die einvernehmliche Steuerfeststellung wird mit der Bezahlung des vereinbarten Betrages bzw. der ersten Rate definitiv. Unterbleibt die Bezahlung der nachfolgenden Raten, so werden diese gepfändet – die einvernehmliche Steuerfeststellung bleibt hingegen bestehen.

Wie erwähnt, führt der vom Steuerpflichtigen eingebrachte Antrag zu einer **Aussetzung der Fristen für die Anfechtung des Feststellungsbescheides um 90 oder um 30 Tage** (wenn zuvor ein „provisorischer Steuerakt“ *(„schema diatto“)* zugestellt worden ist.

Diese Aussetzungsfristen sind rigide festgelegt. Selbst wenn die Einigungsbemühungen schon vorher scheitern, laufen diese Frist weiter (ausgesetzt zwischen dem 1. und dem 31. August). In komplexeren Fällen reicht diese Frist dagegen u.U. nicht aus; eine Verlängerung ist aber nicht möglich. Eine eventuelle Einigung muss deshalb unter allen Umständen innerhalb von 150 Tagen (60-Tage-Frist für die Einreichung eines Rekurses, 90 Tage für die einvernehmliche Steuerfeststellung selbst) bzw. 90 Tagen (bei einer Aussetzung der Frist nur um 30 Tage) erreicht werden. Gelingt eine solche Einigung nicht, so muss der Steuerpflichtige einen Rekurs bei den Steuergerichten einbringen, wenn er verhindern will, dass der Feststellungsbescheid in Rechtskraft erwächst[406]. Die Einbringung eines Rekurses bedeutet aber auf jeden Fall einen Verzicht auf das Verfahren zur einvernehmlichen Steuerfeststellung.

Gelingt eine einvernehmliche Steuerfeststellung, so werden die Verwaltungsstrafen **auf ein Drittel des Minimums** reduziert, das auf den vereinbarten Betrag zur Anwendung kommt.

Die einvernehmliche Steuerfeststellung kann auch Vorteile im pönalen Verfahren bringen: Die Strafbarkeit verschiedener Steuerstraftaten entfällt, wenn die Begleichung der sich aus einer einvernehmlichen Steuerfeststellung ergebenden Schuld vor Eröffnung der Hauptverhandlung ergibt.[407]

---

[405] Bzw. die erste Rate begleichen, soweit eine Ratenzahlung vereinbart worden ist.

[406] Ibid., S. 158 f.

[407] Art. 13-bis EV 74/2000.

Auch im Rahmen des Steuerprozesses wurde eine Schlichtungsmöglichkeit eingeführt. Diese ist in **Art. 48 DPR 546/1992** geregelt und wird in Zusammenhang mit der Behandlung des Steuerprozesses dargestellt. Schon hier sind aber folgende Anmerkungen angebracht:

– Die **gerichtliche Streitschlichtung** entspricht von ihrer Struktur her weitgehend der einvernehmlichen Steuerfeststellung.

– Dem Steuergesetzgeber war es aber ein Anliegen, den Steuerpflichtigen zu einer Schlichtung zum frühestmöglichen Zeitpunkt zu bewegen. Deshalb ist die einvernehmliche Steuerfeststellung mit größeren Anreizen (Herabsetzung der Verwaltungsstrafen auf ein Drittel des Minimums) verbunden als die gerichtliche Streitschlichtung (Herabsetzung der Verwaltungsstrafen auf **40% des Minimums**). Erfolgt der Vergleich in der **Berufungs-ins-tanz**, dann wird die Strafe auf **50% des Minimums** reduziert. Bei einem Vergleich vor dem Kassationsgerichtshof wird die Strafe auf **60% des Minimums** reduziert.

Grundsätzlich wird der zugrundeliegende Streitfall mit einer einvernehmlichen Steuerfeststellung definitiv aus der Welt geschafft. Eine Neubewertung der Sachlage durch die Finanzverwaltung ist also nicht mehr möglich. Allein **wenn neue Elemente zutage treten**, auf deren Grundlage eine **Einkommenserhöhung um mehr als 50%** gegenüber dem einvernehmlich festgelegten Betrag vorzunehmen ist, ist ein weiteres Feststellungsverfahren zum selben Sachverhalt zulässig. Auf jeden Fall muss der **geschätzte Mehrbetrag aber über 77.468,53 €** liegen, was bedeutet, dass ein großer Teil der Steuerpflichtigen keiner konkreten Gefahr einer Nachschätzung ausgesetzt ist, wenn er sich auf eine einvernehmliche Steuerfeststellung einlässt[408].

Da diese Einschränkung für die partielle Steuerfeststellung nicht gilt (vgl. Art. 41-bis DPR 600/1973), ist ein weiterer Grund gegeben, weshalb ein vorsichtiger(er) Gebrauch dieses Instruments angezeigt ist.

Was die **Anwendungsgebiete** der einvernehmlichen Steuerfeststellung in der Praxis anbelangt, so sind dabei zwei Bereiche besonders hervorzuheben:

– Behauptete Steuervergehen, die im Rahmen der **Steuerfestsetzung bzw. der formalen Kontrollen** festgestellt werden, eignen sich im besonderen Maße für eine Klärung im Wege einer einvernehmlichen Steuerfeststellung.

– Ebenso prädestiniert für ein solches Verfahren sind all jene steuerlichen Feststellungsmaßnahmen, die auf **Schätzungen** beruhen (induktive Steuerfeststellung).

Damit lebt zwar auf der faktischen Ebene die oben bereits erwähnte Unterscheidung zwischen Steuerstreitigkeiten, die auf der Anwendung von Schätzverfahren beruhen, und solchen Kontroversen, die Rechtsfragen betreffen, wieder auf. Dennoch ist der 1994 unternommene Versuch, die diesbezügliche Unterscheidung in eine Rechtsnorm umzugießen und zum entscheidenden Zulässigkeitskriterium zu erheben, abzulehnen, da damit eine unnötige Rigidität mit zahlreichen offenen Fragestellungen geschaffen würde.

– Im Rahmen der Anwendung des Wohlfahrtsmaßstabes *(redditometro)* ist nunmehr die Einleitung eines Verfahrens auf einvernehmliche Steuerfeststellung zwin-

[408] So Lupi, Manuale giuridico professionale di diritto tributario, 2001, 163.

gend vorgesehen. Erst nachfolgend darf die Steuerbehörde einen Feststellungs--bescheid erlassen.

6.3 Die sofortige Begleichung der Steuerforderung *(acquiescenza)*

Im Falle der Übermittlung eines Feststellungsbescheides kann der Steuerpflichtige – anstelle der Einbringung eines Rekurses bei den Steuergerichten innerhalb von **60 Tagen** – die **Forderung** auch **sofort begleichen**. In diesem Fall werden die **Strafen** auf **1/3** des tatsächlich verhängten Betrages reduziert.

Eine Zahlung in acht Raten ist möglich (in sechzehn Raten wenn der geschuldete Betrag ohne Zinsen über € 50.000 liegt).

Diese Variante wird der Steuerpflichtige dann wählen, wenn eine einvernehmliche Steuerfeststellung aussichtslos ist bzw. sich der Aufwand nicht lohnt.

6.4 Die sofortige Begleichung der Steuerfehlbeträge bei Steuerfestsetzung oder formaler Kontrolle

Wird innerhalb von 30 Tagen der Fehlbetrag überwiesen, der sich aus einer Steuerfestsetzung oder einer formalen Kontrolle ergibt, so werden die Verwaltungsstrafen auf **10%** (Steuerfestsetzung) bzw. **20%** (formale Kontrolle) reduziert. Die 30-Tages-Frist läuft ab der Zustellung der Zahlungsaufforderung.

Den Steuerpflichtigen werden zu diesem Zwecke eigene Vordrucke zugesandt (Formular F24), die bereits den reduzierten Betrag ausweisen und die zur Begleichung dieser Forderungen bei Banken und Postämtern dienen.

6.5 Die sofortige Begleichung allein der Strafen und Fortführung des Streits in der Sache

In diesem Fall werden die Strafen auf 1/3 reduziert. Sie sind innerhalb der Rekursfristen zu bezahlen. Der Steuerpflichtige kann Rekurs einbringen und den Streit um die Steuerschuld ieS fortführen. Gewinnt er das Verfahren, kann die bezahlte Strafe dennoch nicht zurückgefordert werden.

7. Besondere Vorkehrungen zum Schutz der Interessen der Steuerpflichtigen: „autotutela" und „interpello"

a) Einleitung

Wenn über eine lange Zeit hin Funktionsweise und Ergebnis der **Steuerfeststellung** in Italien in vielem **unbefriedigend** geblieben sind, so können **drei maßgebliche Gründe** dafür angeführt werden:

– das **Fehlen einer Möglichkeit, Steuerforderungen zurückzunehmen**, die sich als unbegründet erwiesen haben;

– die völlig **unzureichende Kommunikation** zwischen Finanzverwaltung und Steuerpflichtigem;

– die **unflexible und ineffiziente Organisation der Finanzverwaltung**.

Während die Reformbemühungen zur Beseitigung des zuletzt genannten Kritikpunktes Gegenstand des nächsten Punktes dieser Abhandlung sein sollen, stehen hier jene legislativen Neuerungen der letzten Jahre im Mittelpunkt, mit welchen den erstgenannten Problemfeldern begegnet werden sollte.

b) Die Rücknahme von Steuerforderungen *(autotutela)*

Gleich vorab sei festgehalten, dass der Terminus ***„autotutela"*** im italienischen Verwaltungsrecht und auch im Steuerrecht z.T. mit einem sehr **breiten Bedeutungsgehalt** verwendet wird.

Das weite Verständnis des Begriffs „autotutela" umfasst nicht nur die Rücknahme von Steuerakten, sondern auch alle jene **Maßnahmen, mit welchen die Steuerbehörden in privilegierter Form ihre Rechte geltend machen**: Die Vollstreckbarkeit der Feststellungsbescheide, ihre Eignung, nach Ablauf der 60-Tages-Frist unanfechtbar zu werden und die Möglichkeit einer zwangsweisen Einhebung der Steuerforderungen bedeuten ein Privileg für die Finanzverwaltung, das privaten Gläubigern im Zivilrecht nicht zukommt und durch welches die Finanzverwaltung ihre Interessen wirksam schützen kann (daher der Begriff *„autotutela"*).

Zu Beginn der 90er Jahre ist die Überzeugung herangereift, dass die Maximierung des Steueraufkommens, das Festhalten an Forderungen und ihre Eintreibung um jeden Preis – auch bei fragwürdiger Anspruchsgrundlage – nicht dem Verfassungsauftrag der Finanzbehörde entspricht und möglicherweise sogar dem eng definierten fiskalischen Interesse der Finanzverwaltung abträglich ist. Das starre Festhalten an sachlich nicht gerechtfertigten Forderungen, idR begründet mit dem Prinzip der Unverzichtbarkeit der Steuerforderung, hat zu ausufernden Verwaltungskosten und letztlich zu enormen Prozessspesen geführt[409]. Aber selbst für den Fall, dass der Steuerpflichtige einer sachlich an und für sich nicht gerechtfertigten Forderung nichts mehr entgegenzusetzen vermag (bspw. weil die Berufungsfristen abgelaufen sind) kann es angebracht erscheinen, von dieser Forderung Abstand zu nehmen. Die Finanzbehörden haben dem **verfassungsrechtlichen Prinzip ordnungsgemäßer Verwaltung** gerecht zu werden (Art. 97 der Verfassung) und daran mitzuwirken, eine **Besteuerung nach Leistungsfähigkeit** sicherzustellen. Die Beachtung dieser Prinzipien kann zudem dazu beitragen, jenes **Vertrauensverhältnis zwischen Finanzverwaltung und Steuerpflichtigem** wieder herzustellen,

[409] Nachdem am 1.4.1996 das neue Steuerstreitverfahren in Kraft getreten ist, auf dessen Grundlage die unterliegende Prozesspartei die Kosten des Verfahrens zu tragen hat, wurde ein Abwägen der Prozessrisiken umso dringlicher.

auf welches jede moderne Steuerverwaltung angewiesen ist, wenn sie wirksam operieren soll. Letztendlich soll eine solche Vertrauensgrundlage auch der Steuerhinterziehung entgegenwirken und damit zur Aufkommensmehrung beitragen.

Nachfolgend soll dieser Aspekt im Vordergrund stehen, und unter dem Begriff *„autotutela"* werden hier jene Maßnahmen verstanden, die am häufigsten damit in Verbindung gebracht werden, nämlich die einseitige Rücknahme von Steuerforderungen.

Eine erste Regelung erfuhr die Rücknahme von Steuerforderungen durch Art. 68 des DPR 297/1992. Nachfolgend sind weitere Bestimmungen dazu mit Art. 2quater der NV 564/1994 ug G 656/1994 bzw. mit MD 327 v. 11.2.1997 ergangen.
Auf der Grundlage der Steuerreform gem EG 111/2023 wurde dieses Institut völlig neu gefasst, und zwar mit EV 219/2023.[410] Damit wurden die Art. 10-quater (betreffend die obligatorische Rücknahme) und 10-quinquies (betreffend die fakultative Rücknahme) in die Charta der Steuerpflichtigen eingefügt.
In folgenden Fällen ist die **Rücknahme von Steuerforderungen obligatorisch (Art. 10-quater ChdS)**:

- Irrtum in der Person
- Rechenfehler
- Irrtum bei der Bestimmung der Abgabe
- leicht erkennbarer sachlicher Irrtum *(errore materiale)* des Steuerpflichtigen
- Irrtum in Bezug auf den Steuergegenstand *(presupposto d'imposta)*
- fehlende Berücksichtigung bereits getätigter Steuerzahlungen
- zwischenzeitlich erfolgte Dokumentenvorlage *(mancanza di documentazione successivamente sanata)*

Die Verpflichtung zur Rücknahme der Steuerforderung **entfällt ein Jahr nachdem der fehlerhafte Steuerakt rechtskräftig** geworden ist bzw. wenn ein diesbezügliches **Urteil zugunsten der Steuerverwaltung rechtskräftig** geworden ist.
Die **fakultative Rücknahme von Steuerforderungen (Art. 10-quinquies ChdS)** ist für alle anderen Fälle einer rechtswidrigen oder unbegründeten Steuerforderung vorgesehen und auch bei behängenden Verfahren oder bei Vorliegen definitiver Akte anwendbar.

Die **Initiative** zur Rücknahme von Steuerforderungen kann unmittelbar von der Steuerverwaltung ausgehen oder vom Steuerpflichtigen. Zu diesem Zwecke muss jeder Steuerakt Angaben zur Behörde enthalten, bei der die Überprüfung einer Steuerforderung verlangt werden kann (Art. 7 Abs. 2 lit b) ChdS). Der Antrag kann elektronisch eingebracht oder händisch beim Amt, das den beanstandeten Akt erlassenhat.

In den **Fällen der obligatorischen Rücknahme muss die Finanzverwaltung einen Antrag auf Rücknahme innerhalb von 90 Tage mit Begründung beantworten**. Der Steuerpflichtige kann sowohl die Verweigerung der Rücknahme als

[410] Siehe dazu auch MR Nr. 21/E v. 7.11.2024.

auch die Verweigerung der Antwort (nach 90 Tagen ab Einbringung des Antrags) vor dem Steuergericht anfechten (Art. 19 lit. g-bis EV 546/1992).

Ist die Rücknahme **fakultativ**, so kann nur die explizite Ablehnung gerichtlich angefochten werden. Zudem ist bei Formfehlern (anders als bei materiellen Fehlern) die fakultative Rücknahme nur in offener Frist für die Anfechtung oder im laufenden Verfahren möglich.

Ein Antrag auf Rücknahme hat **keine aufschiebende Wirkung**, im Besonderen auch nicht hinsichtlich der Rekursfristen. In den Fällen der fakultativen Rücknahme kann auch eine Aussetzung der Vollziehung des beanstandeten Aktes verfügt werden.

c) Die Auskunftsverfahren (interpelli)

Die Einführung von Auskunftsverfahren stellte einen weiteren Schritt dar, durch welchen das Verhältnis zwischen den Steuerpflichtigen und der Finanzverwaltung transparenter gestaltet werden sollte. Das italienische Finanzrecht hat sich damit **ausländische Erfahrungen** zu eigen gemacht, die insbesondere im angloamerikanischen – aber auch im deutschsprachigen – Bereich bereits zu vorbildhaften Ergebnissen geführt haben ***(tax ruling)***. Die Umsetzung dieses in Italien nunmehr schon über zwei Jahrzehnte währenden Experiments erfolgte allerdings zuerst zögerlich und bruchstückhaft. Im Jahr 2000 wurde mit Art. 11 der ChdS und der damit verbundenen Schaffung eines ordentlichen Auskunftsverfahrens ein mutiger Schritt nach vorn getan, doch blieb die Entwicklung dabei nicht stehen. Der bislang letzte Reformschritt wurde mit der EV 219/2023 gesetzt, durch welche umfassende Abänderungen am Art. 11 der ChdS vorgenommen wurden.

Auf dieser Grundlage kennt die italienische Steuerrechtsordnung nun grundsätzlich folgende Formen von Auskunftsverfahren:

– das **Allgemeine oder Ordentliche Auskunftsverfahren** gemäß Art. 11 Abs. 1 lit b) G 212/2000 *(„interpello ordinario“)*, das zwei Unterarten kennt: das *Auslegungsverfahren* (zur Auslegung von Steuernormen) und das *Qualifikationsverfahren* (zur Einstufung, „Qualifizierung“, eines Sachverhalts in Bezug auf die anwendbaren Steuerbestimmungen);

– das Auskunftsverfahren zur **Beweisprüfung** in Bezug auf die Anwendbarkeit bestimmter Regelungen gemäß Art. 11 Abs. 1 lit b) *(„interpello probatorio“);*

– das Auskunftsverfahren zur Feststellung von **Rechtsmissbrauch** nach Art. 11 Abs. 1 lit c *(interpello sull'abuso del diritto)*;

– das Auskunftsverfahren zur **Nichtanwendung von Beschränkungsbestimmungen** nach Art. 11 Abs. 2 *(„interpello disapplicativo“)*;

– das **Internationale Auskunftsverfahren** *(ruling internazionale*, Art. 8 NV 269/2003) und das

– Auskunftsverfahren für **neue Großinvestitionen** mit erheblichen Beschäftigungswirkungen gemäß Art. 2 EV 147/2015 *(„interpello per nuovi investimenti produttivi di grandi dimensioni in Italia“).*

Zudem ist auch ein Steuerberatungsverfahren für Verbände, Vertretungsorgnisationen und Körperschaften *(consulenza giuridica)* eingeführt worden.

Die vier erstgenannten Verfahren fügen sich in ein einheitliches Muster. Größere Eigenheiten weisen hingegen die internationalen Verfahren auf. Bis 2024 waren Auskunftsersuchen in Italien - im Gegensatz zur Situation in vielen anderen Ländern - kostenlos. Dies ist nun nur mehr für das neu eingeführte automatisierte Auskunftsverfahren der Fall. Individuelle Auskunftsersuchen sind nun hingegen kostenpflichtig.

ca) das **Allgemeine oder Ordentliche Auskunftsverfahren** *gemäß Art. 11 Abs. 1 lit b) G 212/2000 („interpello ordinario")*

Gemäß dieser Bestimmung besteht ein genereller Anspruch der Steuerpflichtigen, von der Finanzverwaltung Auskunft hinsichtlich der Anwendung von Steuerbestimmungen *(„applicazione delle disposizioni tributarie")* in Bezug auf einen konkreten, persönlichen Steuerfall zu erhalten, soweit objektive Unklarheiten über die korrekte Anwendung dieser Bestimmungen bestehen ***(interpello applicatorio)***.

Außerdem kann er um die Einstufung (Qualifizierung) eines Sachverhalts in Bezug auf die anwendbaren steuerrechtlichen Bestimmungen ersuchen ***(interpello qualificatorio)***. Beispiele sind die Frage des Vorliegens eines Betriebs oder einer Betriebsstätte sowie die Einstufung einer Aufwendung als Werbe- oder Repräsentationsaufwand.

Nicht möglich sind in diesem Zusammenhang hingegen faktische oder technische Feststellungen.

Folgende Voraussetzungen müssen gegeben sein:

– Es muss sich um **konkrete, den Steuerpflichtigen unmittelbar betreffende Fragestellungen** handeln. Abstrakte, theoretische Fragestellungen sind damit unzulässig.

– Es müssen **objektive Unklarheiten** hinsichtlich der Normauslegung vorliegen.

cb) **das Auskunftsverfahren zur Beweisprüfung in Bezug auf die Anwendbarkeit bestimmter Regelungen gemäß Art. 11 Abs. 1 lit b) („*interpello probatorio*")**

Bestimmte steuerliche Sonderregime sind nur im Falle des Nachweises besonderer Voraussetzungen zugänglich bzw. kommt es ohne entsprechenden Nachweis zu einer steuerlichen Erschwernis. In der Vergangenheit waren die Regelungen für die Durchführung der diesbezüglichen Auskunftsverfahren in gesonderten Normen zu finden. Nunmehr wurden sie unter dieser Bestimmung zusammengefasst.
Seit 2024 ist dieses Verfahren auch in Bezug auf die Anwendung der Zuzugsbegünstigung gem Art 24-bis TUIR, *„neo-residenti"*, vorgesehen.

Anwendbar ist dieses Auskunftsverfahren darüber hinaus auf die Einstufung von Scheingesellschaften, für Geschäfte mit *„black-list“*-Staaten, für die Nichtanwendung der Pex *(participation exemption)* auf Kreditunternehmen, für Ausnahmen vom CFC-Regime, sowie für den Zugang zur internationalen Gruppenbesteuerung.[411] Im Wege des Auskunftsverfahrens kann geprüft werden, ob für die Finanzverwaltung die entsprechenden Voraussetzungen gegeben sind, die den Zugang zur begünstigten Regelung eröffnen.

cc) das Auskunftsverfahren zur **Feststellung von Rechtsmissbrauch** *nach Art. 11 Abs. 1 lit c* ***(interpello sull'abuso del diritto)***

Dieses Auskunftsverfahren hat einerseits einen engeren Anwendungsbereich als jenes gemäß Art. 21 G 413/1993 über die Prüfung der Steuerumgehung, das in der Vergangenheit anwendbar war, da die Einstufung der Werbe- und Repräsentationsaufwendungen nunmehr unter das ordentliche Auskunftsverfahren fällt. Andererseits hat sich der Anwendungsbereich erweitert, da die Regelungen zur Bekämpfung des Rechtsmissbrauchs gemäß Art. 10-bis der Charta der Steuerpflichtigen nunmehr generell zur Anwendung kommen.

Der Steuerpflichtige muss hier im Detail den zur Diskussion stehenden Sachverhalt beschreiben, die steuerrechtlichen Bestimmungen anführen, deren Anwendung Zweifel aufwirft und genau unter Bezugnahme auf Art. 10-bis begründen, weshalb nach seiner Ansicht kein Rechtsmissbrauch (keine Steuerumgehung) vorliegt.

cd) das Auskunftsverfahren zur **Nichtanwendung von Beschränkungsbestimmungen** *nach Art. 11 Abs. 2* ***(„interpello disapplicativo“)***

Es handelt sich hierbei um das **einzig verbliebene obligatorische Auskunftsverfahren**. Es geht in diesem Zusammenhang darum zu bestimmen, ob die spezifischen Anwendungsvoraussetzungen gegeben sind, die die Nichtanwendung von Beschränkungsbestimmungen erlauben.

Bekanntlich beschränken zahlreiche Bestimmungen des italienischen Steuerrechts die Geltendmachung von Aufwendungen, Abzügen und Guthaben bei bestimmten Rechtsgestaltungsmaßnahmen und Transaktionen, hinter welchen eine Missbrauchs- bzw. Umgehungsintention vermutet wird. Diese Aufwendungen, Abzüge und Guthaben können also nicht in Anspruch genommen werden, außer der Steuerpflichtige kann die Finanzverwaltung überzeugen, dass die vermutete Missbrauchs- und Umgehungsgefahr tatsächlich nicht gegeben war. Der Steuerpflichtige muss in diesen Fällen das Auskunftsverfahren in die Wege leiten, wenn er diese Vergünstigungen beanspruchen möchte. Die konkreten Anwendungsfälle für dieses Verfahren sind im Steuerrecht nicht abschließend aufgezählt. Nicht zur Anwendung kommt es, wenn der Steuergesetzgeber einen Sachverhalt definitiv

[411] Vgl. Cacciapaglia, Prontuario Fiscale 2016, 335 sowie MR 9/E v. 1.4.2016, 15 ff.

standardisiert oder eine Abgabe pauschaliert hat. Es muss sich also um eine Situation handeln, in Bezug auf welche noch ein konkreter Klärungsbedarf besteht. Wie erwähnt, ist die Inanspruchnahme dieser Klärung obligatorisch. Unterbleibt eine solche Klärung (wenn der Steuerpflichtige die Maßnahme also ohne Auskunftsverfahren durchführt) kommen Verwaltungsstrafen zur Anwendung.

ce) Verfahren und Wirkung der Auskunft

Ein (kostenpflichtiges) Auskunftsersuchen kann nur eingebracht werden, wenn ein zuvor durchgeführtes **(kostenloses) automatisches Auskunftsersuche** (Abfrage von eigenen Datenbanken der Finanzverwaltung, *„servizio di consultazione semplificata",* Art. 10-novies ChdS) ergebnislos geblieben ist.

Die steuerliche Auskunft ist **innerhalb von 90 Tagen** ab Antragstellung zu erteilen (mit Aussetzung der Frist im Monat August und Fristerstreckung um weitere 60 Tage bei Einholung von weiteren Auskünften, ab Eintreffen der Auskünfte). **Stillschweigen** durch die Finanzverwaltung **bedeutet Annahme** des vom Steuerpflichtigen vorgelegten Lösungsansatzes.

Der Antrag ist **präventiv einzubringen**, d.h. **vor Ablauf der ordentlichen Abgabefrist der Steuererklärung** bzw. **vor der Erfüllung der steuerlichen Verpflichtung**, die Gegenstand der Anfrage ist. Der Steuerpflichtige hat das Auskunftsersuchen auf stempelfreiem Papier bei der **örtlich zuständigen Regionalen Direktion der Einnahmeämter** einzubringen und dabei auch die seines Erachtens zutreffende Auslegung auszuführen.

Was die **Wirkungen** der Auskünfte anbelangt, so ist Folgendes festzuhalten:

Grundsätzlich gelten die Auskünfte **nur für den antragstellenden Steuerpflichtigen**.

Stillschweigen durch die Finanzverwaltung **bedeutet Annahme** des vom Steuerpflichtigen vorgelegten Lösungsansatzes.

Die **Zustimmung** zur vorgeschlagenen Maßnahme bindet dagegen die Finanzverwaltung insgesamt; jede **gegenteilige Maßnahme ist nichtig**. Allerdings gilt dies nur für den Einbringer und für die spezifisch im Rahmen des betreffenden Ersuchens behandelte Sache. **Nur der Einbringer kann also aus dieser Auskunft einen unmittelbaren Rechtsanspruch ableiten**.

Erklärt die Finanzverwaltung die betreffende Maßnahme dagegen für **unzulässig**, so muss der Steuerpflichtige mit einer **Steuerfeststellung rechnen**, wenn er sich nicht daran hält. Die Finanzverwaltung bleibt aber auch in dieser Phase nur Partei; die definitive Klärung der Rechtmäßigkeit erfolgt vor den Steuergerichten. Der Steuerpflichtige muss allerdings hierbei den Nachweis erbringen, dass die von ihm geplante Maßnahme zulässig ist (Beweislastumkehr).

Der Steuerpflichtige kann auch den geforderten Steuerbetrag bezahlen und zurückfordern (in diesem Fall finden keine Strafen bei einer Abweisung des Antrags vor den Steuergerichten Anwendung).

Fügt sich der Steuerpflichtige den Auffassungen der Steuerverwaltung, so kann diese **nachträglich nicht mehr davon abrücken**. Dies gilt allerdings nur in Bezug auf bereits vollzogene Maßnahmen. Ändert die Steuerverwaltung ihre Haltung, so hat sich der Steuerpflichtige für spätere Handlungen daran zu orientieren.

Sollte eine **größere Anzahl** an Steuerpflichtigen **gleiche oder gleichartige Fragen** vorlegen, kann die Finanzverwaltung auch **pauschal mit einem Rundschreiben *(circolare)* oder einer Resolution** antworten.[412] Steuerpflichtige, die sich daran orientieren (und die also nicht selbst ein Auskunftsersuchen eingebracht haben), können sich auf dieser Grundlage auf **Art. 10 Abs. 2 der Charta** berufen: Ändert die Finanzverwaltung nachträglich ihre Auffassung, so kommen **keine Strafen** oder Verzugszinsen zur Anwendung für Steuerpflichtige zur Anwendung, die sich zuvor an der ursprünglichen Lösung orientierten.

cf) Die **Sonderverfahren:** *das Verfahren für* **neue Großinvestionen** *(Art. 2 EV 147/2015); das* **Internationale Auskunftsverfahren** *(interpello/ruling internazionale, Art. 31-ter DPR 600/1973); das Verfahren der Zusammenarbeit* ***(cooperative compliance)***

Diese Verfahren weisen zahlreiche Eigenheiten auf und unterscheiden sich in vielem von den oben behandelten „regulären" Auskunftsverfahren. Sie sind einerseits dazu bestimmt, einen wirksamen Dialog zwischen Finanzerwaltung und Steuerpflichtigem aufzubauen und andererseits soll der Investitionsstandort Italien für international tätige Unternehmen attraktiver werden.

cfa) Das Auskunftsverfahren für ausländische Großinvestitionen in Italien *(interpello per nuovi investimenti produttivi di grandi dimensioni in Italia)*

Mit Art. 2 der EV 147/2015 wurde ein weiteres Auskunftsverfahren eingeführt, und zwar für ausländische Großinvestitionen (mindestens € 15 Mio, auch verteilt über mehrere Jahre) mit erheblichen Beschäftigungswirkungen. Gegenstand dieses Verfahrens ist die Klärung der **steuerlichen Konsequenzen einer Veranlagung**, und zwar **in Hinblick auf alle Aspekte der Investition** auf der Grundlage des **Investitionsplans** und im Zuständigkeitsbereich der Einnahmenagentur. Das Ansuchen ist unter Beilage eines Investitionsplans *(business plan)* an die Einnahmenagentur zu richten. Ein Lösungsvorschlag ist beizulegen. Eine Antwort hat innerhalb von 120 Tagen zu erfolgen. Andernfalls kommt das Institut der stillschweigenden Zustimmung zur Anwendung. Das Verfahren steht inländischen und ausländischen Investoren offen.

---

[412] Art. 11 Abs. 4 G 212/2000.

cfb) Das internationale Auskunftsverfahren (*interpello/ruling internazionale*, Art. 31-ter DPR 600/1973)

Im Rahmen dieses Auskunftsverfahrens können international tätige Unternehmen Auskünfte zu folgenden Fragestellungen einholen:

– Verrechnungspreise (*transfer pricing*): Dabei kann vorab ein Einvernehmen mit der Finanzverwaltung über die Berechnung des gemeinen Wertes gemäß Art. 110 Abs. 7 TUIR angestrebt werden.

– Bewertungen bei Sitzverlegungen ins Ausland gemäß Art. 166 und 166-bis TUIR.

– Betriebsstättenthematik

– Dividenden, Zinsen und Royalties

– sog. *Patent Box* (Art. 1 Abs. 37 ff G190/2014).

Das Verfahren wurde mit einer Verfügung des Direktors der Einnahmeämter v. 21.3.2016[413] geregelt.

Darin wird festgehalten, dass es sich bei den **„international tätigen Unternehmen“**, die dieses Auskunftsverfahren in Anspruch nehmen können, um Unternehmen mit Sitz in Italien, um ausländische Unternehmen mit Betriebsstätten in Italien, um Unternehmen, die eine Sitzvorlegung vom oder ins Ausland vornehmen oder um nichtansässige Unternehmen handeln kann, die beabsichtigen, innerhalb des nächsten Geschäftsjahres eine Betriebsstätte in Italien zu eröffnen.

Im Rahmen dieses Verfahrens wendet sich das Unternehmen mit einer detaillierten Schilderung des Anliegens an die Finanzverwaltung[414], die darauf **innerhalb von 30 Tagen** reagieren muss. Die **Gesamtdauer** des Verfahrens darf nicht über **180 Tagen** liegen. Gelingt eine **Einigung** (bspw. über die konkrete Berechnung der Verrechnungspreise), so wird diese **vertraglich besiegelt**, wobei diese Regelung für das laufende Jahr und für die vier Folgejahre gilt (also insgesamt **fünf Jahre**). Eine Verlängerung des Abkommens ist möglich. Eine **Abänderung** des Abkommens während der Laufzeit ist hingegen nur bei einer **grundlegenden Änderung der Umstände** zulässig. Die Abänderung erfolgt einvernehmlich. Bleiben die diesbezüglichen Verhandlungen innerhalb von 180 Tagen erfolglos, so gilt das Abkommen als beendet.

Dieses internationale Auskunftsverfahren sieht auch eine **rückwirkende Anwendung** der vertraglichen Regelung vor.

---

[413] Provvedimento Direttore Agenzia delle entrate Prot. n. 2016/42295, „Disposizioni per l'attuazione della disciplina degli accordi preventivi per le imprese con attività internazionale“.

[414] Die Anfrage ist an das Amt der Einnahmenagentur zu richten, die laut Steuersitz des Unternehmens zuständig ist.

cfc) Das Verfahren der Zusammenarbeit ***(„cooperative compliance“,*** Art. 3 ff. EV 128/2015 sowie EV 221/2023)

Mit diesem Verfahren, das über ein reines Auskunftsverfahren weit hinausgeht, sollen Vorgaben der OECD verwirklicht werden, die für die Zukunft einen **Wandel der Beziehung zwischen Steuerverwaltung und Steuerpflichtigem** von einem Verhältnis der Über- und Unterordnung und der Kontrolle zu einem der Zusammenarbeit auf Augenhöhe anmahnen.

Die Steuerverwaltung tritt hier also als Hilfsorgan und als Partner auf und verzichtet auf ihre Strafgewalt, immer unter der Voraussetzung, dass ein Verhältnis wechselseitigen Vertrauens besteht.

Ursprünglich nur für internationale Großunternehmen (Umsatz von mehr als 10 Mrd €) vorgesehen (auch um die Ansiedlung von multinationalen Konzernen in Italien zu fördern, wurde die **Anwendungsschwelle sukzessive herabgesetzt** und soll im Jahr 2028 bei 100 Mio € liegen. Gem EV 221/2023 können sich **auch kleinere Unternehmen**, die diese Voraussetzungen nicht erfüllen, **freiwillig** für dieses Regime entscheiden und kommen dann in Genuss der entsprechenden Vergünstigungen.

Die betreffenden Unternehmen müssen sich einem **Risikomanagementverfahren** *(modello di gestione del rischio fiscale,* ***Tax Control Framework, TCF****)* unterwerfen. Auf dieser Grundlage müssen sie Steuerrisikosituationen (insbesondere eine „aggressive“ Steuerplanung) unverzüglich der Finanzverwaltung melden, die sich in kurzer Frist dazu zu äußern hat. Die Frist für die Auskunftserteilung im Rahmen eines Auskunftsersuchen (interpello) wird auf 45 Tage reduziert; für den Steuerpflichtigen ungünstige Antworten setzen auf jeden Falle eine vorherige Anhörung voraus. Durch die Annahme von Verhaltenskodizes *(codici di condotta)* soll die Beziehung zwischen Steuerverwaltung und Steuerpflichtigem voraussehbar und berechenbar werden. Wenn sich der Steuerpflichtige nach Treu und Glauben verhält, kommen selbst bei Normverstößen keine bzw. reduzierte Strafen zur Anwendung.

cg) Steuerberatung für Verbände, Vertretungsorgnisationen und Körperschaften (consulenza giuridica)

Mit EV 219/2023 wurde ein Absatz 10-octies in die ChdS eingefügt, auf dessen Grundlage nunmehr Gewerkschaftsverbände und Ständeorganisationen, Berufskammern und öffentliche und private Körperschaften bei der Steuerbehörde allgemeinen (also nicht einzelfallbezogene) **Auskünfte** (betreffend Steuernormen und ihre Auslegung) einholen können.

Die Auskunft hat innerhalb von 120 Tagen zu erfolgen. Sie ist nicht bindend. Die Fragen müssen allgemeiner Natur sein; die dürfen also nicht spezifische Steuerpflichtige betreffen.

8. Die Steuereinhebung *(riscossione)*

Literatur: Guida al diritto, La riforma della riscossione, Dossier mensile 3/1999; *Mercatali*, La riscossione delle imposte, in: BollTrib. 1/2000, 12; Parisi, La riforma della riscossione, in: Pratica Professionale 32/2001, 952; Montedoro, La nuova tutela giurisdizionale dei diritti nella riforma della riscossione, in: il fisco 24/2001, 8493; *Ruffini*, Guida alla Riscossione Tributaria, Sistema Frizzera, 2012; *Albanese/Donzì*, il restyling della riscossione, 2012; Guida Fiscale Italia Oggi, Difendersi da Equitalia, 4.3.2013; *Stroppa*, L'addio a Equitalia, in Guida Fiscale Italia Oggi 18/2016, 49; De Matteis/Pepe/Soldi, La riscossione esattoriale, 2021; Girelli, La crisi del sistema di riscossione coattiva in materia tributaria, DirPratTrib 6/2021, 2600; Carinci/Lovecchio, La riscossione delle imposte, 2025

8.1 Einleitung

Im **Besteuerungsprozess** stellt die **Steuereinhebung im Normalfall das abschließende Segment** dar. Allein wenn „pathologische" Entwicklungen eintreten, folgen daran noch verwaltungs- bzw. strafrechtliche Sanktions- bzw. Gerichtsverfahren, auf welche nachfolgend einzugehen sein wird. Es handelt sich hier um einen besonders heiklen Abschnitt, dessen Unzulänglichkeiten die Wirksamkeit des gesamten Besteuerungsverfahrens in Frage stellen können. Die Bedeutung dieses Verfahrens ist situations- (bzw. rechtsordnungs-)spezifisch in unterschiedlichem Maße augenscheinlich. Der Abschnitt der Steuereinhebung wird im Besteuerungsprozess dann **in den Hintergrund treten**, wenn ein Gemeinwesen über eine **effizient arbeitende Finanzverwaltung** verfügt und ein hoher Grad an Identifikation der Bevölkerung mit dem jeweiligen Regierungssystem gegeben ist. Je stärker diese Faktoren ausgeprägt sind, desto eher ist von einer intensiven Kooperation zwischen Finanzverwaltung und Steuerpflichtigen sowie von einer spontanen Leistungserfüllung durch den Steuerpflichtigen auszugehen. Im umgekehrten Fall muss die Finanzverwaltung dagegen nach alternativen Wegen zur Steuereinhebung suchen, wobei sich insbesondere eine Betrauung Privater mit dieser Aufgabe anbietet. Diese Privaten werden dann mit hoheitlichen Befugnissen ausgestattet, die ihnen die Ausübung von Zwangsgewalt (bzw. die Anrufung staatlicher Staatsgewalt) gegenüber den Steuerpflichtigen ermöglicht.

Extreme Ausformungen dieser zuletzt geschilderten Situation finden wir in primitiven Gemeinwesen vor, wo die Zentralgewalt Besteuerungsrechte vollumfänglich bspw. an Lehensnehmer überträgt und sich mit der Leistung eines Lehenszinses begnügt. Mittelalterliche Rechtsordnungen mit schwach ausgeprägten Finanzverwaltungssystemen bieten reichhaltiges Anschauungsmaterial für Regelungen dieser Art. Eine wichtige Vorbildfunktion für die Regelung der Steuereinhebung in Italien haben auch die verschiedenen Vorkehrungen für die Einhebung des kirchlichen Einrichtungen zufließenden Zehenden eingenommen[415]. In Ermangelung einer weltlichen Vollstreckungsgewalt musste es hier notgedrungenermaßen

[415] In diesem Sinne Costantino, Sciolto il nodo della tutela giurisdizionale per la riscossione dei crediti non tributari, in: Il Sole – 24 Ore, Guida al diritto, 3/2000, 6.

zu einer unterschiedlichen Zuordnung von Besteuerungs- und Vollstreckungsanspruch kommen. Unzweifelhaft war diesen Regelungen der Vorteil einer gewissen Aufkommensstabilität für jene Gewalt eigen, der der Besteuerungsanspruch zustand. Gleichzeitig verdeutlichen diese historischen Beispiele aber auch sehr klar die Gefahren für die Rechtsposition der Einzelnen, die mit der Übertragung der Besteuerungsgewalt an Private verbunden sind, wenn diese Befugnis nicht an klare Richtlinien gebunden ist.

Die **historischen Wurzeln** der gegenwärtigen geltenden Formen der Steuereinhebung reichen zumindest bis auf das G 192/1871 (sog. *„legge Sella")* zurück, das im Jahr 1902 in einen Einheitstext übernommen wurde (RD 281/1902). Weitere Entwicklungsstufen waren das RD 1461/1922, das RD 1465/1930, das DPR 645/1958 und schließlich das DPR 602/1973. Dabei wurde die Steuereinhebung im Wege von Ausschreibungen **privaten Konzessionären** übertragen, die **Bankinstituten** gehörten.

Mit der **Steuerreform des Jahres 1973 (DPR 602)** erfolgte eine klare Neuorientierung in Richtung **freiwilliger, spontaner Steuerentrichtung**, und die zwangsweise Steuereinhebung über Steuerrollen wurde von der Regel zur Ausnahme.[416]

In einer vom Leistungsfähigkeitsprinzip gekennzeichneten Verfassungsordnung erscheint eine eigene Besteuerungsgewalt von Privaten kaum mehr denkbar. Die diesbezüglichen Befugnisse der Privaten müssen sich in einem solchen System weitgehend auf eine Steuereinhebung im engeren Sinne beschränken. In der **italienischen Steuerrechtsordnung wirkten allerdings neuzeitliche Elemente der Steuereinhebung sehr lange fort**. Dies galt in der Vergangenheit insbesondere für die **Steuerpächter**, und auch das System der **Steuerkonzessionäre** war Relikt einer an und für sich überholten Gesellschaftsordnung.

Über das System der Steuerkonzessionäre wurde lange Zeit versucht, die Aufkommensstabilität dadurch zu erhöhen, dass das **Einhebungsrisiko partiell abgewälzt** wurde (System des *„non riscosso per riscosso"*). Letztlich waren die Kosten dafür aber wiederum vom Gemeinwesen zu tragen, was dadurch geschah, dass über die Übertragung von weitreichenden Einhebungsbefugnissen in Bereichen, in welchen ohnehin von einer spontanen Leistungserbringung auszugehen war, eine Quersubventionierung verwirklicht wurde. Insgesamt war dieses System aber äußerst ineffizient und hat kaum Gelegenheit geboten, der Kostenwahrheit Ausdruck zu geben.

Die Rolle der Steuerkonzessionäre wurde aber sukzessive zurückgedrängt und schließlich trat im Jahr **2006** die **Equitalia S.p.A.** an die Stelle der Steuerkonzessionäre. Diese kaufte alle 37 Steuerkonzessionäre auf und stellte ein **öffentliches Unternehmen** dar, deren Aktien zu **51% der Agentur der Einnahmen** und zu **49%** der **INPS** gehörten. Die Aktienmehrheit eröffnete der Agentur der Einnahmen auch weitreichende Aufsichts- und Kontrolltätigkeiten über die Equitalia AG.

Die Equitalia AG war als Holding strukturiert, in deren Rahmen die früheren Steuerkonzessionäre ihre Tätigkeit als **Steueragenten** *(agenti della riscossione)*

[416] Vgl. Girelli, 2021, 2606.

fortsetzen. Ihre Zahl wurde aber durch Zusammenlegungen zuerst auf 17 und im Jahr 2011 auf drei *(Equitalia Nord, Equitalia Centro* und *Equitalia Sud)* reduziert.

Für die Region Sizilien war die *Riscossione Sicilia S.p.A.* zuständig, die nicht der Equitalia gehörte, sondern der Region selbst.

Während die Übertragung einer Besteuerungsgewalt an Private schon aus einer historischen Perspektive bedenklich erscheint, so gilt dies aber nicht für die Verwendung privatrechtlicher Formen bei der Steuereinhebung. Ganz im Gegenteil. In der gegenwärtigen Steuerreformdiskussion wird diese zuletzt genannte Entwicklung sogar als Ausdruck einer mittelfristig anzustrebenden weitgehenden Egalisierung des Verhältnisses zwischen Finanzverwaltung und Steuerpflichtigen angesehen, wobei sich diese – nach einer Vision des früheren Finanzministers Vincenzo Visco – wie Unternehmer und Kunden im privatrechtlichen Verkehr gegenübertreten sollen.

Stehen diese privaten Subjekte dann auch noch im Eigentum öffentlicher Einrichtungen, wie dies im Zusammenhang mit der Equitalia der Fall war, so wäre in diesem sensiblen Bereich auch noch eine zusätzliche Garantie geschaffen.

Tatsächlich ist aber die Equitalia in den vergangenen Jahren auf zunehmende Kritik gestoßen. Mit der Equitalia ist nämlich ein bürokratisches System errichtet worden, das viele Ineffizienzen aufwies, die an und für sich für den öffentlichen Dienst typisch sind. Gleichzeitig ist der Equitalia aber auch das erhöhte Einhebungsvolumen (dieses stieg von 2,9 Milliarden € jährlich in den Jahren 2000–2005 auf 8,2 Milliarden € im Jahr 2015[417]), bzw. die Art und Weise, wie dieses erzielt worden ist, zum Vorwurf gemacht worden. Die konsequente Eintreibung von Steuerforderungen auch gegenüber Steuerpflichtigen, die um ihre wirtschaftliche Existenz fürchten mussten, hat insbesondere in den Krisenjahren zu verstärkter Kritik an dieser Institution geführt. Selbstmordfälle von Steuerschuldnern, die die Pfändungen nicht mehr verkrafteten, haben schließlich einen landesweiten Sturm der Empörung ausgelöst. Der Name „Equitalia“ ist zu einem Politikum geworden und schließlich wurde die Auflösung dieser Einrichtung beschlossen.

Die früheren Steuerkonzessionäre sind nunmehr also **Agenten der Steuereinhebung** *(agenti della riscossione).* Es handelt sich dabei um Aktiengesellschaften, die die freiwilligen Zahlungen über den Steuervordruck F24 entgegen nehmen und die Steuereinhebung über die Steuerrollen durchführen. Sie haben Zugang zu den einschlägigen Steuerdatenbanken.

Einziger verbliebener Steuerkonzessionär war die Equitalia S.p.A. Mit dem Stabilitätsgesetz 2013 ist auch ein **Garant der Steuereinhebung** in der Form eines Ausrichtungs- und Überprüfungskomitees für die Steuereinhebung über Steuerrollen *(Comitato di indirizzo e verifica dell'attività di riscossione mediante ruolo)* eingeführt worden.

Nach massiven Protesten gegen die Tätigkeit der Equitalia ist – wie erwähnt – mit dem Stabilitätsgesetz 2017 ihre Auflösung verfügt worden. Ihre Tätigkeit wurde **ab Juli 2017** von einem öffentlichen Unternehmen *(ente pubblico economico)* mit der Bezeichnung **Agenzia delle entrate – Riscossione (AdER)** übernommen. Mit der „Verstaatlichung“ der Steuereinhebung entfiel auch die Rechtfertigung für

[417] Vgl. Stroppa, 49.

die Erhebung der **Einhebungsgebühren** *(„oneri di riscossione", früher „aggio")* von 3%, die **ab 2022 nicht mehr zur Anwendung kommen.**

Die Kosten der Steuereinhebung trägt somit nunmehr der Staat, d.h. die Gesamtheit der Steuerzahler.

8.2 Die geltenden Regeln der Steuereinhebung

Im Bereich der direkten Steuern wurde die Steuereinhebung maßgeblich durch das **DPR 602/1973** geregelt, das aber mittlerweile zahlreiche Abänderungen erfahren hat (zuletzt durch **EV 110/2024**), wodurch sich das Grundgerüst der Steuereinhebung in den letzten beiden Jahrzehnten völlig gewandelt hat. Eine wichtige Weichenstellung ist mit dem DPR 43/1988 erfolgt. Mit dem Ermächtigungsgesetz Nr. 337/1998 hat der Gesetzgeber die Grundlage geschaffen für eine weitgehende Neukonzeption der Steuereinhebung, was schließlich mit den Ermächtigungsverordnungen 37/1999, 46/1999, 112/1999 und 193/2001 auch tatsächlich geschehen ist. Durch den weitgehenden Einbau dieser Neuerungen in den Text des DPR 602/1973 konnte ein Rahmen gewahrt werden, der die Kohärenz der einschlägigen Regeln sicherstellen sollte. Die **Steuereinhebung im weiteren Sinne** umfasst nämlich mit den verschiedenen Regeln über die **freiwillige Steuerentrichtung**, die **Steuerrückbehalte** sowie die **zwangsweise Steuereinhebung** zahlreiche, relativ heterogene Bereiche, die in erster Linie über die gemeinsame Funktion zusammengehalten werden. Über dieses Kriterium hinaus ist es hier von besonderer Wichtigkeit, dass auch gemeinsame Grundprinzipien erarbeitet werden, denen systemergänzende und lückenschließende Funktion zukommt.

Für die indirekten Steuern findet das DPR 602/1973 nur partiell Anwendung, und zwar insbesondere im Bereich der Steuereinhebung durch die Steuerrollen. Allgemein wird das Fehlen eines – für direkte und indirekte Steuern gleichermaßen anwendbaren – Einheitstextes für die Steuerfeststellung bemängelt.

8.3 Die freiwillige, spontane Begleichung der Steuern

Auch die freiwillige, spontane Begleichung der Steuern ist Ausdruck einer Steuereinhebung im weiteren Sinne. Diese kann im Wege einer direkten Überweisung an den Konzessionär bzw. an die Provinziale Sektion des Schatzamtes geschehen oder auch ohne eigenes Zutun des Steuerpflichtigen über Steuerrückbehalte. Schließlich kann die Begleichung einer Steuerschuld auch dadurch geschehen, dass sich der Steuerpflichtige für eine Aufrechnung von Steuerguthaben und Steuerschulden entscheidet.

8.3.1 Die direkte Überweisung

Eine direkte Überweisung erfolgt für folgende Abgaben und Zahlungen unter Verwendung des Einzahlungsvordrucks **F24**:

– Steuerrückbehalte, die von den Steuersubstituten vorgenommen werden (auf Einkünfte aus nichtselbstständiger Tätigkeit und aus selbstständiger Tätigkeit, auf Provisionen, auf Entschädigungen für den Geschäftswertverlust und auf öffentliche Beiträge, die nicht von der Staatsverwaltung ausgezahlt werden);
– IRPEF;
– IRES;
– IRAP;
– Steuerrückbehalt auf Dividenden;
– MwSt.

Der Vorgang wird grundsätzlich bei autorisierten Banken und Poststellen und unter Verwendung des Papiervordrucks[418] elektronisch abgewickelt, außer der Endsaldo liegt nicht über € 1.000 und unter der Bedingung, dass keine Aufrechnung *(compensazione)* vorgenommen worden ist. Ausnahmslos elektronisch erfolgt die Überweisung bei Steuerpflichtigen mit MwSt-Position.

Die elektronische Überweisung kann grundsätzlich unter Verwendung der elektronischen Dienste der Finanzverwaltung *(Entratel* oder *Fisconline)* oder über Homebanking-Systeme (bzw. Remote-Banking) der Banken oder Poststellen erfolgen. Zwingend über die Finanzverwaltung hat die Überweisung dann zu erfolgen, wenn Aufrechnungen mit Endsaldo Null oder Aufrechnungen von MwSt-Guthaben über € 5.000 vorliegen.

Daneben können noch zahlreiche weitere Abgaben angeführt werden, für welche eine direkte Überweisung vorgesehen ist, wie z.B. die Konzessionsgebühren für die Nummerierung der Gesellschaftsbücher, die Vergnügungsteuer und die Verbrauchsteuern.

Anders als in der Vergangenheit besteht nun nicht mehr die Möglichkeit, Zahlungen unmittelbar bei den Finanzämtern vorzunehmen.

8.3.2 Die Steuerrückbehalte

Die Steuereinhebung erfolgt in wesentlichem Maße auch durch Steuerrückbehalte, wobei diese eine Akontoleistung darstellen oder definitiv sein können. Eine Akontobesteuerung gibt es bspw. im Bereich der IRPEF und der IRES; auch die Zinserträge der Unternehmen werden in dieser Form besteuert. Definitiv ist dagegen die Quellenbesteuerung der Zinserträge von Privaten. Die Einhebung der Rückbehalte erfolgt durch Steuerentrichtungspflichtige, sog. Steuersubstitute *(sostituti d'imposta)*. Steuersubstitute sind insbesondere die Arbeitgeber für die von ihnen ausbezahlten Löhne und die Kreditinstitute in Zusammenhang mit der Erzielung von Kapitalerträgen.

Die Höhe des Steuerrückbehalts variiert sehr stark. So ist bspw. das monatliche Gehalt des Arbeitnehmers auf der Grundlage des progressiven Steuertarifs – und unter Berücksichtigung

[418] Vgl. Art. 3 Abs. 1 DPR 602/1973.

des Jahreseinkommens – zu versteuern. Ein eigenes, komplexes Verfahren ist für die Berechnung der Rückbehalte auf Abfertigungsrückstellungen vorgesehen. Werden Einkünfte aus selbstständiger Tätigkeit ausbezahlt, so nimmt der Steuersubstitut einen Steuerrückbehalt von 20% (30% bei Nichtansässigen) vor. Bei Kapitalerträgen kommt überwiegend ein Steuerrückbehalt von 26% zur Anwendung[419].

Zu erwähnen ist schließlich noch, dass Steuerrückbehalte, die von der öffentlichen Verwaltung auf von ihr ausbezahlte Beträge vornimmt, als direkte Steuerrückbehalte bezeichnet werden.

8.3.3 Die Zahlungsfristen und die Kompensation von Steuerforderungen und Steuerschulden

Die traditionelle Einkommenbesteuerung, die auf einer Steuererklärung beruht, welche Monate nach Abschluss der betreffenden Steuerperiode abzugeben ist, hat Einkommenerzielung und Einkommenbesteuerung zeitlich getrennt. Dies war mit Nachteilen für die besteuernde Behörde (Zinsverluste), aber u.U. auch für den Steuerpflichtigen verbunden, wenn er diesen Belastungen in seinen Dispositionen aufgrund einer Einkommensillusion nicht hinreichend Rechnung getragen hat. Der Verwirklichung des ***„pay-as-you-earn"-Prinzips"*** dienen insbesondere die Akontobesteuerung und die Einführung von Steuerrückbehalten.

Im Rahmen der IRPEF-Besteuerung ist gegenwärtig eine Akontozahlung von **100%** der für das Vorjahr geschuldeten Steuer zu leisten, wobei dieser Betrag in **zwei Raten** zu entrichten ist: 40% innerhalb 30. Juni; 60% innerhalb 30. November. Bis zum 30. Juni des Folgejahres ist dann der Ausgleich vorzunehmen.

Liegt der Betrag unter € 257,52, so ist dieser zur Gänze bis zum 30. November zu überweisen.

Für die Steuerpflichtigen, für welche ISA verabschiedet worden sind, sind zwei Raten von je 50% vorgesehen (30.6. und 30.11.).

Für IMU und TASI gelten weiterhin die Fristen vom 16.6. bzw. 16.12.

Im Bereich der MwSt ist jeweils bis zum 16. des Folgemonats eine Ausgleichszahlung vorzunehmen, während die Akontozahlung bis zum 27. Dezember auf der Grundlage der letzten Jahresabrechnung zu erfolgen hat. Ein eventueller Jahresausgleich ist innerhalb 16.3. des Folgejahres zu leisten.

Die verschiedenen Formen der Steuerrückbehalte, die ebenfalls der zeitlichen Angleichung von Einkommensentstehung und Abführung der Steuern dienen, wurden bereits angesprochen.

Die vielfältigen, unterschiedlichen Zahlungstermine haben in der Vergangenheit zu einer erheblichen bürokratischen Belastung der Steuerpflichtigen geführt. Gleichzeitig konnte eine Situation vorliegen, wonach hinsichtlich bestimmter Steuern eine Steuerschuld gegeben war, die sofort zu begleichen war, hinsicht-

[419] Für weitere Einzelheiten zu den verschiedenen Steuerrückbehalten siehe Hilpold/Steinmair, Grundriss des italienischen Steuerrechts, 2010.

lich anderer Steuern hingegen ein Steuerguthaben, das nur über einen langwierigen Rückforderungsprozess geltend gemacht werden konnte.

Seit geraumer Zeit[420] sind die Zahlungstermine für die wichtigsten Abgaben vereinheitlicht, und zwar auf den 16. des jeweiligen Fälligkeitsmonats, wobei gleichzeitig auch eine durchgehende Aufrechnung aller Rückzahlungsforderungen mit Zahlungsverpflichtungen möglich ist.

In der Vergangenheit war eine Aufrechnung allein für Steuerpflichtige mit MwSt-Position möglich. Diese Einschränkung gilt nun nicht mehr, wenngleich die betreffenden Steuerpflichtigen nach wie vor die Hauptnutznießer dieser Regelung sind. Betroffen davon sind insbesondere die Einkommensteuer, die Steuerrückbehalte, die periodische MwSt, die Ersatzsteuern für die Einkommensteuer und die MwSt, die IRAP und die Sozialbeiträge. Maximal können Abgaben im Gegenwert von € 2 Mio aufgerechnet werden. Die Aufrechnung erfolgt unmittelbar im Formular F24.

Darüber hinausgehende Beträge können zurückgefordert oder in den nachfolgenden Jahrenaufgerechnet werden.

Für die Aufrechnung sind auch gewisse Formerfordernisse zu erfüllen: Bei Guthaben über € 5.000 (bezogen auf eine Steuer) ist eine „Übereinstimmungserklärung" *(„visto di conformità")* erforderlich. Im Bereich der MwSt bedarf es noch weiterer Vorab-Belege (Antrag oder Steuererklärung), da hier der Steuerbetrug besonders ausgeprägt ist.

Unberechtigte Aufrechnungsanträge werden mit Verwaltungsstrafen in Höhe von 100 bis 200% des unberechtigt verrechneten Betrages sowie mit pönalen Sanktionen geahndet.[421]

Zu beachten ist, dass für Steuerpflichtige mit MwSt-Position die Möglichkeit zur Aufrechnung von Steuerguthaben mit Steuerschulden schon länger besteht, und zwar über das sog. **Steuerkonto *(conto fiscale)***[422], das beim Agenten der Steuereinhebung einzurichten ist[423] und auf welchem die Ein- und Rückzahlungen im Bereich der Einkommensteuer und der MwSt zu buchen sind. Monatlich ist ein Ausgleich vorzunehmen. Die mittlerweile eingeführte allgemeine Aufrechnungsmöglichkeit ist jedoch viel weiterreichender und drängt diesbezüglich das Steuerkonto in den Hintergrund. Das Steuerkonto ist aber nach wie vor ein wichtiges Instrument für die **beschleunigte Rückforderung von Steuerguthaben in der Höhe bis zu € 2.000.000** (erhöhtes Limit seit 2022, zuvor € 700.000). Die Rückzahlung erfolgt innerhalb von 60 Tagen. Der Steuerpflichtige hat vor der Auszahlung des Betrages eine geeignete Garantieleistung zu erbringen bzw. die „Übereinstimmungserklärung" *(„visto di conformità")* vorzulegen, wenn die beantragten Beträge bestimmte Schwellenwerte überschreiten oder bestimmte Risikosituationen vorliegen.[424]

[420] Vgl. die EV 241/1997. Diese Verordnung enthält auch die Grenzen der möglichen Aufrechnung.

[421] Tesauro – IDT – PG, 2020, 273, unter Verweis auf Art. 13 Abs. 4 EV 471/1997 sowie Art. 10-quater EV 74/2000.

[422] Vgl. Art. 78 Abs. 27 und 38d G 413/1991.

[423] Das betreffende Konto wird automatisch mit der Beantragung einer MwSt-Position eröffnet.

[424] Eine wichtige Schwelle liegt bei Steuerguthaben über € 30.000, die bei einem ISA-Wert ≥ 9 bei € 70.000 liegt.

Hinsichtlich der Zahlungsfristen ist noch zu berücksichtigen, dass im Falle einer Nichtbeachtung eine Verwaltungsstrafe von 30% zur Anwendung kommt[425].

8.4 Steuereinhebung durch Feststellungsbescheide

Feststellungsbescheide sind nunmehr **Vollstreckungstitel**. Sie müssen die Aufforderung enthalten, die darin enthaltenen Beträge innerhalb von **60 Tagen** zu bezahlen. Nach Ablauf dieser Frist (die eventuell aufgrund eines Antrags auf einvernehmliche Steuerfeststellung bzw. aufgrund der Gerichtsferien [1.–31.8.] verlängert wird) wird die Forderung vollstreckbar. **30 Tage nach Ablauf dieser Frist** wird der Agent der Steuereinhebung mit dieser Aufgabe betraut, der aber erst **nach weiteren 180 Tagen** zur **Zwangsvollstreckung** schreiten darf (außer es besteht Gefahr in Verzug).

Die Steuereinhebung hat **innerhalb 31. Dezember des Jahres zu erfolgen**, das auf das Jahr folgt, in welchem die **Feststellung definitiv** geworden ist.

8.5 Die Steuereinhebung über Steuerrollen – im Vergleich zur Steuereinhebung durch Feststellungsbescheide

Die Steuereinhebung über Steuerrollen findet grundsätzlich dann Anwendung, wenn die **Berechnung der Steuern durch die Finanzämter** erfolgt, also im Falle einer **Steuerfestsetzung** oder in einzelnen Fällen der **gesonderten Besteuerung**[426]. Diese Form der Steuereinhebung ist typisch für die **zwangsweise Einhebung** der Abgaben *(riscossione coattiva)*.

Die spontane, freiwillige Steuerzahlung stellt somit den Regelfall dar, die Steuereinhebung über Steuerrollen die **Ausnahme**.

Nachdem die **Feststellungsbescheide seit 1.10.2011 auch Vollstreckungstitel** geworden sind, ist die Bedeutung der Steuereinhebung über Steuerrollen bzw. Steuerzahlkarten weiter reduziert worden.

Sie findet gegenwärtig Anwendung bei:

- der Einhebung von Abgaben gemäß Art. 36-bis und Art. 36-ter DPR 600/1973 sowie Art. 54-bis DPR 633/1973 (automatisierte Verfahren);
- der Einhebung von definitiv festgestellten Steuern auf den Besitzertrag und den landwirtschaftlichen Ertrag;
- der Einhebung der diesbezüglichen Strafen und Zinsen[427];
- einige Lokalabgaben (TARI, IMU u.a.), die durch Steueragenten eingehoben werden.

[425] Vgl. Art. 13 des EV 472/1997.
[426] Auch die Müllabfuhrabgaben werden über Steuerrollen eingehoben.
[427] Vgl. Uricchio, MDT, 2025, 227.

Die Steuereinhebung über Steuerrollen ist insgesamt auch **kostspieliger** und muss deshalb auf jene Fälle beschränkt werden, in denen der Steuerpflichtige ohne Zutun der Finanzverwaltung seine Steuerpflichtigen nicht begleichen kann oder will.

Bei der **Steuerrolle** *(ruolo)* handelt es sich um eine Aufstellung von einzelnen Steuerpflichtigen und den von diesen geschuldeten Steuern, Strafen und Zinsen[428]. Die Steuerrolle wird vom zuständigen Steueramt erstellt und an den Steuerkonzessionär weitergeleitet, der für die Einhebung der Steuern Sorge trägt.

Die konkrete Erstellung der Steuerrollen kann unmittelbar durch die Finanzverwaltung geschehen oder in Kooperation mit dem Nationalen Pflichtkonsortium der Konzessionäre *(Consorzio Nazionale Obbligatorio tra i Concessionari)*.

Wenn im Zuge der Steuerfestsetzung *(liquidazione dell'imposta)* Zweifel auftreten, so darf die Finanzverwaltung nicht unmittelbar eine Eintragung ihrer Zusatzforderungen in die Steuerrollen vornehmen, sondern muss dem Steuerpflichtigen zumindest 30 Tage Zeit für eine Stellungnahme geben, da andernfalls der betreffende Steuerakt nichtig ist[429].

Die Steuerrolle muss die Steuernummer des Steuerpflichtigen aufweisen, das Datum, ab welchem die Steuerrolle vollstreckbar ist, sowie einen Verweis auf einen vorangehenden Feststellungsakt bzw. eine Begründung des Anspruchs.

Kann auf einen vorangehenden Feststellungsakt verwiesen werden, so ist von diesem auch die Begründung ableitbar.

Die Eintragung einer Steuerforderung in die Steuerrollen hat im Bereich der Einkommensteuer und der MwSt innerhalb folgender Fristen zu erfolgen:

– Die Forderungen, die auf einen **Steuerfestsetzungsakt** (*liquidazione dell'-imposta*; Art. 36-bis DPR 600/1973) zurückzuführen sind, sind **innerhalb 31. Dezember des dritten**, auf die Abgabe der Steuererklärung folgenden Jahres in die Steuerrollen einzutragen.

– Forderungen, die Ergebnis einer **formalen Steuerkontrolle** (Art. 36-ter DPR 600/1973) sind, sind innerhalb 31. Dezember des **vierten, auf die Abgabe der Steuererklärung folgenden Jahres** in die Steuerrollen einzutragen.

Verstreichen diese Fristen ungenutzt, so erlischt der betreffende Besteuerungsanspruch[430].

Technisch handelt es sich dabei um eine **„Verwirkung"** *(decadenza)*. Daneben gibt es noch eine **Verjährung** *(prescrizione)*, die mit der Eintragung der Steuerforderung in die Steuerrollen zu laufen beginnt. Die Verjährungsfrist beträgt **fünf Jahre**, wobei es unwahrscheinlich ist, dass der Steuerkonzessionär eine solche geschehen lässt.

---

428 Vgl. Art. 10 DPR 602/1973.

429 Vgl. IPSOA, Memento Pratico Fiscale 2002, S. 988, Rn. 8280.

430 Für andere Steuern gelten andere Fallfristen, die hier nicht im Detail behandelt werden sollen. Auch unter diesem Gesichtspunkt äußert sich die Notwendigkeit eines für alle Steuern geltenden Einheitstextes der Steuereinhebung.

Zu beachten ist, dass Forderungen, die auf einer **Steuerfeststellung** beruhen *(atto di accertamento;* Art. 17 DPR 600/1973*)* nicht mehr aufgrund von Steuerrollen eingehoben werden, da der Feststellungsbescheid nun selbst Vollstreckungstitel ist. Diese Forderungen sind **innerhalb 31. Dezember des zweiten** auf die Feststellung folgenden Jahres einzuheben.

Unterschieden wird zwischen ordentlichen und außerordentlichen Steuerrollen, zwischen provisorischen und definitiven Eintragungen.

Die **außerordentlichen Steuerrollen** dienen der beschleunigten und vollständigen Steuereinhebung für den Fall, dass eine begründete Gefahr für die wirksame Einhebung besteht[431]. In diesem Fall findet also die abgestufte Steuereinhebung nicht Anwendung.

Definitiv ist die **Steuerrolle** dann, wenn der **zugrundeliegende Besteuerungsanspruch** – sowohl was die Geltungsgrundlage anbelangt als auch in Bezug auf das Ausmaß – **endgültig** ist (bspw. aufgrund von Steuererklärungen, die der Steuerpflichtige vorgelegt hat oder aufgrund von rechtskräftigen Urteilen). Wurde dagegen der **zugrundeliegende Feststellungsbescheid angefochten** oder ist die **Steuerforderung noch nicht endgültig bestimmt**, so ist die **Steuerrolle allein provisorisch**. Die Anfechtung setzt nämlich die Einhebung der Steuerforderungen nicht aus; die Finanzverwaltung genießt hier – wie andere Verwaltungen in ihrem Tätigkeitsbereich – das Privileg der Vollstreckbarkeit ihrer Bescheide *(esecutorietà*).

Was das Ausmaß der eingehobenen Steuern anbelangt, so ist nach dem zugrundeliegenden Titel zu differenzieren. Erfolgt die Einhebung auf der Grundlage einer vorangegangenen Steuererklärung, so ist die Steuerforderung auch im Falle einer Anfechtung zur Gänze zu begleichen. Dasselbe gilt im Bereich der direkten Steuern für den Fall der Einhebung von Zusatzsteuern im Gefolge einer formalen Steuerkontrolle. Verläuft das Verfahren vor dem Steuergericht für den Steuerpflichtigen günstig, so kann er eine Rückzahlung des bezahlten Betrages begehren, und zwar auch dann, wenn die Finanzverwaltung Berufung gegen dieses Urteil einlegt.

Für eine abgestufte Einhebung hat der Gesetzgeber in all diesen Fällen keinen unmittelbaren Anlass gesehen, da sowohl die Steuererklärung des Steuerpflichtigen als auch die formale Kontrolle eine weitreichende Vermutung der Richtigkeit genießen[432].

Beruht die Steuereinhebung auf einem **vorangegangenen Feststellungsbescheid,** so ist die Einhebung im Bereich der direkten Steuern als auch für die MwSt folgendermaßen in abgestufter Form vorzunehmen:[433]

– Nach der **Zustellung** des Feststellungsbescheides können **1/3** der festgestellten Steuern samt Zinsen eingehoben werden.

– **Weist das Steuergericht erster Instanz den Rekurs ab**, so können **2/3** des **Gesamtbetrages** samt Zinsen eingehoben werden. Gibt sie dagegen dem Rekurs statt, so ist der gesamte bereits bezahlte Betrag wieder rückzuerstatten.

[431] Vgl. Art. 11 DPR 602/1973.
[432] Vgl. dazu kritisch Lupi, DT – PG, 2000, 249.
[433] Vgl. Art. 68 DPR 546/1992.

– Gibt das Steuergericht erster Instanz dem **Rekurs partiell statt**, so wird die aus diesem **Urteil hervorgehende Steuerforderung** eingehoben, **maximal können aber 2/3** der ursprünglichen steuerlichen Nachforderung eingehoben werden.

Beispiel: Beträgt die Nachforderung auf der Grundlage eines Feststellungsbescheides 150.000 Euro, so werden 50.000 sofort eingehoben. Erkennt das Steuergericht erster Intanz einen Anspruch von 120.000 als gerechtfertigt an, so können allein weitere 50.000 eingehoben werden, da 2/3 von 150.000 100.000 beträgt. Wird dagegen allein ein Anspruch von 40.000 Euro als gerechtfertigt angesehen, so kann der Steuerpflichtige 10.000 Euro zurückverlangen.[434]

Während in der Vergangenheit die **Verwaltungsstrafen** erst zum Zeitpunkt der Beendigung des Verfahrens eingehoben werden konnten, geschieht dies nunmehr – **aliquot** – bereits nach dem Urteil des Steuergerichts erster Intanz.

– Nach dem **Urteil des Berufungsgerichts** kann der **gesamte** darin angeführte **Betrag** eingehoben werden. Ein weiterer Instanzenzug an den Kassationsgerichtshof hat keinerlei Einfluss auf die Steuereinhebung.

Die Möglichkeit einer weitreichenden Steuereinhebung noch vor dem Ergehen eines definitiven Urteils im Gerichtswege stellt ein wichtiges Privileg für die Finanzverwaltung dar, sichert die Kontinuität des Steueraufkommens und macht ein Kalkül unwirksam, das darauf ausgerichtet ist, durch die Einbringung von Rekursen die Steuereinhebung zu verzögern. Andererseits kann die damit verbundene Schlechterstellung des Steuerpflichtigen für diesen u.U. existenzbedrohende Auswirkungen zeitigen. Der Anspruch auf Rückforderung von Steuerzahlungen, deren Leistung sich letztlich als ungerechtfertigt erweist, kann – auch unter Berücksichtigung der Verzinsung des Steuerguthabens – unzureichend sein, wenn der Liquiditätsentzug bspw. den Unternehmer gezwungen hat, seine Tätigkeit einzustellen. Zur Vermeidung solcher extremer Entwicklungen hat der Gesetzgeber spezifische Vorkehrungen getroffen. So können die Steuergerichte und auch der Kassationsgerichtshof die **Vollziehung von Steuerakten aussetzen**, wenn **Gefahr im Verzug *(periculum in mora)*** und der **Plausibilität des Anspruchs *(fumus boni iuris)*** nachgewiesen werden können. Einzelheiten dieses Instruments werden im Kapitel über den Steuerprozess dargestellt.[435]

Die Aussetzung der Steuereinhebung über Steuerrollen kann **auch unmittelbar bei den Finanzbehörden**, und zwar bei den Einnahmenämtern, beantragt werden[436]. Zentral ist hier der Nachweis der manifesten Rechtswidrigkeit der Forderung, wobei die zuständigen Finanzbehörden über das Institut der *„autotutela"* tätig werden können. Die Aussetzung ist bis zur Veröffentlichung des Urteils des Steuergerichts erster Instanz möglich. Sie kann wieder zurückgenommen werden,

[434] Vgl. Lupi, DT – PG, 2000, 250.
[435] Siehe Kapitel 8.8.
[436] Vgl. Art. 39 DPR 602/1973.

wenn eine „begründete Gefahr für die Steuereinhebung“ *(fondato pericolo per la riscossione)* eintritt.

Ursprünglich handelte es sich hierbei um die einzige Möglichkeit, eine Aussetzung der Vollziehung von Steuerakten zu erwirken. Nunmehr müsste sich eigentlich die Frage der Existenzberechtigung von zwei parallelen Rechtsschutzmöglichkeiten mit ähnlicher Funktion stellen. Sicher ist, dass die Finanzverwaltung bei der Wahrnehmung dieser Befugnis über einen erheblichen diskretionären Entscheidungsspielraum verfügt. Die Fortexistenz der Rekursmöglichkeit an die Finanzverwaltung ist auch im Lichte der in den letzten Jahren ausgeweiteten und gefestigten Befugnis auf Rücknahme von Steuerakten (*autotutela)* zu sehen. Durch einen entsprechenden Rekurs wird gerade die Ausübung dieser Befugnis angeregt. Daneben kann die Finanzverwaltung diesen Schritt auch autonom setzen. Treten Zweifel am Besteuerungsanspruch auf, so erspart sich die Finanzverwaltung durch eine rechtzeitige Aussetzung der Steuerrollen Verwaltungs- und Zinskosten.

Der Beschwerdeführer kann mittlerweile **auch vor dem Steuergericht zweiter Instanz sowie vor dem Kassationsgerichtshof die Aussetzung der Vollziehung beantragen**, wenn ein schwerwiegender und nicht wieder gut zu machender Schaden *(„danno grave e irreparabile“)* droht (Art. 47, Art. 52 und Art. 62-bis DPR 546/1992).

Die **Steuerrollen werden mit der Unterfertigung** des Dienstleiters (bzw. seines Stellvertreters) des jeweiligen Finanzamtes **vollstreckbar**. Die **Zahlungsaufforderung** muss dem Steuerpflichtigen aber erst **zugestellt werden.** Dies geschieht durch die **Steuerzahlkarte *(cartella di pagamento)*,** in der die den einzelnen Steuerpflichtigen betreffenden Daten der Steuerrolle wiedergegeben werden. Die Steuerzahlkarte enthält die Aufforderung, **innerhalb von 60 Tagen** zu zahlen, da andernfalls die Zwangsvollstreckung vorgenommen werde. Verstreicht diese Frist ergebnislos, so wird der Prozess der Zwangsvollstreckung in Gang gesetzt.[437]

Beruht die Eintragung in die Steuerrollen auf einer formellen Kontrolle, so muss der Versendung der Steuerzahlkarte eine Aufforderung zur Aussprache („contraddittorio“, „avviso bonario“) vorausgehen.

Die Steuerzahlkarte kann durch Gerichtsvollzieher, durch Gemeindeboten, durch Agenten der Gemeindepolizei oder durch Finanzbeamte zugestellt oder auch postalisch durch einen bloßen Einschreibebrief mit Rückantwort übermittelt werden. Auch eine Zustellung über eine zertifizierte E-Mail (PEC) ist möglich. Bei Unternehmern und Freiberuflern erfolgt die Zustellung mittlerweile ausschließlich über PEC. Die Zustellkosten in der Höhe von 5,88 € gehen zu Lasten des Steuerpflichtigen. In der Vergangenheit wurden dem Steuerpflichtigen auch Kosten für die Steuereinhebung ieS angelastet. Die standardisierten **Einhebungskosten** (sog. „oneri di riscossione“ oder ***„aggio“***) betrugen bis zum 60. Tag ab Zustellung der Steuerzahlkarte **3%**, danach **6%** der Steuerforderung. Diese Kosten entfallen ab 2022.

---

[437] Bleibt der Steuerkonzessionär aber ein Jahr lang untätig (was allerdings unwahrscheinlich ist), so hat er vor einer Zwangsvollstreckung eine erneute Zahlungsaufforderung zu übermitteln.

Zudem fallen ab dem 61. Tag auch **Verzugszinsen** *(interessi di mora)* ab dem Tag der Zustellung der Zahlkarte bis zur Bezahlung der Steuerforderung an (gegenwärtig **2,68%**).

Schon erwähnt wurde, dass die Finanzämter selbst keine Kassadienste führen. Die Zahlung des in der Steuerzahlkarte angeführten Betrages kann hingegen folgendermaßen vorgenommen werden:
- bei den Schaltern des Steueragenten;
- bei jeder Bank und bei jedem Postamt[438].

Die Bezahlung der Steuern muss nicht in **bar** erfolgen, sondern kann auch über andere Zahlungsmittel wie **Bankomat, Bank- oder Zirkularschecks** geschehen.

Diese Beträge werden dann an das Schatzamt der besteuernden Einheit überwiesen. Hinsichtlich der staatlichen Steuern ist dies das Provinziale Schatzamt.

Bei **zeitweiligen, objektiven Zahlungsschwierigkeiten** kann der Steuerpflichtige beim Agenten der Steuereinhebung eine **Ratenzahlung** beantragen, wobei grundsätzlich eine Aufteilung der Steuerschuld auf **bis zu 120 Monatsraten** gewährt werden kann.[439] Grundsätzlich reichen Antrag und diesbezügliche Erklärung bereits aus.

Bis zu einem Betrag von **120.000 €** kann die Ratenzahlung auf der Grundlage eines **einfachen Antrags** des Steuerpflichtigen gewährt werden, ohne dass die objektiven Zahlungsschwierigkeiten im Detail nachgewiesen werden müssten.

Liegt die Steuerschuld **über 120.000 €**, muss hingegen die zeitweilige, objektive Zahlungsschwierigkeit **im Detail nachgewiesen** werden. Dabei wird bei natürlichen Personen und Unternehmen mit vereinfachtem Buchhaltungsregime auf den Wohlfahrtsmaßstab für die Inanspruchnahme von Sozialleistungen *(Indice della situazione economica equivalente del nucleo familiare – Isee)* Bezug genommen. Bei Personen- und Kapitalgesellschaften sowie bei Einzelunternehmen mit ordentlicher Buchhaltung ist die objektive Zahlungsschwierigkeit gegeben, wenn die liquiden Mittel nicht ausreichen, die laufenden Verbindlichkeiten zu decken.

Bei einer Ratenzahlung werden Zinsen in der jeweils gültigen Höhe bewertet.[440]

Die Einzelrate muss bei natürlichen Personen mindestens 20% des monatlichen Familieneinkommens des Schuldners betragen, bei Unternehmen und Gesellschaften mindestens 10% des Produktionswertes.

[438] In diesem Falle gehen die Überweisungsspesen zu Lasten des Steuerpflichtigen. Vgl. Art. 28 Abs. 1 DPR 602/1973.

[439] Vgl. Art. 19 DPR 602/1973 mit einer genauen Auflistung der möglichen Ratenzahl in Abhängigkeit von der Höhe der Steuerschuld und dem Nachweis der Zahlungsschwierigkeiten.

[440] Vgl. Art. 21 DPR 602/1973.

Bei **Nichtbezahlung von mehr als acht**, auch nicht aufeinanderfolgenden **Raten verfällt der Anspruch** auf Ratenzahlung.[441]

Bei schwerwiegenden Ereignissen, die ein bestimmtes Gebiet betreffen und die die Aufrechterhaltung der Kontakte der Finanzverwaltung mit der Bevölkerung schwerwiegend beeinträchtigen (z.B. Erdbeben), kann das Finanzministerium eine Zahlungsstundung von 12 Monaten gewähren[442].

Begleicht der Steuerpflichtige schließlich die aus der Steuerrolle hervorgehende Steuerforderung nicht, so finden Verzugszinsen Anwendung, deren Höhe jährlich vom Finanzministerium nach Maßgabe der durchschnittlich von den Banken berechneten Sollzinsen festgelegt wird.[443] Dieser Zinssatz wird nur auf die Steuerforderung, nicht aber auf die Strafen und auf die angereiften Zinsen berechnet.

Derselbe Zinssatz findet auf Beträge Anwendung, die auf der Grundlage einer Steuerfestsetzung oder einer formalen Kontrolle geschuldet sind[444].

Schon mit der Zahlung der ersten Rate müssen grundsätzlich vorab in die Wege geleitete Vollstreckungsmaßnahmen eingestellt werden.

8.6 Die Einhebung der indirekten Steuern[445]

Wie bereits erwähnt, findet das DPR 602/1973 auf die Einhebung der indirekten Steuern nur partiell Anwendung. Darüber hinaus gelten spezielle Bestimmungen für die Einhebung einzelner indirekter Steuern fort. Hier sollen einige Unterschiede im Vergleich zur Einhebung der direkten Steuern aufgezeigt werden:

– Im Bereich der direkten Steuern sind Feststellungsbescheide – wie erwähnt – mittlerweile Vollstreckungstitel. In der Vergangenheit musste der Steuerpflichtige zuvor die Zustellung der Steuerzahlkarte abwarten.

– Wird dagegen ein Feststellungsbescheid im Bereich der MwSt zugestellt, so ist damit schon traditionell eine unmittelbare Zahlungspflicht verbunden. Unterbleibt die Zahlung, so kann der betreffende Betrag in die Steuerrollen eingetragen werden.

– Im Bereich der Registersteuer dient der Feststellungsbescheid der Festlegung der Steuerbemessungsgrundlage. Die Steuereinhebung erfolgt vielmehr mit dem Festsetzungsbescheid *(avviso di liquidazione)*, der allerdings mit demselben Akt zugestellt werden kann.

---

[441] Art. 19 Abs. 3 DPR 602/1973.
[442] Vgl. Art. 19-bis DPR 602/1973.
[443] Art. 30 DPR 602/1973.
[444] Berechnet werden diese Zinsen vom Tag der Fälligkeit des betreffenden Betrages bis zur Übermittlung der Steuerrollen an den Steueragenten.
[445] Vgl. Tesauro, IDT, 2000, 257.

8.7 Sicherungsmaßnahmen und Zwangsvollstreckung

Die Steueragenten können zur **Sicherung der Steuerforderungen** beim Präsidenten des Steuergerichts entsprechende Maßnahmen beantragen (Eintragung von Pfandrechten, Sicherungsmaßnahmen in Bezug auf in öffentliche Register eingetragene Sachen). Auch eine Sicherungsbeschlagnahme eines ganzen Betriebes ist möglich.

So stellt die Steuerrolle nach Ablauf von 60 Tagen ab Zustellung der Steuerzahlkarte bzw. der Feststellungsbescheid nach Ablauf von 30 Tagen ab Ablauf der Zahlungsfrist einen Titel für die Eintragung einer **Immobiliarhypothek** dar, wenn die Bezahlung der Forderung unterblieben ist und die **Steuerforderungen zumindest € 20.000** betragen. Die Hypothek wird zum doppelten Betrag der Steuerforderung eingetragen.[446]

Eine Pfändung der Hauptwohnung ist nicht zulässig, wohl aber die Eintragung einer Hypothek. Bei Steuerforderungen zwischen € 20.000 und 120.000 ist ebenfalls nur die Eintragung der Hypothek, nicht aber die Pfändung zulässig. Luxusimmobilien sind hingegen pfändbar.

Die Eintragung einer Hypothek erfolgt aber auch (und in diesem Fall verpflichtend), wenn eine Zwangsvollstreckung in das Immobiliarvermögen vorgesehen ist und der Gesamtbetrag der **Forderungen nicht mehr als 5% des Wertes der Liegenschaft** ausmacht. In diesem Fall hat die Eintragung der Hypothek die Funktion, den Steuerschuldner vorzuwarnen und ihm die Gelegenheit zu eröffnen, die Versteigerung der Immobilie zu vermeiden. Erst sechs Monate nach der Eintragung der Hypothek darf die Versteigerung der Immobilie erfolgen.[447]

Gemäß Art. 77 Abs. 2-bis DPR 602/1973 muss der Steueragent die Eintragung einer Hypothek stets 30 Tage vorankündigen.

Die Voranzeige *(preavviso)* muss die Aufforderung enthalten, innerhalb von 30 Tagen zu zahlen.

Eine häufig praktizierte Sicherungsmaßnahme besteht in der **Sicherungsverwahrung von Pkws** *(fermo amministrativo)*.[448] Voraussetzung ist, dass die Steuerschuld über € 800 liegt (ab € 2.000 ist die Sicherungsverwahrung auch von mehreren Pkws möglich). 60 Tage nach Übermittlung der Steuerzahlkarte kann der Steueragent zur Sicherungsverwahrung von in öffentlichen Registern eingetragenen Sachen des Steuerpflichtigen schreiten, wobei dem Steuerpflichtigen auch hier bis zur effektiven Vornahme der Sicherungsverwahrung eine Frist von 30 Tagen eingeräumt wird.

---

[446] Art. 77 DPR 602/1973.

[447] Erfolgt die Enteignung nicht innerhalb eines Jahres nach der Zustellung der Steuerzahlkarte, muss vor der Enteignung wiederum eine Aufforderung zur Zahlung innerhalb von 5 Tagen zugestellt werden.

[448] Art. 86 Abs. 1 DPR 602/1973.

Wer mit einem Pkw fährt, der einer Sicherungsverwahrung unterliegt, unterliegt einer Verwaltungsstrafe, und zudem wird der Pkw konfisziert.
Keine Sicherungsverwahrung ist bei Pkws möglich, die der Berufsausübung dienen.

Die **beweglichen Sachen, die der Berufsausübung dienen** (z.B. Literatur für einen Steuerberater, medizinische Instrumente eines Arztes) sind im Ausmaß von 1/5 pfändbar, wenn darüber hinaus Masseunzulänglichkeit vorliegt.
Kommt der Steuerpflichtige den Zahlungsaufforderungen, die die oben dargestellten Formen annehmen können, nicht nach, so muss das Einhebungsverfahren in eine Zwangsvollstreckung münden.

Wie in der Literatur überzeugend dargelegt wurde[449] liegt **es im Regelfall nicht im Interesse des Steuerpflichtigen, das Verfahren so weit gedeihen zu lassen**. Nur wenn der Steuerpflichtige über keine Alternativen verfügt, wird er diese Entwicklung in Kauf nehmen. In extremen Situationen kann sogar ein strafrechtlich relevanter Vorsatz dahinter stecken: So kann er, wenn er davon ausgehen muss, dass ohnehin sein gesamtes „offizielles" Vermögen verloren ist, der Zwangsvollstreckung gelassen entgegen sehen und später versuchen, mit seinem „verheimlichten" Vermögen weiter zu wirtschaften[450]. Auf jeden Fall ist eine Zwangsvollstreckung in das Vermögen des Steuerpflichtigen stets Folge einer **Extremsituation**, in der der Steuerpflichtige keine Möglichkeit für die Rettung seines Vermögens sieht. Die Zwangsvollstreckung wird nämlich im Normalfall geringere Erlöse erbringen als eine private Veräußerung der betreffenden Vermögenswerte.

Verstreichen also die 60 Tage Zahlungsfrist, die der Steueragent dem Schuldner einräumen muss, ungenutzt, so kann er zur Zwangsvollstreckung schreiten. Er hat dazu ab Zustellung der Steuerzahlkarte bzw. des Feststellungsbescheides ein Jahr Zeit; für eine Vollstreckung nach diesem Zeitpunkt bedarf es der Zustellung einer weiteren Verzugsanzeige *(avviso di mora)*[451]. Die Vollstreckung in das Vermögen des Gläubigers erfolgt über eine Pfändung.

Werden Sicherungs- oder Vollstreckungsmaßnahmen in Bezug auf **Forderungen bis zu € 1.000** vorgenommen, so muss dem Steuerpflichtigen **zumindest 120 Tage vorher** (mit gewöhnlichem Brief) **der Inhalt der Steuerrolle mitgeteilt** werden.[452]

Eine **Zwangsvollstreckung** kann aber auf jeden Fall **erst 180 Tage nach Übermittlung des Vollstreckungstitels an den Steueragenten eingeleitet** werden.[453] Ergibt sich die Steuerforderung aus einem Feststellungsbescheid, so vergehen somit von der Übermittlung der Zahlungsaufforderung bis zur Zwangsvollstreckung

[449] Vgl. Lupi, DT – PG, 2000, 246 f.
[450] Ibid. In diesem Fall ist der Straftatbestand gemäß Art. EV 74/2000 („sottrazione fraudolenta al pagamento di imposte") gegeben, wenn der hinterzogene Betrag über € 50.000 liegt.
[451] Vor der letzten Reform der Steuereinhebung (DPR 46/1999) war die Zustellung einer solchen Verzugsanzeige eine generelle Voraussetzung für eine nachfolgende Zwangsvollstreckung. Zum Zwecke der Vereinfachung des Verfahrens wurde dieses Erfordernis jedoch aufgegeben.
[452] Art. 1 Abs. 544 Stabilitätsgesetz 2013 (G 228/2012).
[453] Art. 29 Abs. 1 lit b) NV 7 8/2010.

mindestens neun Monate. So muss mit der Übermittlung der Zahlungsaufforderung eine Rekursfrist von 60 Tagen eingeräumt werden, 30 Tage vergehen bis zur Betrauung des Steueragenten mit der Einhebung und danach bleibt jede weitere Vollstreckungshandlung für sechs Monate ausgesetzt.[454] Stellt der Steuerpflichtige einen Antrag auf einvernehmliche Steuerfeststellung oder fallen die Gerichtsferien in diese Periode, wird diese Frist weiter erstreckt.

Der Steuerschuldner wird zudem aufgefordert, dem Steueragenten Forderungen zu benennen, die er **gegenüber Dritten** (bspw. Einlagen bei Banken, Schulden von Mietern, Löhne) hält.

Die Steuereinhebungsstelle hat nunmehr direkten Zugang zu den Datenbanken der Finanzverwaltung sowie der INPS, um unmittelbar in Erfahrung zu bringen, welche Konten der Steuerpflichtige hält, wie hoch die Kontobestände sind und welche Arbeitsverhältnisse bestehen. Damit kann eine zielorientiertere Pfändung – auch im Interesse des Steuerpflichtigen, der sich in der Vergangenheit häufig mit der Blockierung aller Konten konfrontiert sah, erfolgen.

Soweit der geforderte **Betrag über € 500** liegt, kann die Bezahlung an den Steueragenten verlangt werden.

Diese Schwelle wurde eingeführt, um zu verhindern, dass Dritte mit Exekutionsverfahren für nebensächliche Forderungen behelligt werden.

Zur erfolgreichen Pfändung gegenüber Dritten kann das Einhebeamt auch versuchen, über die Zentrale Steuerkartei oder über Zugänge *(accessi)* Schuldner des Steuerpflichtigen ausfindig zu machen (z.B. den Arbeitgeber oder Mieter) oder über die Zentrale Kontenkartei zumindest die Kontenbeziehungen (ein Einblick in die Konten selbst ist nicht möglich) in Erfahrung zu bringen.[455]

Die Vollstreckung in Gehälter und Pensionen unterliegt verschiedenen Schranken: Liegen diese unter € 5.000, so muss die Vollstreckung direkt beim Arbeitgeber bzw. beim Pensionsinstitut erfolgen (und nicht bei der Bank oder bei der Post, wo das jeweilige Konto eingerichtet worden ist). Dabei können bis zum Betrag von € 2.500 1/10 gepfändet werden, für die darüber liegenden Beträge bis zu € 5.000 1/7 und erst für Beträge, die darüber hinausgehen, kommt das allgemeine Limit von 1/5 laut c.p.c. zur Anwendung.[456]

Öffentliche Verwaltungen, die Beträge über 10.000 € auszahlen, müssen beim Einhebeamt prüfen, ob der Gläubiger offene Steuerschulden hat. Ist dies der Fall, so wird der Steuereinhebungsagent informiert, welcher bei Forderungen über diesem Betrag die Pfändung vornimmt.

Unterbleibt die Zahlung der Steuerschuld, so fallen 60 Tage nach Zustellung des Feststellungsbescheides bzw. der Steuerzahlkarte auch **Verzugszinsen** an, die vom

[454] Liburdi/Montanari, in: Italia Oggi, Difendersi da Equitalia, 2013, 32.
[455] Acierno/Parente, Equitalia „avisa“ i clienti dei morosi, in: Il Sole – 24 Ore v. 3.42016, 19.
[456] Trovato, in: Italia Oggi, Difendersi da Equitalia, 2014, 65.

Tag der Zustellung des betreffenden Aktes bzw. zur tatsächlichen Zahlung laufen. Sie werden allein auf die Steuerforderung i.e.S. berechnet und nicht auf die Strafen und Zinsen. Somit kommen keine Zinseszinsen zur Anwendung.[457]

Hinsichtlich der weiteren **Vollstreckungsmaßnahmen** ist – gleich wie im Rahmen der zivilprozessrechtlichen Zwangsvollstreckung[458] – zwischen beweglichen und unbeweglichen Sachen zu unterscheiden, wobei für die letztgenannten Sachen eine Eintragung in die Immobiliarregister bzw. in das Grundbuch erforderlich ist. Der Verkauf der Güter erfolgt über eine Versteigerung oder in anderen für geeignet erachteten Formen[459]. Ausrufpreis bei der Versteigerung von Immobilien ist der dreifache Betrag des Katasterwertes.[460] Für Einsprüche des Steuerpflichtigen (bzw. Dritter) gegen die Zwangsvollstreckung *(opposizione all'esecuzione)* bzw. gegen die Zwangsvollstreckungshandlungen *(opposizione agli atti esecutivi)* sind die ordentlichen Gerichte zuständig.

In der Vergangenheit wurde häufig ein Übereifer der Steueragenten bei der Steuereinhebung beklagt, insbesondere bei der **Pfändung von Pkws**. Diese Maßnahmen müssen nun begründet werden und es muss stets sichergestellt sein, dass diese in Anbetracht der Höhe der Steuerschuld verhältnismäßig sind. Zu berücksichtigen ist auch, dass für viele Berufe (insbesondere für Vertreter) der Pkw ein wichtiges Arbeitsutensil ist und die Beschlagnahme die Fähigkeit des Steuerpflichtigen, die Steuerforderungen zu begleichen, schwer beeinträchtigen kann. Dasselbe gilt – in noch qualifizierterem Maße – für Sicherungs- und Vollstreckungsmaßnahmen, die unbegründet oder in rechtswidriger Form vorgenommen werden. Diese können auch den Tatbestand des Amtsmissbrauchs konkretisieren und zu Schadenersatzforderungen führen.

Mit der Reform der Steuereinhebung durch das DPR 46/1999 hat der Steuerkonzessionär seine in der Vergangenheit wahrgenommene Funktion als notwendiges Bindeglied zwischen Steuerpflichtigem und Finanzverwaltung verloren. Gleichzeitig ist damit auch seine Funktion der Vorfinanzierung des Steueraufkommens abhandengekommen. Er nimmt nunmehr im Wesentlichen seine ureigenste Funktion wahr: Die Steuereinhebung im engeren Sinne und die Eintreibung ausstehender Forderungen. Auch die Garantieverpflichtung gegenüber den Finanzbehörden über das Prinzip des sog. *„non riscosso per riscosso"* wurde aufgehoben[461]. Die Einhe-

[457] Ibid., 56.

[458] Durch das DPR 46/1999 wurde die steuerrechtliche Zwangsvollstreckung weitgehend an jene des Zivilprozessrechts angeglichen. Zu den einzelnen Bestimmungen vgl. die Art. 45 ff. des DPR 602/1973.

[459] Vgl. Art. 52 DPR 602/1973.

[460] Findet die Immobilie zu diesem Preis keinen Käufer, wird der Preis anlässlich der nachfolgenden Versteigerungen jeweils um ein Drittel im Vergleich zum vorhergehenden Ausrufpreis gesenkt. Nach dem dritten Versteigerungsversuch verfällt die Immobilien zum Ausrufpreis der dritten Versteigerung.

[461] Nach diesem Prinzip musste der Steuerkonzessionär den Finanzbehörden die Uneintreibbarkeit der Steuerforderungen objektiv nachweisen, da er andernfalls auch uneingebrachte Forderungen zu begleichen hatte.

bungsgebühren wurden zuerst erhöht, um eine kostendeckende Steuereinhebung zu ermöglichen, mit Wirkung 1.1.2022 aber gänzlich abgeschafft.

Bis zum Betrag von **€ 30** pro Steuerperiode werden keine Feststellungs-, Einhebungs- oder Pfändungsmaßnahmen vorgenommen (außer der Steuerpflichtige begeht wiederholt Verletzungen in Bezug auf dieselbe Steuer).[462]

Steuerforderungen können auf der Grundlage der Rl 2008/55/EG sowie der Rl 2010/24/EU **EU-weit vollstreckt** werden; darüber hinaus auf der Grundlage spezifischer Bestimmungen in DBAs.[463]

8.8 Die Steuerrückzahlung *(rimborso)*

Das unmittelbare Gegenstück zur Steuereinhebung ist die Steuerrückzahlung. Wie bereits gezeigt, muss die Rückzahlung einer nicht geschuldeten Steuer **innerhalb von 24 Monaten** nach Bezahlung der Steuer bzw. – wenn die dafür erforderlichen Voraussetzungen später eingetreten sind – ab dem Eintritt der Voraussetzungen für die Rückzahlung gefordert werden (Art. 2 Abs. 2 DPR 546/1992). Dabei handelt es sich aber nur um eine Residualbestimmung; in vielen Fällen kommen Sonderregeln zur Anwendung.[464]

Im Falle eines teilweisen oder gänzlichen Obsiegens im **Steuerstreitverfahren** vor dem Steuergericht erster Instanz erfolgt die Rückzahlung der überschüssigen Vorauszahlung **amtswegig.**

Was die **Einkommensteuer und die MwSt** anbelangt, können Guthaben über die **Steuererklärung zurückgefordert** (oder vorgetragen) werden.

Ab bestimmten Schwellenwerten (gegenüber insbes. dem Betrag von € 30.000) sind weitere Erfordernisse („Übereinstimmungserklärung", *„visto di conformità"* bzw. eine Garantieleistung) zu erfüllen.[465]

9. Die Verwaltungsstrafen

Literatur: Fanelli, Guida alle nuove sanzioni fiscali, 1998; Santacroce, Guida alle sanzioni fiscali, 1999; Ciccia/Liburdi/Ricca/Ripa, Le sanzioni tributarie dopo la riforma, 1999; Cerbo, Le sanzioni amministrative, 1999; Moschetti/Tosi (Hrsg.), Commentario alle disposizioni generali sulle sanzioni amministrative in materia tributaria, 2000; Frizzera/Maffei, Guida Pratica Fiscale – Testo Unico Sanzioni, 2004; Del Federico, Sanzioni Amministrative (Dir. Trib.), in: Cassese (Hrsg.), DDP 2006, VI, 5431; Bellagamba/Carli, Il sistema sanzionatorio tributario, 2011; Di Franco, Sanzioni tributarie penali e amministrative, 2020; Giuliani/Giuliani (Hrsg.), Violazioni e sanzioni delle leggi tributarie, 2021; Ripa/Lattanzi, Le nuove sanzioni tributarie, 2025

[462] Vgl. Art. 3 NV 16/2012.
[463] So Tesauro, IDT – PG, 2020, 288 f.
[464] Vgl. Tesauro, ComDT, 2013, 171 ff.
[465] Art. 38bis DPR 633/1972.

9.1 Grundsätzliches

Jede Rechtsordnung muss – will sie nicht Gefahr laufen, unbeachtlich zu werden – für den Fall Sorge tragen, dass ihre Normen verletzt werden. Es sind für diesen Fall Sanktionen vorzusehen, denen vielfältige Funktionen zukommen können: Sie können primär darauf ausgerichtet sein, abschreckend und damit vorbeugend zu wirken. Die Normverletzung soll erst gar nicht Platz greifen. Für den Fall, dass sich diese Eventualität doch ereignen sollte, muss die Entscheidung getroffen werden, welche Funktion der Sanktion zukommen soll, d.h. ob sie primär restitutiver oder pönaler Art sein soll, ob die Strafe also einen Schadenersatz für den Staat (oder eine andere öffentliche Einrichtung mit Besteuerungsrechten) oder eine Bestrafung des Täters (mit entsprechender Abschreckungswirkung) bezwecken soll. *Prima facie* scheinen Sanktionen pönaler Natur eher eine abschreckende Wirkung entfalten zu können, doch ist dies – wie nachfolgend zu zeigen sein wird – nicht notwendigerweise der Fall. All diesen Aufgabenstellungen kann möglicherweise nicht allein über ein einziges Sanktionensystem entsprochen werden: Regelmäßig gesellen sich zu Verwaltungssanktionen (bzw. zivilen Sanktionen) Sanktionen pönaler Art, wobei für die Frage, welches Normensystem jeweils Anwendung finden soll, in erster Linie die Schwere des Vergehens bzw. der Unwert, den dieses zum Ausdruck bringt, entscheidend ist.

Eine umfassende Regelung der Steuerstrafen war ursprünglich im **G 4 v. 7. Januar 1929** enthalten. Diesem Gesetz war eine ungewöhnlich lange Geltungsdauer beschieden, wenngleich es in der Zeit nach dem Zweiten Weltkrieg zahlreichen Änderungen unterzogen worden ist, die schließlich seine Natur grundlegend umgestalteten.

Dieses Gesetz regelte **sowohl die Verwaltungsstrafen als auch die pönalen Sanktionen**. Kennzeichnend für die Verwaltungsstrafen war ihr restitutiver (oder auch „ziviler“) Charakter: Das Ziel, das damit verfolgt wurde, lag primär in der Erlangung der Ressourcen, die dem Staat entzogen worden waren. Verwaltungsstrafen und pönale Sanktionen kamen grundsätzlich alternativ zur Anwendung; mit der Zeit wurde dieser Grundsatz aber immer mehr aufgeweicht.

Wie bereits einleitend zu diesem Buch aufgezeigt, stellte der Beginn der 70er Jahre eine grundlegende Zäsur in der Entwicklung des italienischen Steuersystems dar: Eine völlig neu gestaltete Steuerrechtsordnung sollte den Bedürfnissen einer sich rapide modernisierenden Volkswirtschaft gerecht werden. Der Anspruch, den Sozialstaat zu vollenden, der damit verbundene enorme Finanzmittelbedarf, die intensiven sozialen und politischen Spannungen, die einsetzende Wirtschaftskrise und die ausufernde Neigung zur Steuerhinterziehung warfen Grundsatzfragen auf, in welche Richtung das Sanktionensystem sich entwickeln sollte. Dem Ziel der Modernisierung und Vereinfachung wurde insbesondere mit **G 689 v. 24.11.1981** Rechnung getragen, das – über das Steuerrecht hinaus – zu einer **weit reichenden Depönalisierung** im öffentlichen Recht beitrug. Zahlreiche frühere Straftatbestände wurden in Verwaltungsvergehen umgewandelt. Auf der anderen Seite wurde aber die Notwendigkeit erkannt, wirksamer der Steuerhinterziehung zu begegnen, und zu diesem Zweck sollten die verbleibenden **Strafandrohungen verschärft** werden[466]. Dies geschah mit dem **G 516 v. 7.8.1982** ***(„manette agli evasori“)***. Strafsanktionen sollten dadurch wirksamer zur Anwendung kommen, dass nicht mehr direkt auf die – häufig schwer nachzuweisende – Steuerhinterziehung abgestellt wurde, sondern auf Indizien, sog. vorbereitende Handlungen *(„fatti prodromici“)*. Dieser Ansatz führte zu einer enormen Vermehrung der Steuerstraftatbestände und nachfolgend der Steuerstrafverfahren. Auf diese Belastung waren die Strafgerichte aber weder materiell noch von der rechtlichen Ausbildung der Richter her vorbereitet. Im Ergebnis wurde genau das Gegenteil von dem erzielt, was ursprünglich angestrebt worden war: Das Steuerstrafrecht kam kaum wirksam zur Anwendung, zahlreiche Verfahren wurden verschleppt und fielen schließlich unter Amnestieregelungen oder verjährten. Soweit Urteile ergingen, war die Rechtsprechung insgesamt widersprüchlich und konnte damit weder Abschreckungswirkung entfalten noch Autorität gewinnen. Das System der Verwaltungsstrafen wurde dagegen nicht weiter fortentwickelt. Die Strafen behielten ihren **ausgeprägten restitutiven Charakter** *(carattere risarcitorio)*; die Strafe stellte eine Art Schadenersatz für die Verletzung von Steuerpflichten dar. Die subjektive Situation des Steuerpflichtigen trat in den Hintergrund bzw. war überhaupt irrelevant. Damit standen die Prinzipien des G 4/1929 in klarem Gegensatz zum neuen Steuersystem, wie es im G 825/1971 grundgelegt worden war. Diese Gegensätzlichkeit wurde von Jahr zu Jahr deutlicher, nachdem sich die Umsetzung dieser Reform über Jahrzehnte hinzog. Ein wirksames Sanktionssystem war aber im modernen System der Selbsterklärung ungleich wichtiger als im Veranlagungssystem der Vergangenheit.[467]

Die Situation war damit insgesamt unbefriedigend, und zwar sowohl was die Verwaltungsstrafen betraf als auch in Hinblick auf die pönalen Sanktionen.

Im sog. **Visco-Reformpaket (G 662/1996)** wurde die Ermächtigungsgrundlage für die **Neuregelung der Verwaltungsstrafen** geschaffen[468]: Diese sollten sich am Personalitätsprinzip orientieren und dementsprechend sollte eine Übertragung im Erbwege ausgeschlossen sein. Weitere bestimmende Kriterien sollten jenes der Legalität, der Zurechenbarkeit und des Verschuldens sein. Die entsprechenden Detailregelungen ergingen im darauffolgenden Jahr:

- die EV 472/1997 enthält die Grundprinzipien der steuerlichen Verwaltungsstrafen;
- die EV 471/1997 wendet diese Bestimmungen im Speziellen auf die direkten Steuern sowie auf die MwSt an;
- die EV 473/1997 enthält Detailregelungen im Bereich der übrigen indirekten Steuern.

---

466 Hinsichtlich dieser gegenläufigen Tendenzen vgl. Fantozzi, Corso, 2004, 284.
467 Vgl. Lupi, DT – PG, 2006, 279.
468 Vgl. Art. 3 Abs. 133 G 662/1996.

Mit **EV 74/2000** wurde das Steuerstrafrecht neu geregelt und damit ein insgesamt **kohärentes Sanktionensystem** im Steuerrecht geschaffen.

In der Folge wurde das **Personalitätsprinzip** im Bereich der Verwaltungsstrafen wieder **eingeschränkt**, und zwar durch die Einführung des Prinzips *societas delinquere potest.* Im Jahr **2003** wurde die Regel eingeführt, dass bei **Gesellschaften mit Rechtspersönlichkeit** die Gesellschaft die **Verwaltungsstrafen zu tragen** habe (und nicht die Verwalter). Im Jahr **2024** wurde diese Regelung **auch** auf **Gesellschaften ohne Rechtspersönlichkeit** ausgedehnt.

Mit **EV 173/2024 v. 28.11.2024** wurde ein **umfassender Einheitstext** (Einheitstext 173/2024 – **ET 173/2024,** *Testo unico delle sanzioni tributarie amministrative e penali,* **vollumfänglich in Kraft ab 1.1.2026**) erlassen, der die Verwaltungsstrafen und die pönalen Sanktionen zusammenfassend neu regelt. Ziel war es, das **Rechtsstaatlichkeitsprinzip** sowie das **Legalitätsprinzip** bei der Anwendung der Strafen zu stärken sowie den **Verhältnismäßigkeitsgrundsatz** *(„proporzionalità e offensività)* umfassend zum Tragen zu bringen. Die anwendbaren Strafen wurden z.T. reudziert.

Die wesentlichen Prinzipien der vorhergehenden Regelung wurden aber beibehalten bzw. nur in einzelnen Punkten gestärkt.

Die zentralen sankionsrechtlichen Prinzipien sind nun in den ersten Artikeln des ET 173/2024 geregelt, und zwar:
- **das Legalitätsprinzip;**
- das Persönlichkeitsprinzip;
- **das Rückwirkungsverbot für Verwaltungsstrafen;**
- **die Rückwirkung der Außerkraftsetzung einer Verwaltungsstrafe *(favor rei);***
- die strafbefreiende Wirkung von objektiver Rechtsunklarheit sowie des unverschuldeten Tatsachenirrtums.

Ist die Strafmaßnahme aber bereits definitiv geworden, so können die diesbezüglich bereits bezahlten Geldbeträge nicht mehr rückgefordert werden.

Worin **unterscheiden** sich Steuervergehen verwaltungsrechtlicher und strafrechtlicher Natur? Nicht in der Natur des Vergehens an sich. Der Unterscheidung liegt vielmehr eine Entscheidung des Gesetzgebers zugrunde, wobei maßgebliches Kriterium **die Schwere des Vergehens** *(„offensività")* ist, so wie sie vom Gesetzgeber zu einem bestimmten Zeitpunkt gesehen wird.[469] Die verschiedenen Vergehen können dann nach Maßgabe der dafür vorgesehenen Sanktionen unterschieden werden: Im **Strafrecht** werden die Geld- bzw. Haftstrafen als ***„multa"*** bzw. ***„reclusione"*** bezeichnet, wenn ein Delikt ***(„delitto")*** vorliegt, als *„ammenda"* bzw. *„arresto",* im Falle einer Übertretung *(„contravvenzione").* Im Bereich der **verwaltungsrechtlichen Steuersanktionen** wird hingegen generell von Geldstrafen ***(„sanzioni pecuniarie")*** bzw. Nebenstrafen ***(„sanzioni accessori")*** gesprochen.[470]

---

[469] Vgl. Tesauro, IDT – PG, 2004, 317.

[470] Ibid.

Verwaltungsrechtliche Sanktionen und Steuerstrafrecht stehen – wie nachfolgend zu zeigen sein wird – in wechselseitiger Konkurrenz. Allgemein ist eine Tendenz feststellbar, den Anwendungsbereich der Verwaltungsstrafen weiter auszudehnen, den des Steuerstrafrechts dagegen einzugrenzen, dafür aber wirksamer zur Anwendung kommen zu lassen.

9.2 Wesentliche Charakteristika der Verwaltungsstrafen – das Personalitätsprinzip

Die Verwaltungsstrafen weisen nunmehr einen **ausgeprägten pönalen Charakter** auf, wodurch auch eine Entsprechung mit G 689/1981 erreicht wurde. Eng damit verbunden ist die Betonung des Personalitätsprinzips: die Person des Rechtsverletzers steht im Vordergrund; die Verwaltungssanktionen sollen eine abschreckende Wirkung zeitigen. Dem entsprechend war sowohl der **Zurechenbarkeit** des Steuerpflichtigen *(imputabilità)* als auch dem **Verschuldenselement** *(colpevolezza)* besondere Beachtung zu schenken.

Mit der Betonung des Personalitätsprinzips war sowohl eine **Übertragung der Sanktionen im Erbwege** als auch eine unmittelbare Haftung der Gesellschaften auszuschließen, in deren Rahmen eine Rechtsverletzung begangen wurde. Vielmehr sollte die jeweils handelnde Person (also nicht notwendigerweise der Steuerpflichtige!) der Strafe unterliegen. Diese Regelung zeigte sich aber schon sehr rasch als unangemessen für den Fall, dass der Nutznießer des Vergehens ein anderer war als der Täter. Die Subjektivierung der Strafe erforderte auch eine **genauere Differenzierung nach dem Verschuldensgrad**. Demzufolge wurde – wie nachfolgend noch im Detail auszuführen sein wird – zwischen Vorsatz und grober Fahrlässigkeit auf der einen Seite und leichter Fahrlässigkeit auf der anderen Seite unterschieden. **Vorsatz und grobe Fahrlässigkeit bewirken stets eine uneingeschränkte Verantwortung des Rechtsverletzers. Grobe Fahrlässigkeit** liegt dann vor, wenn Unfähigkeit oder Nachlässigkeit außer Streit stehen, die verletzte Norm keine Interpretationsschwierigkeiten aufwirft und folglich kein Zweifel an der schwerwiegenden Verletzung grundlegender steuerrechtlicher Verpflichtungen besteht.[471] **Leichte Fahrlässigkeit** kann hingegen eine **Haftungsbeschränkung** bewirken:

– der **materielle Urheber** der Übertretung haftet nur bis zum Betrag von **€ 50.000**, die begünstigte natürliche Person hingegen zur Gänze;

---

[471] Die diesbezügliche Definition findet sich in Art. 5 Abs. 3 EV 472/1997: "*... è grave quando l'imperizia o la negligenza del comportamento sono indiscutibili e non è possibile dubitare ragionevolmente del significato e della portata della norma violata e, di conseguenza, risulta evidente la macroscopica inosservanza di elementari obblighi tributari*".
Es ist offensichtlich, dass der Gesetzgeber mit dieser anspruchsvollen Formulierung der „groben Fahrlässigkeit" bezweckt hat, die vielen Vergünstigungen, die im Falle einer leichten Fahrlässigkeit zur Anwendung kommen, in möglichst breiter Form zur Anwendung zu bringen. So Tesauro, IDT – PG, 2011, 316.

– für den **Steuer- und Wirtschaftsberater**: hat dieser Rechtsfragen von **besonderer Komplexität** zu lösen, so haftet er bei **leichter Fahrlässigkeit nicht**[472].

Der Steuer- und Wirtschaftsberater muss eine **durchschnittliche, ausreichende Sorgfalt** *(diligenza adeguta/diligenza media)* an den Tag legen. Dies setzt voraus, dass der betreffende Freiberufler folgende Eigenschaften aufweist: *„adeguatamente preparato ed avveduto che esercita la sua attività con scrupolosa attenzione, adeguata preparazione professionale, osservanza scruopolosa di norme techniche e dei doveri di diligenza e di comune prudenza"*. Vgl. Kass. Nr. 3520 v. 23.6.1979, Nr. 1441 v. 8.3.1979.[473]

Außerhalb des Sonderfalls der besonders komplexen Rechtsfragen haftet der Freiberufler somit nach den allgemeinen Regeln des Zivilrechts und damit auch für leichte Fahrlässigkeit.[474]

Bei **Gesellschaften** (unabhängig davon, ob es sich um Personen- oder Kapitalgesellschaften handelt, bis zur EV 87/2024 galt dies nur für Kapitalgesellschaften) haftet hingegen **auf jeden Fall nur die Gesellschaft**, nicht der Verwalter. Konkret haftet hier also der **Nutznießer der Handlung** und nicht der Handelnde. Hier wurde also das Personalitätsprinzip aufgegeben (und es gilt auch keine Solidarhaftung mehr).[475] Damit folgt das System der Verwaltungsstrafen zwei völlig unterschiedlichen Grundausrichtungen, je nachdem, ob es sich um Einzelpersonen oder um Gesellschaften handelt **(dualistisches System)**.

Hinsichtlich der **Steuereinhebung haften unbeschränkt haftende Gesellschafter solidarisch (subsidiär) mit der Gesellschaft**, haben aber ein Regressrecht gegenüber der Gesellschaft.[476]

Wenn aber eine **Verpflichtung** verletzt worden ist, die **solidarisch für mehrere Personen** gilt, so haften alle solidarisch, die **Strafe wird nur einmal verhängt** und die Bezahlung durch eine Person hat haftungsbefreiende Wirkung für alle.[477]

Das Personalitätsprinzip ist schließlich auch bei der **Strafbemessung** von grundlegender Bedeutung. Grundsätzlich kann die Strafe in einem **feststehenden Betrag** bestehen, in einem zur Steuer **proportionalen Betrag** oder sich zwischen einem **Mindest- oder Höchstbetrag** bewegen.

---

472 Diese Haftungsbeschränkung gilt nicht nur Freiberufler, die einen geschützten steuerberatenden Beruf ausüben, sondern für die Steuerberatung generell, da diese grundsätzlich frei ausgeübt werden kann.

473 Zitiert nach D'Andrea, Sanzioni pecuniarie amministrative raramente in capo al professionista, in: PratProf 8/2013, 29 (30).

474 Ibid.

475 Eingeführt wurde diese Neuerung mit NV 269/2003 für Kapitalgesellschaften und mit EV 87/2024 auf Personengesellschaften ausgedehnt (Art. 2 Abs. 2-bis EV 472/1997

476 Ibid.

477 Art. 9 EV 472/1997. Intern können Regressrechte in Anspruch genommen werden. Das Personalitätsprinzip in reiner Form steht damit mit dem Solidaritätsprinzip in Widerspruch.

Im zuletzt genannten Fall bestimmt sich die genaue Höhe der Strafe nach Maßgabe der Schwere des Vergehens, des Beitrags des Steuerpflichtigen zur Beseitigung oder Linderung der Folgen, seiner Persönlichkeit – auch unter Berücksichtigung eventueller früherer Steuervergehen – und seiner wirtschaftlichen oder sozialen Lage. Handelt es sich um einen **Wiederholungstäter**, so wird (bis zum 31.12.2015 war dies eine „Kann-Bestimmung") die Strafe bis zur Hälfte erhöht, außer es liegen tätige Reue, Vergleich oder Mediation vor. Als Wiederholungstäter gilt, wer in den drei vorangegangenen Jahren Übertretungen derselben Art begangen hat.

Mit der Reform der Verwaltungsstrafen des Jahres **2024** wurde der **Verhältnismäßigkeitsgrundsatz** stärker betont: Nunmehr kann die Verwaltungsstrafe **auf ein Viertel reduziert** werden, wenn sich ein Missverhältnis zwischen dem Verstoß und der anwendbaren Strafe ergibt. Sie kann aber auch um **50% erhöht** werden, wenn der Verstoß besonders schwerwiegend ist oder in Anbetracht des Verhaltens des Täters oder seiner Persönlichkeit.[478]

Dies gilt selbst für den Wiederholungsfall und unabhängig davon, ob es sich um eine Strafe zu einem feststehenden Betrag handelt oder ob diese proportional bemessen bzw. zwischen einem Mindest- und Höchstbetrag liegt.

9.3 Mittäterschaft *(concorso di persone)*, mittelbare Täterschaft *(autore mediato)*, Idealkonkurrenz und Materialkonkurrenz *(concorso formale e materiale)*, Fortsetzungszusammenhang *(continuazione)*, materielle und rechtliche Kumulierung *(cumulo giuridico)*

Gleich wie strafrechtliche Vergehen können auch solche verwaltungsrechtlicher Natur in Mittäterschaft begangen werden, wobei in diesem Fall die Mittäterschaft grundsätzlich nach denselben Kriterien festgestellt wird, wie sie im Strafrecht gemäß Art. 110 c.p. gelten.[479]

Art. 110 c.p. hat folgenden Wortlaut:

„Sind mehrere Personen an derselben strafbaren Handlung beteiligt, unterliegt jede von ihnen der für diese angedrohte Strafe, vorbehaltlich der Bestimmungen der folgenden Artikel."

Bei Mittäterschaft haftet jeder der Mittäter eigen. Die Anwendung der Solidarhaftung würde – wie oben gezeigt – dem Personalitätsgrundsatz widersprechen.

[478] Art 7 Abs. 4 EV 472/1997.

[479] So Tesauro, IDT – PG, 2004, 326.

Ein typischer Fall von Mittäterschaft ist jener des Steuerberaters, der seinem Klienten rechtswidrige Handlungen anrät, wobei aber der Berater nur bei Vorsatz oder grober Fahrlässigkeit haftet.[480]

Wenn eine Person von anderen mit Drohung, Gewalt oder durch Irreführung zu einer Rechtsverletzung verleitet wird, haftet der mittelbare Täter und nicht jener, der materiell die Tat ausgeführt hat. Dasselbe gilt, wenn sich eine Person einer anderen, nicht zurechnungsfähigen Person bedient hat.[481]

Die Anwendung des Personalitätsprinzips verlangt, dass derjenige, dem kein Verschulden zuzuschreiben ist, für ein steuerrechtliches Vergehen auch nicht haftet. Eine Haftung ist somit ausgeschlossen:

– wenn der Steuerpflichtige vom Steuerberater zum Irrtum verleitet worden ist und das Verhalten des Beraters keinerlei Verdachtsmomente aufkommen hat lassen;

Kein Haftungsausschluss tritt dagegen ein, wenn der Steuerpflichtige einen Berater gewählt hat, der offenkundig der Aufgabe nicht gewachsen war.

– wenn der Gesellschafter einer Personengesellschaft eine Steuererklärung vorgelegt hat, die auf der fehlerhaften Erklärung der Gesellschaft beruht, wobei er diese Fehler, trotz nachweislicher Beachtung der Sorgfaltspflicht, nicht hatte verifizieren können.[482]

Steuerrechtliche Vergehen treten häufig kumuliert auf, bspw. weil ein bestimmter Sachverhalt den Steuergegenstand für mehrere Steuern bildet. Ihre jeweils gesonderte Ahndung durch eine Kumulierung der Sanktionen könnte u.U. zu unzumutbaren Härten führen. Dies zu vermeiden, wurden die Institute der Idealkonkurrenz, der Realkonkurrenz und des Fortsetzungszusammenhangs geschaffen.

Idealkonkurrenz *(concorso formale; Art. 12 Abs. 1 EV 472/1997)* liegt vor, wenn der Täter durch eine Tat mehrere Strafbestimmungen (bzw. eine Strafbestimmung mehrfach) verletzt.[483]

Bsp.: Wer einen Geschäftsvorfall nicht registriert, verletzt damit u.U. sowohl Einkommensteuerbestimmungen als auch Bestimmungen zur MwSt und zur IRAP.[484]

---

[480] Ibid. Die Fahrlässigkeit gilt dann als grob, *„quando l'imperizia o la negligenza del comportamento sono indiscutibili e non è possibile dubitare ragionevolmente della portata della norma violata e di conseguenza risulta evidente la macroscopica inosservanza di elementari obblighi tributari".*

[481] Art. 10 EV 472/1997.

[482] Vgl. zum Ganzen Frizzera/Maffei, Sanzioni, 2004, 103.

[483] Dem entsprechend wird auch zwischen „ungleichartiger Idealkonkurrenz" *(concorso formale eterogeneo)* und „gleichartiger Idealkonkurrenz" *(conforso formale omogeneo)* unterschieden. Hinsichtlich der strafrechtlichen Nachweise vgl. Giuliani, Vergleich der italienischen und deutschen Terminologie zum Strafrecht, 1996, 58.

[484] Vgl. Frizzera/Maffei, Sanzioni, 2004, 106.

Realkonkurrenz *(concorso materiale; Art. 12 Abs. 1 EV 472/1997)* liegt dagegen dann vor, wenn der Täter durch mehrere selbstständige Handlungen mehrere verschiedene Vergehen oder dasselbe Vergehen mehrmals begangen hat.[485]
Von der Realkonkurrenz ausgenommen ist aber die Verletzung von Zahlungsverpflichtungen sowie die unzulässige Kumulierung (hier kommt somit jede Strafe gesondert und grundsätzlich vollumfänglich zur Anwendung). Was die Verletzung formaler Verpflichtungen anbelangt, ist Art. 10 der Charta der Steuerpflichtigen zu berücksichtigen ist, wonach die Verletzung von Formvorschriften dann straffrei bleibt, wenn sie sich auf die Steuerermittlung nicht ausgewirkt hat.[486]

Ein **Fortsetzungszusammenhang** *(continuazione, Art. 12 Abs. 2 EV 472/1997)* ist dann gegeben, wenn mehrere Verletzungen, auch zu unterschiedlichen Zeitpunkten, begangen werden, die in ihrem Zusammenhang die Bestimmung oder Festsetzung einer Steuer beeinträchtigen bzw. dazu geeignet sind zu beeinträchtigen.[487]

Zusammenhang bedeutet, dass die verschiedenen Vergehen in einem wechselseitigen strukturellen Konnex stehen müssen.

In all den genannten Fällen wird die Verwaltungsstrafe für das **schwerwiegendste Vergehen, erhöht um ein Viertel bis um das Zweifache,** angewandt (rechtliche Kumulierung, *cumulo giuridico*).[488]

Die Verletzung von Zahlungsverpflichtungsverpflichtungen sowie die unzulässige Verrechnung bleiben wiederum ausgenommen.

Ein Fortsetzungszusammenhang wird auch zwischen Vergehen anerkannt, die in verschiedenen Steuerperioden begangen worden sind: Hier wird aber verlangt, dass es sich um Vergehen derselben Natur handelt und zudem kommt eine höhere Strafe zur Anwendung als in den anderen Fällen des Fortsetzungszusammenhanges: Die Strafe wird um die Hälfte bis um das Dreifache erhöht. Hat die Finanzbehörde bereits Strafbescheide erlassen, so ist eine Neuberechnung vorzunehmen.[489]

Eine Ideal- oder Realkonkurrenz bzw. ein Fortsetzungszusammenhang kann sich nicht nur in Bezug auf eine einzelne Steuer ergeben. Diese Institute werden vielmehr auf ganze Abgabenbereiche bezogen, und zwar unterteilt nach:

- Zollabgaben, Produktions- und Konsumabgaben;
- andere staatliche Abgaben;

[485] Entsprechend wird zwischen ungleichartiger und gleichartiger Realkonkurrenz unterschieden. Vgl. Giuliani, Vergleich, 1996, 59 m.w.N. Bis 2024 war die Anwendung der Realkonkurrenz auf die Verletzung von Formvorschriften beschränkt.

[486] Art. 10 Abs. 1 EV 472/1997. Vgl. auch Tesauro, IDT – PG, 2004, 328.

[487] Art. 12 Abs. 2 EV 472/1997.

[488] Art. 12, Abs. 1 und 2 EV 472/1997.

[489] Art. 12 Abs. 5 EV 472/1997.

– Abgaben an andere Besteuerungssubjekte.[490]

Was die Strafbemessung anbelangt, so fällt diese höher aus, wenn mehrere Steuern bzw. mehrere Steuerperioden betroffen sind. Sind mehrere Steuern betroffen, so wird zuerst die Strafe für das schwerste Vergehen („Hauptstrafe", „*sanzione base"*) um 20% erhöht, bevor die Erhöhung um ein Viertel bzw. um das Doppelte erfolgt. Sind hingegen mehrere Steuerperioden betroffen, so wird die Hauptstrafe um die Hälfte bis zum Dreifachen erhöht (und dann noch die weitere Erhöhung um ein Viertel bzw. um das Doppelte vorgenommen).[491]

9.4 Die Haftausschließungsgründe

Die **Haftausschließungsgründe** stehen in engem Zusammenhang mit dem Personalitätsprinzip. Sie sind in **Art. 6** EV 472/1997 und in der **Charta der Steuerpflichtigen** (G 212/2000) geregelt:

– ein Tatsachenirrtum, dem kein Verschulden zugrunde liegt;[492]

– Fehlbewertungen, die um nicht mehr als 5 Prozent vom gebotenen Wert abweichen;

– ein Rechtsirrtum, der auf objektiver Rechtsunsicherheit (bzw. auf Unklarheit der Informationsanfrage bzw. der Formulare) beruht;

– wenn die Verletzung durch Unrechtshandlungen Dritter bewirkt wird, die der Gerichtsbehörde angezeigt worden sind;[493]

– das Vorliegen einer unvermeidbaren Unkenntnis der steuerlichen Bestimmungen;

– höhere Gewalt;

– Verstöße gegen Formvorschriften, wodurch die Kontrolltätigkeit der Finanzbehörden nicht beeinträchtigt und die Feststellung der Steuerbemessungsgrundlage und der Steuer sowie die Bezahlung der Steuer nicht beeinflusst wird;

– wenn der Steuerpflichtige sich im Rahmen eines Auskunftsverfahrens den Vorgaben der Finanzverwaltung gefügt hat oder die Finanzverwaltung auf die Anfrage des Steuerpflichtigen innerhalb von 120 Tagen nicht geantwortet hat.[494]

---

490 Vgl. EV 99 v. 30.3.2000.

491 Zu diesen Berechnungsverfahren vgl. Carinci/Tassani, MDT 2024, 366 f.

492 Der Tatsachenirrtum kann – ähnlich wie im Strafrecht – auch auf einem Rechtsirrtum beruhen. Er muss aber zu einem – unvermeidbaren – Irrtum über den Tatbestand führen. Vgl. Bellagamba/Carli, 2011, 393.

493 In diesem Zusammenhang sind insbesondere die Vergehen der Steuerberater von Belang, die dazu führen, dass Steuerpflichten nicht eingehalten werden.

494 Die letzten beiden Haftausschlussgründe sind in der Charta der Steuerpflichtigen geregelt (Art. 10 und 11). Vgl. Tesauro, IDT – PG, 2011, 319.

9.5 Die Haftung für die Verwaltungsstrafen im Falle der Abtretung des Betriebes[495]

Im Falle der Veräußerung eines Betriebes **haftet der Käufer solidarisch mit dem Verkäufer für die Verwaltungsstrafen in Bezug auf Vergehen, die im Jahr der Veräußerung bzw. in den beiden Jahren davor begangen worden sind**. Dasselbe gilt für Strafen, die in diesem Zeitraum verhängt worden sind und sich auf frühere Zeiträume beziehen.

Die Haftung ist jedoch in mehrfacher Hinsicht begrenzt:
- generell auf den Wert des Unternehmens;
- bei bereits verhängten Strafen ist die Haftung auf den Betrag begrenzt, der aus den Akten der Finanzverwaltung resultiert.

Zudem kann der Käufer verlangen, dass zuvor die Güter des Verkäufers herangezogen werden.

Diese Haftung greift nicht im Falle der Betriebsabtretung im Zuge eines gerichtlichen Sanierungs- bzw. Insolvenzverfahrens gemäß EV 14/2019.

9.6 Die Anwendung der Verwaltungsstrafen

Während in der Vergangenheit die Anwendung der Verwaltungsstrafen grundsätzlich für jede Steuer gesondert geregelt war, ist im Jahr 1997 das Verfahrensrecht weitgehend vereinheitlicht worden, so dass jetzt nur mehr zwei Verfahrensarten unterschieden werden: die simultane Einforderung von Steuer und Verwaltungsstrafe und die Eintragung der Strafe in die Steuerrollen.

In der weiter zurück liegenden Vergangenheit (bis 2011) gab es auch die Möglichkeit einer autonomen Verhängung der Verwaltungsstrafe mit einem eigenen Vorhaltungsakt *(atto di contestazione)*. Seit geraumer Zeit werden Steuer und Strafen hingegen grundsätzlich simultan eingefordert.

a) Die **simultane Einforderung der Steuer** und der **Verwaltungsstrafen**
Hierbei werden dem Steuerpflichtigen in einem einzigen Akt Feststellungsbescheid und Strafbescheid zugestellt. Dem Strafbescheid ist – bei sonstiger Nichtigkeit – eine gesonderte Begründung anzufügen.

Will der Steuerpflichtige verhindern, dass dieser Akt in Rechtskraft erwächst, so muss er innerhalb von 60 Tagen nach Zustellung Rekurs bei den Steuergerichten einbringen. Er kann die geschuldete Steuer sowie die verhängte Strafe aber auch innerhalb dieser Frist begleichen. In diesem Fall reduziert sich die Strafe auf ein Viertel des ursprünglich verhängten Ausmaßes.

b) Die **Verhängung der Verwaltungsstrafe** bei gleichzeitiger Eintragung der geschuldeten Steuer in die **Steuerrollen**

[495] Art. 14 EV 472/1997.

Dieses Verfahren findet im Falle der unterlassenen bzw. verspäteten Begleichung der Steuern Anwendung, die bspw. im Rahmen der Neufestsetzung der Steuern *(liquidazione dell'imposta)* bzw. im Falle von Steuerkontrollen *(controlli formali)* festgestellt worden ist. Gegen diesen Akt ist ein Rekurs beim Steuergericht möglich, jedoch keine vergünstigte Abfindung[496].

9.7 Die tätige Reue *(„ravvedimento operoso")*[497]

Der Steuerpflichtige kann auch aus eigener Initiative den zuvor unterlassenen Steuerpflichten nachkommen und kommt in diesem Fall in den Genuss einer erheblichen Strafminderung.

Dies ist **mittlerweile auch dann möglich, wenn bereits ein Vorhaltungsprotokoll *(processo verbale di constatazione – p.v.c.)* zugestellt** worden ist oder wenn **Steuerkontrollen mit Zugängen und Steuerprüfungen vorgenommen worden** sind. Ausgeschlossen ist die tätige Reue allein im Falle der Zustellung eines Festsetzungs- oder Feststellungbescheids *(avviso di liqudiazione/avviso di accertamento)* oder bei Übermittlung der Ergebnisse der Steuerfestsetzung bzw. der formalen Steuerkontrolle *(controllo automatico/controllo formale delle dichiarazioni)*. Selbst die Einleitung strafrechtlicher Ermittlungen stellt nun keinen Hinderungsgrund für die Wahrnehmung der tätigen Reue mehr dar.

Anders als in der Vergangenheit ist nunmehr eine tätige Reue **bis zum Ende der Feststellungsperiode** möglich.

Die Strafen werden dabei in folgendem Ausmaß reduziert:

– **Verspätete Entrichtung** von Steuern oder von Akontozahlungen

Wie unten zu zeigen sein wird, beträgt die Strafe dabei **grundsätzlich 30%,** innerhalb der Frist von 30 Tagen **10%,** innerhalb der Frist von 90 Tagen hingegen **15%.** Diese Strafen können aber über die tätige Reue noch erheblich reduziert werden.

Es kommen weiters **Verzugszinsen** in der Höhe von **2%** zur Anwendung.

Vor der Entscheidung für eine tätige Reue sollte stets die finanzielle Sinnhaftigkeit abgewogen worden. U.U. kann nämlich eine einvernehmliche Steuerfeststellung zu einem für den Steuerpflichtigen günstigeren Ergebnis führen. Auch darf die Komplexität der Berechnung der Kosten der tätigen Reue nicht unterschätzt werden.[498]

---

[496] Dies ist auch verständlich, da hier kein Streitfall in der Sache selbst (bspw. hinsichtlich der Anwendung der Steuer) vorliegt.

[497] Art. 13 EV 472/1997.

[498] Vgl. dazu Penna/Sorbara, Ravvedimento operoso, in: PratFisc 44/2015, 24 (27).

– Höhe der Strafminderung

– Die Strafen (berechnet auf den Mindestbetrag) sind umso höher, je mehr Zeit seit Begehung des Verstoßes (bzw. der Abgabe der Steuererklärung) vergangen ist.

– Zahlung zwischen 15. und 30. Tag nach Zahlungsfrist	1/10 der Mindeststrafe
– innerhalb von 90 Tagen	1/9 der Mindeststrafe
– innerhalb des Abgabetermins für die nächste Steuererklärung	1/8 der Mindeststrafe
– tätige Reue zu einem späteren Zeitpunkt	1/7 der Mindeststrafe
– nach Zustellung eines provisorischen Steuerakts	1/6 der Mindeststrafe
– nach Zustellung eines Vorhaltungsprotokolls	1/5 der Mindeststrafe
– nach Zustellung eines provisorischen Steueraktes, dem ein Vorhaltungsprotokoll vorausgegangen ist	1/4 der Mindeststrafe

9.8 Einzelne Verwaltungsstrafen

Abschließend zu diesem Kapitel sollen hier verschiedene Strafen – aufgegliedert nach den jeweiligen Vergehen – angeführt werden.[499]

a) **Unterlassene Abgabe der ESt-Erklärung**, wobei **Steuern geschuldet** waren: Die Verwaltungsstrafe beträgt **120%** der geschuldeten Steuer; mindestens aber € 250.[500] Neu seit 2024: Wird die Steuererklärung mehr als 90 Tage nach Ablauf der Abgabefrist, aber vor der Einleitung von Kontrollen eingereicht, beträgt die Strafe 75% der geschuldeten Steuer.

b) **Unterlassene Abgabe der ESt-Erklärung**, wobei keine **Steuern geschuldet** waren:
Die Verwaltungsstrafe liegt zwischen € 250 und € 1.000, wobei die Strafe für buchhaltungspflichtige Steuerpflichtige auf € 2.000 verdoppelt werden kann.

c) Abgabe einer **wahrheitswidrigen ESt-Erklärung**:[501]
Die Verwaltungsstrafe beträgt **70%** des Fehlbetrages, mit einer Mindeststrafe von € 150. [502] Verwendet der Steuerpflichtige aber **gefälschte Dokumente oder andere Kunstgriffe**, so wird die Strafe **um 50% bis zum Doppelten erhöht** (also auf 105%–140%).

---

[499] Eine übersichtliche tabellarische Aufstellung der verschiedenen Strafen findet sich bei Frizzera, Guida Pratica Fiscale, Bd. 2, Imposte Dirette, 2006, 356.
[500] Art. 1 Abs. 1 DPR 471/1997.
[501] Art. 1 Abs. 1 DPR 471/1997.
[502] Art. 1 Abs. 2 DPR 471/1997.

Lieben keine Fälschungen oder Kunstgriffe vor, werden die Strafen dagegen **um ein Drittel reduziert**, wenn die hinterzogenen Steuern **weniger als 3%** der Gesamtsteuern und auf jeden Fall nicht mehr als € 30.000 ausmachen.
Im Falle einer **tätigen Reue** liegt die Strafe bei **50%** der hinterzogenen Steuer.

Im Falle einer **falschen Periodenzuordnung** wird die Strafe um **ein Drittel reduziert**, unter der Voraussetzung, dass das Einkommen im Jahr der Feststellung oder in einem anderen Jahr erklärt worden ist (bzw. dass eine Aufwendung nicht zweimal abgezogen wurde). Ist dem Staat kein Nachteil entstanden, so findet eine Pauschalsteuer von € 250 Anwendung.

d) Besonders streng bestraft wird die teilweise oder vollständige **Hinterziehung von Mieteinahmen**, soweit es sich um Fälle der Pauschalbesteuerung *(cedalore secca)* handelt. In diesem Fall kommt es zu einer Verdoppelung der Strafe, und zwar auf **240%** (Mindeststrafe € 500) der hinterzogenen Steuer bzw. auf **140%** (partielle Steuerhinterziehung, „dichiarazione infedele“) mit einer Mindeststrafe von € 300. Außerhalb der Pauschalbesteuerung finden die Standartdsätze Anwendung: 70% bei einfacher Steuerhinterziehung (Mindeststrafe € 150), 120% (Mindeststrafe € 250), wenn keine Steuererklärung abgegeben *(dichiarazione omessa)*. Wurde der Mietvertrag nicht registriert, ist er nichtig und der Mieter kann die bereits bezahlten Mieten zurückverlangen (der Vermieter kann aber eine Widerklage auf ungerechtfertigte Bereicherung einbringen).

e) Der Steuerpflichtige hat die vorgeschriebenen **Buchhaltungsunterlagen nicht geführt** bzw. sich geweigert, diese bei einer Kontrolle vorzuweisen bzw. diese durchsehen zu lassen.
Die Verwaltungsstrafe beträgt hier zwischen € 1.000 und 8.000.

f) Die **Steuererklärung**:
- wurde nicht erstellt;
- sie wurde nicht auf den vorgeschriebenen Formularen erstellt;
- sie ist unvollständig.[503]

In diesen Fällen kommt eine Strafe zwischen € 250 und 1.000 zur Anwendung, wenn keine Steuer geschuldet war. Waren Steuern geschuldet, so kommt darauf eine Strafe von 120% zur Anwendung. Die Mindeststrafe beträgt 250 €.
Eine Strafe zwischen € 250 und 2.000 kommt auch bei Nichtbeantwortung von Fragebögen der Finanzverwaltung zur Anwendung.[504]

---

[503] Art. 8 Abs. 1 und 2 DPR 471/1997.
[504] Art. 11 EV 471/1997.

g) **Unterlassene Zahlungen**
Darauf kommt grundsätzlich eine Strafe von **25%** zur Anwendung; bis 90 Tage nach Fälligkeit wird die Strafe aber auf die Hälfte reduziert, somit auf 15%. Durch die tätige Reue (siehe oben) können diese Strafen aber noch erheblich vermindert werden.

h) **Unterlassene Rechnungsausstellung oder Verbuchung**
Hat dies keine Auswirkungen auf die Zahlungspflichten, so liegt die Strafe zwischen € 250 und 2000. Ansonsten kommt eine Strafe von 90% bis 180% der hinterzogenen Steuer, mindestens aber eine Strafe von € 500 zur Anwendung.

Die Sanktionen im Bereich der MwSt sind in vergleichbarer Form geregelt.[505]

10. Das Steuerstrafrecht

Literatur: Bombardelli/Merighi, Sanzioni Tributarie, 2004; Musco/Ardito, Diritto penale tributario, 2010; Garavoglia et al. (Hrsg.), I nuovi reati tributari, 2012; Mancini, Diritto penale tributario; Di Franco, Sanzioni tributarie penali e amministrative, 2020; Salvini/Cagnola (Hrsg), Manuale professionale di diritto penale tributario, 2021; Mazzotta/Vizio, Il nuovo diritto penale tributario, 2025

10.1 Einführung

Pönale Sanktionen sind im italienischen Steuerrecht allein für Vergehen im Bereich der Einkommensteuer und der MwSt vorgesehen.

Daneben kann noch der Bereich der Zollabgaben erwähnt werden, der aber gesondert geregelt ist und hier nicht weiter vertieft werden kann.

Geregelt wird diese Materie gegenwärtig durch die **EV 74 v. 10.3.2000**. Kennzeichnend für dieses Reformgesetz ist das Bemühen, strafrechtliche Bestimmungen allein für schwere Vergehen vorzusehen, dann aber wirksam zur Anwendung zu bringen. Steuerstrafrechtliche Vergehen sind oft schwer festzustellen; einmal verübt, ist der Schaden für den Staat in vielen Fällen aber nicht mehr gutzumachen. Diese Umstände sowie die Tatsache, dass die Steuerhinterziehung immer größere Ausmaße annahm, haben den Gesetzgeber **in der Vergangenheit** dazu bewogen, primär auf sog. **„vorbereitende Handlungen“** ***(atti prodromici)*** abzustellen, die selbst noch keine Hinterziehungshandlungen darstellten, aber als Indizien für eine geplante Steuerhinterziehung angesehen werden konnten. Diese rechtspolitische

[505] So wird bspw. bei einer unterlassenen Abgabe einer Steuererklärung eine Strafe in der Höhe von 250 bis 2.000 Euro angewandt, wenn keine Steuer geschuldet war. Ansonsten wird die geschuldete Steuer um 120 bis 240 Prozent erhöht; auf jeden Fall beträgt die Mindeststrafe aber € 250.

Haltung ist in erster Linie im **G 516/1982** zum Ausdruck gekommen, das auch nicht von ungefähr die umgangssprachliche Bezeichnung *„manette agli evasori"* („Gefängnis für die Steuerhinterzieher") trug. Die Folge war eine sehr weit reichende Kriminalisierung wirtschaftlicher Handlungen und eine völlige Überforderung der ordentlichen Gerichte, die eine Vielzahl von Sachverhalten zu überprüfen hatten, in welchen eine wirkliche Steuerhinterziehung nur schwer nachzuweisen war. Dadurch wuchs einerseits der Steuerwiderstand, andererseits **konnte die Steuerhinterziehung nicht wirksam bekämpft werden**. Die Verfahren zogen sich häufig bis zur Verjährung des Vergehens bzw. bis zum Erlass eines Steuernachlasses *(„condono")* hin. Mit der EV 74/2000 sollte eine völlige Kehrtwende vorgenommen werden: Nicht mehr die Indizien für eine Steuerhinterziehung sollten verfolgt werden, sondern unmittelbar die Steuerhinterziehung selbst.

Steuerstraftatbestände sind nur für die wichtigsten staatlichen Steuern vorgesehen, nicht hingegen für regionale und lokale Abgaben.

Für die Anwendung des Steuerstrafrechts wird das Vorliegen eines **erweiterten Vorsatzes** gefordert; der Vorsatz muss also nicht nur auf die Verwirklichung des Tatbildes ausgerichtet sein, sondern zusätzlich auf einen jenseits des Tatbildes gelegenen Erfolg[506], im konkreten Fall auf die Hinterziehung der Steuer.

Das Steuerstrafrecht sieht **nur Delikte *(delitti)*** vor, keine bloßen Übertretungen *(contravvenzioni)*. Der Versuch allein ist grundsätzlich nicht strafbar; das Tatbild muss verwirklicht worden sein.

Seit 2022 gilt diesbezüglich auf der Grundlage der Umsetzung der PIF-Richtlinie eine Ausnahme für den Fall des Versuchs einer grenzüberschreitenden MwSt-Hinterziehung mit einem tatsächlichen oder potentiellen Schaden ab 10 Mio €.

Zuständig sind die ordentlichen Gerichte.

Laut dem Ermächtigungsgesetz Nr. 80/2003 – mit welchem bekanntlich die Grundlage für eine umfassende Umgestaltung der italienischen Steuerrechtsordnung geschaffen werden sollte – hätte der Reformprozess in diesem Sinne weitergeführt und noch intensiviert werden sollen. Der Anwendungsbereich des Steuerstrafrechts hätte also noch weiter eingeengt werden sollen bei gleichzeitiger Intensivierung der Abschreckungswirkung im Kernbereich dieses Rechtsgebietes. Bekanntlich ist dieser Reformprozess aber zum Stehen gekommen und es ist unwahrscheinlich, dass die weitere Reformdiskussion – auch angesichts veränderter politischer Rahmenbedingungen – darauf Bezug nehmen wird.

Da Steuerstrafen nur dann Anwendung finden sollen, wenn die zu sanktionierenden Handlungen einen besonderen Unwert zum Ausdruck bringen, wird von einer Bestrafung dann abgesehen, wenn die Normverletzungen auf eine objektive Unsicherheit über das anzuwendende Recht zurückzuführen ist.[507]

Seit **2011** wurden die **Schwellen für die Anwendung des Steuerstrafrechts laufend verändert,** herabgesetzt und wieder erhöht. Der **Zwiespalt**, vor dem der

[506] Vgl. Giuliani, Vergleich, 1996, 102 m.w.N.
[507] Art. 15 EV 74/2000.

Strafgesetzgeber in diesem Bereich steht, kam damit deutlich zum Tragen: Niedere Schwellen könnten die Abschreckungswirkung des Steuerstrafrechts erhöhen, führen aber zu einer vermehrten Belastung der Strafgerichte. Zuletzt wurden die **Schwellen mit NV 124/2019 (ug G 157/2019) wieder herabgesetzt**; die Abschreckungswirkung der pönalen Sanktionen sollte erhöht werden. Gemäß dem im Steuerrecht geltenden Prinzip des Rückwirkungsverbots gelten diese neuen Schwellenwerte nicht für in der Vergangenheit begangene Vergehen.

Die Straftatbestände gemäß EV 74/2000 können generell unterteilt werden in Tatbestände, die mit Steuererklärungen in Verbindung stehen und solchen, die außerhalb davon liegen.[508]

Vorgesehen sind allein Haftstrafen *(reclusione)*, keine Geldstrafen *(multa)*.

10.2 Steuerstraftatbestände, die mit Steuererklärungen in Zusammenhang stehen

10.2.1 Betrügerische Steuererklärung unter Verwendung gefälschter Rechnungen oder anderer Dokumente (dichiarazione fraudolenta mediante uso di fatture o altri documenti per operazioni inesistenti)[509]

Wenn gefälschte Rechnungen oder andere Dokumente verwendet werden, mit welchen steuerlich relevante Vorfälle vorgetäuscht werden, dann unterliegt der Täter einer Steuerstrafe unabhängig vom hinterzogenen Betrag. Voraussetzung ist, dass diese Rechnungen oder Dokumente tatsächlich in der Steuererklärung ihren Niederschlag gefunden haben.

Der Inhalt der betreffenden Dokumente muss in den Buchhaltungsunterlagen registriert bzw. müssen diese Dokumente zu Beweiszwecken aufbewahrt werden: Dieses Delikt kann somit auch von nicht buchhaltungspflichtigen Personen begangen werden.[510]

10.2.2 Betrügerische Steuererklärung aufgrund anderer Kunstgriffe (dichiarazione fraudolenta mediante altri artifici)[511]

Hier werden andere Kunstgriffe (Handlungen oder Unterlassungen) zum Zwecke der Steuerhinterziehung vorgenommen. Dieser Strafbestand ist weniger schwerwiegend als der vorgenannte, der eine Dokumentenfälschung voraussetzt. Es handelt sich aber nicht um eine bloße Falscherklärung, denn die Kunstgriffe des Täters zielen darauf ab, die Kontrolle zu erschweren. Als Beispiele für solche Handlungen oder Unterlassungen nennt das MR 154/E v. 4.8.2000 systematische und konti-

[508] Zu dieser Unterscheidung vgl. Lupi, DT – PG, 2006, 289.

[509] Art. 2 EV 74/2000.

[510] So genügt bspw. die Fälschung einer Arztrechnung, hinsichtlich welcher ein Absetzbetrag begehrt wird.

[511] Art. 3 EV 74/2000.

nuierliche Falschbuchungen, das Führen einer zweiten, „geheimen" Buchhaltung sowie die Verwendung von Schwarzkonten.

Dieser Tatbestand ist erst dann verwirklicht, wenn diese Handlungen oder Unterlassungen ihren Niederschlag in der Steuererklärung gefunden haben und die Steuererklärung auch tatsächlich abgegeben worden ist. Dieser Straftatbestand setzt das Vorliegen einer Buchhaltungspflicht voraus. Da er weniger schwerwiegend ist als der vorgenannte, wird zudem das Überschreiten gewisser Schwellenwerte verlangt:

– die hinterzogene Steuer muss pro Steuer und Steuerperiode **mehr als € 30.000** betragen;

– sie muss weiters mehr als 5% des tatsächlich erklärten Betrages ausmachen bzw. mehr als 1.500.000 €.

Weiters kommt dieser Straftatbestand zur Anwendung, wenn nicht zustehende Guthaben oder Steuerrückbehalte geltend gemacht werden, die zu einer Verminderung der Steuerschuld um mehr als 5% bzw. mehr als € 30.000 führen.

10.2.3 Einfache Steuerhinterziehung (dichiarazione infedele)[512]

Der Tatbestand der einfachen Steuerhinterziehung hat Residualcharakter: Steuerpflichtige Elemente werden in der Steuererklärung nicht angeführt, ohne dass damit irgendwelche Fälschungs- oder Täuschungshandlungen verbunden wären. Dieser Straftatbestand kann sowohl von buchhaltungspflichtigen Steuerpflichtigen als auch von sonstigen Steuerpflichtigen verübt werden.

Für das Vorliegen eines Straftatbestandes müssen seit 1.1.2016 folgende relativ hohe Schwellen überschritten werden:

– die **hinterzogene Steuer** muss pro Steuer und Steuerperiode **mehr als € 100.000** betragen;

– die nicht erklärten Aktiva müssen mehr als **10% der Gesamtaktiva** bzw. mehr als **€ 2.000.000 €** ausmachen.

Der Tatbestand ist mit der Abgabe der Steuererklärung verwirklicht, die die betreffenden unwahren Angaben enthält.

10.2.4 Unterlassene Abgabe der Steuererklärung (dichiarazione omessa)[513]

Wird die Steuererklärung nicht abgegeben, obwohl eine diesbezügliche Verpflichtung besteht, dann liegt ein Straftatbestand vor, wenn die hinterzogene Steuer (bzw. die nichtüberwiesenen Steuerrückbehalte) pro Steuer und Steuerperiode mehr als **€ 50.000** (in der Vergangenheit € 30.000) ausmacht.

Eine unterlassene Steuererklärung ist dann gegeben, wenn sie innerhalb von 90 Tagen nach Ablauf der Abgabefrist nicht abgegeben wird, wenn sie nicht un-

[512] Art. 4 EV 74/2000.

[513] Art. 5 EV 74/2000.

terschrieben worden ist oder wenn dafür nicht das offizielle Formular verwendet worden ist.

10.3 Steuerstraftatbestände, die nicht in Zusammenhang stehen mit Steuererklärungen

10.3.1 Die Ausstellung von Rechnungen und anderen Dokumenten für Vorfälle, die in Wahrheit nicht stattgefunden haben (emissione di fatture o altri documenti per operazioni inesistenti)[514]

Die Ausstellung von wahrheitswidrigen Rechnungen oder anderen Dokumenten zum Zwecke der Steuerhinterziehung könnte auf den ersten Blick als Mittäterschaft zur Steuerhinterziehung im Sinne des Art. 110 c.p. gesehen werden. Der Gesetzgeber hat in diesem Falle aber die rechtliche Verbindung der subjektiven Positionen von Fälscher und Nutznießer dieser Fälschung explizit ausgeschlossen. Stattdessen wurde hinsichtlich dieser Fälschungshandlungen ein autonomer Straftatbestand geschaffen,[515] da damit diesem schwerwiegenden und weit verbreiteten kriminellen Phänomen besser entgegen gewirkt werden sollte.

Wer wahrheitswidrige Rechnungen oder andere Dokumente ausstellt, um anderen eine Steuerhinterziehung im Bereich der Einkommensteuer oder MwSt zu ermöglichen, ist strafbar, unabhängig davon, ob und wie diese Dokumente Verwendung gefunden haben.

Dem entsprechend kann diese Straftat grundsätzlich von allen Steuerpflichtigen begangen werden; das Vorliegen einer Buchhaltungspflicht ist nicht erforderlich. Diese Straftat wird – wie bereits erwähnt – als besonders schwerwiegend eingestuft. Demzufolge sind keine Mindestschwellen für die Strafbarkeit vorgesehen.

10.3.2 Die Verheimlichung oder Zerstörung der Buchhaltungsunterlagen (occultamento o distruzione della contabilità, allo scopo di ostacolare l'accertamento da parte del'Amministrazione finanziaria)[516]

Die steuerrechtlichen Buchhaltungsvorschriften sind gerade zu dem Zwecke geschaffen worden, die steuerlichen Kontrollen zu erleichtern. Gerade um zu verhindern, dass sich ein Steuerpflichtiger durch die Verheimlichung oder Zerstörung dieser Unterlagen den erwähnten Kontrollen wirksam entzieht, mussten besonders einschneidende Sanktionen strafrechtlicher Natur vorgesehen werden.

Wer also zum Zwecke der Steuerhinterziehung bzw. um anderen die Steuerhinterziehung zu ermöglichen, die Buchhaltungsunterlagen bzw. andere aufbewah-

---

[514] Art. 8 EV 74/2000.
[515] Art. 9 EV 74/2000.
[516] Art. 10 EV 74/2000.

rungspflichtige Unterlagen verheimlicht bzw. teilweise oder zur Gänze zerstört, so dass das Einkommen bzw. der Umsatz nicht mehr festgestellt werden können, unterliegt strafrechtlichen Sanktionen.[517]

Diese Bestimmung hat nachrangigen Charakter in dem Sinne, dass sie nur dann zur Anwendung kommt, wenn nicht ein schwerwiegenderer Tatbestand vorliegt. Ein solcher ist insbesondere im Falle des betrügerischen Bankrotts *(bancarotta fraudolenta)* gegeben.[518]

Auch hier gibt es keine Mindestschwellen für die Verwirklichung des Tatbestandes.

10.3.3 Betrügerischer Entzug des Vermögens vor dem Zugriff der Steuerbehörde (sottrazione fraudolenta alla riscossione delle imposte)[519]

Wer mit einem Scheingeschäft sein Vermögen veräußert oder andere betrügerische Handlungen in Bezug auf sein Vermögen oder das Vermögen anderer vornimmt, um dieses dem Zugriff der Steuerbehörde zu entziehen, die eine Einkommen- oder MwSt-Schuld (und Verwaltungsstrafen und Zinsen darauf) einheben möchte, unterliegt einer strafrechtlichen Sanktion.

Der Gesamtbetrag der geschuldeten Steuern (samt Strafen und Zinsen), deren Einhebung damit verhindert werden soll, muss aber **über € 50.000** liegen.

Liegt dieser Betrag über € 200.000, so ist ein erschwerender Umstand gegeben, der zu höheren Strafen führt.

Auch dieser Straftatbestand ist nachrangig gegenüber dem schwerwiegenderen des betrügerischen Bankrotts.[520]

10.3.4 Die unterlassene Vornahme von Steuerüberweisungen

Steuersubstitute, die die Vornahme von **Steuerrückbehalten** von mehr als **€ 150.000** bestätigen, die Überweisung innerhalb der Frist für die Abgabe der jährlichen Steuererklärung aber nicht vornehmen, unterliegen dem Steuerstrafrecht. Eine ähnliche Regelung gilt für die unterlassene Überweisung der **MwSt**: Liegt der Betrag **über € 250.000** und unterbleibt die Überweisung bis zum Ende der Frist für die Abgabe der Jahres-MwSt-Erklärung, so liegt ein Steuerstraftatbestand vor.

10.3.5 Unzulässige Aufrechnung (indebita compensazione)[521]

Wenn Steuern von mehr als **€ 50.000** aufgrund **unzulässiger Aufrechnungen** nicht überwiesen werden, liegt ein Straftatbestand vor.

---

[517] Wenn es der Finanzverwaltung allerdings gelingt, die Buchhaltung zu rekonstruieren, findet dieser Straftatbestand keine Anwendung.

[518] Vgl. Frizzera/Maffei, Sanzioni, 2004, 259.

[519] Art. 11 EV 74/2000.

[520] Vgl. Frizzera/Maffei, Sanzioni, 2004, 259.

[521] Art. 10-quater EV 74/2000.

10.3.6 Die Selbstgeldwäsche (autoriciclaggio)

Mit G Nr. 186 v. 12.12.2014, unmittelbar in der Regelung zur *Voluntary Disclosure*, wurde der Straftatbestand der „Selbstgeldwäsche" eingeführt, durch welchen die **Umschichtung** *(reinvestimento)*, der **Ersatz** *(sostituzione)* oder die **Übertragung** (*trasferimento)* von **Vermögen krimineller Herkunft** in **wirtschaftliche, finanzielle, unternehmerische oder spekulative Tätigkeiten,** durch welche die **Ermittlung der kriminellen Herkunft dieser Mittel konkret behindert wird**, unter Strafe gestellt wird.[522]

Die **reine Verwendung** oder die **persönliche Nutzung** dieser Mittel stellt hingegen **keinen Straftatbestand** dar.

Das „Vermögen krimineller Herkunft" muss aus einer **Straftat** (vorsätzlich oder fahrlässig begangenes Delikt oder Übertretung) herrühren.

Die Selbstgeldwäsche war in der Vergangenheit nicht strafbar. Nur wer Geld aus fremder krimineller Tätigkeit „gewaschen" hat, konnte strafrechtlich verfolgt werden. Die Einführung des Straftatbestands der Selbstgeldwäsche stellt einen starken Anreiz dar, bei Vorliegen der Voraussetzungen eine Selbstanzeige einzubringen. Gerade Steuerhinterziehung ist nämlich in der Regel mit der Erzielung zusätzlicher Liquidität verbunden, die wiederum – häufig – reinvestiert (und nicht nur konsumiert) wird.[523] Voraussetzung ist allerdings, dass diese Umschichtung in einer Art und Weise geschieht, dass die kriminelle Herkunft dieser Mittel konkret behindert wird.

Damit dieser neue Straftatbestand auch ernst genommen wird, wurden geradezu **drakonische Strafen** vorgesehen:

– Eine Haftstrafe zwischen zwei und sechs Jahren und eine Geldbuße zwischen 5.000 und 25.000 €, wenn die gewaschenen Mittel aus einem Delikt stammen.

Stammen die gewaschenen Mittel von einer Übertretung *(„contravvenzione"),* die mit einer Haftstrafe von mehr als 6 Monaten (Mindeststrafe) und einem Jahr (Maximalstrafe) bestraft wird, so kommt eine Haftstrafe von einem bis vier Jahren und eine Geldstrafe zwischen € 2.500 und 12.500 zur Anwendung.

– Erfolgt die Selbstgeldwäsche im Rahmen einer Banktätigkeit, einer Finanzaktivität oder einer sonstigen professionellen Tätigkeit, so wird die Strafe erhöht.

– Sie wird hingegen bis auf die Hälfte reduziert, wenn der Anzeiger selbst dazu beigetragen hat, den Fortgang der Straftat zu begrenzen und die Beweise, die Geld- und Sachmittel und die anderen Erträge der Straftat zu sichern.

---

[522] Auf der Grundlage der Rl 2018/1673 wurde der Straftatbestand im Jahr 2021 erweitert und auf Übertretungen und auf fahrlässig begangene Delikte ausgedehnt.

[523] Ibid., S. 3336.

10.4 Nebenstrafen *(pene accessorie)*[524]

Die Verurteilung aufgrund eines der vorgenannten Delikte zieht folgende – überwiegend befristet anzuwendende – Nebenstrafen nach sich:

– den Ausschluss von den Leitungsfunktionen im Rahmen von juristischen Personen und Unternehmen;

– den Ausschluss der Geschäftsfähigkeit gegenüber der öffentlichen Verwaltung;

– den Ausschluss von Beratungs- und Betreuungsfunktionen im steuerrechtlichen Bereich;

– den Ausschluss von der Mitwirkung in Steuergerichten[525];

– die Verpflichtung zur Veröffentlichung des Strafurteils gemäß Art. 36 c.p.

In besonders schwerwiegenden Fällen (betrügerische Steuerhinterziehung, Ausstellung gefälschter Rechnungen und anderer Dokumente) ist auch ein befristeter Ausschluss von öffentlichen Ämtern vorgesehen.

Diese Strafe kommt aber dann nicht zur Anwendung, wenn der in diesen Dokumenten angeführte nicht wahrheitskonforme Betrag pro Periode unter € 154.937,07 liegt.

10.5 Verjährung, Aussetzung der Vollziehung, Mildernde Umstände[526]

Die Verjährung der Steuerstraftatbestände richtet sich nach den allgemeinen strafrechtlichen Prinzipien.

Art. 157 c.p. sieht die allgemeine Regel der Verjährung nach 6 Jahren vor; im Jahr 2011 wurden die Verjährungsfristen allerdings um ein Drittel erhöht.[527] Die **Verjährung** erfolgt damit gegenwärtig nach **8 Jahren**.

Die bedingte Aussetzung der Strafe kann nicht gewährt werden, wenn die hinterzogene Steuer über 3.000.000 € liegt und diese gleichzeitig mehr als 30% des Geschäftsvolumens des Steuerhinterziehers ausmacht.

Tätige Reue *(ravvedimento operoso)* bevor der Steuerpflichtige formell Kenntnis hat von Zugang, Inspektion oder Prüfung bzw. von irgendeinem Ermittlungsverfahren schließt die Strafbarkeit für die betreffende Handlung aus.[528]

Begleicht der Steuerpflichtige vor der Eröffnung der Hauptverhandlung in erster Instanz die Steuerschuld (auch im Wege eines speziellen Vergleichsverfahrens oder eines steuerlichen Vergleichs), so werden die Strafen **um ein Drittel** (bis 2011 um die Hälfte) reduziert und die Nebenstrafen finden keine Anwendung.[529] Dabei muss der Täter auch die angefallenen Verwaltungsstrafen begleichen, auch wenn

---

[524] Art. 12 EV 74/2000.
[525] Diese Strafe findet zeitlich unbefristet Anwendung.
[526] Art. 13 und 14 EV 74/2000.
[527] Art. 17 Abs. 1-bis EV 74/2000, angefügt durch NV 138/2011.
[528] Art. 13 Abs. 2 EV 74/2000.
[529] Art. 13-bis EV 74/2000.

diese an und für sich nicht eingehoben werden könnten, da – wie nachfolgend auszuführen sein wird – das Prinzip der alternativen Anwendung von Verwaltungssanktionen und pönalen Sanktionen gilt.

Dieses Prinzip kann für den Steuerpflichtigen eine Geldersparnis bedeuten, wenn die pönalen Sanktionen zur Anwendung kommen. Eine Strafmilderung im pönalen Bereich kann er aber nur dann erreichen, wenn er dennoch die Verwaltungssanktionen begleicht, die ohne diese Konkurrenzregel Anwendung gefunden hätten.

Da für Steuerstraftatbestände somit grundsätzlich eine Acht-Jahres-Frist gilt, auf verwaltungsrechtlicher Ebene hingegen im Allgemeinen kürzere Verjährungsfristen zur Anwendung kommen (fünf Jahre ab 31.12. des Jahres der Abgabe der Steuererklärung, sieben Jahre ab 31.12. des Jahres, in welchem die Steuererklärung hätte abgegeben werden müssen), **verjährten Steuerschulden und Verwaltungssanktionen** in der Vergangenheit rascher als die strafrechtlichen Vergehen. Es konnte somit vorkommen, dass eine strafrechtliche Verurteilung zu einem Zeitpunkt ausgesprochen wurde, zu welchem die Verwaltungsstrafe gar nicht mehr eingehoben werden konnte.

Damit wäre dem Täter aber auch der Zugang zu der oben beschriebenen strafmindernden Abfindung verwehrt gewesen. Um dies zu verhindern (und auch um einen Finanzmittelentfall für den Staat zu vermeiden) wurde folgende Bestimmung in Art. 14 EV 74/2000 eingeführt:

Der Täter kann vor der Eröffnung der Hauptverhandlung in der ersten Instanz eine **gerechte Entschädigung für den Schaden anbieten**, den er dem öffentlich geschützten Interesse zugefügt hat. Kommt das Gericht nach Anhörung des Staatsanwalts zu dem Schluss, dass der angebotene Betrag angemessen ist, so legt es eine Frist für dessen Bezahlung fest. Erfolgt diese fristgerecht, so wird die Strafe bis zur Hälfte reduziert und die Nebenstrafen entfallen. Im Falle eines Freispruchs wird dieser Betrag rückerstattet.[530]

Bis 2016 galt die Bestimmung, wonach jede Verletzung einer Steuernorm, die zur **Strafanzeige** verpflichtete, zu einer **Verdoppelung der verwaltungsrechtlichen Verjährungsfristen** führt (Art. 43 DPR 600/1973), soweit eine Anzeige – innerhalb der ordentlichen Verwirkungsfrist – auch tatsächlich erfolgt ist.[531]

Eine erfolgreiche einvernehmliche Steuerfeststellung kann ein Vergehen auf ein Maß reduzieren, das nicht mehr unter das Steuerstrafrecht fällt. Der Strafrichter ist in der Würdigung des Sachverhalts zwar nicht an die verwaltungsrechtlichen Ermittlungen gebunden, doch wird es gegebenenfalls ratsam sein, im Strafverfahren auf die Rücknahme der ursprünglichen Forderung durch die Steuerverwaltung hinzuweisen.[532]

---

530 Art. 14 EV 74/2000.

531 EV 128/2015.

532 Vgl.Ambrosi/Iorio, Procedimenti di adesione, in: il fisco 1/2021, 7 (14).

Die Verurteilung wegen eines pönalen Steuervergehens hat die **Konfiszierung** der Sachen zur Folge, die den Ertrag des Vergehens darstellen (bzw. äquivalenter Werte).

Im Falle der **besonderen Geringfügigkeit des Vergehens** *(particolare tenuità)* kann das Gericht **von einer Bestrafung absehen** (Art. 13 Abs. 3-ter EV 74/2000, wenn bspw. die Strafbarkeitsschwelle nur geringfügig überschritten wurde (etwa Hinterziehung von knapp mehr als € 100.000 oder Ausstellung einiger weniger gefälschter Rechnungen). Entscheidend ist dabei das Verhalten des Täters nach Begehung der Straftat (Kass. 4145/2025).

10.6 Das Verhältnis zwischen verwaltungsrechtlichen Sanktionen und pönalen Sanktionen

Anders als in der Vergangenheit sind das verwaltungsrechtliche Verfahren und das strafrechtliche Verfahren **nunmehr grundsätzlich völlig unabhängig voneinander**. Das verwaltungsrechtliche Verfahren darf nicht ausgesetzt werden, wenn ein Strafverfahren vor den ordentlichen Gerichten eingeleitet wird.

Dieses **Zweigleissystem** kennt allerdings mittlerweile **verschiedene Ausnahmen**. Wenn bspw. im Zuge einer **einvernehmlichen Steuerfeststellung eine Herabsetzung der geschuldeten Steuer unter den Schwellenwert für die strafrechtliche Verfolgung** der Steuerhinterziehung erreicht werden kann, so liegt **kein Straftatbestand** mehr vor. Vgl. Kass. Nr. 7615 v. 30.1.2014.

Öffentliche Funktionsträger sind verpflichtet, Informationen über mögliche Straftatbestände an die Staatsanwaltschaft weiterzuleiten. Eine Verletzung dieser Verpflichtung kann ihrerseits strafrechtliche und disziplinarrechtliche Sanktionen nach sich ziehen. Laut Lupi[533] wird diese Verpflichtung zu ernst genommen. Die Staatsanwaltschaft muss sich mit einer Vielzahl von Anzeigen beschäftigen, die sachlich nicht gerechtfertigt wären.

Wird das verwaltungsrechtliche Verfahren vor dem strafrechtlichen abgeschlossen, so hat das betreffende Urteil keine Auswirkungen auf das Strafverfahren, das ja in der Beweisaufnahme weit anspruchsvolleren Kriterien genügen muss. Umgekehrt ist das Steuergericht auch nicht an das strafrechtliche Urteil gebunden; es kann aber als Element in die freie Sachverhaltswürdigung einfließen.[534]

Das Urteil des Steuergerichts wird – wenn das Steuerstrafverfahren noch anhängig ist – in seiner Vollstreckung ausgesetzt. Sind beide Verfahren beendet, **kommt die speziellere Sanktion zur Anwendung** und dies ist idR die pönale Sanktion. Wird der Täter strafrechtlich verurteilt, so bleibt die verwaltungsrechtliche Sanktion definitiv unanwendbar. Kommt es dagegen zu einem Freispruch, so findet gegebenenfalls die verwaltungsrechtliche Strafe Anwendung.[535]

[533] Vgl. Lupi, DT – PG, 2006, 295.
[534] Ibid., 296.
[535] Vgl. Tesauro, IDT – PG, 2004, 348.

Es gibt aber auch Situationen, in welchen beide Sanktionsregime parallel zur Anwendung kommen: Wird der Verwalter eines Unternehmens (juristische Person) mit einer steuerstrafrechtlichen Sanktion belegt, so kommt für das Unternehmen die verwaltungsrechtliche Sanktion zur Anwendung.[536]

In **beweisrechtlicher Hinsicht** gehen von strafrechtlichen und von steuerrechtlichen Urteilen grundsätzlich **keine wechselseitigen Bindungswirkungen** aus, da die jeweiligen Verfahren unterschiedlichen beweisrechtlichen Regeln folgen (eingeschränkter Zeugenbeweis und kein Eid im Steuerprozess; Rückgriff auf Vermutungen im Steuerprozess, die im Strafprozess unzulässig wären).[537]

Eine **Ausnahme** zu dieser Regel wurde im Jahr 2024 eingeführt: Im Falle eines **Freispruchs im Strafprozess** mangels Tatbestands oder wegen fehlender Täterschaft nach einer Hauptverhandlung zeitigt Rechtskraft auch im Steuerprozess gegenüber derselben Person und in Bezug auf denselben Sachverhalt (Art. 21-ter, EV 74/2000).

11. Die Steuerumgehung *(elusione fiscale)*

Literatur: Gaffuri, Diritto Tributario, 2009, 186; Tesauro, Istituzioni di diritto tributario, Parte Generale, 2011, 241; Falsitta, Manuale diritto tributario, 2012, 217; Cicala/Migliaccio, Compendio di Diritto Tributario, 2013, 98; Beghin, L'elusione fiscale e il principio del divieto dell'abuso del diritto, 2013; Carinci/Deotto, Abuso del diritto ed effettiva utilità della novella: Much ado about nothing?, in: il fisco 32-33/2015, 3107; Chizzola, Nuovo "abuso del diritto": definizione e disciplina, in: GCF 2015, 8; Rizzardi, Finalmente definito l'"abuso del diritto", in: GCF 2015, 5; Lovecchio, Divieto di abuso del diritto, in: il fisco 35/2015, 3319;Tesauro, Istituzioni di Diritto Tributario, Parte Generale, 2016, 247; Beghin, L'elusione fiscale e il principio del divieto di abuso del diritto, 2021

11.1 Allgemeines

Steuerumgehung wird als „Missbrauch von Formen und Gestaltungsmöglichkeiten des Rechts zur Umgehung oder Minderung öffentlicher Abgaben" definiert.[538]

Steuerumgehung liegt zwischen **(erlaubter) Steuervermeidung** (bzw. Steuerersparnis, *risparmio fiscale)* und **(verbotener sowie mit Sanktionen belegter) Steuerhinterziehung** *(evasione fiscale)*.

Die Unterscheidung der Steuerumgehung von der Steuerhinterziehung ist nach wie vor von Bedeutung, da im erstgenannten Fall – wie zu zeigen sein wird – keine pönalen Sanktionen zur Anwendung kommen (wohl aber Verwaltungsstrafen). Heikel ist allerdings die Abgrenzung der Steuerumgehung von der Steuervermeidung oder Steuerersparnis.

In Bezug auf dieses Phänomen ist der Staat mit widersprüchlichen Herausforderungen konfrontiert: Einerseits genießt der Steuerpflichtige in einer liberalen

---

536 Cicala/Migliaccio, 2013, 146.

537 Vgl. Tesauro, IDT – PG, 2020, 400.

538 Vgl. Gablers Wirtschaftslexikon, 17. Aufl. 2010, 2874.

Marktwirtschaft über weitgehende wirtschaftliche Gestaltungsfreiheit, andererseits muss der Staat dieser Gestaltungsfreiheit dort Grenzen setzen, wo seine Besteuerungshoheit unterminiert zu werden droht. Die Notwendigkeit, Steuerumgehung zu untersagen, ergibt sich aus dem Umstand, dass der Ideenreichtum der Steuerpflichtigen bei der Suche nach Steuerschlupflöchern unerschöpflich ist, die Möglichkeit des Steuergesetzgebers darauf zu reagieren hingegen begrenzt ist. Auch im Interesse der Aufrechterhaltung der Steuerordnung und einer Besteuerung nach Maßgabe der Leistungsfähigkeit muss der Steuergesetzgeber somit die steuersparenden Wirkungen von Gestaltungsmaßnahmen in einzelnen Fällen aberkennen. Dies ist dann der Fall, wenn der Steuergesetzgeber die Möglichkeit der Steuerersparnis durch die Entscheidung zwischen mehreren Optionen selbst nicht im Auge hatte und keine vertretbare wirtschaftliche Begründung *(valide ragioni economiche)* für die Wahl der steuersparenden Option vorliegt. Gleichzeitig ist hier aber größte Vorsicht angezeigt, da Bestimmtheitsgebot und Legalitätsprinzip in der Besteuerung stets beachtet werden müssen.

Wie gezeigt, ist somit die Steuerhinterziehung *contra legem*, die Steuerumgehung hingegen *extra legem* und steuerpolitisch verpönt.[539] Die Frage, wie Steuerumgehung bekämpft werden soll und auf der Grundlage welcher Instrumente, stellt eine zentrale Herausforderung für viele Steuerrechtsordnungen dar.

Die einzelnen Steuerrechtsordnungen wählen unterschiedliche Ansätze mit verschiedener Reichweite, um die Steuerumgehung zu bekämpfen.

Die **deutsche Rechtsordnung** kennt mit **§ 42 der Abgabenordnung (AO)** eine Generalklausel zur Bekämpfung der Steuerumgehung, die für das gesamte Steuerrecht (einschließlich des Verfahrensrechts) zur Anwendung kommt.[540] Diese Regelung gilt international als Referenzpunkt in der Diskussion über die Schaffung ähnlicher Generalklauseln.

In **Österreich** wird der Tatbestand der Steuerumgehung in **§ 22 BAO** geregelt:

„(1) Durch Missbrauch von Formen und Gestaltungsmöglichkeiten des bürgerlichen Rechtes kann die Abgabepflicht nicht umgangen werden.

(2) Liegt ein Mißbrauch vor, so sind die Abgaben so zu erheben, wie sie bei einer den wirtschaftlichen Vorgängen, Tatsachen und Verhältnissen angemessenen rechtlichen Gestaltung zu erheben wären."

Der VwGH hat die Steuerumgehung auch als Unterfall der „wirtschaftlichen Betrachtungsweise" gesehen.[541] Laut VwGH könne der Steuerpflichtige ohne weiteres Formen und Gestaltungsmöglichkeiten des bürgerlichen Rechts so einsetzen, dass er die geringste Steuerbelastung erziele. Untersagt sei aber eine rechtliche Gestaltung, die im Hinblick auf den angestrebten wirtschaftlichen Erfolg

[539] Cicala/Migliaccio, DT, 2013, 98.

[540] Tipke/Lang, Steuerrecht, 21. Aufl. 2012, 199.

[541] VwGH 7.11.1989, 86/14/0203, zitiert nach Dortal/Ruppe/Ehrke-Rabel, Grundriss des österreichischen Steuerrechts, Bd. II, 2011.

ungewöhnlich und unangemessen sei und ihre Erklärung nur in der Absicht der Steuervermeidung zu finden sei.[542] Es sei zu prüfen, ob der gewählte Weg noch sinnvoll erscheine, wenn man den abgabensparenden Effekt wegdenke oder ob er ohne das Resultat der Steuervermeidung einfach unverständlich wäre.[543]

In den USA, wo die Trennung zwischen Rechtsetzung und Rechtsprechung weniger strikt ausfällt als im kontinentaleuropäischen Raum, erfolgt die Neu-Qualifikation von Umgehungsgeschäften *(substance over form)* primär über die Rechtsprechung.[544] In Italien findet ein gemischter Ansatz Anwendung.

Der **EuGH** hat **allgemeine Kriterien über die Bekämpfung der Steuerumgehung im Bereich der MwSt** entwickelt, die Eingang in die nationalen Rechtsordnungen gefunden haben und damit auch allgemein die einschlägige Diskussion in den Mitgliedstaaten angeregt haben. Der EuGH unterscheidet zwischen einer „radikalen Form" der Steuerumgehung, in deren Rahmen die steuerliche Gestaltungsmaßnahme auf keiner objektiven wirtschaftlichen Zielsetzung beruht (Rs. C-110/99, *Emsland*) und solchen Formen der Steuerplanung, in denen eine wirtschaftliche Zielsetzung zwar gegeben ist, diese aber nachrangig gegenüber dem Ziel der Steuerersparnis ist (Rs. C-255/02, *Halifax*).[545]

Die **Rechtsprechung in Italien** hat über einen mehrstufigen Prozess die Anwendung des **Steuerumgehungsverbots verallgemeinert**: Im Urteil Halifax ist der EuGH im Mehrwertsteuerbereich von der Existenz eines solchen generellen Verbots im MwSt-Bereich ausgegangen. Der italienische Kassationsgerichtshof hat dieses Verbot zuerst auf das nationale MwSt-Recht übertragen[546] und dann für die Steuerrechtsordnung verallgemeinert.[547] Dabei wurde dieses Prinzip zuerst vom MwSt-Bereich auf die Grundfreiheiten übertragen und dann vom EU-rechtlichen Kontext losgelöst und im **nationalen Verfassungsrecht** verortet.[548]

In Italien waren dennoch **lange Zeit Reichweite und konkreter Inhalt der Regelung zur Steuerumgehung unklar**. Es bestand ein **vielschichtiges System** aus **Einzelregelungen für bestimmte Sachverhalte** und aus einer **Rechtsprechungspraxis**, die – wie erwähnt – Steuerumgehung generell ahndete. Allerdings bestand **nur für den erstgenannten Bereich ein Anspruch auf rechtliches Gehör**, während dies nicht für die Fälle von Steuerumgehung galt, die auf einer Rechtsfortbildung durch die Rechtsprechung beruhten.[549]

Die damit verbundenen Zweifel und die daraus resultierende Rechtsunsicherheit führten dazu, dass immer lauter die **Einführung einer Generalnorm zur**

[542] Ibid.
[543] Ibid. m.w.N.
[544] Ibid.
[545] Cicala/Migliaccio, DT, 2013, 101.
[546] Ibid. unter Verweis auf Kass. Nr. 21221 v. 29.9.2006.
[547] Kass. Nr. 30055 v. 23.12.2008.
[548] Vgl. Tesauro, IDT – PG, 2011, 257.
[549] So Rizzardi, 2015, 6, der darauf hinweist, dass Steuerumgehung z.T. erst in dritter Instanz – unter Ausschluss der Öffentlichkeit – festgestellt wurde.

Bekämpfung der Steuerumgehung gefordert wurde, was schließlich auch mit der **EV 128/2015** erfolgte. Dabei wurde ein **neuer Art. 10-bis in die Charta der Steuerpflichtigen** eingefügt, der die – etwas missverständliche – Bezeichnung „Regelung des Rechtsmissbrauchs oder der Steuerumgehung" trägt. Das, was in der Vergangenheit für Einzeltatbestände als Steuerumgehung *(elusione fiscale)* geregelt war und durch die Rechtsprechung **erweiternd** angewandt wurde, wird nun generell unter der Kategorie **„Rechtsmissbrauch"** ***(abuso di diritto)*** erfasst.

Die neue Regelung geht nur ansatzweise über die bisherige Regelung bzw. Praxis hinaus, konnte aber insbesondere einen allgemeinen Anspruch auf rechtliches Gehör sicherstellen.

Neue Impulse zur Regelung des Rechtsmissbrauchs kamen auch von Seiten der EU. Diese hat am 12. Juli 2016 die Richtlinie 2016/1164 gegen aggressive Steuerplanung im Binnenmarkt **(„Anti-BEPS-RL")** erlassen, die auch auf das Thema des Rechtsmissbrauchs eingeht.

In Erwägungsgrund 11 wird Folgendes betont:

„Innerhalb der Union sollten die allgemeinen Vorschriften zur Verhinderung von Missbrauch auf unangemessene Gestaltungen angewendet werden; andernfalls sollte der Steuerpflichtige das Recht haben, die steuereffizienteste Struktur für seine geschäftlichen Angelegenheiten zu wählen."

In Art. 6 dieser RL ist unter dem Titel „Allgemeine Vorschriften zur Verhinderung von Missbrauch" folgende Regelung zu finden:

(1) Liegt unter Berücksichtigung aller relevanten Fakten und Umstände eine unangemessene Gestaltung oder eine unangemessene Abfolge von Gestaltungen vor, bei der der wesentliche Zweck oder einer der wesentlichen Zwecke darin besteht, einen steuerlichen Vorteil zu erlangen, der dem Ziel oder Zweck des geltenden Steuerrechts zuwiderläuft, so berücksichtigen die Mitgliedstaaten diese bei der Berechnung der Körperschaftsteuerschuld nicht. Eine Gestaltung kann mehr als einen Schritt oder Teil umfassen.

(2) Für die Zwecke von Absatz 1 gilt eine Gestaltung oder eine Abfolge solcher Gestaltungen in dem Umfang als unangemessen, als sie nicht aus triftigen wirtschaftlichen Gründen vorgenommen wurde, die die wirtschaftliche Realität widerspiegeln.

(3) Bleiben Gestaltungen oder eine Abfolge solcher Gestaltungen gemäß Absatz 1 unberücksichtigt, so wird die Steuerschuld im Einklang mit nationalem Recht berechnet.

Das Konzept der **„unangemessenen Gestaltung"** ist als sehr weitreichend anzusehen und umfasst auch die „fingierte Zwischenschaltung" *(„interposizione fittizia")*.

Für den Bereich der **Körperschaftsteuer** (EU-rechtlich definiert) wurden diese Vorkehrungen zur Verhinderung von Missbrauch mit der Richtlinie zur Bekämpfung von Steuermeidungspraktiken (**Anti-Tax Avoidance Directive – ATAD**; RL 2016/1164 v. 12.7.2016) weiter verstärkt.

11.2 Art.10-bis Charta der Steuerpflichtigen

Geschäftsvorfälle, die ohne wirtschaftliche Substanz sind und in erster Linie der Verwirklichung **ungerechtfertigter steuerlicher Vorteile** dienen sollen, gelten gemäß Art. 10-bis Abs. 1 als Rechtsmissbrauch (oder Steuerumgehung), auch wenn sie formal die Steuerbestimmungen beachten.

Diese Gestaltungsmaßnahmen werden von der Finanzverwaltung nicht anerkannt *(„non sono opponibili all'amministrazione finanziaria*") und diese erkennt die geltend gemachten steuerlichen Vorteile ab.
Im Sinne dieser Regelung wird Geschäftsvorfällen dann keine wirtschaftliche Substanz zuerkannt, wenn diese **außer den steuerlichen Vorteilen keine wesentlichen Wirkungen entfalten**. Als Indizien für ein Fehlen wirtschaftlicher Substanz gelten im Besonderen:

– die **Diskrepanz** zwischen der **Einstufung** der einzelnen Geschäftsvorfälle und ihrer **rechtlichen Grundlegung in ihrer Gesamtheit** sowie

– die Verwendung dieser Gestaltungsmaßnahmen im **Widerspruch zu einer gewöhnlichen Marktlogik**.[550]

Als „**ungerechtfertigte** steuerliche Vorteile" werden – etwas tautologisch – jene Vorteile bezeichnet, die, auch wenn sie nicht sofort realisiert werden, in **Widerspruch zu den Zielen der Steuerbestimmungen** oder den Prinzipien der Steuerrechtsordnung stehen.

Die Gestaltungsmaßnahmen **rechtfertigenden wirtschaftlichen Beweggründe** werden gemäß **Abs. 3** weit definiert. Sie müssen nicht in einem unmittelbaren wirtschaftlichen Nutzen resultieren, sondern können auch nur organisationstechnische Verbesserungen zum Ziel haben:

Soweit „nicht unerhebliche", **„gute außerfiskalische Gründe"** ***(valide ragioni extrafiscali)*** vorliegen, die auch organisatorischer oder verwaltungstechnischer Natur sein können und mit welchen eine strukturelle und funktionelle Verbesserung des Unternehmens bzw. der freiberuflichen Tätigkeit angestrebt wird, ist auf keinen Fall ein Rechtsmissbrauch gegeben.

Weiters bleibt die Freiheit des Steuerpflichtigen gewahrt, zwischen verschiedenen Regelungsregimen und Gestaltungsmaßnahmen zu wählen, die vom Gesetzgeber angeboten werden (z.B. unterschiedliche Buchhaltungsregelungen) und die zu einer unterschiedlichen Steuerlast führen (Abs. 4).

In einer **Richtlinie v. 27. Februar 2025** hat das Wirtschafts- und Finanzministerium die Elemente des Rechtsmissbrauchs folgendermaßen definiert, wobei ihr Vorliegen auch in dieser Reihenfolge zu prüfen ist:

- Es wird ein **Steuervorteil** erzielt, der **nicht vorgesehen** ist bzw. **nicht angemessen** ist.

[550] Art. 10-bis Abs. 2 a).

– Die betreffende Transaktion erfolgt **ohne relevanten wirtschaftlichen oder außersteuerlichen Grund**.

– Der unzulässige oder ungerechtfertigte **Steuervorteil** stellt das **wesentliche Element** der Transaktion oder der damit zusammenhängenden Geschäftsvorfälle dar.[551]

Es wurde ein eigenes, **allgemein anwendbares Auskunftsverfahren *(interpello)*** eingeführt, mit welchem vorab (vor Abgabe der Steuererklärung) geprüft werden kann, ob Rechtsmissbrauch vorliegt (Art. 11 Abs. 1 lit c) G 212/2000).

Die Feststellung von Rechtsmissbrauch (Steuerumgehung) erfolgt nun über ein **einheitliches Verfahren**, das dem Steuerpflichtigen ein Maximum an Rechtsschutz bietet (Abs. 4 ff.):

– Zuerst muss der Steuerpflichtige um Auskunft ***(chiarimenti)* innerhalb von 60 Tagen** ersucht werden (siehe dazu auch das erweiterte Anhörungsrecht gemäß Art. 10-bis ChdS). In diesem Ersuchen müssen die Gründe angeführt werden, aus welchen das Vorliegen eines Rechtsmissbrauchs vermutet wird.

– Anschließend wird (gegebenenfalls) das Vorliegen von Rechtsmissbrauch in einem **eigenen Bescheid** festgestellt. Die Finanzverwaltung hat dafür zumindest 60 Tage Zeit (eventuelle Verwirkungsfristen werden ansonsten verlängert). Dieser Bescheid muss **ausführlich begründet** sein, wobei auf den realisierten Missbrauch, die anwendbaren Normen und auf die Stellungnahme des Steuerpflichtigen eingegangen werden muss.

Diese Vorgaben sind bei sonstiger Nichtigkeit des Bescheides einzuhalten.

Gemäß den allgemeinen prozessrechtlichen Grundsätzen obliegt es der Finanzbehörde, das Vorliegen einer Steuerumgehung nachzuweisen, während der Steuerpflichtige die außerfiskalischen Rechtfertigungsgründe zur Vornahme einer Gestaltungsmaßnahme gemäß Abs. 3 nachzuweisen hat (Abs. 9).

Gemäß Abs. 13 des Art. 10-bis hat Rechtsmissbrauch im Sinne dieses Artikels keine strafrechtlichen Konsequenzen. Auch wenn die Steuerbemessungsgrundlage auf dieser Basis um mehr als € 100.000 erhöht wird, hat dies somit **keine pönalen Sanktionen** zur Folge. **Wohl aber** kommen dafür **verwaltungsrechtliche Strafen** zur Anwendung, und zwar in der Höhe, wie sie für den Fall einer Steuerhinterziehung vorgesehen sind (Abs. 13).

Diese Bestimmung wurde in der Literatur **heftig kritisiert**, denn Steuerumgehung ist konzeptionell völlig verschieden von Steuerhinterziehung.

Die Einhebung der zusätzlichen Steuern und der Strafen aufgrund eines Steuerumgehungsvorwurfs erfolgt – angesichts der damit verbundenen substantiellen Unsicherheiten – zeitlich verzögert: Erst nach dem Urteil erster Instanz können zwei Drittel eingehoben werden.

Mit Wirkung ab 2019 wurde die RL 2016/1164 umgesetzt[552]. Es handelt sich hierbei um die ATAD-Richtlinie (Anti-Tax-Avoidance-Directive- Anti-Steuerum-

---

[551] Vgl. Grossmann, in: SWZ v. 14.3.2025, 11.

[552] EV 142 v. 29.11.2018.

gehungs-Rl, geändert durch Artikel 1 der Richtlinie (EU) 2017/952 des Rates vom 29. Mai 2017 zur Änderung der Richtlinie (EU) 2016/1164 bezüglich hybrider Gestaltungen mit Drittländern), die zur Sicherung des Binnenmarktes einheitliche Regeln bei der Bekämpfung der Steuerumgehung schaffen sollte. Auf dieser Grundlage wurden mehrere Bestimmungen des ET, die auf die Bekämpfung von Steuerumgehung abzielen, abgeändert bzw. ergänzt und konkretisiert.

11.3 Spezifische Steuernormen zur Bekämpfung der Steuerumgehung und Neu-Qualifikation von Rechtsgeschäften durch die Gerichtsbarkeit

Über die Steuerrechtsordnung verstreut findet sich eine Vielzahl an Steuernormen, die die Gestaltungsmöglichkeiten für die Steuerpflichtigen gerade mit dem Ziel einschränken, Steuerumgehung zu verhindern:[553]

– Laut **Art. 2 Abs. 3 TUIR** gelten italienische Staatsbürger, die ihren Wohnsitz in eine Steueroase verlegt haben, weiter als in Italien ansässig, soweit sie nicht den Gegenbeweis erbringen.

– Bei **Investitionen in Steueroasen**, die **nicht im Abschnitt RW** der Steuererklärung angeführt werden (Kontrolle über internationale Finanztransfers, *monitoraggio fiscale*) gilt die – widerlegbare – Vermutung, dass diese mit **hinterzogenen Mitteln** getätigt worden sind.[554] Die Strafen werden verdoppelt.[555]

– **Leasingraten** sind über eine Leasingdauer **abzugsfähig,** die zumindest die **Hälfte der Dauer der Abschreibung** gemäß ministeriellen Vorgaben ausmachen muss (Art. 102 Abs. 7 TUIR). Bei **Immobilien** ist eine Verteilung der Leasingraten auf **mindestens acht Jahre** vorgegeben.

– Bei **Leistungstransfers zwischen in- und ausländischen Unternehmen**, zwischen welchen ein **Kontrollverhältnis** besteht, sind nicht die tatsächlich angesetzten Werte steuerlich relevant, sondern die zu Marktwerten *(valore normale)* berechneten Verrechnungspreise (Art. 110 Abs. 7 TUIR).

– Es besteht die **Vermutung**, dass der **Geschäftssitz einer ausländischen Holding im Inland** belegen ist, wenn diese eine Kontrollbeteiligung an einer inländischen Gesellschaft besitzt, die **Holding** aber wiederum **von der inländischen Gesellschaft kontrolliert wird** oder aber das Verwaltungsgremium dieser ausländischen Gesellschaft primär aus **Gesellschaftern mit Wohnsitz im Inland** besteht (Art. 73 Abs. 5-bis TUIR).

– **Aufwendungen,** die aus **Geschäftsvorfällen mit Unternehmen in Steueroasen** (Ausnahme: EU- und EWR-Bereich) resultieren, waren bis 2015 **nicht abzugsfähig**. Dieselbe Regelung galt für Geschäftsbeziehungen zwischen Freiberuf-

---

[553] Vgl. dazu Falsitta, MDT – PG, 2012, 136 ff.; Tesauro, IDT – PG, 2011, 246 f.

[554] Art. 12 Abs. 2 NV 78/2009 ug G 102/2009.

[555] Bei (einfacher) Steuerhinterziehung kommt somit eine Strafe zwischen 180% und 360% des hinterzogenen Betrages zur Anwendung. Wenn keine Steuererklärung abgegeben wurde eine Strafe zwischen 240% und 480% des hinterzogenen Betrages. Diese Regelung erscheint allerdings im Lichte von EuGH Rs. C-788/19 v. 27.1.2022 problematisch.

lern (Art. 110 Abs. 10 TUIR). Auch hier war der Gegenbeweis möglich, dass keine Steuerumgehung vorlag.[556]

– Schließlich ist noch die im Jahr 2000 eingeführte **CFC-Regelung** (Art. 167 TUIR) im Lichte der Bemühungen zur Bekämpfung der Steuerumgehung zu interpretieren: Kontrolliert ein inländisches Steuersubjekt eine Gesellschaft in einer Steueroase, so werden die betreffenden Einkünfte direkt dem inländische Steuerpflichtigen zugerechnet (wobei allerdings die im Ausland bezahlten Steuern angerechnet werden und die aus der Steueroase bezogenen Dividenden steuerbefreit sind). Auch hier ist der Gegenbeweis möglich (tatsächliche Ausübung einer Wirtschaftstätigkeit in der Steueroase bzw. Nachweis, dass keine Verschiebung der Bemessungsgrundlage in die Steueroase erfolgt ist). Es kann präventiv ein steuerliches Auskunftsverfahren in die Wege geleitet werden *(istanza di interpello preventivo)*.

– Gemäß **Art. 20 des ET der Registersteuern** findet die Registersteuer auf der Grundlage der **spezifischen Natur** der zur Registrierung vorgelegten Rechtsakte und ihrer **Wirkungen** Anwendung, auch wenn diese von der gewählten Benennung oder der äußeren Form her anders einzuordnen wären. Die Steuerbehörde kann somit eine Neu-Qualifikation des betreffenden Rechtsgeschäftes vornehmen.[557]

Nicht automatisch ein Umgehungsgeschäft stellt für die Finanzverwaltung der Abschluss eines Finanzierungsvertrages im Ausland dar (wodurch die Registersteuer von 0,25% entfällt, auch wenn beide Parteien im Inland ansässig sind (konkret wird der Vertrag mit einer ausländischen Filiale einer inländischen Bank abgeschlossen), die Finanzierung für inländische operative Zwecke erfolgt und der betreffende Vertrag der italienischen Gerichtsbarkeit unterliegt. Vgl. Res. 20/E v. 28.3.2013.

– Die Vornahme der Neu-Qualifikation erfolgt häufig unmittelbar durch die Gerichtsbarkeit, so wie in folgendem Fall eines „Stufengeschäftes" mit Steuerumgehungsintention: Der Vater schenkt dem Sohn Staatspapiere in der Höhe von 2.000.000 €, wobei diese Schenkung steuerbefreit ist. Mit diesem Betrag kauft der Sohn dem Vater eine Wohnung ab. Die Schenkung der Wohnung wäre hingegen steuerpflichtig gewesen. Die Gerichtsbarkeit hat aber diese Einzeltransaktionen in ihrer Gesamtheit betrachtet und ist von einer Steuerumgehung ausgegangen.[558]

---

[556] Dies geschieht über den Nachweis einer tatsächlichen Handelstätigkeit oder eines tatsächlichen wirtschaftlichen Interesses an den getätigten Geschäften und ihrer tatsächlichen Ausführung (Art. 110 Abs. 11 TUIR).

[557] Auf der Grundlage einer Präzisierung in Art. 1 Abs. 87 lit. a) HG 2018 dürfen dazu allerdings keine Elemente herangezogen werden, die außerhalb des betreffenden Dokuments liegen *(„extratestuali")* bzw. damit nur verbunden *(„collegati")* sind.

[558] Zu diesem Beispiel siehe Tesauro, ComDT, 2013, 139.

VI. Das Steuerstreitverfahren

Literatur: Glendi, Processo, Processo Tributario, Enc.Giur.Treccani, XXIV; Tesauro, Processo Tributario, in: Digesto UTET, Sez. Comm., Agg. 1; 2006, 555; Ficari, Il processo tributario, in: Fantozzi, DT, 2012, 977; Lunelli/Missoni/Lunelli, Guida Pratica Fiscale – Contenzioso Tributario, 2014; Perrucci, Brevi annotazioni sulla nuova versione del processo tributario, in: BollTrib 20/2015, 1474; Ebner/Perathoner, Das Steuerstreitverfahren in Italien, 2016; Marcheselli, Contenzioso tributario, 2021; Gorgoni/Gorgoni, Processo tributario, 2021; Carinci, Manuale sul processo tributario, 2024; Contrino et al., La Giustizia Tributaria, 2024; Carlizzi et al., La Riforma del Processo Tributario e dello Statuto del Contribuente, 2024; Tesauro, Manuale del processo tributario, 2024; Lunelli/Ravasio/Lunelli/Lunelli, Guida Pratica Fiscale – Contenzioso Tributario, 2025

1. Zur Bedeutung des Steuerprozessrechts

Literatur: Allorio, Diritto processuale civile, 1969; Russo, Diritto e processo nella teoria dell'obligazione tributaria; Russo, Contenzioso tributario, in: Digesto UTET, Sez. Comm., V, 1988, 474; Glendi, Contenzioso tributario, in: Enc.Giur.Treccani, VIII; Fantozzi, Corso di Diritto Tributario, 2004, 318; La Rocca, L'indisponibilità dell'obbligazione tributaria, in: BollTrib 22/2021, 1553

Innerhalb des Steuerrechts gewinnt das **Steuerprozessrecht** zusehends an Bedeutung und Autonomie; z.T. bildet es im Lehrbetrieb an den Universitäten schon eine eigenständige Teildisziplin. Dabei stellt das Steuerprozessrecht eine wichtige **Verbindungslinie** zum **Zivilprozessrecht**, aber auch zum **Verwaltungsrecht** her und bestätigt die Eigenschaft des Steuerrechts als Querschnittsmaterie. In der Literatur wurde diesem Spezialbereich beim Studium des Steuerrechts bisweilen sogar primäre Bedeutung beigemessen.[559] Unbestritten ist, dass Natur und Gegenstand des Steuerrechts der prozessualen Seite im Vergleich zu anderen Rechtsmaterien eine besonders hervorragende Bedeutung zukommen lassen.

So stellt die Anwendung des Rechts im streitigen Wege in den dem Privatrecht zuordenbaren Materien von vornherein eine *extrema ratio* dar. Dies gilt grundsätzlich auch für das öffentliche Recht, wenngleich hier das Verhältnis der Unterordnung zwischen Behörden und privaten Rechtssubjektiven potentiell eine besondere Konfliktualität in sich birgt, die ebenso potentiell in einen Rechtsstreit münden kann. Am ehesten ist in diesem Zusammenhang das Verhältnis zwischen Staat und Normadressaten im Steuerrecht mit jenem im Strafrecht zu vergleichen. Beide Rechtsmaterien legen dem Normadressaten primär Pflichten auf, deren Bestand und Umfang gerichtlich bestritten werden kann. Im Strafrecht stellt der Prozess zwar den natürlichen Weg zur Anwendung der Strafnorm auf den Straftäter dar. Dabei darf aber nicht übersehen werden, dass diese Rechtsmaterie ihre wahre Funktion in der Abschreckung erfüllt, nicht in der Verfolgung des Täters im Ein-

[559] So bei Allorio, Diritto processuale tributario, 1969.

zelfall.[560] Während das Strafrecht seiner eigentlichen Funktion also dann am besten gerecht wird, wenn der abstrakt definierte Straftatbestand in der Praxis erst gar nicht realisiert wird und somit auch keine materielle Grundlage für einen Strafprozess gegeben ist, begründet das Steuerrecht positive Leistungspflichten, die allein schon aufgrund ihrer Dimension und Allgegenwärtigkeit ein viel größeres Konfliktpotential schaffen. Damit ist noch nicht gesagt, dass ein einmal zu Tage getretener steuerrechtlicher Konflikt notwendig in einen Steuerprozess münden muss. Wohlweislich wurden in den Steuerrechtsordnungen der modernen Industriestaaten überwiegend Vorkehrungen getroffen, die eine Streiterledigung im Verwaltungswege ermöglichen.[561] Lange Zeit fehlte in der italienischen Steuerrechtsordnung ein solches Verfahren im eigentlichen Sinne, weshalb Kontroversen über Ausmaß und Rechtsgrund einer Steuerschuld vorwiegend im judiziellen Wege ausgefochten werden mussten. Es fehlte an einem sog. **„verwaltungsrechtlichen Filter"** *(filtro amministrativo)*. Das Steuerprozessrecht hat auch aus diesem Grunde innerhalb der italienischen Rechtsordnung eine größere Bedeutung eingenommen als dies in anderen europäischen Rechtsordnungen der Fall war.

In Italien waren im Jahr 1997 – einzigartig unter den Industrienationen – über drei Millionen Steuerstreitfälle gerichtsanhängig. Diese Tatsache war nicht nur auf das erwähnte Fehlen eines „verwaltungsrechtlichen Filters" zurückzuführen, sondern auch auf folgende Umstände:

– In der Vergangenheit sind periodisch **Steuernachlässe** *(„condoni")* ergangen. Angesichts der Dauer der Verfahren vor den Steuerkommissinen (den nunmehrigen Steuergerichten) konnten durch die Anfechtung eines Steueraktes Steuerangelegenheiten häufig bis zum nächsten Nachlass offen gehalten werden. Diese Strategie war auch deshalb regelmäßig von Erfolg gekrönt, da die große Zahl der Anfechtungen die Bearbeitungskapazität der Steuerkommissionen bei weitem überstieg und eine völlige Lahmlegung des Apparates nur durch das Angebot eines Steuernachlasses gegen Bezahlung eines Teilbetrages der ursprünglichen Forderung erreicht werden konnte.

– **Bis** zur Reform des Steuerprozesses im Jahr **1994** (also unter Geltung des DPR 636/1972; die Reform wurde 1992 verabschiedet, in Kraft seit 1.1.1994) war der Steuerprozess **spesenfrei**. Mit der Anfechtung eines Steueraktes konnte zumindest eine Zahlungsstundung erreicht werden. Die Spesenfreiheit veranlasste andererseits aber auch die Steuerverwaltung, selbst in jenen Fällen **auf den ursprünglichen Forderungen zu beharren** (und gegebenenfalls den Instanzenzug fortzusetzen), bei welchen nur geringe Aussichten auf Erfolg bestanden.

– Mit dem Grundsatz der **„Indisponibilität der Steuerschuld"** ***(indisponibilità della pretesa tributaria)*** wurde schließlich das Beharren der Finanzverwaltung auf völlig aussichtslosen Positionen begründet. Da die Finanzverwaltung keine Rechtsgrundlage für die Rücknahme selbst offensichtlich rechtswidriger Akte sah und der betreffende Finanzbeamte daraus keinen persönlichen Vorteil ziehen konnte, sondern im Gegenteil sich der Gefahr ausgesetzt sah, selbst für den Fehlbetrag belangt zu werden, wurden die Steuerpflichtigen

[560] Die Verfolgung im Einzelfall ist allein eine logische Konsequenz der Abschreckungsfunktion.
[561] Vgl. dazu Consolo, Processo tributario in diritto comparato, in: Digesto UTET, SezComm, 1995, 359 (361).

in diesen Fällen regelmäßig auf die Möglichkeit des Rekurses vor den Steuerkommissionen (den nunmehrigen Steuergerichten) verwiesen.[562]

– Nicht zuletzt war aber der **Zustand der Finanzverwaltung** selbst für die große Zahl an Steuerstreitfällen verantwortlich. Das Fehlen von Leistungsanreizen, die inadäquate Ausstattung mit personellen und finanziellen Ressourcen und die von vielen Doppelgleisigkeiten gekennzeichnete Organisationsstruktur haben zu einer unverhältnismäßig großen Anzahl von fehlerhaften Steuerbescheiden und in der Folge zu zahlreichen Steuerprozessen geführt.

– Die Ineffizienz der Steuerverwaltung hat schließlich den Abschreckungscharakter der Strafandrohung für den Fall der Steuerhinterziehung relativiert und damit sicherlich auch zum Überhandnehmen der Steuerhinterziehung beigetragen.

Zu dieser faktischen, sich aus den Eigenheiten der italienischen Steuerrechtsordnung bzw. ihrer Vollziehung ergebenden Bedeutung des Steuerstreitverfahrens gesellte sich das **besondere Gewicht**, das dem **Steuerprozess bei der dogmatischen Durchdringung des Steuerrechts** zugekommen ist und zukommt.[563] Wie hier schon mehrfach betont worden ist, **ist das italienische Steuerrecht nicht aus einem Guss geformt**, sondern in einem geschichteten Prozess entstanden, wobei einerseits das Inkrafttreten der Verfassung am 1.1.1948 eine radikale Modernisierung dieses Rechtsgebietes verlangt hätte, andererseits dazu aber weder die intellektuelle Bereitschaft gegeben war noch die erforderlichen Mittel zu diesem Zwecke zur Verfügung standen. Die Folge war ein in vielem lückenhaftes und verfassungswidriges System, in welches insbesondere die Rechtsprechung Ordnung und System hineinzutragen versuchte. Neben dem Beitrag des Verfassungsgerichtshofs und der Wissenschaft ist in diesem Zusammenhang die Leistung der Steuerkommissionen (den nunmehrigen Steuergerichten) hervorzuheben.

Wenn somit im Steuerrecht auch nicht der Vorrang des prozessualen Bereichs gegenüber dem materiellen behauptet werden kann, so kann doch mit Fug und Recht von einer **Ebenbürtigkeit** ausgegangen werden. Zahlreiche Rechtsfragen sind im Steuerrecht nur in einer Gesamtschau prozessualer und materieller Aspekte erklärbar.

2. Die historische Entwicklung der Steuergerichtsbarkeit in Italien

Literatur: Russo, Diritto e processo nella teoria dell'obbligazione tributaria, 1969; Tesauro, Profili sistematici del processo tributario, 1980, 15; Maffezzoni, La giurisdizione tributaria nell'ambito della giuridizione amministrativa, in: BollTrib 1982, 581; Tesauro, Lineamenti del processo tributario, 1986, 11; Russo, Processo tributario, in: EncDir XXXVI, 1987; Russo, Contenzioso tributario, in: Digesto UTET, SezComm III, 1988; Micheli, Corso di Diritto

[562] Der Standardsatz lautete: „Lei ha ragione, faccia ricorso!".

[563] So betont Fantozzi, dass viele steuerrechtliche Institute erst über das Prozessrecht sinnvoll gedeutet werden können. Der Kassationsgerichtshof hat häufig gerade einen solchen Interpretationsansatz gewählt. Vgl. Fantozzi 2004, 318.

Tributario, 1989, 242; Fantozzi, Diritto Tributario, 1991, 500; Magnani, Le Commissioni Tributarie, in: Amatucci (Hrsg.), Trattato di Diritto Tributario, 1994, IV, 315; Turchi, I poteri delle parti nel processo tributario, 2003, 18; Tesauro, Istituzioni di Diritto Tributario, 2004, 353; Fantozzi, Corso di Diritto Tributario, 2004, 318; Falsitta, Manuale di Diritto Tributario, 2005, 508; Batistoni Ferrara/Bellè, Diritto Tributario Processuale, 4. Aufl. 2011, 1

a) Die Entwicklung bis zum Inkrafttreten der italienischen Verfassung im Jahr 1948

Die Struktur des italienischen Steuerstreitwesens war in der Vergangenheit – ausgehend schon von den Ursprüngen im 19. Jahrhundert – wesentlich von der Unterscheidung zwischen direkten und indirekten Steuern geprägt. Streitfälle bezüglich indirekter Steuern wurden viel eher für eine gerichtliche Prüfung geeignet erachtet als jene, die direkte Steuern betrafen. Der Überantwortung von Fragen der direkten Besteuerung an die ordentliche Gerichtsbarkeit stand einerseits das Problem des hier sich eröffnenden, breiten Beurteilungsspielraums entgegen, andererseits bestanden Bedenken, Entscheidungen über eine Haupteinnahmequelle des Staates einer unabhängigen Instanz zu übertragen.[564]

Mit dem Gesetz über die Abschaffung des Verwaltungsstreitverfahrens *(legge abolitrice del contenzioso amministrativo)* v. 20.3.1865, Beilage E wurde rechtsstaatlich ein großer Fortschritt in dem Sinne erzielt, als nunmehr die Rechte des Bürgers gegenüber der Verwaltung vor ordentlichen Gerichten geschützt wurden und nicht allein von der (oft parteiischen) Verwaltung. Dieses Prinzip galt auch für den Steuerbereich – allerdings mit weit reichenden Ausnahmen im Bereich der direkten Steuern. Für diese blieben weiterhin spezielle Steuerkommissionen zuständig.

Begründet wurde dieses zweigleisige System unter Berufung auf das Konzept der sog. **„einfachen Bewertung"** ***(estimazione semplice)***. Danach werfen all jene Steuerstreitfälle Fragen „einfacher Bewertung" auf, in denen es in Zusammenhang mit der Berechnung der Steuerbemessungsgrundlage allein um die Beurteilung faktischer (und nicht rechtlicher) Elemente unter Heranziehung spezieller Informationen, über die nur die Finanzverwaltung verfügt, ging. Ordentliche Gerichte sollten deshalb nicht mit Fragen einfacher Bewertung befasst werden, da diesen zum einen die Sachkompetenz dafür fehle, zum anderen die dazu erforderliche Informationsgrundlage. Fragen einfacher Bewertung wurden jenen komplexer Natur gegenübergestellt, die sich zwar ebenfalls auf Bewertungen bezogen, gleichzeitig aber rechtliche Elemente aufwiesen. Für diese wurde die Zuständigkeit der ordentlichen Gerichte bestätigt *(estimazione complessa)*.

Der **Rechtsschutz** im Steuerbereich beruhte also auf **zwei Säulen**: den **Steuerkommissionen** und der **ordentlichen Gerichtsbarkeit.** Der Rechtsschutz vor den Organen der ordentlichen Gerichtsbarkeit war weiter durch die Anwendung des Prinzips *„solve et repete"* eingeschränkt: Das Steuerstreitverfahren konnte erst nach

[564] Vgl. Fantozzi 2004, 320.

Bezahlung der geforderten Steuer begonnen werden (Prozessvoraussetzung).[565] Im Falle des Obsiegens konnte die Steuer dann zurückgefordert werden.

Für die weitere Entwicklung der Steuergerichtsbarkeit boten sich drei Modelle an:

a) die völlige Überantwortung dieser Fragen an die ordentliche Gerichtsbarkeit
b) die Begründung einer Verwaltungsgerichtsbarkeit
c) die Errichtung eigener Finanzgerichte

Die Steuerthematik wurde seit jeher als **zu spezifisch** angesehen, um damit allein die **ordentliche Gerichtsbarkeit** befassen zu können. Im Einzelnen wurden folgende Argumente gegen Lösungsvorschlag a) vorgebracht:

– Den ordentlichen Richtern fehlt das **steuerrechtliche Fachwissen** zur sachgerechten Lösung solcher Fragestellungen.

Wahrscheinlich ist dies das schwächste Argument gegen eine Betrauung der ordentlichen Gerichte mit steuerrechtlichen Fällen. Schließlich gilt generell das Prinzip ***„iura novit curia"***, d.h. von Richtern muss verlangt werden können, dass sie grundlegende Kenntnisse über die gesamte Rechtsordnung verfügen. Zudem wird dieser Einwand durch die Praxis widerlegt: Gerade in den Steuerkommissionen nahmen ordentliche Richter leitende Positionen ein.

– Die ordentlichen Gerichte wären **überlastet**, wenn sie auch noch Steuerstreitfälle zu bewältigen hätten.

Dieses Argument ist überzeugender: Es ist bekannt, dass die ordentliche Gerichte in Italien mit ihrer Arbeit chronisch in Verzug sind. Eine zusätzliche Zuständigkeit für Millionen von Steuerstreitfällen würde die ordentlichen Gerichte möglicherweise völlig lahmlegen.

– Der **extreme Formalismus** des Zivilverfahrensrecht wäre nicht geeignet für Steuerstreitfälle

Dieses Argument ist beschränkt stichhaltig. Einerseits wurde das geltende Steuerprozessrecht gerade am Vorbild der Zivilverfahrensordnung geformt, andererseits kennt es aber auch Sonderregeln, die eine Beschleunigung des Verfahrens erlauben.

– Steuerstreitverfahren sind häufig **Bagatellstreitverfahren**. Damit ordentliche Gerichte zu befassen, wäre eine **Ressourcenverschwendung**.

Dieses Argument hängt eng zusammen mit den vorgenannten und ist wahrscheinlich in der Essenz das überzeugendste: Nur wenn ein einigermaßen speditives, effizientes

[565] Dieses Prinzip wurde erst mit Urteil des Verfassungsgerichtshofs Nr. 21 v. 29.3.1961 als verfassungswidrig erklärt und damit aus der italienischen Rechtsordnung eliminiert.

Verfahren in diesem Bereich zur Verfügung steht, kann auch garantiert werden, dass der verfassungsrechtliche Anspruch auf einen wirksamen Rechtsschutz gewährleistet ist (Art. 24 der Verfassung).

Ähnliche Überlegungen wie die vorgenannten können hinsichtlich des Ansinnens angestellt werden, die Steuergerichtsbarkeit den **Verwaltungsgerichten** zu überantworten. Dieses Modell funktioniert zwar in Staaten wie **Frankreich** oder **Österreich** hervorragend, doch darf nicht übersehen werden, dass die Ausgangsvoraussetzungen dabei völlig unterschiedliche sind. Eine effiziente Steuerverwaltung mit einem ausgeprägten Vertrauensverhältnis zwischen Steuerpflichtigem und Verwaltung sowie das Bestehen von wirksamen administrativen Streiterledigungsmechanismen („administrativer Filter“) kann die Zahl der gerichtlich auszutragenden Steuerstreitfälle erheblich reduzieren. Fehlen diese Voraussetzungen oder sind diese unzureichend ausgeprägt, so ist die Verwaltungsgerichtsbarkeit allein schon aus Kosten- und Effizienzgründen nicht die geeignete Instanz für die Klärung von Steuerstreitfällen. Zwar wurde in den letzten Jahren der administrative Filter erheblich ausgebaut. Er ist aber noch immer bei weitem unzureichend, um die Zahl der Steuerprozesse auf ein Maß zu reduzieren, das ihre Bewältigung über die Verwaltungsgerichtsbarkeit erlauben würde.

Die **Schaffung eigener Steuergerichte** nach dem Vorbild der deutschen Finanzgerichte wurde auch in Italien immer wieder als Idealziel hingestellt. Dadurch könnte, so wurde betont, eine eigene Richterschaft ausschließlich für Steuerstreitfälle eingerichtet werden, wovon eine Beschleunigung der Verfahren und auch eine weitere Qualitätssteigerung in der einschlägigen Rechtsprechung zu erwarten wäre. Die Schaffung einer eigenen Klasse beamteter Steuerrichter ist aber notwendigerweise mit der Anwendung des Gehaltsschemas verbunden, das im Bereich der ordentlichen Gerichtsbarkeit bzw. der Verwaltungsgerichtsbarkeit gilt und deshalb lange Zeit als nicht finanzierbar erachtet wurde.

Im Ergebnis kam in Italien also nur eine **hybride Lösung** in Frage: Einerseits sollte ein **weit gehend autonome Instanz** – die Steuerkommissionen – mit der Steuergerichtsbarkeit betraut wurden, andererseits sollten die betreffenden Richter nicht den **Status von Berufsrichtern** erhalten. Von diesen Vorgaben war die gesamte Entwicklung der Steuergerichtsbarkeit seit dem letzten Drittel des 19. Jahrhunderts bis vor kurzem geprägt. Daneben war vielfältigen Vorgaben der Gesamtrechtsordnung und – seit dem 1.1.1948 – der Verfassung Rechnung zu tragen.

Während die Steuerkommissionen anfänglich eindeutig Verwaltungsorgane waren, setzte nachfolgend ein **Verrechtlichungs- und Verselbständigungsprozess** ein, der schließlich zum RDL Nr. 1639/1936 sowie zum RD 1516/1937 führte. Das damit etablierte Rechtsschutzsystem sah Bezirkssteuerkommissionen *(Commissioni distrettuali)*, Provinziale Steuerkommissionen *(Commissioni Provinciali)* sowie eine Zentrale Steuerkommission *(Commissione Centrale)* vor. Gleichzeitig bestand die Möglichkeit eines Instanzenzuges im Rahmen der ordentlichen Gerichtsbarkeit (Landesgericht, Oberlandesgericht und Kassationsgerichtshof). Insgesamt sah dieses System also sechs Instanzen vor, „eine wahre rechtliche Monstruosität“[566].

In einer Gesamtbetrachtung waren diese Steuerkommissionen zwar grundsätzlich der Gerichtsbarkeit zuzuordnen, zahlreiche Eigenschaften dieser Kommissionen deuteten aber auch auf eine verwaltungsrechtliche Natur hin. So konnte die Finanzverwaltung Mitglieder der Steuerkommissionen ernennen und die Kommissionen auch auflösen. Die Steuerkommissionen konnten amtswegig eine höhere Steuerfeststellung vornehmen bzw. ihrer Entscheidung einen autonom definierten Titel zugrunde legen.[567]

b) Verfassungsbestimmungen und Steuerprozessrecht

Literatur: Micheli, Corsi di Diritto Tributario, 1989, 242; Fantozzi, Corso di Diritto Tributario, 2004, 322; Consolo, Dal contenzioso al processo tributario, 1992; Senese, Giudice (nozione e diritto costituzionale), in: Digesto, SezPubbl., VII, 1991 (Nachdruck 2000), 195; De Mita, Profili d'incostituzionalità del nuovo processo tributario, in: ders., Interesse fiscale e tutela del contribuente, 1995, 219; Bellagamba, Il contenzioso tributario, 1996; De Mita, Processo tributario e Carta Costituzionale. Il nuovo processo tributario garantisce l'effettività di tutela, in: Miscali, Il nuovo processo tributario, 1996, 35; Batistoni Ferrara/ Bellè, Diritto Tributario Processuale, 2006, 4

Mit der **Verfassung des Jahres 1948** wurden **rechtsstaatliche Garantien** eingeführt, die auch und gerade auf die Steuergerichtsbarkeit erhebliche Auswirkungen zeitigen mussten. In diesem Zusammenhang seien in erster Linie die Unabhängigkeit der Gerichte sowie die Verfahrensgarantien zugunsten des Steuerpflichtigen genannt. Die dabei zu berücksichtigenden Verfassungsbestimmungen sind vor allem:

– Art. 102

Danach wird die Rechtsprechung von ordentlichen Gerichten ausgeübt, die aufgrund der Bestimmungen über die Gerichtsverfassung eingesetzt und geregelt werden. Von zentraler Bedeutung ist der zweite Absatz dieses Artikels: „Es dürfen keine Sondergerichte oder Spezialgerichte geschaffen werden. Es können nur bei den ordentlichen Gerichten Sonderabteilungen für bestimmte Sachgebiete errichtet werden, auch mit der Beteiligung von geeigneten Staatsbürgern, die nicht dem Richterstand angehören.“

[566] Vgl. Batistoni Ferrara, Appunti sul processo tributario, 1995, 6.
[567] Vgl. Colli Vignarelli, Il processo triburario, in: Ferlazzo Natoli, Corso di Diritto Tributario, 1997, 163 (166).

– Art. 108

Absatz 2 dieses Artikels hat folgenden Wortlaut: „Das Gesetz stellt die Unabhängigkeit der Richter der Sondergerichte, der dort angesiedelten Staatsanwälte sowie der nichtrichterlichen Beisitzer, die an der Rechtsprechung mitwirken, sicher."

– Art. 113

„Gegen die Akte der öffentlichen Verwaltung ist stets der Rechtsweg zum Schutz der Rechte sowie der verwaltungsrechtlich geschützten Interessen vor den Organen der ordentlichen Gerichtsbarkeit oder der Verwaltungsgerichtsbarkeit zulässig.

Dieser Rechtsschutz darf nicht ausgeschlossen oder auf besondere Anfechtungsmittel oder auf bestimmte Arten von Maßnahmen beschränkt werden.

Das Gesetz bestimmt, welche Organe der Rechtsprechung die Akte der öffentlichen Verwaltung in den Fällen und mit den Wirkungen, die vom Gesetz selbst vorgesehen sind, aufheben können."

– Art. VI, Abs. 1 der Übergangs- und Schlussbestimmungen

„Innerhalb von fünf Jahren nach Inkrafttreten der Verfassung wird die Revision der zur Zeit bestehenden Sonderorgane der Gerichtsbarkeit vorgenommen, mit Ausnahme der Gerichtsbarkeit des Staatsrates, des Rechnungshofes und der Militärgerichte."

Zusammenfassend ergaben diese Bestimmungen für den Steuerprozess folgende Rechtslage:

Da die Beziehungen zwischen Finanzverwaltung und Steuerpflichtigem **subjektive Rechte** und **verwaltungsrechtlich geschützte Interessen** berühren, ist für einen **gerichtlichen Rechtsschutz** in diesem Bereich Sorge zu tragen. Die dafür zuständigen Organe haben die in Art. 108 Abs. 2 angeführten Voraussetzungen zu erfüllen: ihre Unabhängigkeit ist sicherzustellen. Die 1948 bestehende Steuergerichtsbarkeit erfüllte diese Voraussetzungen nicht und war zudem als Spezialgericht nach Art. VI der Übergangs- und Schlussbestimmungen zur Verfassung einer Revision zu unterziehen. Diese Revision hatte innerhalb von fünf Jahren nach In-Kraft-Treten der Verfassung zu erfolgen. Diese Frist verstrich, ohne dass eine diesbezügliche Maßnahme gesetzt worden wäre. In der Rechtsprechung des Verfassungsgerichtshofs wurde diese Frist jedoch nicht als Fallfrist angesehen[568], sondern allein als Auftrag an den Gesetzgeber, der auch über einen längeren Prozess umgesetzt werden könne.[569] Diese abwartende, gegenüber dem Gesetzgeber äußerst nachsichtige Haltung war aber angesichts der absoluten Untätigkeit des

[568] Vgl. dazu das Urteil Nr. 41/1957. Kritisch dazu Micheli, 248.

[569] Ibid.; Fantozzi, 323, der den pragmatischen Ansatz dieser Rechtsprechung hervorhebt.

Parlaments[570] auf Dauer nicht aufrecht zu erhalten. Ganz im Sinne seiner – insbesondere in Steuerrechtsfragen – durchwegs pragmatischen Position, vermied der Verfassungsgerichtshof eine Erklärung der Verfassungswidrigkeit der bestehenden Steuerkommissionen[571] und erklärte im Jahre **1969** diese in zwei Urteilen als **Organe der Verwaltung.**[572] Diese Auslegung warf freilich die **Frage nach** dem **Rechtsschutz im Steuerrechtsbereich** auf und bewog den Gesetzgeber zum raschen Tätigwerden. Gelegenheit dazu bot das grundlegende Reformgesetz Nr. 825 v. 9.10.1971, mit welchem die italienische Steuerrechtsordnung völlig neu gestaltet wurde.

Art. 10 Pkt. 14 und 15 dieses Ermächtigungsgesetzes enthielt auch einen Auftrag an die Exekutive zur Reform der Steuerkommissionen, insbesondere zum Zweck der Sicherstellung ihrer Unabhängigkeit.[573]

Umgesetzt wurde dieser Auftrag mit dem **DPR 636/1972**, mit welchem die bestehenden **Steuerkommissionen grundlegend reformiert** und der bereits angesprochene Verrechtlichungsprozess fortgesetzt wurde. Dies warf jedoch erneut verfassungsrechtliche Probleme auf: Wenn die Steuerkommissionen in der Vergangenheit als Verwaltungsorgane eingestuft wurden, so musste ihre Verrechtlichung einer (nach Art. 102 der Verfassung unzulässigen) Schaffung eines Spezialgerichts gleichkommen. Der **Verfassungsgerichtshof** gab jedoch seine ursprüngliche Rechtsprechung auf, **klassifizierte die früheren Steuerkommissionen nachträglich in Rechtsprechungsorgane um** und stufte die 1971 eingeleitete Reform als – wenn auch verspätete – Revision der Sonderorgane der Gerichtsbarkeit nach Art. VI der Übergangs- und Schlussbestimmungen zur Verfassung ein.[574]

---

[570] Dabei mangelte es nicht an detaillierten Vorschlägen. Nach einem Vorschlag sollten die Steuerkommissionen reformiert werden, nach einem anderen sollten für Steuerstreitfälle Sonderabteilungen bei den ordentlichen Gerichten geschaffen werden. Vgl. Magnani, Le Commissioni Tributarie, in: Amatucci (Hrsg.), Trattato di Diritto Tributario, 1994, 315 (317).

[571] Die Erklärung der Verfassungswidrigkeit hätte schwer wiegende Auswirkungen auf den gesamten Gerichts- und Verwaltungsapparat zeitigen können. Die Steuerstreitfälle wären in ihrer Gesamtheit in die Zuständigkeit der ordentlichen Gerichte gefallen, die dieser Aufgabe nicht gewachsen gewesen wären. Als Konsequenz wäre aber die Effektivität der Steuernorm relativiert worden.

[572] Urteil v. 6.2.1969, Nr. 6 sowie v. 10.2.1969 Nr. 10.

[573] Im Einzelnen war Folgendes vorgesehen:

„[...]

14) la revisione della composizione, del funzionamento e delle competenze funzionali e territoriali delle Commissioni tributarie anche al fine di assicurare l'autonomia e l'indipendenza, e in modo da garantire l'imparziale applicazione della legge, prevedendosi che l'azione giudiziaria possa essere esperita avanti la Corte d'appello, con esclusione in ogni caso delle questioni di semplice estimazione, dopo che sia decorso il termine per il ricorso alla Commissione centrale, proponibile quest'ultimo in via alternativa e per soli motivi di legittimità;

15) la designazione da parte degli enti locali di una congrua rappresentanza, non superiore in ogni caso alla metà dei componenti, nelle Commissioni tributarie di primo e secondo grado; [...]"

[574] Vgl. die Urteile Nr. 287 v. 27.12.1974 sowie Nr. 215 v. 3.8.1976. Vgl. Tesauro, Processo tributario, SezComm, Agg. 1, 2000, 555 (557).

ba) Die einzelnen Reformmodelle

Anlässlich der Reform des Steuerprozesses Anfang der 70er Jahre wurden – ebenso wie anlässlich der nachfolgenden Reformbemühungen – **drei grundsätzliche Modelle** diskutiert:[575]

– die im Jahr 2022 definitiv durchgesetzte Alternative der Einsetzung **spezieller Steuergerichte** mit ausschließlicher Zuständigkeit (definitiv umgesetzt ab 2022);

– der – nicht verfolgte – Ansatz der Zuweisung ausschließlicher Steuergerichtsbarkeit an die **ordentlichen Gerichte** bzw. an Sonderabteilungen der ordentlichen Gerichte;

– das Provisorium der **Fortführung des bestehenden, gemischten Systems** bei gleichzeitiger Vornahme von **Verbesserungen**, das schrittweise in Richtung der Einführung von Steuergerichten abgeschwächt worden ist.

baa) Die Einsetzung spezieller Steuergerichte mit ausschließlicher Zuständigkeit

Dieser Ansatz hat sich – in einer langen Entwicklung von 1948–2022 – letztlich durchgesetzt. Als Vorbild für dieses Modell wird häufig das System der **Steuergerichtsbarkeit in Deutschland** herangezogen. Gegen die Einsetzung spezieller Steuergerichte in Italien wurden aber lange Zeit **verfassungsrechtliche Bedenken** vorgebracht.

Konkret wurde in einer Reform, die den Steuerkommissionen ausschließliche Zuständigkeit zuerkennen sollte, ein Bruch mit dem gemischten System der Vergangenheit und die (nach Art. 102 der Verfassung untersagte) Einrichtung eines Spezialgerichts gesehen.[576]

In der Verfassungsrechtsprechung wurde dieses Verbot allerdings eher eng ausgelegt.[577] Insbesondere wurden Bestimmungen, die allein der Aufrechterhaltung einer Spezialgerichtsbarkeit dienten, nicht als Verletzung des Art. 102 angesehen.[578] Auch die einer Revision nach Art. VI der Übergangs- und Schlussbestimmungen zur Verfassung unterzogenen Gerichte wurden nicht als Spezialgerichte eingestuft.[579]

---

[575] Vgl. dazu grundlegend Russo, Contenzioso tributario, in: Digesto, SezComm, III, 1988, 473 (497).

[576] Nach dem Ersten Weltkrieg gab es in Italien über 300 Spezialgerichte, von denen zum Zeitpunkt der Abhaltung der Verfassungsgebenden Versammlung der Großteil noch bestand. Die Verfassungsgebende Versammlung war äußerst kritisch gegenüber diesen Spezialgerichten eingestellt, wobei sich aber letztendlich die Extremposition, die auf eine gänzliche und sofortige Abschaffung abstellte (Calamandrei), nicht durchsetzen konnte. Vgl. Senese, 218.

[577] Vgl. Morelli, Kommentar zu Art. 102 der italienischen Verfassung, in: Crisafulli/Paladin, Commentario breve alla costituzione, 1990, 640 (641).

[578] Ibid. unter Verweis auf das Urteil Nr. 89/1968.

[579] Ibid. unter Verweis auf Urteil Nr. 215/1976. Vgl. auch Paladin, Diritto Costituzionale, 1995, 495.

Zentral war für den Verfassungsgerichtshof stets die Prüfung der Frage, ob das Spezialgericht die von Art. 108 geforderte **Unabhängigkeit der Richter** garantierte.[580] Art. 102 Abs. 2 ist damit in engem Zusammenhang zu Art. 108 der Verfassung zu sehen. Bellagamba geht sogar so weit, aus Art. 102 Abs. 2 allein zwei grundlegende Verfassungsbestimmungen zu lesen:

– das Verbot der Errichtung von Sondergerichten für einen schon vorliegenden Sachverhalt bzw. bereits bestehenden Streitfall;

– die Zuweisung völlig neuer und verschiedener Zuständigkeiten an bestehende Spezialgerichte.[581]

Es erscheint jedoch zweifelhaft, ob Art. 102 Abs. 2 – zumindest von seiner ursprünglichen Intention her – derart eng ausgelegt werden konnte. Aufgrund der negativen Erfahrungen der Vergangenheit standen die Schöpfer der Verfassung jeder Form von Spezialgericht äußerst skeptisch gegenüber.[582] Erst die **Konsolidierung der demokratischen Strukturen** stützte mit der Zeit diese auf die Erhaltung der vorhandenen Strukturen ausgerichtete und damit pragmatisch begründete Auslegung in dem sich fortentwickelnden Verfassungsrahmen auch rechtlich ab.[583] Damit waren aber die **Bedenken**, die über Jahrzehnte gegenüber der Zuerkennung einer ausschließlichen Zuständigkeit an die Steuerkommissionen vorgebracht wurden, zumindest für die jüngere Zeit **nicht mehr gerechtfertigt**. Das heißt aber auch, dass die Steuerprozessreform der Jahre 1991/1992 in diesem Punkt sicherlich zu zaghaft gewesen ist und eine komplexe Regelung beibehalten hat, die verfassungsrechtlich nicht mehr erforderlich gewesen wäre. Erst ein knappes Jahrzehnt später wurde dieser Missstand behoben: Mit **Art. 13 G 448/2001** wurde mit Wirkung zum 1.1.2002 eine **umfassende Zuständigkeit der Steuerkommissionen** im steuerrechtlichen Bereich begründet und damit die oben ausgeführten verfassungsrechtlichen Bedenken definitiv aufgegeben.

Mit **G Nr. 130/2022** wurde der letzte Schritt in diesem Prozess vollzogen: Die Steuerkommissionen wurden in **Steuergerichte** *(Corti di giustizia tributaria)* umbenannt, wobei es nun ein Steuergericht erster Instanz *(Corte di giustizia tributaria di primo grado)* und ein Steuergericht zweiter Instanz *(Corte di giustizia di secondo grado)* mit Sitz in den jeweiligen Provinz- und Regionalhauptstädten gibt.

bab) Die nicht verfolgte Alternative der Zuweisung der Steuergerichtsbarkeit an die ordentlichen Gerichte bzw. an Sonderabteilungen der ordentlichen Gerichte

Die Argumente, die gegen diese Regelung sprechen, sind vielfältig, in der Essenz aber nur dann überzeugend, wenn man den gegenwärtigen Zustand der ordentlichen Gerichtsbarkeit als unabänderlich betrachtet.

---

580 Ibid., 647, Rz 6.

581 Vgl. Bellagamba, 2.

582 Vgl. Russo, Contenzioso Tributario, 495.

583 Ibid.

– So wird dagegen vorgebracht, die ordentliche Gerichtsbarkeit sei ohnehin schon überlastet und durch die Zuweisung der Gerichtsbarkeit in Steuersachen würde die gegenwärtige Krisensituation weiter verschärft. Es sei nicht möglich, genügend neue Richter mit ausreichenden Vorkenntnissen zu finden, um dieser Situation Herr zu werden.[584] Sieht man sich die Arbeitsmarktsituation sowie die Zahl der arbeitslosen Juristen an, so erscheint diese Position allerdings kaum haltbar.

– Des Weiteren wird vorgebracht, die Richter der ordentlichen Gerichte verfügten nicht über die für die Anwendung des Steuerrechts erforderlichen Fachkenntnisse.[585] Auch für das Steuerrecht müsste aber das Prinzip *„iura novit curia"* gelten. Dass die Anwendung des Steuerrechts Vorkenntnisse aus anderen Disziplinen verlangt, mag zutreffen. Ähnliches ließe sich aber auch von anderen Rechtsbereichen sagen.

– Das Argument, dass für den Steuerprozess **andere prozessuale Regeln** anzuwenden seien als in den übrigen Rechtsbereichen, hat durchaus etwas für sich, wirft aber auch eine Reihe von Nebenfragen auf. So wäre zu prüfen, weshalb ordentliche Gerichte nicht gegebenenfalls eine zusätzliche, in Teilbereichen von der Zivilprozessordnung **abweichende Verfahrensordnung** anwenden sollten. Des Weiteren widerspricht dieses Argument gerade der mit dem DPR 546/1992 gemachten Erfahrung, dass die Regeln des Zivilprozesses ohne Weiteres auch auf das Steuerstreitverfahren angewandt werden können. Auch die Auffassung, wonach der Beweis im Steuerprozess anderen Regeln gehorchen muss als im Zivilprozess ist nur begrenzt zutreffend.

– Auch der Einwand, die im Zivilprozess grundsätzlich vorgesehene **Beistandspflicht** behindere eine effektive Geltendmachung des Anspruchs auf gerichtlichen Rechtsschutz ist ernst zu nehmen. Dagegen kann aber auch eine Reihe von Gegenargumenten vorgebracht werden. Anlässlich der Einführung der neuen Steuerprozessordnung wurde diesen Argumenten offenkundig Vorrang zuerkannt, da nunmehr – vor einem Spezialgericht – Kostenpflichtigkeit vorgesehen ist. Die Befürworter der Beistandspflicht argumentieren in der Regel gerade auch aus der Perspektive des Steuerpflichtigen. Im Besonderen wird darauf hingewiesen, dass die Komplexität des Steuerrechts das Erfordernis eines Beistandes für den durchschnittlich informierten Steuerpflichtigen ohnehin bereits zu einem Faktum gemacht hat. Die Beistandspflicht verbunden mit der Kostentragungspflicht für die unterliegende Prozesspartei eröffnet nun dem obsiegenden Steuerpflichtigen, die Prozessspesen zurückzufordern. Muss der Steuerpflichtige seine eigenen Prozess- und Anwaltsspesen dagegen auf jeden Fall selbst tragen, so ist das Nettoergebnis von vornherein um diesen Betrag zu verringern. Der Rechtsschutz ist damit immer nur ein partieller. Ein weiterer Vorteil der Kostentragungspflicht wird schließlich in der Verhinderung einer unüberlegten Rekurs- bzw. Einlassungsbereitschaft bzw.

[584] Ibid., 498.
[585] Ibid.

einer reinen Verzögerungstaktik[586] gesehen. Im Falle einer Kostentragungspflicht kann die Einlassung auch für die Finanzverwaltung zu Kosten führen und die Einlassung wird von einer geradezu automatischen Handlung bei Kostenfreiheit zu einem wohlüberlegten Schritt im Falle der Kostenpflichtigkeit des Verfahrens.

bac) Die Fortführung des traditionellen, gemischten Systems bei gleichzeitiger Durchführung einiger Reformen

Literatur: Consolo, Dal contenzioso al processo tributario, 1992; Consolo, Processo tributario in diritto comparato, in: Digesto, SezComm, XI, 1995, 359; Colli Vignarelli, Prospettive di riforma del contenzioso tributario, in: Economia e credito 3/4-1991, 263; Parlato, Considerazioni minime sul nuovo processo tributario, in: RassTrib 1996, 1053

Aufgrund der oben ausgeführten – wenn auch nicht durchwegs überzeugenden – Bedenken gegen eine strukturelle Neubestimmung der Gerichtsbarkeit im Steuerbereich wurde das **traditionelle System** der „geteilten Gerichtsbarkeit" im Steuerwesen anfänglich fortgeführt. Gleichzeitig wurde die Gelegenheit benutzt, die gröbsten Schwachstellen dieses Systems sukzessive zu beheben und den Prozess der Verrechtlichung weiter fortzusetzen. Dieses Modell wurde schrittweise in Richtung der Einführung eigener Steuergerichte abgeschwächt.

Mit DPR 636/1972 wurde die **Zahl der Instanzen von sechs auf vier herabgesetzt**. Die örtliche Zuständigkeit der Steuerkommission ersten Grades deckte sich mit jener des Landesgerichts, jene der Steuerkommission zweiten Grades mit dem Gebiet der Provinzen. In dritter Instanz war die Steuerkommission dritten Grades mit Sitz in Rom bzw. das Oberlandesgericht zuständig. Zulässig war ein solcher Rekurs bei Gesetzesverletzungen sowie für Faktenfragen mit Ausnahme solcher, die eine „einfache Bewertung" *(estimazione semplice)* betrafen. Gegenstand des Verfahrens war auch eine Prüfung der angefallenen Geldstrafen. In vierter Instanz war schließlich eine Kassationsbeschwerde möglich.

Dieses System blieb weiter sehr **schwerfällig** und bot genügend Gelegenheiten, eine Verzögerung des Prozessablaufs zu bewirken, um beispielsweise in der Folge in den Genuss eines Strafnachlasses zu kommen. **Bedenklich** blieb auch die **Zusammensetzung der Steuerkommissionen**. Weder waren hinreichende steuerrechtliche Kenntnisse der Kommissionsmitglieder sichergestellt[587] noch die völlige Unabhängigkeit dieser Mitglieder von der Verwaltung[588]. Ihre Bezahlung war äußerst niedrig und stellte damit nicht im mindesten einen Leistungsanreiz dar. Die Berufungsmöglichkeit an das Oberlandesgericht, einem Organ der ordentlichen Gerichtsbarkeit, war in der Sache nicht gerechtfertigt, bildete ein Erschwernis im

[586] Vgl. Drigani/Luenlli, Guida al nuovo processo tributario, 1996, 85.

[587] Erforderlich war allein ein Sekundarabschluss; steuerrechtliche Vorkenntnisse wurden nicht vorausgesetzt bzw. abgeprüft.

[588] Die Hälfte der Mitglieder der Steuerkommissionen wurde von den Gemeinde- und den Provinzialräten gewählt.

Verfahrensablauf und war allein aus verfassungsrechtlichen Bedenken gegenüber einer völligen Loslösung des Rechtsschutzes vor den Steuerkommissionen von der ordentlichen Gerichtsbarkeit eingeführt worden[589]. Eine Pflicht, einen Rechtsbeistand zu ernennen, war nicht vorgesehen. Die **Verfahrensvorschriften** waren **für den durchschnittlichen Steuerpflichtigen** aber häufig **zu kompliziert**, so dass die Inanspruchnahme eines Rechtsbeistandes zur Regel wurde. Da aber dessen Kosten nicht geltend gemacht werden konnten, war auch im Falle des Obsiegens das wirtschaftliche Prozessergebnis um diesen Betrag zu verringern. Ebenso wie für die Mitglieder der Steuerkommissionen waren die Qualifikationsansprüche, die für die Steuerbeistände galten, unzureichend. Das Ergebnis war eine qualitativ insgesamt nicht besonders hochstehende Rechtsprechung.[590] Auffallend war nicht nur die erratische Rechtsprechung der Steuerkommissionen erster und zweiter Instanz, sondern selbst der Zentralen Steuerkommission.[591]

Da mit der großen Steuerreform zu Beginn der 70er Jahre auch der **Steuervergleich abgeschafft** wurde, dem davor eine nicht zu unterschätzende Filterfunktion zugekommen ist, war nun das wichtigste Forum, vor welchem der Dialog zwischen Steuerpflichtigem und Finanzverwaltung stattfinden sollte, das Steuergericht. Eine Rekursmöglichkeit an die Finanzverwaltung, von welcher der beanstandete Akt stammte, bzw. an die übergeordnete Verwaltungsinstanz fehlte gerade für die wichtigsten Steuern. Dabei hätte ein Blick in das europäische Ausland genügt um festzustellen, dass dieser Alternative eine wesentliche streitreduzierende Rolle zukommt.[592] Dadurch **verstärkte sich jedoch der Druck auf die Steuerkommissionen**, die von ihrer gesamten Konzeption her dieser Belastung nicht gewachsen waren.[593] Insgesamt war diese zu Beginn der 70er Jahre eingeleitete Reform nur ein halbherziger Schritt hin zu einem effizienteren Steuerstreitverfahren.[594] Eine echte Reform erschien – in einer wohl etwas kurzsichtigen Betrachtungsweise – einerseits zu kostspielig. Andererseits hätte eine solche Reform auf jeden Fall auch den Finanzverwaltungsapparat mit einbeziehen müssen. Dazu reichte die Reformkraft jedoch nicht. Es war keine wirkliche Bereitschaft festzustellen, sich von überkommenen Verfahren und Regeln zu trennen. Als jedoch Ende der 80er Jahre die Zahl der Steuerstreitfälle überhandnahm[595] und im bestehenden System dieser Notstand

[589] Vgl. Relazione ministeriale che accompagna il decreto legislativo concernente l'Ordinamento degli organi speciali di giurisdizione tributaria o organizzazione degli uffici di collaborazione (DPR 545 v. 31.12.1992), Pkt. 1.

[590] Vgl. Colli Vignarelli, Prospettive di riforma del contenzioso tributario, 1991, 266.

[591] Vgl. Finocchiaro/Finocchiaro, Commentario al nuovo contenzioso tributario, 1996, 6 unter Verweis auf die Inkonsistenz der Rechtsprechung gerade in zentralen steuerrechtlichen Fragestellungen.

[592] Vgl. Consolo, Processo tributario in diritto comparato, in: Digesto, SezComm, XI, 1995, 359 (360).

[593] Vgl. Parlato, 1056.

[594] Vgl. im Detail Colli Vignarelli, Prospettive di riforma del contenzioso tributario, 1991.

[595] Laut Begleitbericht zum G 413/1991 waren Ende 1989 in erster Instanz 2.481.727 Verfahren anhängig, in 2. Instanz 240.102 und vor der Zentralen Steuerkommission 176.429 Prozesse.

nicht mehr behebbar erschien, verstärkte sich schließlich allgemein die Überzeugung, dass eine Änderung des Verfahrensrechts sowie der Verfahrensstrukturen unvermeidbar sei.

c) Die Steuerreform der Jahre 1992 - 2023

ca) Die Reformdiskussion

Literatur: Tesauro: A proposito di riforma del contenzioso tributario, in: RassTrib 1988, 433; Ciani, Il progetto governativo di riforma del contenzioso tributario, BollTrib 5/1991, 341; Tesauro, Osservazioni sulla delega per la riforma del processo tributario, in: BollTrib 19/1992, 1477; Tesauro, Evoluzione del contenzioso tributario e sue prospettive, in: RivGuarFin 1994, 1451; Tesauro, Lineamenti generali della riforma, in: Miscali, Il nuovo processo tributário, 1996, 1; Lupi, Nuovo contenzioso: dal semplice al complesso, in: RassTrib 1996, 271; Capolupo, Le modifiche alla conciliazione amministrativa, in: il fisco 13/1996, 3350; Parlato, Considerazioni minime sul nuovo processo tributario, 1996, 1053; Tabet, Luci ed ombre del nuovo processo tributario, in: RivDirTrib 11/1996, 619; Russo, Problemi vechi e nuovi del processo tributario, in: RassTrib 1996, 531

Das neue Steuerstreitverfahren war Ergebnis intensiver Debatten. Es stellt in seiner Gesamtstruktur eine geradezu revolutionäre Neuerung dar, wobei aber der Reformprozess nicht im Jahr 1992 stehen geblieben ist. Verschiedene wichtige Neuerungen konnten erst zu einem späteren Zeitpunkt durchgesetzt werden. Einen entscheidenden Anstoß dazu hat aber zweifelsohne der Paradigmenwechsel der Jahre 1991/1992 gegeben.

Nachfolgend sollen die wesentlichen Aspekte der Reformdiskussion und auch die noch offenen Fragen kurz angesprochen werden.

cb) Die Vorprüfung im Rahmen der Verwaltung

Der wohl wichtigste Punkt, in welchem die **Reformbemühungen anfänglich als erfolglos** anzusehen waren, betraf die Einrichtung des bereits erwähnten **„administrativen Filters“**. Dabei war man sich der Notwendigkeit einer solchen Vorkehrung durchaus bewusst. Nicht zuletzt aufgrund rechtsvergleichender Betrachtungen war im Rahmen der Reformdiskussion vielfach die Überzeugung festzustellen, dass ein auch noch so wirksames Streitbeilegungsverfahren am Übermaß an Streitfällen scheitern musste. Im Rahmen des administrativen Filters sollten all jene Streitfälle eine Bereinigung finden, die im Wesentlichen auf einen fehlenden Dialog zwischen Finanzverwaltung und Steuerpflichtigem zurückzuführen waren. Die Erfahrung zeigt, dass ein beachtlicher Teil der Streitfälle auf diesem Weg bereinigt werden kann, womit Kapazitäten für die Klärung echter Konflikte zwischen Finanzverwaltung und Steuerpflichtigen freigemacht würden.

Ein Vorschlag, der in diesem Zusammenhang gemacht wurde, lautete folgendermaßen: Die administrative Vorphase sollte auf Antrag des Steuerpflichtigen eingeleitet werden sowie zu einer Aussetzung des Prozesses und zu einer Entscheidung innerhalb von drei Monaten führen.[596] Hintergrund dieser Initiative waren neben den bereits erwähnten, überaus positiven Erfahrungen, die mit vergleichbaren Instituten im Ausland gemacht worden waren, einmal das Transparenzgesetz (G 241/1990), das die Beziehungen zwischen Verwaltung und Bürger auf eine neue Grundlage stellte und einen effektiven Zugang zu allen Unterlagen zusichert, die eine Entscheidungsgrundlage dargestellt haben. Die Überlegung lautete, dass innerhalb einer verwaltungsrechtlichen Vorphase gerade die Anwendung des Transparenzprinzips einen Dialog ermöglichen könnte, der eine Befassung der Steuerkommissionen erübrigen sollte.

Bekanntlich wurde dieser Vorschlag schließlich doch nicht aufgegriffen. Stattdessen wurde die **einvernehmliche Steuerfeststellung** *(accertamento con adesione)*[597] eingeführt, die rechtlich außerhalb des Steuerstreitverfahrens steht und zudem ein **gerichtlicher Steuervergleich** *(conciliazione)* in das Streitverfahren eingebaut[598].

Eine zentrale Bemühung ging in die Richtung, Steuerstreitverfahren überhaupt zu vermeiden, und zu diesem Zweck das Institut des Auskunftsrechts *(interpello)* sowie jenes der einseitigen Rücknahme von Steuerakten (*autotutela)* eingeführt.[599]

Im Jahr 2015 wurde mit der Einführung der verpflichtenden **Mediation** für Steuerstreitfälle **bis zu € 50.000** (erhöht zum 1.1.2018 von zuerst € 20.000) der Versuch unternommen, einen weiteren „administrativen Filter" zu schaffen. Diese Mediation war dem eigentlichen Steuerprozess vorgeschaltet. Diesem Versuch war aber im Ergebnis wenig Erfolg beschieden, weshalb dieses Instrument mit Wirkung ab 2024 wieder abgeschafft wurde.
Mit dem G 130/2022 wurde der Steuerprozess einer umfassenden Reform unterzogen, in deren Rahmen u.a. die Steuerkommissionen durch Steuergerichte mit Berufsrichtern ersetzt wurden.

Eine weitere Reform erfolgte mit EV 220/2023 in Umsetzung des EG 111/2023, mit Neuerungen insbesondere für den telematischen Prozess (verpflichtend vorgesehen für alle Rekurse seit 1.7.2019).

---

[596] Derart lauteten die Vorstellungen des Nationalen Rates für Wirtschaft und Arbeit (Consiglio nazionale per l'economia e il lavoro – CNEL) in seinem im Juni 1991 vorgelegten Papier.

[597] Art. 2-bis NV 564 /1994 ug G 656/1994.

[598] Vgl. Art. 48 DPR 546/1992.

[599] Erste diesbezügliche Regelungsansätze wurden 1991 bzw. 1994 geschaffen.

3. Die Steuergerichtsbarkeit: Organe und Reichweite; die Zuständigkeit

a) Die Organe der Steuergerichtsbarkeit

Organe der Steuergerichtsbarkeit sind die **Steuergerichte erster und zweiter Instanz** *(Corti tributarie di primo e secondo grado)* mit Sitz in den jeweiligen Provinz- und Regionalhauptstädten. In der Provinz Bozen und in der Provinz Trient wurde jeweils ein Steuergericht erster und zweiter Instanz angesiedelt. Geregelt ist diese Materie im DPR 545/1992.

Jedes Steuergericht sich aus verschiedenen Sektionen zusammen, deren Zahl je nach Bedarf variiert. Jede Sektion besteht wiederum aus einem Präsidenten, einem Vizepräsidenten und vier Steuerrichtern. Die einzelnen Richterkollegien werden aus mindestens drei Mitgliedern gebildet.

Die **Richter der Steuergerichte** werden über öffentliche Wettbewerbe, bestehend aus einer schriftlichen und einer mündlichen Prüfung, rekrutiert. Diese Wettbewerbe finden **einmal jährlich** statt. Teilnehmen können italienische Staatsbürger mit einem abgeschlossenen, zumindest vierjährigen rechtswissenschaftlichen Studium oder einem Studientitel *(laurea magistrale)* der Wirtschaftswissenschaften. **Steuergerichtspräsidenten** können Richter der Steuergerichte bzw. der ordentlichen Gerichtsbarkeit oder der Militär- oder Verwaltungsgerichtsbarkeit, im Dienst oder im Ruhestand, werden.[600] Der Präsident bleibt vier Jahre im Amt; sein Amt ist einmal erneuerbar.

Es ist ein Stellenplan mit insgesamt **576 Berufsrichtern** (448 bei den Steuergerichten erster Instanz, 128 bei den Steuergerichten) vorgesehen, während zum 31. Dezember 2021 2.638 ehrenamtliche Richter bei den Steuerkommissionen tätig waren. Aufgrund der Überleitung einer größeren Anzahl an ehrenamtlichen Richtern und der schrittweisen Bestellung der Berufsrichter wird sich die Zahl an 576 Steuerrichtern erst über einen längeren Zeitraum einstellen.[601] Die Steuerrichter treten **mit Erreichen des 70. Lebensjahres in den Ruhestand** (zuvor, die Richter der SK, mit 75).

Art. 8 DPR 545/1992 enthält zahlreiche **Unvereinbarkeitsgründe** *(incompatiblità)* für die Ausübung der Tätigkeit als Richter eines Steuergerichts.

Zu beachten ist, dass die Unvereinbarkeitsgründe für die Berufsrichter sowie der ordentlichen Richter, die für den Übertritt in die Steuergerichte optiert haben, durch Art. 16 ff. der Justizordnung *(ordinamento giudiziario)* geregelt sind. Die speziellen – weniger strengen – Unvereinbarkeitsgründe gem Art. 8 gelten für die restliche (auslaufende) Kategorie der von den Steuerkommissionen übergeleiteten Richtern.[602]

[600] Art. 3 DPR 545/1992.

[601] Zu diesen Zahlen vgl. Carlizzi et al., Riforma, 2024, 27.

[602] Vgl. Carlizzi et al, Riforma, 2024, 20.

Solche Unvereinbarkeitsgründe betreffen Parlamentarier, Abgeordnete zum EU-Parlament, Mitglieder von Volksvertretungskörpern (Regionalrat, Landtag, Gemeinderat), von Einrichtungen, die Steuern erheben, Bedienstete dieser Einrichtungen, die mit der Steuerfeststellung betraut sind, Angehörige der Finanzverwaltung, Präfekten, Personen, die leitende oder ausführende Funktionen in den Parteien wahrnehmen, Angehörige der Streitkräfte und die zivilen Funktionäre der Polizeikräfte.

Die wichtigsten Unvereinbarkeitsregeln sind aber folgende:

– wer – auch nur **sporadisch oder nebenberuflich** – **steuerberatend tätig** war oder die Steuerpflichtigen in ihren Beziehungen mit der Finanzverwaltung bzw. in Steuerstreitfällen vertrat, darf nicht Richter bei einem Steuergericht werden;[603]

– eine Unvereinbarkeit ist gegeben für Personen, die gemäß Art. 12 DPR 546/1992 zur Ausübung der Tätigkeit als **Steuerbeistände** befugt sind sowie für die betreffenden Bediensteten;[604]

Die **Entlohnung der Steuerrichter**[605] entspricht jener der Richter der ordentlichen Gerichtsbarkeit.[606]

Über die Tätigkeit der Steuergerichte wacht ein Selbstverwaltungskörper, der **Präsidentschaftsrat der Steuergerichtsbarkeit** *(consiglio di presidenza della giustizia tributaria)*.[607] Personalrechltich sind die Steuerrichter aber nicht dem Justizministerium, sondern dem Ministerium für Wirtschaft und Finanzen zugeordnet.[608]

Art. 6 DPR 546/1992 verweist auf das **Enthaltungsrecht** und die **Enthaltungspflicht** gemäß Art. 51 c.p.c. sowie das **Ablehnungsrecht** gemäß Art. 52 c.p.c.[609]

b) Die Gerichtsbarkeit der Steuergerichte

Wie gezeigt, war die Entwicklung der Steuergerichtsbarkeit ein behutsamer und auch mühsamer Prozess, der insbesondere von Bestrebungen gekennzeichnet war, die verfassungsrechtlichen Schranken in Bezug auf die Schaffung einer neuen Gerichtsbarkeit zu respektieren.

603 Art. 8 Abs. 1 lit i). Zur Steuerberatung wird auch die Führung der Buchhaltung gezählt. Vgl. Frizzera, 2011, 266.

604 Art. 8 Abs. 1 lit m-bis).

605 Art. 13 DPR 545/1992.

606 Art. 13-bis DPR 545/1992. Dies gilt für die auf der Grundlage eines Wettbewerbs bestellten Richter. Für die übrigen, von den Steuerkommissionen übergeleiteten Richter gilt eine Gehaltsobergrenze von € 72.000 (Art. 13 DPR 545/1992).

607 Art. 17 ff. DPR 545/1992.

608 Der Verfassungsgerichtshof hat darin keinen Verstoß gegen Art. 111 der italienischen Verfassung gesehen (Urteil 204/2024).

609 Diese Bestimmungen führen eine Reihe von Umständen an, die die unvoreingenommene Entscheidungsfindung beeinträchtigen bzw. ausschließen können.

Diesem Problem versuchte man **ursprünglich** durch **eine enumerative Aufzählung der Steuern** zu begegnen, die unter die Gerichtsbarkeit der Steuerkommissionen fielen. Diese Liste in **Art. 2** DPR 546/1992 war lang und enthielt die maßgeblichen Steuern. Dadurch, dass sie nicht abschließend war, also nicht alle Steuern enthielt, konnte die Rechtsbehauptung aufrecht erhalten bleiben, dass keine neue Gerichtsbarkeit geschaffen worden und dass damit der Buchstabe der Verfassung beachtet worden sei.

Die diesbezüglichen verfassungsrechtlichen Bedenken schwanden aber zusehends und in mehreren Schritten hat der ordentliche Gesetzgeber schließlich eine umfassende Gerichtsbarkeit der Steuerkommissionen geschaffen: zuerst für **„alle Abgaben jeglicher Art und Natur"** (ab 2002)[610] und dann durch Hinzufügung der Wendung **„jedweder Bezeichnung"** (ab 2005)[611]. Der materielle Rekursgegenstand (*petitum sostanziale*) bestimmt die Gerichtsbarkeit.[612]

Die Gerichtsbarkeit der Steuergerichte ist **sehr breit**. So zählen **alle Steuern jedweder Bezeichnung, die Zusatzsteuern** und **die Verwaltungsstrafen** dazu.

Stehen die von den Finanzämtern verhängten Verwaltungsstrafen dagegen in keinem Zusammenhang mit steuerrechtlichen Verpflichtungen, so fallen diese in die Zuständigkeit der ordentlichen Gerichte (so bspw. in Bezug auf Beschäftigungsverhältnissen mit ausländischen Arbeitnehmern, die nicht in den einschlägigen Büchern verzeichnet waren bzw. in Bezug auf den unzulässigen Betrieb von Spielautomaten).
Bei Abwasser- und Müllabfuhrgebühren ist entscheidend, ob der Abgaben- oder der Entgeltcharakter überwiegt.

Bei **Rückzahlungsforderungen** kann der ablehnende Bescheid innerhalb von 60 Tagen angefochten werden, die stillschweigende Ablehnung nach 90 Tagen ab der Einbringung des Rückzahlungsantrags und innerhalb der Verjährungsfrist.

Nicht unter die Gerichtsbarkeit der Steuergerichte fallen dagegen die Streitfälle über **steuerrechtliche Vollstreckungsverfahren** *(atti dell'esecuzione forzata triburaria)* nach der Zustellung des Vollstreckungstitels (insbes. Steuerzahlkarte) sowie **Schadenersatzklagen *(risarcimento del danno)*** aufgrund bereits abgeschlossener Sachverhalte.[613]

Unter die Gerichtsbarkeit der Steuergerichte fallen aber wiederum die **Sicherungsmaßnahmen** betreffend die **in öffentlichen Registern eingetragenen beweglichen Sachen** (insbesondere Pkw) sowie die **Eintragung von Hypotheken** (Art. 19 Abs. 1).[614]

---

[610] Vgl. Art. 12 Abs. 2 G 448/2001.
[611] Vgl. Art. 3-bis Abs. 1 NV 203/2005 ug G 248/2005.
[612] Vgl. Lunelli et al, 2025, 10, unter Verweis auf Kass. 2098/2025.
[613] Ibid., 12 f. sowie 15, mit weiteren detaillierten Ausführungen.
[614] Ibid., 13.

c) Die Zuständigkeit der Steuergerichte[615]

Was hingegen die **Zuständigkeit** *(competenza)* anbelangt, so liegt diese bei jenem Steuergericht, in dessen Sprengel das Amt der Finanzverwaltung liegt, das den bekämpften Steuerakt erlassen hat. Bei Verfahren gegen die Agentur der Einnahmen ist zu prüfen, welches Amt für die Bearbeitung des Streitfalls zuständig ist. Anders als im Zivilprozessrecht wird die Zuständigkeit im Steuerprozess also allein nach einem **territorialen Kriterium** bestimmt.

Wird der Rekurs bei einem unzuständigen Steuergericht eingebracht, so hat dieses von Amts wegen den Rekurs an das zuständige Steuergericht weiter zu leiten.[616]

Die Unzuständigkeit kann von Amts wegen (innerhalb des Verfahrensabschnitts, auf welchen sich die Zuständigkeit bezieht) oder von den Parteien gerügt werden (bis zu 10 Tage vor der Verhandlung, wenn diese unter Ausschluss der Öffentlichkeit erfolgt oder – wenn eine öffentliche Verhandlung vorgesehen ist – in deren Rahmen).[617]

4. Der Ablauf des Verfahrens

a) Die Vorprüfung des Rekurses

Der **Präsident des Steuergerichts weist den Rekurs einer Abteilung *(sezione)* zu**, wobei ähnlich gelagerte Fragestellungen möglichst derselben Abteilung zugeteilt werden sollen.[618]

Der Prozessökonomie dient auch der nächste Verfahrensabschnitt: **Offenkundig unzulässige** Rekurse sollen vom Präsidenten der zuständigen Abteilung gleich in einem Vorprüfungsverfahren mit Dekret abgewiesen werden.[619]

Selbstverständlich darf sich der Präsident der Abteilung nicht an die Stelle des Kollegialorgans setzen. Die Offenkundigkeit der Unzulässigkeit ist also ein zentrales Kriterium für die Abweisung des Rekurses durch den Präsidenten der Abteilung. Die Prüfung wird sich somit auf formale Aspekte des Rekurses beziehen und nicht auf den materiellen Gehalt. Im Einzelnen können folgende Umstände zur Rekursabweisung führen:

- das Fehlen der Gerichtsbarkeit;
- das Fehlen oder die vollständige Unklarheit über ein wesentliches Element des Rekurses;
- das Fehlen der Unterschrift;
- der Rekurs bezieht sich auf einen Akt, der in Art. 19 DPR 546/1992 nicht erwähnt wird;
- der Rekurs ist dem zuständigen Steueramt nicht zugestellt worden;

[615] Art. 4 DPR 546/1992.
[616] Vgl. Frizzera, 2011, 42.
[617] Art. 5 DPR 546/1992.
[618] Vgl. Art. 28 DPR 546/1992.
[619] Vgl. Art. 27 DPR 546/1992.

– der Rekurs ist nach Ablauf der Rekursfristen vorgebracht worden;
– der Rekurswerber hat sich nicht oder verspätet in das Verfahren eingelassen;
– der beim Steuergericht hinterlegte Rekurs weicht von jenem ab, der der Gegenpartei zugestellt worden ist.[620]

Der Präsident der Abteilung erklärt des Weiteren die **Aussetzung, die Unterbrechung und das Erlöschen des Verfahrens**, wenn die Voraussetzungen dafür vorliegen.

Gegen das betreffende Dekret kann **Beschwerde beim Steuergericht** eingebracht werden. Dieses entscheidet mit Urteil, wenn es die Unzulässigkeit des Rekurses oder das Erlöschen des Verfahrens ausspricht; in allen anderen Fällen erlässt es einen nicht anfechtbaren Beschluss, in dem die Verfügungen für die Fortführung des Verfahrens getroffen werden.[621]

Ganz zentral der Prozessökonomie dient schließlich auch die Bestimmung in Art. 29 DPR 546/1992: Die Präsidenten der Abteilungen können jederzeit die ihnen zugewiesenen Rekurse (innerhalb ihrer Abteilung) mit Dekret verbinden. Sie können aber auch wiederum ihre Trennung anordnen, wenn sie feststellen, dass deren Verbindung die Abwicklung verzögert oder beschwerlicher macht.

b) Die Befugnisse der Steuergerichte und die zulässigen Beweise[622]

Die Steuergerichte können – im Rahmen der Vorbringen der Parteien – **zusätzliche Informationen einholen** und üben dabei Funktionen aus, die den Finanzämtern und den anderen steuereinhebenden Stellen zustehen (Art. 7 DPR 546/1992). Sie können aber keine darüber hinaus gehende Ermittlungen anstellen. Die Steuergerichtekönnen in diesem Zusammenhang:
– einen Zutritt *(accesso)* beim Steuerpflichtigen, in seinem Betrieb und bei seiner Bank vornehmen;
– Anfragen um Daten, Informationen und Erklärungen vorbringen;
– eine Aufforderung an die Prozessparteien richten, all jene Dokumente vorzulegen, die zur Entscheidung nötig sind. Das diesbezügliche Ersuchen muss aber von der Gegenpartei kommen; autonom können die Steuergerichte diese Vorlage nicht mehr anordnen.[623]

Im Steuerprozess gilt grundsätzlich das **Dispositivprinzip**. Das Steuergericht darf im Rahmen der Ausübung ihrer Instruktionsbefugnisse den Streitgegenstand nicht erweitern. Diese Befugnisse dienen nicht dazu, die Mängel in der Beweisführung der Parteien auszugleichen, sondern sollen objektive Unklarheiten beheben.[624]

[620] Zu diesen Abweisungsgründen vgl. Lunelli et al., 2025, 180 sowie Battistoni Ferrara/Bellé, 102.
[621] Vgl. Art. 28 Abs. 5.
[622] Art. 7 DPR 546/1992.
[623] Dies gilt seit der Außerkraftsetzung von Art. 7 Abs. 3 DPR 546/1992 im Jahr 2005.
[624] Lunelli et al, 2025, 30, unter Verweis u.a. auf Kass.-Beschluss 17748/2021.

Tatsächlich werden die Instruktionsbefugnisse durch das Steuergericht nur sehr eingeschränkt wahrgenommen.

So hat die Regionale Steuerkommission der Toskana in ihrem Beschluss vom 18. Januar 2016 Nr. 736 Folgendes ausgeführt:

"Ragioni dovute alla formazione strutturale delle Commissioni composte da magistrati part time inducono i giudici a pervenire alla decisione con celerità, senza indulgere ad indagini ulteriori e da essi stessi gestite.

Da fatto, l'istruttoria fiscale è affidata quasi esclusivamente alla Amministrazione che – ad esempio – raccoglie dichiarazioni di persone informate dei fatti. Dichiarazioni che possono compromettere l'esito del processo anche se, si suole ripetere che non sono vere testimonianze ossia prove, ma solo indizi."[625]

Die Steuergerichte können bei besonders komplexen Ermittlungen auch **Gutachten** der Finanzverwaltung oder der Finanzwache bzw. Sachverständigengutachten **einholen.**

Nicht zugelassen als Beweis ist **der Eid (giuramento).**

Was die **Zeugenaussage** *(testimonianza)* anbelangt, so war dieser im Steuerprozess als Urkundenprozess *(processo documentale)* nicht zugelassen. Mit der Reform des Jahres **2022** ist ein **eingeschränkter Zeugenbeweis** zugelassen worden: der **schriftliche Zeugenbeweis** („*prova testimoniale scritta*", gem Art. 257-bis c.p.c.), der auf begründeten Antrag einer Partei vom Steuergericht zugelassen werden kann (Ermessensentscheidung des Gerichts).

Beruht die Steuerforderung allerdings auf Urkunden, die bis zum Beweis der Fälschung vollen Beweiswert haben, so ist der Zeugenbeweis nur hinsichtlich anderer Tatsachen zulässig (Art. 7 Abs. 4).

Der in der Vergangenheit geltende und mit der Schriftlichkeit des Steuerprozesses gerechtfertigte grundsätzliche Ausschluss des Zeugenbeweises ist häufig kritisiert worden, auch da die **Finanzverwaltung in ihren Ermittlungsprotokollen Aussagen Dritter aufnehmen darf**. Damit fließen also – so die Kritik – indirekt über schriftliche Dokumente Erklärungen ein, die mit Zeugenaussagen vergleichbar sind und eine Waffengleichheit zwischen Finanzverwaltung und Steuerpflichtigem wäre damit nicht mehr gegeben. Der Kassationsgerichtshof hat aber diesen Vorwurf dadurch zu relativieren versucht, dass er diese Erklärungen von Zeugenaussagen unterschieden hat. Diese Erklärungen hätten einen geringeren Stellenwert und seien in ihrer Beweiskraft von den Steuerkommissionen frei würdigbar.[626]

Zur Garantie der Waffengleichheit gem Art. 111 der Verfassung sowie von Art. 6 EMRK ist in der Folge aber auch den Rekurswerbern das Recht eingeräumt worden, Ausssagen von Dritten über Ersatzerklärungen für eine öffentliche Beweisurkunde („*dichiarazioni sostiutive di notorietà*) in den Prozess einfließen zu lassen.

Beweismittel, die in **rechtswidriger Form eingeholt** worden sind (bspw. bei Hausdurchsuchungen ohne Genehmigung durch die Gerichtsbehörden) können im Steuerprozess **nicht verwertet werden**.

---

[625] Zitiert nach Guida ai Controlli Fiscali 3/2016, 72.

[626] Vgl. Kass. Nr. 20353 v. 27.9.2007.

Beweise, die im Rahmen eines **Strafverfahrens aufgenommen** worden sind, können im Steuerprozess verwertet werden. Sie binden aber das Steuergericht nicht, da das Steuerstreitverfahrensrecht zahlreiche Beweisverwertungsbeschränkungen kennt. Sie sind also durch das Steuergericht **frei zu würdigen**.[627]

c) Die Prozessfähigkeit[628] und die technische Vertretung durch einen Steuerbeistand[629]

Unter Prozessfähigkeit *(legitimatio ad processum)* versteht man die **Fähigkeit, vor dem Steuergericht wirksam aufzutreten,** um dort Rechte und Ansprüche geltend zu machen bzw. frei auszuüben. Sie entspricht auf der Ebene des materiellen Rechts der Handlungsfähigkeit. Die Parteifähigkeit gemäß Art. 10 impliziert somit noch nicht die Prozessfähigkeit gemäß Art. 11 DPR 546/1992. Der Steuerpflichtige kann selbst wirksam vor Gericht auftreten bzw. einen General- oder Sonderbevollmächtigten bestellen. Die Ämter der Finanzverwaltung werden unmittelbar durch den jeweiligen Amtsvorsteher *(capo ufficio)*, durch einen Delegierten oder das Amt für Streitstreitangelegenheiten *(Ufficio del contenzioso)* vertreten.

In Bezug auf die **territorialen Gebietskörperschaften** liegt die Prozessfähigkeit beim Bürgermeister oder seinem Delegierten (Gemeinde), dem Landeshauptmann oder seinem Delegierten (Land) bzw. dem Präsidenten der Regionalregierung oder seinem Delegierten (Region).

Vom Prozessbevollmächtigten ist der **Steuerbeistand** (Art. 12 DPR 546/1992) zu unterscheiden, der für die **technische Vertretung** zuständig ist. Grundsätzlich ist nun für den Rekurswerber eine obligatorische technische Vertretung durch einen **befähigten Steuerverteidiger** vorgesehen. Ausnahmen gelten allein:

- für Steuerstreitsachen mit einem **Streitwert unter € 3.000**;
- für den Fall, dass der Rekurswerber **selbst über die Befähigung zur Steuerverteidigung verfügt.**

Unterbleibt die Bestellung eines Steuerbeistandes in den Fällen, in welchen eine solche nötig gewesen wäre, setzt das Gericht dem Rekurswerber eine Frist, um dies nachzuholen.

Zur **Steuerverteidigung befähigt** sind eine Vielzahl an Berufskategorien.

a) **Uneingeschränkt vertretungsbefugt** sind **Rechtsanwälte, Wirtschaftsberater** *(dottori commercialisti)*, **diplomierte Rechnungsführer** *(ragionieri)*, **Handelsfachleute** *(periti commerciali)* und **Arbeitsrechtsberater** *(consulenti del lavoro)*, soweit sie in die betreffenden Berufsalben eingetragen sind.

---

[627] Vgl. Tesauro, Compendio di Diritto Tributario, 2011, 210 f.

[628] Art. 11 DPR 546/1992.

[629] Art. 12 DPR 546/1992.

Bis 2005 waren Arbeitsrechtsberater allein zuständig für die Vertretung in Streitfällen betreffend Steuerrückbehalte auf Einkünfte aus nichtselbständiger Tätigkeit sowie die damit zusammenhängenden Pflichten des Steuersubstituts.

Ebenfalls uneingeschränkt vertretungsbefugt sind die **hohen Beamten der Finanzverwaltung und der Finanzwache**, soweit sie seit mindestens zwei Jahren im Ruhestand sind, 20 Jahre effektiv Dienst geleistet haben und in einem besonderen Verzeichnis der regionalen Finanzdirektion eingetragen sind.

Schließlich gilt dies noch für die Funktionäre der Berufs- bzw. Interessensverbände, die am 15.1.1993 im einschlägigen Berufsalbum eingetragen waren (subjektiv eingeschränkt allerdings auf die Angehörigen der betreffenden Verbände).

b) Über eine **eingeschränkte Zuständigkeit** verfügen **Ingenieure, Architekten, Geometer, Bautechniker** *(periti edili)*, **Agronomen** *(dottori agronomi)* und **Agrotechniker** *(agrotecnici)*: Diese können allein in Angelegenheiten im **Katasterwesen** bezüglich Grundstücke und Gebäude vertreten.

Eingeschränkt, **in der Sache** aber dennoch sehr **weit ist die Zuständigkeit** der sog. **„Steuerberater"** *(periti ed esperti tributari)*. Dabei handelt es sich um Steuerexperten, die sich bis zum **30.9.1993 in den bei den Handelskammern geführten Verzeichnissen für Steuerberater eintragen** haben lassen und die über ein Doktorat in Rechtswissenschaften bzw. Wirtschaftswissenschaften (bzw. einen vergleichbaren Abschluss) oder über ein Diplom der Handelsoberschule verfügen und die zudem in ein besonderes Verzeichnis bei der Regionalen Direktion der Agentur für Einnahmen eingetragen sind. Diese können in Streitverfahren vertreten, die die Einkommensteuern, die Mehrwertsteuer, die lokalen Abgaben, die Erbschaftsteuer oder die Registersteuer betreffen.

Seit **2016** sind auch **Mitarbeiter von Steuerassistenzstellen** (CAF), die über einen Hochschulabschluss im Bereich der Rechtswissenschaften oder der Wirtschaftswissenschaften bzw. über ein Handelsoberschuldiplom *(ragioniere)* samt Berufsbefähigungsprüfung verfügen, beschränkt vertretungsberechtigt. Hier ergibt sich die Beschränkung aus dem Betreuungsverhältnis der Vergangenheit.

Von geringerer Bedeutung ist schließlich noch die Vertretungsbefugnis für Angestellte der im Nationalen Beirat für Wirtschaft und Arbeit (Consiglio per l'Economia ed il Lavoro CNEL) vertretenen Berufsverbände (diese betrifft Streitfälle, in welchen die betreffenden Berufsverbände Partei sind) sowie jene für Angestellte von Unternehmen bzw. den von diesen kontrollierten Unternehmen, soweit der Steuerstreit diese Unternehmen betrifft. In beiden Fällen wird als Berufsqualifikation ein Studientitel in den Bereichen Rechtswissenschaften oder Wirtschaftswissenschaften (oder ein vergleichbarer Abschluss) bzw. das Diplom eines diplomierten Rechnungsführers *(ragionieri)* und die Eintragung in die betreffenden Verzeichnisse verlangt.

Die Finanzverwaltung kann sich von ihren eigenen Beamten und – seit 2016 – auch von der Staatsadvokatur vertreten lassen.

Diese – sehr weitreichenden – Vertretungsbefugnisse vor den Steuergerichten (zuvor SK) wird schon lange kritisiert, doch hat das Reformgesetz 130/2022 diesbezüglich keine Änderungen eingeführt.

d) Der kostenlose Rechtsbeistand *(gratuito patrocinio)*[630]

Soweit bestimmte Voraussetzungen gegeben sind, haben nun auch die Steuerpflichtigen Anspruch auf einen kostenlosen Rechtsbeistand. Es finden die **allgemeinen Regeln der Zivilprozessordnung** Anwendung:

– das **Einkommen** des Rekurswerbers (einschließlich jenem der im selben Haushalt lebenden Familienangehörigen sowie den steuerbefreiten und quellenbesteuerten Einkommen) darf **nicht über € 12.838,01** liegen;

– der Rekurs darf **nicht offensichtlich unbegründet** *(non manifestamente infondato)* sein.

e) Die Streitgenossenschaft *(litisconsorzio)*[631]

Man spricht von einer notwendigen Streitgenossenschaft *(litisconsorzio necessario)* wenn die Streitfrage untrennbar mehrere Parteien betrifft und die Entscheidung somit nur allen gegenüber gefällt werden kann. Liegt ein solcher Sachverhalt vor, so müssen alle diese Parteien in ein etwaiges Verfahren einbezogen werden. Die betreffende Regelung wurde aus dem Zivilprozessrecht übernommen, wobei lange Zeit strittig war, ob ein solcher Sachverhalt im Steuerrecht überhaupt denkbar ist.

Von einer notwendigen Streitgenossenschaft wird mittlerweile aber überwiegend bei Streitfällen über **Steuerrückbehalte** (unter Einbeziehung des Steuersubstituten, der den Rückbehalt vornimmt) und bei der Bekämpfung von Feststellungsbescheiden betreffend die **Einkommensteuererklärung von Personengesellschaften** ausgegangen.

Liegt eine solche notwendige Streitgenossenschaft vor, so sind von Anfang an alle betroffenen Parteien in das Verfahren einzubeziehen. Ist dies unterblieben, so ordnet das Steuergericht die Vervollständigung des Verfahrens durch Streitverkündung auch gegenüber den ursprünglich nicht beteiligten Parteien an. Die Streitverkündung *(chiamata in causa)* hat innerhalb der vom Steuergericht festgelegten Frist zu erfolgen, da andernfalls das Verfahren erlischt und der angefochtene Steuerakt rechtskräftig wird.

Die **Streitgenossenschaft** kann auch **fakultativer Natur** sein *(litisconsorzio facoltativo)*. Voraussetzung ist hier, dass ein **Zusammenhang hinsichtlich des Gegenstandes oder des Rechtsgrundes** gegeben ist, von dem die Streitsache abhängt. Ein solcher Zusammenhang ist regelmäßig bei Solidarschuldverschältnissen gegeben.

---

[630] Art. 13 DPR 546/1992 bzw. Art. 76 DPR 115/2002.

[631] Art. 14 DPR 546/1992.

Eine fakultative Streitgenossenschaft kann gleich zu Beginn zum Zeitpunkt der Klagseinbringung begründet werden oder aber nachfolgend durch **Intervention**.

f) Die Kostentragungspflicht[632]

Die Einführung der Kostentragungspflicht für die unterlegene Partei stellt eine der bedeutendsten Neuerungen dar, die mit der Steuerprozessreform des Jahres 1992 (in Kraft seit 1.4.1994) eingeführt worden sind. Zuvor wurde der Steuerpflichtige – insbesondere bei einem geringeren Streitwert – in vielen Fällen von einer Rekurseinbringung durch die Überlegung abgehalten, dass die (von ihm auf jeden Fall zu tragenden) eigenen Kosten für den Rechtsbeistand einen Rekurs nicht rechtfertigten.

Grundsätzlich gilt auch im Steuerprozess das allgemeine Prinzip der Zivilprozessordnung **(Art. 92 c.p.c.)**, wonach die **unterlegene Partei die Prozesskosten zu tragen hat**. Dieser Grundsatz wird aber dadurch abgeschwächt, dass das Steuergericht die Möglichkeit hat, die Prozesskosten der Parteien zwischen den Parteien teilweise oder ganz gegeneinander **aufzurechnen** *(compensazione delle spese)*.

Dafür müssen aber ganz spezifische Voraussetzungen vorliegen:

- falls **jede Partei teils obsiegt, teils unterliegt**;
- wenn **andere schwerwiegende und außerordentliche Gründe** vorliegen, wobei diese in der Begründung explizit ausgeführt werden müssen.

Die zweitgenannte Aufrechnungsvoraussetzung ist im Jahr 2009 in die Zivilprozessordnung eingeführt und mit dem Stabilitätsgesetz 2016 wieder eingeengt worden[633] und trat an die Stelle der – viel schwächeren und häufig viel zu leichtfertig angerufenen – „gerechten Gründe“.

Aufrechnungsgründe dieser Art sind insbesondere bei **objektiven Unklarheiten über die Auslegung der Steuernorm** gegeben, nicht hingegen aus allgemeinen Gründen der Billigkeit (equità).[634]

Im Jahr 2022 wurde ein weiterer Fall der Aufrechnung eingeführt: Wenn die **obsiegende Partei streitentscheidende Dokumente** erst **im Lauf des Verfahrens vorgelegt** hat (Art. 15 Abs. 2).

Bei der Kostenabrechnung wird zudem der **Stringenz** („sintentiticità“) und **Klarheit der Prozessakten** Rechnung getragen (Art. 15 Abs. 2-nonies).

Lehnt eine Partei ein Vergleichsangebot ab, so muss sie nachfolgend die **gesamten Prozesskosten** tragen, wenn ihr im Urteil **weniger zugesprochen** wird als Inhalt des Vergleichsangebots war.[635]

---

[632] Art. 15 DPR 546/1992.

[633] Art. 45 G 69/2009 sowie Art. 15 Abs. 2 DPR 546/1992: *"Le spese di giudizio possono essere compensate in tutto o in parte dalla commissione tributaria soltanto in caso di soccombenza reciproca o qualora sussistano gravi ed eccezionali ragioni che devono essere espressamente motivati."*

[634] Vgl. Lunelli et al, 2025, 84.

[635] Art. 15 Abs. 2-octies, DPR 546/1992.

Gelingt hingegen ein **Vergleich**, so werden auch die **Prozessspesen aufgerechnet**, außer die Parteien treffen eine anderslautende Vereinbarung.

Im Falle einer mutwilligen Prozessführung *(lite temeraria)* gemäß Art. 96 c.p.c. kann die verantwortliche Partei auf Antrag der Gegenpartei auch zum Ersatz des diesbezüglichen Schadens verurteilt werden. Hierzu müssen Vorsatz oder grobe Fahrlässigkeit sowie der Schaden nachgewiesen werden.[636]

g) Die Rekurseinbringung

ga) Allgemeines

Die Rekurseinbringung erfolgt nach den Regeln des Zivilprozessrechts, wobei:
- einerseits eine Streitverkündung gegenüber dem Amt, das den beanstandeten Steuerakt erlassen hat *(vocatio in jus)* und andererseits
- das Ersuchen an das Steuergericht gerichtet wird, gerichtlichen Beistand zu leisten *(edictio actionis).*

In prozesstechnischer Hinsicht äußert sich dies darin, dass der Rekurs an das zuständige Finanzamt gerichtet wird *(vocatio in jus)* und anschließend eine Streiteinlassung beim Steuergericht zu erfolgen hat *(edictio actionis*). Die praktische Einbringung erfolgt nunmehr grundsätzlich auf „telematischem" (elektronischem) Wege.

gb) Die anfechtbaren Steuerakte[637]

Der Rekurs richtet sich nicht gegen bestimmte Verhaltensweisen der Steuerbehörden im Allgemeinen, sondern immer gegen bestimmte Akte. Während Art. 2 mit der Bezugnahme auf die Steuern, die in die Gerichtsbarkeit der Steuergerichtefallen, die „äußeren Grenzen" der Steuergerichtsbarkeit absteckt, bezieht sich Art. 19, der die anfechtbaren Steuerakte anführt, auf die „inneren Grenzen" der Steuergerichtsbarkeit. Diese Akte werden in Art. 19 Abs. 1 angeführt, wobei diese Aufzählung nicht als abschließend gilt. Anfechtbar ist vielmehr jeder weitere Akt der Verwaltung, aus dem eine definitive Steuerforderung hervorgeht[638]:
- der Feststellungsbescheid im Bereich der Mehrwertsteuer und der Einkommensteuer *(avviso di accertamento* oder *avviso di rettifica)*;
- der Steuerfestsetzungsbescheid *(avviso di liquidazione del tributo)*;
- der Steuerstrafbescheid *(avviso di irrogazione di sanzioni)*;
- der Steuerbescheid im Katasterbereich *(avviso di rettifica e di liquidazione della maggior imposta)*;

[636] Art. 15 Abs. 2-bis, DPR 546/1992.
[637] Art. 19.
[638] Kass. Nr. 15194 v. 15.5.2008.

– die ausdrückliche oder stillschweigende Rückzahlungsverweigerung bezüglich nicht geschuldeter Steuern, Geldstrafen, Zinsen oder anderer nicht geschuldeter Nebenabgaben;

– die Ablehnung oder der Widerruf von Begünstigungen oder die Ablehnung des Antrags auf einvernehmliche Regelung des Steuerverhältnisses z.B. durch einvernehmliche Steuerfeststellung *(concordato)* oder durch eine Steueramnestie *(condono)*;

– alle anderen Steuerakte, für welche vom Gesetz die autonome Anfechtbarkeit vor den Steuergerichten vorgesehen ist.

Damit der Steuerpflichtige sein Recht auf gerichtlichen Rechtsschutz auch effektiv wahrnehmen kann, muss der Steuerakt folgende Informationen enthalten:

– die **Frist**, innerhalb welcher der Rekurs beim Steuergericht eingebracht werden muss;

– das **zuständige Steuergericht**;

– einen Hinweis auf die **Art und Weise**, in welcher der Rekurs gemäß Art. 20 eingebracht werden muss.

Ein fehlender diesbezüglicher Hinweis stellt allerdings keinen Anfechtungsgrund dar.

Art. 19 unterscheidet zwischen autonom anfechtbaren Steuerakten und **nicht autonom anfechtbaren Steuerakten**. Zur zuletzt genannten Kategorie gehören bspw. die Vorhalteprotokolle der Finanzbehörden *(protocolli verbali di contestazione – p.v.c.)*, die der Steuerpflichtige nach Abschluss der Finanzkontrollen erhält. Dasselbe gilt für die Fragebögen *(questionari)*, mit welchen die Finanzbehörden vom Steuerpflichtigen zusätzliche Informationen einfordern. Die Mängel dieser Akte können allein nachfolgend in Zusammenhang mit der Anfechtung der Steuerakte geltend gemacht, die darauf beruhen.

Jeder Steuerakt kann grundsätzlich **nur aufgrund eigener Mängel** angefochten werden. So kann bspw. gegenüber einer Steuerzahlkarte nicht mehr der zugrundeliegende Steuerfeststellungsbescheid in Frage gestellt werden, wenn dieser nicht angefochten worden ist. Ein nicht benannter Steuerakt aber, dessen Anfechtung unterblieben ist, kann mit einem nachfolgenden Steuerakt, der darauf aufbaut, angefochten werden.

Wird ein Steuerakt dem Steuerpflichtigen **nicht ordnungsgemäß zugestellt** und erfährt der Steuerpflichtige erst durch einen späteren Steuerakt davon, so kann er gegen beide Steuerakte gemeinsam Rekurs einbringen, auch wenn die Frist für eine Rekurseinbringung in Bezug auf den ersten Steuerakt schon abgelaufen ist.

Die Rechtsprechung akzeptiert mittlerweile die sog. **„fakultative Anfechtung“**. d.s. Rekurse gegen jeden Steuerakt, der eine Steuerforderung enthält, auch wenn dieser in Art. 19 DPR 546/1992 nicht erwähnt wird (z.B. die Mitteilung von Unregelmäßigkeiten nach automatischen Kontrollen gem Art. 36-bis und 36-ter DPR 600/1973; alternativ bleibt die Möglichkeit der Anfechtung des nachfolgenden definitiven Aktes, hier der Steuerrolle, offen).[639]

[639] Vgl. Carinci/Tassani, MDT 2024, 514 f.

Die Tatsache, dass mit dem Steuerrekurs stets **Steuerakte angefochten** werden, hat zur Folge, dass der Rekurswerber allein Anfechtungsgründe vorbringen kann, die sich auf den Steuerakt beziehen, während die Finanzverwaltung sich darauf beschränken muss, den Steuerakt zu verteidigen und keine Gegenforderungen vorbringen kann.[640]

Will der Steuerpflichtige eine **Rückzahlungsforderung** gerichtlich durchsetzen, so muss er zuerst einen entsprechenden Rückzahlungsantrag bei der Finanzverwaltung einbringen. Wird dieser abgelehnt, so kann er innerhalb von 60 Tagen dagegen rekurrieren, bei Untätigkeit der Verwaltung kann gegen diese stillschweigende Ablehnung ab 90 Tagen nach Einbringung des Antrages ein Rekurs beim zuständigen Steuergericht eingebracht werden.[641] Dabei muss er Folgendes beantragen:

- die Feststellung seiner Forderung;
- die Annullierung der Ablehnung der Rückzahlungsforderung und
- die Verurteilung der Finanzverwaltung zur Bezahlung seiner Forderung.[642]

gc) Der Inhalt des Rekurses[643]

Der Rekurs musste in der Vergangenheit auf Stempelpapier für Gerichtsurkunden zu € 14,62 abgefasst werden, wobei diese Gebühr für je vier Seiten Protokollpapier anfiel. Diese Stempelgebühr ist nunmehr abgeschafft und durch einen **Einheitsbeitrag *(contributo unificato)*** ersetzt worden. Dieser liegt je nach Streitwert zwischen € 30 (Streitwert bis € 2.582,28) und € 1.500 (Streitwert über € 200.000).[644]

Der Rekurs muss folgende Angaben enthalten:

a) Das Steuergericht, an welches der Rekurs gerichtet wird
Der Rekurs muss die zuständige Instanz (Steuergericht erster oder zweiter Instanz) anführen sowie die jeweilige Sektion, an die der Rekurs gerichtet wird.
b) Angaben zur Person, zum Domizil und zur Steuernummer des Rekurswerbers
c) das Steueramt, gegenüber welchem der Rekurs vorgebracht wird
d) Angaben zum angefochtenen Steuerakt
Diesbezüglich wird empfohlen, für jeden angefochtenen Steuerakt einen eigenen Rekurs einzubringen, wenngleich kumulative Steuerakte durchaus nicht unüblich sind.[645]
e) den Gegenstand des Rekurses *(petitum)*

[640] Vgl. Tesauro, PG, 2011, 350.
[641] Ibid.
[642] Ibid, 351.
[643] Art. 18 Abs. 2.
[644] Bei unbestimmbarem Streitwert liegt der Einheitsbeitrag bei € 120.
[645] Vgl. Lunelli et al., 2025, 125.

Der Rekurs muss im Detail anführen, welche Anträge *(petitum)* an das Steuergericht zum Schutz der subjektiven Rechte *(diritti soggettivi)* oder der verwaltungsrechtlich geschützten Interessen *(interessi legittimi)* gerichtet werden. Die Rekursanträge können bspw. gerichtet sein auf:

- die Annullierung des vom Steueramtes erlassenen Aktes oder die
- Nichtanwendung der im angefochtenen Steuerakt vorgesehenen Geldstrafe.

Auf die detaillierte Ausformulierung des *petitums* muss besonderes Augenmerk gelegt werden, da das Steuergericht an diese Anträge gebunden ist. Sie kann also nicht darüberhinausgehende Entscheidungen treffen *(ultra petitum)*. So sind auch nachrangige Anträge im Detail auszuformulieren für den Fall, dass den Hauptanträgen nicht stattgegeben wird. Insbesondere ist aber auch die konkrete Forderung gegenüber der Finanzverwaltung zu quantifizieren.

Gemäß Art. 115 Abs. 1 c.p.c. hat das Gericht die von der eingelassenen Partei nicht bestrittenen Tatsachen der Entscheidung zugrunde zu legen. Dem zu Folge gelten alle nicht bestrittenen Vorbringen im Feststellungsbescheid als akzeptiert.

f) Rekursgründe *(causa petendi)*

Die Rekursgründe sind die Rechts- und Sachgründe, auf welche der Rekurswerber seinen Rekurs stützt. In diesen kommen also die Beschwerden des Rekurswerbers in Bezug auf den Steuerakt gegenüber der Finanzverwaltung und dem Steuergericht zum Ausdruck. Diese Rekursgründe sind – gemeinsam mit den vorgelegten Dokumenten – die Grundlage für die Entscheidung im Steuerprozess. Der Rekurswerber bzw. sein Steuerverteidiger haben deshalb die Rechtsgründe **detailliert** und auch in Bezug auf die Beweisführung **vollständig darzulegen**. Grundsätzlich kann der Rekurswerber nachfolgend keine neuen Rekursgründe vorbringen. Dazu gibt es allerdings folgende Ausnahme:

- wenn durch die anderen Prozessparteien neue Dokumente vorgelegt werden und;
- wenn das Steuergericht eine entsprechende Anordnung trifft.

Die **bloße Behauptung der Rechtswidrigkeit** des angefochtenen Aktes bzw. eine bloß **allgemeine Darlegung der Rekursgründe** sind somit **unzureichend**.[646] Das Steuergericht ist allerdings in der Urteilsbegründung nicht an die Ausführungen der Parteien gebunden. In diesem Sinne sind die Verpflichtungen in Bezug auf die detaillierte Ausführung des petitums weiter reichend als jene in Bezug auf die Rekursgründe.

[646] Vgl. Lunelli, 2025, 126 f., wobei sich letzthin eine Rechtsprechung abzeichnet, die eine spätere Ergänzung der Rekursgründe zulässt, wenn dem Rekursgegner die Gründe hinreichend dargelegt wurden und seine Verteidiungsrechte damit nicht eingeschränkt werden. Ibid., unter Verweis auf Kass. 28560/2021.

g) Unterfertigung des Rekurses durch den Steuerbeistand (bzw. unmittelbar durch den Rekurswerber, wenn dieser selbst vor den Steuergerichten auftreten darf)

Der Rekurswerber kann in den Rekurs auch **besondere Anträge** aufnehmen, und zwar
- einen Antrag auf Aussetzung der Vollziehung des angefochtenen Steueraktes;
- einen Antrag auf Verbindung von Verfahren, welche sich auf dieselbe Streitsache beziehen oder miteinander in Zusammenhang stehen;
- einen Antrag auf Verurteilung des Steueramtes auf Bezahlung der Steuerguthaben gegenüber der Finanzverwaltung;
- einen Antrag auf gerichtliche Streitschlichtung *(conciliazione)*.

Der Rekurs muss auch **Angaben über die zertifizierte E-Mail-Adresse (PEC)** und die **Fax-Nummer** des Rechtsbeistandes (bzw. des Rekurswerber) enthalten.

Über die zertifizierte E-Mail-Adresse werden die Akte des Prozesses mitgeteilt, was in der Vergangenheit über die Sekretariate der Steuerkommissionen geschehen ist.

gd) Der telematische Prozess („processo tributario telematico – PTT")

Zum 1.7.2019 wurde der sog. **„telematische" (elektronische) Prozess** eingeführt[647], der nun vor den Steuergerichten ersten und zweiten Grades **verpflichtend zur Anwendung** kommt und im Wesentlichen die **Zustellung und Hinterlegung der Prozessakte sowie die Anlegung der Amtsakte *(„fascicolo d'ufficio")* und die Einsichtnahme in die jeweiligen Akten und Dokumente** betrifft.

In Ausnahmefällen, die einer speziellen gerichtlichen Genehmigung bedürfen (bspw. weil der Akt besonders umfangreich ist), kann von dieser Regel abgewichen werden (Art. 79 Abs. 2-quater).

Die Steuerbeistände müssen sich beim Informationssystem der Steuergerichtsgerichtsbarkeit (*Sistema Informativo della Giustizia Tributaria* – SIGIT) registrieren und haben dann rund um die Uhr an sieben Tagen in der Woche (24/7) Zugang zu diesem System.

Nach dem erfolgreichen Upload einer Beschwerde verwaltet das SIGIT auch die Eintragung der Beschwerde in das Generalregister sowie den weiteren Zustellprozess.

---
[647] Vgl. Art. 16-bis EV 546/1992, abg durch Art. 16 NV Nr. 119 v. 23.10.2018 ug G Nr. 136 v. 17.12.2018.

i) Die Abwicklung des Streitfalls *(trattazione)*

Der Präsident der Abteilung setzt das Datum der Abwicklung des Streitfalls fest und ernennt den Berichterstatter.[648]

Wenigstens eine Verhandlung je Monat und Abteilung ist der Abwicklung von Streitfällen vorbehalten, bei denen der Betrag der festgesetzten Abgaben und die sich daraus ergebenden Aufschläge und Geldstrafen 51.645,69 Euro übersteigt. Eine weitere Verhandlung je Monat und Abteilung ist jedenfalls der Abwicklung von Streitfällen vorbehalten, die Gesellschaften mit Rechtspersönlichkeit betreffen.

Bis zu einem Streitwert von **€ 5.000** (allein auf die streitige Steuerforderung bezogen, ohne Strafen und Zinsen)[649] ist ein **Einzelrichter** zuständig, ansonsten ein Dreiersenat.
Grundsätzlich erfolgt die Abwicklung unter **Ausschluss der Öffentlichkeit**: eine öffentliche Verhandlung muss eigens beantragt werden.[650]

Grundsätzlich gilt auch, dass der Spruchkörper die Entscheidung aufgrund einer geheimen Beratung sofort nach der öffentlichen Verhandlung bzw. nach der Darlegung durch den Berichterstatter (im Falle einer nichtöffentlichen Verhandlung) fällt.[651] In begründeten Fällen kann die Entscheidungsfindung aber auch um längstens dreißig Tage verschoben werden.

Dabei handelt es sich allerdings nur um eine Ordnungsfrist. Im Normalfall entscheidet der Spruchkörper auf der Grundlage der von den Parteien vorgebrachten Elemente. Nur in Ausnahmefällen wird die Vorlage weiterer Unterlagen angeordnet, die das Vorbringen der Parteien bekräftigen sollen (und damit eine Vertagung der Verhandlung anberaumt).[652]

Mit dem G 130/2022 wurde die Möglichkeit, **öffentliche Verhandlungen virtuell abzuhalten**, stark ausgebaut. So erfolgt die Verhandlung im Online-Format, wenn alle Parteien, die sich eingelassen haben, dies fordern. Die Verhandlungen vor dem Steuergericht erster Instanz in Einzelrichterbesetzung sowie jene, die Aussetzungsanträge zum Gegenstand haben, erfolgen grundsätzlich virtuell, wobei aber von den Parteien ein begründeter Antrag auf eine Verhandlung in Präsenz eingebracht werden kann. Auch bei Verhandlungen in Präsenz können einzelne Parteien eine Online-Zuschaltung beantragen.

---

[648] Vgl. Art. 30.

[649] Sind ausschließlich Verwaltungsstrafen Gegenstand des Verfahrens, so bemisst sich der Streitwert am Betrag dieser Strafen.

[650] Vgl. Art. 33. Dieser Antrag kann eigens eingebracht oder auch im Rekurs selbst enthalten sein. Auf jeden Fall muss er der Gegenseite zumindest 10 freie Tage vor der Verhandlung zugestellt werden.

[651] Art. 45.

[652] Vgl. Lupi, Diritto Tributario, Parte Generale, 2005, 226.

Das Urteil wird innerhalb von dreißig Tagen ab der Entscheidung durch Hinterlegung der Urschrift im Sekretariat des Steuergerichts veröffentlicht.[653] Der Spruch des Urteils *(dispositivo)* wird den eingelassenen Parteien **innerhalb von 10 Tagen ab Hinterlegung des Urteils mitgeteilt**.

Jede Partei kann beim Sekretariat eine beglaubigte Abschrift des Urteils anfordern und diese dann **den Gegenparteien zustellen**. Geschieht dies, so beginnt mit dem Datum der Zustellung die sog. **„kurze“ Berufungsfrist von 60 Tagen** zu laufen. Unterbleibt dagegen die Zustellung, so kommt die „lange“ Berufungsfrist von sechs Monaten ab Datum der Hinterlegung des Urteils zur Anwendung.[654]

Bei der Abfassung des Urteils ist **besonderes Augenmerk auf die Begründung** zu legen: diese muss ausreichend und logisch-kohärent sein. Andernfalls ist bereits ein Berufungsgrund gegeben.[655]

j) Aussetzung, Unterbrechung und Erlöschen des Verfahrens

ja) Die Aussetzung des Verfahrens (sospensione)

Von der Vielzahl an Fragen, die potentiell im Rahmen eines Streitverfahrens auftreten, können einzelne auch in die Zuständigkeit (bzw. Gerichtsbarkeit) anderer Gerichte fallen.
Ursprünglich waren die Aussetzungsgründe im Steuerprozess eng gefasst, da die Steuergerichte (früher: die Steuerkommissionen) grundsätzlich inzident über alle auftretenden Fragen entscheiden. Laut Art. 39 DPR 546/1992 ist das Steuerstreitverfahren dann auszusetzen, wenn **Fälschungsklage** erhoben wird oder wenn über den **Personenstand** bzw. die **Rechts- und Handlungsfähigkeit** einer Person als Vorfrage entschieden werden muss.

Davon ausgenommen sind allein Fragen über die Fähigkeit, einen Rechtsstreit zu führen.
Daneben gibt es noch **weitere Fälle notwendiger Aussetzung**, die für alle Streitverfahren gleichermaßen (und damit auch für das Steuerstreitverfahren) gelten. Im Einzelnen erfolgt dies bei Vorliegen folgender Anträge:

- Antrag auf Festlegung der Gerichtsbarkeit gemäß Art. 41 c.p.c *(regolamento di giurisdizione)*;
- Verweisung an den Verfassungsgerichtshof;
- Verweisung an den EuGH;
- Ablehnung eines Mitglieds des Steuergerichts gemäß Art. 6.

[653] Der Sekretär beurkundet die Vornahme der Hinterlegung durch Anbringung seiner Unterschrift und des Datums des Urteils. Dieses Datum ist dann auch maßgeblich für den Ablauf der einjährigen Rekursfrist. Vgl. Art. 37.
[654] Vgl. Art. 38.
[655] Vgl. Santamaria, Diritto Tributario – Parte Generale, 2006, 373.

Mit der **Reform des Jahres 2015** (EV 156 v. 24.9.2015) sind die **Anwendungsfälle einer notwendigen Verfahrensaussetzung erheblich erweitert** worden. So wurde die einschlägige Regelung der Zivilprozessordnung **(Art. 295 c.p.c.)** mit folgendem Wortlaut übernommen:

„Das Gericht verfügt die Aussetzung des Verfahrens immer dann, wenn es selbst oder ein anderes Gericht eine Streitigkeit zu lösen hat, von deren Ausgang die Entscheidung des Rechtsstreits abhängt."

Eine Verfahrensaussetzung ist nunmehr sogar für den Fall der Einleitung eines internationalen Verständigungsverfahrens gemäß einem DBA vorgesehen.

Sobald der Aussetzungsgrund weggefallen ist, muss das Verfahren innerhalb von sechs Monaten wieder aufgenommen werden, da es ansonsten erlischt.

jb) Die Unterbrechung des Verfahrens (interruzione)

Die Unterbrechungsgründe sind dieselben wie im Zivilverfahrensrecht:

– Tod oder Verlust der Prozessfähigkeit einer Prozesspartei[656] bzw. des gesetzlichen Vertreters oder das Erlöschen dieser Vertretung;

– Tod, Löschung oder zeitweilige Austragung vom Berufsverzeichnis des Steuerverteidigers.

Die Unterbrechung beginnt mit folgendem Zeitpunkt:

– mit Eintritt des Ereignisses, wenn die Partei den Rechtsstreit selbst führt bzw. wenn dieses den Steuerverteidiger betrifft;

– in allen anderen Fällen mit dem Zeitpunkt der Mitteilung in der öffentlichen Verhandlung bzw. in schriftlicher Form.

jc) Gemeinsame Vorschriften

Für Aussetzung und Unterbrechung gelten folgende Regeln:

jca) Erklärung von Aussetzung und Unterbrechung

Die Aussetzung bzw. die Unterbrechung werden vom Präsidenten der zuständigen Abteilung des Steuergerichts erklärt, wenn sich die betreffenden Gründe vor der Festsetzung der Verhandlung zur Abwicklung des Verfahrens zugetragen haben. Gegen dieses Dekret kann Beschwerde an das Steuergericht gemäß Art. 30 eingebracht werden.

Ansonsten erfolgt die Erklärung über die Aussetzung bzw. Unterbrechung unmittelbar durch das Steuergericht.

[656] Es versteht sich von selbst, dass dieser Unterbrechungsgrund nicht für das Finanzamt zur Anwendung kommen kann.

jcb) Auswirkungen auf das Verfahren

Aussetzung bzw. Unterbrechung haben folgende Auswirkungen:
– der Rekurs ist – vorläufig – nicht weiter prozessierbar;
– es können keine weiteren Prozesshandlungen vorgenommen werden und zudem
– werden die laufenden Fristen unterbrochen.

jcc) Fortführung des Verfahrens

Innerhalb von sechs Monaten nach dem Wegfall des Aussetzungs- bzw. Unterbrechungsgrundes muss das **Verfahren wieder fortgeführt werden**, da es ansonsten erlischt. Es wird also in der Regel im Interesse des Rekurswerbers liegen, eine Fortführung des Verfahrens zu beantragen. Mit dem Erlöschen des Verfahrens wird nämlich der angefochtene Steuerbescheid definitiv.

Der diesbezügliche Antrag auf Abwicklung des Verfahrens *(istanza di trattazione della causa)* wird beim Präsidenten der Abteilung des Steuergerichts eingebracht.

k) Das Erlöschen des Verfahrens *(estinzione)*

Die **Gründe,** die zum **Erlöschen des Verfahrens** führen, sind in den Art. 44 und 45 DPR 546/1992 geregelt. Es sind dies:

ka) Der Verzicht auf den Rekurs[657]

Der Verzicht ist schriftlich auf Stempelpapier einzubringen. Dieser ist nur dann wirksam, wenn er von den anderen eingelassenen Parteien angenommen wird.

Der Rekurswerber, der Verzicht leistet, hat den anderen Parteien die Kosten zu ersetzen, falls er mit diesen nichts anderes vereinbart hat.

kb) Untätigkeit der Parteien[658]

In den verschiedenen Fällen, in welchen die Parteien für die Fortführung des Verfahrens zu sorgen haben (Aussetzung oder Unterbrechung des Verfahrens; Notwendigkeit der Vervollständigung des Verfahrens), führt die Untätigkeit innerhalb der gesetzlich vorgegebenen Frist zum Erlöschen des Verfahrens.

Jede Partei hat hier ihre eigenen Kosten, die im Laufe des Verfahrens angefallen sind, selbst zu tragen.

[657] Art. 44.
[658] Art. 45.

kc) Erledigung der Streitsache[659]

Das Verfahren kann in diesem Zusammenhang **gänzlich oder teilweise erlöschen**. Zur Erledigung der Streitsache kommt es in den gesetzlich vorgesehen Fällen (im Falle einer gerichtlichen Streitschlichtung bzw. wenn die Finanzverwaltung den beanstandeten Steuerakt zurücknimmt, *„autotutela")* bzw. faktisch, wenn der Rekurswerber die Steuerforderung anerkennt.

Die bis dahin angefallen Kosten des Verfahrens sind – laut ursprünglichem Text Art. 46 – von der Partei, die sie getätigt hat, selbst zu tragen. Diese häufig kritisierte Bestimmung ist mit Urteil des Verfassungsgerichtshofs Nr. 274 v. 4.7.2005 für verfassungswidrig erklärt worden, da sie gegen das grundlegende, das gesamte Verfahrensrecht durchwirkende Prinzip der Kostentragung durch die unterlegene Partei verstößt. Nunmehr hat im Falle der Erledigung der Streitsache das **Steuergericht über die Kostentragung zu entscheiden**.

l) Solidarsteuerschuld

Liegt eine Solidarsteuerschuld vor, so hat die **Annullierung des Feststellungsbescheides** für einen Steuerschuldner **auch Wirkungen für alle anderen**, die diesen nicht angefochten haben. Jene Steuerschuldner, die diesen Akt nicht angefochten haben und ihre Schuld bereits beglichen haben, können diesen Betrag aber nicht mehr zurückfordern.[660]

m) Kautelarmaßnahmen
(*Aussetzung der Vollziehung des Steueraktes bzw. des angefochtenen Urteils*)

Die Steuergerichte verfügen über Kautelarmaßnahmen sowohl zugunsten des Steuerpflichtigen als auch zugunsten der Finanzbehörden.

Wie gezeigt, sind Steuerakte hoheitliche Akte, die unabhängig von der Anfechtung sofort vollziehbar sind. So kann **sofort ein Drittel der Steuern eingehoben** werden. Der Steuerpflichtige kann aber die **Aussetzung der Vollziehung** beantragen, wenn ihm ein **schwerer und nicht wieder gutzumachender Schaden *(periculum in mora)*** droht, und zwar mit einem begründeten Antrag an die zuständige Finanzbehörde (solchen Ansuchen wird allerdings selten Folge geleistet) oder mit einem **begründeten Antrag** an das Steuergericht erster Instanz, an das Steuergericht zweiter Instanz oder an den Kassationsgerichtshof (Art. 47, 52 und 62-bis DPR 546/1992) (entweder im Rekurs oder mit separatem Antrag). In der Begründung muss die **Plausibilität des Anspruchs** *(fumus boni iuris)* dargelegt werden.

---

[659] Art. 46.

[660] Vgl. Tesauro, Compendio di Diritto Tributario, 2011, 218 f.

Das Steuergericht entscheidet in nichtöffentlicher Sitzung, und zwar außerhalb der Verhandlung zur Abwicklung des Verfahrens in der Sache, damit dem Aussetzungsntrag vollumfängliche Aufmerksamkeit gewidmet werden kann.

Zudem kann der Präsident der zuständigen Sektion, wenn „außergewöhnliche Dringlichkeitsgründe“ *(eccezionali ragioni d'urgenza)* vorliegen, die Aussetzung der Vollstreckung des Urteils erster Instanz mit Dekret verfügen, wobei nachfolgend die Entscheidung dem Einzelrichter oder dem Kollegium vorgelegt wird. Dieses entscheidet mit unanfechtbarem Beschluss *(ordinanza).*

Seit 2024 sind diese **Beschlüsse auch anfechtbar:** Vor dem Kollegium, wenn der Beschluss durch den Einzelrichter ergangen ist, vor dem Steuergericht zweiter Instanz, wenn das Kollegium entschieden hat.

Auch wenn ein Urteil vor dem Kassationsgerichtshof angefochten wird, kann beim Steuergericht, das das Urteil erlassen hat, die Aussetzung der Vollstreckung beantragt werden, um einen „schweren und nicht wieder gut zu machenden Schaden“ abzuwenden. Hier wird also nur mehr auf das Element des *„periculum in mora“* abgestellt.

Insgesamt wurde nun die Möglichkeit, Kautelarmaßnahmen zugunsten des Steuerpflichtigen zu ergreifen – auch als Reaktion auf eine Vielzahl von Anregungen und Anstößen durch Wissenschaft und Rechtsprechung – erheblich ausgeweitet.

Die Steuergerichte verfügen aber auch über **Kautelarmaßnahmen zugunsten der Finanzbehörden**, und zwar entscheidet der Präsident des Steuergerichts über die Anträge der Finanzbehörden auf Eintragung einer **Sicherungshypothek** oder über Sicherungsmaßnahmen in Bezug auf **in öffentliche Register eingetragene bewegliche Sachen** des Steuerpflichtigen (in der Praxis insbesondere Pkw), wenn ein begründeter Verdacht besteht, dass die Garantien abhanden kommen könnten.[661]

Auch für diese Anträge müssen *periculum in mora* und *fumus boni iuris* nachgewiesen werden.[662] Weitere Details dazu finden sich im Kapitel über die Steuereinhebung.

Des Weiteren ist auch ein Antrag auf **Aussetzung der Vollziehung im Verwaltungswege** im Zuge der **Steuereinhebung** möglich (Art. 39 DPR 602/1973). Der betreffende Antrag ist an die Einnahmenagentur zu richten und setzt die Anfechtung der Steuerzahlkarte bzw. des Feststellungsbescheides (aufgrund eigener Mängel) voraus. Wird die Aussetzung der Vollziehung gewährt, so gilt dies bis zur Veröffentlichung des Urteils ersten Grades. Sollte die Steuerforderung dabei aber bestätigt werden, so fallen Verzugszinsen an.

Das **Aussetzungsverfahren** ist somit ein **mehrgleisiges**: Z.T. kommt es sogar zu einer faktischen Aussetzung der Vollziehung durch Steuerämter nach Maßgabe pragmatischer Gesichtspunkte.[663]

---

[661] Art. 22 EV 472/1997.

[662] Vgl. Ficari, in: Fantozzi DT 2012, 1003.

[663] So Lunelli et al., 2025, 242

Die Kostentragungspflicht der unterlegenen Partei *(principio di soccombenza)* wurde nun auch auf die Kautelarverfahren übertragen: Gemäß Art. 15 Abs. 2-quater verfügt das Steuergericht mit der Entscheidung über den Kautelarantrag auch über die Verfahrenskosten des jeweiligen Abschnitts.

n) Gerichtliche Streitschlichtung *(conciliazione,* Art. 48*)*

Mit dem Antrag auf gerichtliche Abwicklung der Streitsache in nichtöffentlicher Sitzung (Art. 33) kann jede Partei der Gegenpartei die gänzliche oder teilweise Schlichtung der Streitsache vorschlagen.

Ein Antrag auf gerichtliche Streitschlichtung kann aber schon im Rekurs enthalten sein. Gegenstand der Streitschlichtung kann jeder streitige Anspruch sein. Ausgeschlossen sind aber jene Elemente, hinsichtlich welcher sichere und direkte Beweise bestehen.[664]

Eine gerichtliche Streitschlichtung ist nunmehr **in erster und in zweiter Instanz** sowie auch vor dem **Kassationsgerichtshof** möglich (bis 2016 nur in erster Instanz; seit 2023 auch vor dem Kassationsgerichtshof). Damit soll ein weiterer Anreiz geschaffen werden, diese Vergleichsmöglichkeit auch tatsächlich zu beanspruchen. Ein Vergleichsvorschlag kann auch von der Kommission von Amts wegen vorgelegt werden. Gelingt der Vergleich, so wird darüber ein Protokoll verfasst, das auch einen Titel für die Eintreibung der geschuldeten Beträge darstellt. Die Parteien können einen Vergleichsvertrag bis zum letzten Verhandlungstermin einreichen.

Bei einer gelungenen Schlichtung werden die **Strafen auf 40% des Mindestbetrages reduziert**. Gelingt die Schlichtung **vor dem Berufungsgericht (Steuergericht zweiter Instanz)**, so werden die Strafen auf **50% des Mindestbetrages** (bezogen auf die Strafen, die auf den Teilbetrag zur Anwendung kommen würde, der Ergebnis der Schlichtung ist) reduziert und vor dem **Kassationsgerichtshof** auf **60% des Mindestbetrages**.

Das MR 38/2015 enthält auf S. 62 folgendes Beispiel:

Die Steuerbehörden haben einen Hinterziehungsbetrag von € 10.000 festgestellt und wenden darauf eine Strafe von € 24.000 an (Höchstsatz innerhalb der Spanne von 120–240%).

Im Wege der gerichtlichen Streitschlichtung einigen sich die Parteien auf einen Fehlbetrag von € 6.000, worauf – nach der vorherigen Regelung – eine Strafe von € 5.760 (40% von € 14.400 = 240% von € 6.000) zur Anwendung gekommen wäre.

Nach der neuen Regelung würden hingegen nur mehr € 2.880 (40% von € 7.200 = Mindestsatz von 120% auf € 6.000).[665]

[664] Ficari, in: Fantozzi 2012, 1017.

[665] Zwischenzeitlich ist allerdings auch das Mindestsatz weiter gesenkt worden, weshalb sich die neue Regelung im Ergebnis als noch günstiger darstellt.

o) Die Rechtsmittel

oa) Einführung

Das DPR 546/1992 regelt nur einzelne Aspekte des Rechtsmittelverfahrens. Darüberhinaus kommen die Bestimmungen der Zivilprozessordnung zur Anwendung.[666]

Als Rechtsmittel kommen in Frage
– die **Berufung *(appello);***
– die **Kassationsbeschwerde *(ricorso per cassazione);***
– die **Wiederaufnahme *(revocazione).***

Nicht vorgesehen ist dagegen die Drittwiderspruchsklage *(opposizione di terzo)* bzw. die Feststellung der Zuständigkeit *(regolamento di competenza).*

ob) Die Berufung vor dem Steuergericht zweiter Instanz

Im Rahmen des Berufungsverfahrens wird nicht das Urteil erster Instanz einer Überprüfung unterzogen, sondern grundsätzlich der **gesamte Streitfall neu gewürdigt** (Devolutivcharakter der Berufung).[667] Dabei gelten aber folgende Einschränkungen:

– **Ansprüche und Einwendungen**, denen im Urteil erster Instanz nicht stattgegeben worden ist, müssen im Berufungsverfahren **im Einzelnen wieder erhoben** werden, da sie ansonsten als aufgegeben gelten.[668]

– Grundsätzlich können **keine neuen Ansprüche erhoben und Einwendungen vorgebracht** werden.

Allerdings können die seit dem Urteil erster Instanz angereiften Zinsen eingefordert werden. Neue Einwendungen können vorgebracht werden, wenn sie auch von Amts wegen erhoben werden können.[669]

Weniger restriktiv ist die Regelung bezüglich **neuer Beweismittel.**[670] Diese können vom Berufungsgericht dann zugelassen werden, wenn
– sie für die Entscheidung notwendig sind oder
– wenn die beantragende Partei nachweist, dass sie diese aus einem von ihr nicht zu vertretenden Grund in der vorhergehenden Verfahrensinstanz nicht hatte liefern können.

---

[666] Art. 49. Nicht zur Anwendung kommen die Bestimmungen des Art. 337, c.p.c.

[667] Das Berufungsgericht kann das Urteil erster Instanz auch ohne Feststellung spezifischer formeller oder logischer Mängel verwerfen. Es ist ausreichend, wenn eine andere Lösung überzeugender erscheint. Vgl. Lupi, Diritto Tributario – Parte Generale, 2006, 230.

[668] Art. 56.

[669] Art. 57.

[670] Art. 58.

„Notwendig" für die Entscheidung sind allerdings grundsätzlich alle Beweismittel. Deshalb wurde der Ausdruck „notwendig" von der Rechtsprechung als „zwingend notwendig" interpretiert.

Die Parteien können **auch neue Urkunden** vorlegen, doch dürfen damit keine neuen Anträge und Einwendungen verbunden sein.

Zuständig für die Berufung gegen ein Urteil des Steuergerichts erster Instanz ist das Steuergericht zweiter Instanz, in dessen Sprengel das Steuergericht erster Instanz seinen Sitz hat.

Eine Sonderregelung gilt diesbezüglich für die Provinzen Bozen und Trient: Die Berufung gegen ein Urteil des Steuergerichts erster Instanz in Bozen erfolgt an das Steuergericht zweiter Instanz, das ebenfalls seinen Sitz in Bozen hat. Analoges gilt für die Provinz Trient.

Wichtig ist die Einhaltung der **Berufungsfristen**, wobei diese variieren, je nachdem, ob das Urteil erster Instanz zugestellt worden ist oder nicht.

Im Falle der Zustellung auf Veranlassung einer der Parteien hat die Berufung innerhalb von **60 Tagen** ab der Zustellung zu erfolgen („kurze Frist" – *termine breve*).

Unterbleibt dagegen eine Zustellung, so gilt für die Berufung eine Frist von **sechs Monaten** („lange Frist" – *termine lungo*).

Während im telematischen Prozess die Zustellung auf elektronischem Wege mittels zertifizierter Mail (PEC) erfolgt, können außerhalb davon weiterhin die Zustellungsformen gemäß Art. 16 Abs. 2 und 3 EV 546/1992 Anwendung finden.[671]

Auf der praktischen Ebene sind dabei auch die **Gerichtsferien** einzuberechnen, die vom 1. bis zum 31. August währen. Damit ist die „kurze Frist" um 31 Tage zu verlängern, wenn sie in die Zeit der Gerichtsferien fällt. Die „lange Frist" kann dann sechs Monate und 31 Tage betragen.

Die Berufung erfolgt in derselben Form wie der Rekurs erster Instanz gegenüber allen am Verfahren beteiligten Parteien, und zwar durch Notifikation, postalische Zusendung oder direkte Übergabe des Berufungsaktes. Die Agentur der Einnahmen *(agenzia delle entrate)* benötigt für die Berufung die Zustimmung des Vorstehers der Streitabteilung der Regionalen Finanzdirektion *(responsabile del servizio del contenzioso della direzione generale delle entrate)* bzw. der Gebietsdirektion *(direzione compartimentale del territorio)*.

Der Berufungsakt hat folgende Angaben zu enthalten:

– das angerufene Steuergericht;

– die Berufungswerber und die anderen Parteien, gegen die die Berufung gerichtet ist;

– die Kenndaten des angefochtenen Urteils;

– die gedrängte Darlegung der Tatsachen;

[671] Vgl. Tesauro, IDT – PG, 2020, 379.

– den Gegenstand des erhobenen Anspruchs und die Gründe der Anfechtung.

Für die Berufung reicht die Angabe zentraler Kritikpunkte am Urteil erster Instanz; ein bloßer Verweis auf die Einwendungen im Verfahren erster Instanz ist hingegen nicht ausreichend. Kass 1147/99.

Nach der Hinterlegung der Berufung fordert das Sekretariat des Steuergerichts zweiter beim Sekretariat des Steuergerichts erster Instanz die Übermittlung der Verfahrensakte an, in der eine beglaubigte Abschrift des Urteils enthalten sein muss.[672]

Der **Berufungswerber** hat sich **innerhalb von 30 Tagen** nach Einbringung des **Rekurses in den Streit einzulassen**, wobei die Einlassung folgendermaßen erfolgt:

– wenn der Gegenpartei eine beglaubigte Kopie des Berufungsaktes durch den Gerichtsvollzieher zugestellt worden ist: durch Hinterlegung des Originals des Berufungsaktes;

– wenn der Gegenpartei das Original des Berufungsaktes zugesandt worden ist: durch Hinterlegung einer Kopie des Berufungsaktes samt Fotokopie der Zusendebestätigung;

– wenn der Gegenpartei das Original des Berufungsaktes direkt übergeben worden ist: durch Hinterlegung einer Kopie des Berufungsaktes samt Fotokopie der Empfangsbestätigung.

Die Übereinstimmung der Kopie mit dem Original ist vom Verteidiger jeweils zu bestätigen.

Die **Gegenpartei**, die sich am Verfahren beteiligen möchte, **ohne** jedoch **Berufung** gegen das Urteil erster Instanz einlegen zu wollen, muss sich **innerhalb von 60 Tagen** mit einer **Gegenstellungnahme** *(atto di controdeduzione)* in das Verfahren einlassen.

Will die Gegenpartei **selbst Berufung** einlegen, so hat sie im Rahmen der Gegenstellungnahme eine sog. **Anschlussberufung** *(appello incidentale)* einzubringen.

Dabei besteht kein inhaltlicher Unterschied zwischen der Hauptberufung *(appello principale)* und der Anschlussberufung. Die Benennung folgt allein einem chronologischen Kriterium. Jene Berufung, die zuerst eingebracht wird, gilt als Hauptberufung, alle nachfolgenden als Anschlussberufungen.

Wenn allerdings eine Partei allein an einer Bestätigung des Urteils erster Instanz interessiert ist, dann bringt sie keine Anschlussberufung ein, sondern eine Gegenstellungnahme.

Wird die Anschlussberufung nach Ablauf der Berufungsfrist (aber vor dem Ablauf der Frist für die Streiteinlassung) eingebracht, so liegt eine **verspätete Berufung** vor. Diese ist zwar grundsätzlich zulässig. Ist aber die Hauptberufung unzulässig, so kommen auch die verspätet eingebrachten Anschlussberufungen zum Wegfall.

[672] Art. 53.

Die rechtzeitig eingebrachten Anschlussberufungen bleiben dagegen in diesem Fall aufrecht.

Das Urteil des Steuergerichts zweiter Instanz kann verfahrensrechtlicher oder inhaltlicher Natur sein. **Verfahrensrechtliche Urteile** ergehen, wenn der Rekurs als unzulässig erklärt wird bzw. wenn das Verfahren erlischt. Damit wird das Urteil erster Instanz rechtskräftig.[673]

Eine für unzulässig erklärte Berufung kann auch dann nicht neuerlich erhoben werden, wenn die vom Gesetz festgesetzte Frist noch nicht abgelaufen ist.[674]

Mit dem Berufungsurteil in der Sache kann das Urteil erster Instanz bestätigt bzw. teilweise oder gänzlich revidiert werden, wobei das Berufungsurteil an die Stelle jenes erster Instanz tritt.

In folgenden Fällen hat das Berufungsgericht die Streitsache an das Gericht erster Instanz zurückzuverweisen:

– wenn das Berufungsgericht die Gerichtsbarkeit bzw. Zuständigkeit des Gerichts erster Instanz feststellt, die von diesem Gericht bestritten worden ist;

– wenn in erster Instanz das rechtliche Gehör *(contradditorio)* nicht ordnungsgemäß hergestellt worden ist;

– wenn das angefochtene Urteil irrtümlich das Erlöschen des Prozesses festgestellt hat;

– wenn das Kollegium des Gerichts erster Instanz nicht ordnungsgemäß zusammengesetzt gewesen ist;

– wenn das Urteil des Gerichts erster Instanz nicht unterfertigt worden ist.

oc) Die Kassationsbeschwerde[675]

Die Fälle, in welchen das Urteil des Steuergerichts zweiter Instanz vor dem Kassationsgerichtshof angefochten werden können, sind in **Art. 360 c.p.c**. geregelt.

Diese sind:

– Gründe, die die Gerichtsbarkeit betreffen;

– die Verletzung der Vorschriften über die Zuständigkeit;

– die Verletzung oder die falsche Anwendung von Rechtsvorschriften;

– die Nichtigkeit des Urteils oder des Verfahrens;

– die unterlassene Prüfung eines für die Streitigkeit entscheidenden Punktes, der zwischen den Parteien diskutiert worden ist.

Der zuletzt genannte Anfechtungsgrund wurde in dieser Form mit **NV 83/2012 restriktiv formuliert.** Die Mängel in der Begründung, die in der Vergangenheit häufig den primären Grund für eine Kassationsbeschwerde darstellten, eröffnen damit nur mehr in eingeschränkter Form den Zugang zum Kassationsgerichtshof.

---

673 Dies gilt freilich nicht bei Erlöschen des Streitgegenstandes.

674 Art. 60.

675 Art. 62.

Art. 360-bis c.p.c. (eingeführt im Jahr 2009) sieht zudem einen **Zulässigkeitsfilter** für Kassationsbeschwerden vor, der von einer eigenen Sektion des Kassationsgerichtshofs zu prüfen ist. Danach sind die Beschwerden unzulässig:

– wenn die Rechtsfragen im angefochtenen Urteil auf der Grundlage einer ständigen Rechtsprechung entschieden wurden und die Anfechtungsgründe keinen Anlass für ein Abgehen von dieser Rechtsprechung bieten;

– wenn die Beschwerde offenkundig unbegründet ist.

Der Gang zum Kassationsgerichtshof soll damit nicht mehr einen Quasi-Automatismus darstellen, so wie dies in der Vergangenheit häufig der Fall war.

Seit 2016 können sich die Parteien nach dem Urteil des Steuergerichts erster Instanz darauf verständigen, auf eine Berufung an das Steuergericht zweiter Instanz zu verzichten und gleich Kassationsbeschwerde auf der Grundlage von Art. 360 Abs. 1 Nr. 3 c.p.c. (Verletzung oder falsche Anwendung von Rechtsvorschriften; **Sprungbeschwerde,** *ricorso per saltum*) einzubringen. Auch diese Möglichkeit dient der Beschleunigung des Verfahrens, wenn der eigentliche Streitgegenstand eine Rechtsfrage ist.

Auf die Kassationsbeschwerde finden die Bestimmungen der Zivilprozessordnung Anwendung, soweit diese mit den Vorschriften des DPR 546/1992 vereinbar sind.

Die Kategorie der Personen, die vor dem Kassationsgerichtshof eine Prozessvertretung übernehmen können, ist enger definiert als hinsichtlich der Verfahren vor den Steuergerichten: es sind dies einzig die für die Verteidigung vor dem Kassationsgerichtshof zugelassenen Rechtsanwälte.

Die Beschwerde muss **innerhalb von 60 Tagen ab Zustellung** des Urteils (bzw. innerhalb von sechs Monaten, wenn die Zustellung unterblieben ist) den übrigen Parteien zugestellt werden. Die **Einlassung** in den Rechtsstreit hat **innerhalb von 20 Tagen** ab der letzten Zustellung zu erfolgen.

Beabsichtigen die übrigen Parteien, sich der Beschwerde zu widersetzen, so haben sie **innerhalb von 40 Tagen ab der Zustellung der Beschwerde eine Gegenbeschwerde** einzubringen. Die Gegenbeschwerde kann gegebenenfalls auch eine Anschlussbeschwerde enthalten.

Kassationsbeschwerden mit steuerrechtlichem Gegenstand werden an eine eigene Sektion des Kassationsgerichtshofs, die **Steuersektion,** verwiesen.

Wird das angefochtene Urteil durch den Kassationsgerichtshof annulliert, so kann dieses Gericht selbst in der Sache entscheiden, wenn keine weiteren Erhebungen erforderlich sind. Andernfalls wird die Sache an das Steuergericht zweiter Instanz zurückverwiesen, die sich in der Entscheidungsfindung an die Vorgaben des Kassationsgerichtshofs zu halten hat.

In den Fällen, in welchen bereits das Berufungsgericht die Streitsache an das Steuergericht erster Instanz hätte zurückverweisen müssen, dies aber nicht getan hat, geschieht dies durch den Kassationsgerichtshof.

Im Falle der **Rückverweisung** muss das Verfahren **innerhalb eines Jahres wiederaufgenommen** werden. Dazu muss eine beglaubigte Kopie des Urteils des Kassationsgerichtshofs vorgelegt werden. Unterbleibt die Wiederaufnahme, so erlischt das Verfahren, und der angefochtene Steuerakt wird rechtskräftig.

od) Die Wiederaufnahme (giudizio di revocazione)[676]

Die Wiederaufnahme ist in **Art. 395 c.p.c.** geregelt. Danach können die in der Berufungsinstanz oder in erster und einziger Instanz erlassenen Urteile durch Wiederaufnahme angefochten werden:

1. wenn sie die Folge von **Arglist** einer der Parteien zum Schaden der anderen sind;
2. wenn aufgrund von **Beweisen** entschieden worden ist, die nach dem Erlass des Urteils als **falsch** erkannt oder sonst wie als falsch erklärt worden sind oder von denen der unterlegenen Partei nicht bekannt war, dass sie vor dem Urteil als falsch erkannt oder als falsch erklärt worden waren;
3. wenn nach dem Erlass des Urteils **eine oder mehrere entscheidende Urkunden aufgefunden** worden sind, welche die Partei aus Gründen höherer Gewalt oder durch das Verhalten des Gegners im Verfahren nicht hatte vorlegen können;
4. wenn das Urteil die Folge eines **Tatsachenirrtums** ist, der aus den Akten oder Urkunden des Rechtsstreits hervorgeht. Ein solcher Irrtum liegt vor, wenn die Entscheidung auf der Annahme einer Tatsache beruht, deren Vorliegen unwiderlegbar ausgeschlossen ist, oder wenn das Nichtbestehen einer Tatsache angenommen wird, deren Bestehen feststeht, und wenn sowohl im einen als auch im anderen Fall die Tatsache nicht einen umstrittenen Punkt darstellt, über den das Urteil zu entscheiden hatte;
5. wenn das gegenständliche **Urteil im Gegensatz zu einem früher ergangenen steht**, das zwischen den Parteien Rechtskraft besitzt, sofern es nicht über die entsprechende Einrede entschieden hat;
6. wenn das Urteil die Folge einer mit rechtskräftigem Urteil festgestellten **arglistigen Handlung des Richters** ist.

Wiederaufnahmegründe beziehen sich auf **Ausnahmesituationen** und sind in der Praxis sehr selten gegeben. Dem entsprechend ist auch die Bedeutung dieses Rechtsmittels eher gering.

Unterschieden wird zwischen **ordentlicher Wiederaufnahme** und **außerordentlicher Wiederaufnahme**.

Die **ordentliche Wiederaufnahme** ***(revocazione ordinaria)*** ist in den Punkten 4 und 5 des Art. 395 c.p.c. geregelt. Die betreffenden Gründe sind also aus den Urteilen selbst ableitbar. Der Wiederaufnahmerekurs ist innerhalb von 60 Tagen ab Zustellung des Urteils einzubringen.

---

[676] Art. 64.

Die **außerordentliche Wiederaufnahme** ***(revocazione straordinaria)*** ist dagegen in den Punkten 1, 2, 3 und 6 des Art. 395 c.p.c. geregelt. Da der Mangel, der dem Urteil zugrunde liegt, nicht aus diesem unmittelbar ersichtlich ist, läuft hier die Frist von 60 Tagen ab der Entdeckung des Mangels.

Die Wiederaufnahme wird bei jenem Gericht beantragt, dessen Urteil angefochten wird.

Gegen das im Wiederaufnahmeverfahren erlassene Urteil sind jene Rechtsmittel zulässig, denen das durch Wiederaufnahme angefochtene Urteil ursprünglich unterworfen war.

p) Die Vollstreckung der Urteile

pa) Die Eintragung der Steuerforderungen in die Steuerrollen[677]

Im Vergleich zu zivilrechtlichen Streitverfahren befand sich die **Finanzverwaltung lange** in einer **privilegierten Position,** was die Geltendmachung ihrer Ansprüche anbelangt. Der Grund dafür lag in der Tatsache, dass die Steuerakte behördliche Akte sind, für welche ein **Vollstreckungsprivileg** gilt.

Bereits **nach dem Urteil des Steuergerichts erster Instanz** mit welchem der Rekurs zur Gänze abgelehnt wird, werden **zwei Drittel der Steuern zuzüglich der Zinsen und Strafen** und abzüglich des bereits bezahlten Betrages in die Steuerrollen eingetragen.

Wird der Rekurs teilweise angenommen, so wird der aus dem Urteil hervorgehende Betrag (zuzüglich der Zinsen und Strafen und abzüglich des bereits bezahlten Betrages) eingetragen, wobei aber die Obergrenze bei einem Drittel der ursprünglichen Steuerforderung liegt.

Nach dem Urteil des Berufungsgerichts wird der gesamte geschuldete Betrag, der aus dem Urteil hervorgeht, zuzüglich der Zinsen und der von der Kommission festgelegten Strafen in die Steuerrollen **eingetragen.**

Wird der Rekurs des Steuerpflichtigen dagegen angenommen, so hat der Steuerpflichtige, zu dessen Gunsten das Urteil ergangen ist, Anspruch auf eine amtswegige Rückerstattung des bezahlten Betrages samt Zinsen und Strafen, und zwar innerhalb von 90 Tagen nach Zustellung des Urteils.

Wird der Rekurs des Steuerpflichtigen teilweise angenommen, so ist der zuviel bezahlte Betrag rückzuerstatten.

Die 90-Tages-Frist ist allerdings nur eine Ordnungsfrist, und die Steuerbehörde, die sich nicht daran hält, unterliegt keinen Sanktionen.

Angesichts der Schwierigkeiten, die in der Vergangenheit häufig mit der Vollstreckung von für den Steuerpflichtigen günstigen Urteilen verbunden waren,

---

[677] Art. 68.

mussten besondere Vorkehrungen zur Behebung dieser Problematik geschaffen werden.

pb) Die Vollstreckung der Urteile zugunsten der Steuerpflichtigen

pba) Die Vollstreckung[678]

Vollstreckungstitel zugunsten des Steuerpflichtigen stellten in der Vergangenheit nur **rechtskräftige Urteile** dar. In dieser Hinsicht war der Steuerpflichtige also gegenüber den Finanzbehörden schlechter gestellt. Die **2016** in Kraft getretene Reform hat aber Verbesserungen für den Steuerpflichtigen gebracht hat. Nunmehr ist nämlich **bereits das Urteil erster Instanz unmittelbar vollstreckbar**, soweit es die **Zahlung eines Geldbetrags** zugunsten des Steuerpflichtigen vorsieht oder Katasterangelegenheiten zum Gegenstand hat. Die Zahlung von Geldbeträgen über € 10.000 (die Prozessspesen werden dabei nicht berücksichtigt) kann in Abhängigkeit von der Zahlungsfähigkeit des Antragstellers an eine Garantieleistung gebunden werden. Zahlt die Finanzverwaltung nicht freiwillig, steht dem Steuerpflichtigen seit 2016 nur mehr ein Weg offen: das **verwaltungsrechtliche Vollstreckungsverfahren (giudizio di ottemperanza), nicht mehr hingegen die ordentliche Vollstreckung**.

pbb) Das verwaltungsrechtliche Vollstreckungsverfahren *(giudizio di ottemperanza)*[679]

Das verwaltungsrechtliche Vollstreckungsverfahren ist – wie erwähnt – seit 2016 das einzig mögliche Vollstreckungsverfahren. Das Verfahren wird **mit Rekurs** (in zweifachem Original) beim Steuergericht erster Instanz eingeleitet, wenn das rechtskräftige Urteil von dieser stammt – in allen anderen Fällen beim Berufungsgericht.

Der Rekurs, der an den Präsidenten des Steuergerichts zu richten ist, hat eine kurze Sachverhaltsdarstellung sowie einen Hinweis auf das Urteil zu enthalten, das beizulegen ist. Verfahrensvoraussetzung ist, dass die im Urteil angeführte Frist, innerhalb welcher die Finanzbehörde die Erfüllung vorzunehmen hat, abgelaufen ist. Fehlt eine solche Frist, so ist die **Finanzverwaltung** zuerst durch eine mittels Gerichtsvollzieher zugestellte Aufforderung in **Verzug zu setzen**, und erst nach **Ablauf von weiteren 30 Tagen** kann der **Rekurs** eingebracht werden. Der Inverzugsetzungsakt ist dem Rekurs beizulegen. Diese Fristsetzung soll der Verwaltung die Gelegenheit geben, doch noch aus eigenem ihren Verpflichtungen nachzukommen. Bleibt die Finanzbehörde dagegen innerhalb dieser Frist weiter untätig, so nimmt das Verfahren seinen Lauf. Das am Ende dieses Verfahrens ergangene Urteil

[678] Art. 69.
[679] Art. 70.

ist nur mehr vor dem Kassationsgerichtshof anfechtbar. Zur **Vornahme der Umsetzungsakte** kann das Steuergericht ein Mitglied aus seinen Reihen delegieren oder auch dafür einen **eigenen Kommissar** ernennen *(commissario ad acta)*. Diese unterschreiben dann den Zahlungsauftrag für die Rückerstattung der geschuldeten Beträge.

Stichwortverzeichnis